PARANOIA

JOSEPH FINDER

PARANOIA

POEMA
POCKET

Zevende druk
© 2003 Joseph Finder
All rights reserved
Published in agreement with the author, c/o BAROR INTERNATIONAL, INC.,
Armonk, New York, U.S.A.
© 2004, 2007 Nederlandse vertaling
Uitgeverij Luitingh ~ Sijthoff B.V., Amsterdam
Alle rechten voorbehouden
Oorspronkelijke titel: *Paranoia*
Vertaling: Hugo Kuipers
Omslagontwerp: Edd, Amsterdam
Omslagfotografie: Getty Images

ISBN 978 90 210 0015 2

www.boekenwereld.com & www.poemapocket.com

Voor Henry: broer en consigliere, en zoals altijd voor de twee meisjes in mijn leven: mijn vrouw Michele en mijn dochter Emma.

DEEL EEN

DE FIX

Fix: Een CIA-term uit de Koude Oorlog. Iemand die gechanteerd of in verlegenheid gebracht kan worden, opdat hij doet wat de CIA wil.
– *The Dictionary of Espionage*

1

Voordat het allemaal gebeurde, geloofde ik niet in het oude gezegde dat je moest uitkijken met je wensen omdat ze soms nog uitkwamen ook.

Nu geloof ik daar wel in.

Ik geloof nu in al die waarschuwende gezegden. Ik geloof dat hoogmoed voor de val komt. Ik geloof dat de appel niet ver van de boom valt, dat een ongeluk zelden alleen komt, dat het niet al goud is wat er blinkt, en ook dan geldt: al is de leugen nog zo snel, de waarheid achterhaalt hem wel. Noem maar op. Ik geloof erin.

Ik zou kunnen zeggen dat het allemaal met een edelmoedige daad is begonnen, maar dat zou niet helemaal juist zijn. Het was eerder een stompzinnige daad. Een kreet om hulp, zou je kunnen zeggen. Of misschien een opgestoken middelvinger. Hoe dan ook, het was verkeerd van me. Ik dacht half dat ik er goed van af zou komen, verwachtte half dat ik ontslagen zou worden. Ik moet zeggen: als ik terugkijk op de manier waarop het allemaal begonnen is, verbaast het me wat een arrogante lul ik was. Ik ga niet ontkennen dat ik mijn verdiende loon heb gekregen. Het was alleen niet wat ik had verwacht – maar wie zou zoiets ooit verwachten?

Ik heb alleen maar een paar telefoongesprekken gevoerd. Ik deed alsof ik het hoofd Bedrijfsevenementen was en belde naar het dure cateringbedrijf dat alle feesten van Wyatt Telecom verzorgde. Ik zei dat ze het precies zo moesten doen als een week eerder bij het feest van de Topverkoper van het Jaar. (Ik had natuurlijk geen idee hoe overdadig dat was geweest.) Ik gaf hun de juiste betalingsnummers en liet het geld van tevoren overboeken. Het ging allemaal verrassend makkelijk.

De eigenaar van Meals of Splendor zei dat hij nog nooit een feest op de expeditie van een onderneming had georganiseerd en dat het een 'decoruitdaging' vormde, maar ik wist dat hij een vette cheque van

Wyatt Telecom niet zou laten liggen.

Op de een of andere manier geloof ik ook niet dat Meals of Splendor ooit eerder een pensioneringsfeest voor een expeditiemedewerker had georganiseerd.

Volgens mij was Wyatt vooral daar zo kwaad om. Het was in strijd met de natuurlijke orde dat hij had betaald voor Jonesies pensioneringsfeest – iemand die op de expeditie werkte, jezus nog aan toe! Als ik het geld had gebruikt als aanbetaling voor een Ferrari 360 Modena convertible, zou Nicholas Wyatt het misschien bijna hebben begrepen. Mijn hebzucht zou in zijn ogen een teken van menselijkheid zijn geweest, net als een zwak voor drank, of voor 'wijven', zoals hij vrouwen noemde.

Zou ik het ook hebben gedaan als ik had geweten hoe het allemaal zou aflopen? Welnee.

Toch moet ik zeggen dat het erg cool was. Ik wist dat Jonesies feest werd betaald uit een fonds dat opzij was gelegd voor, onder andere, een 'externe werkplek' van de grote baas en zijn mededirecteuren in het vakantieoord Guanahani op het eiland St. Barthélemy.

Ik vond het ook prachtig om te zien hoe de jongens van de expeditie eindelijk eens konden proeven aan het goede leven dat de directie leidde. De meeste jongens en hun vrouwen, die bij een knalfuif eerder dachten aan het Garnalenfeest in de Red Lobster of Ribbetjes op de Barbie bij het Outback Steakhouse, wisten niet wat ze van al dat vreemde voedsel moesten denken. Het varieerde van Osetra-kaviaar tot kalfszadel Provençal, maar ze verslonden de biefstuk van de haas *en croûte*, het ribstuk van het lam, de geroosterde kreeft met ravioli. De ijssculpturen waren een groot succes. De Dom Perignon vloeide rijkelijk, zij het niet zo rijkelijk als het Budweiser-bier. (Dat had ik ook wel verwacht, want ik hing op vrijdagmiddag vaak op de expeditie rond; ik zat daar dan te roken en iemand, meestal Jonesie of Jimmy Connolly, de expeditiebaas, haalde een koelbox met bier om het eind van weer een week te vieren.)

Jonesie, een oude kerel met zo'n verweerd, vermoeid gezicht dat meteen de sympathie van mensen wekt, straalde de hele avond. Esther, de vrouw met wie hij al tweeënveertig jaar getrouwd was, was eerst wat terughoudend, maar bleek toen verbazend goed te kunnen dansen. Ik had een steengoede Jamaicaanse reggae-groep ingehuurd, en iedereen deed mee, zelfs jongens van wie je nooit zou hebben gedacht dat ze zouden dansen.

Dat was natuurlijk na de instorting van de hightechsector. Ondernemingen ontsloegen mensen en voerden een 'soberheidsbeleid' in. Dat
laatste betekende dat je zelf voor je vieze koffie moest betalen en geen
gratis cola meer kreeg in de pauzekamer, en meer van dat soort dingen. Het was de bedoeling dat Jonesie op een vrijdag gewoon stopte
met werken, een paar uur op Personeelszaken doorbracht om formu-
lieren te tekenen en dan naar huis ging voor de rest van zijn leven –
zonder feest, zonder wat dan ook. Intussen waren de directieleden van
Wyatt Telecom van plan om met hun Learjets naar St. Bart te vliegen,
hun vrouwen of vriendinnen te naaien in hun privévilla's, kokosnoot-
olie op hun liefdesgereedschap te smeren en het soberheidsbeleid van
de onderneming te bespreken bij een obsceen buffetontbijt van pa-
paya's en kolibrietongetjes. Jonesie en zijn vrienden vroegen zich nauwelijks af wie voor alles betaalde, maar ik beleefde er een heimelijk genoegen aan.

Tot ongeveer halftwee 's nachts, toen het geluid van elektrische gi-
taren en de kreten van een paar van de jongere jongens, die straalbezopen waren, de aandacht trokken van een bewaker, een tamelijke nieuwe man (het loon is belabberd, het verloop ongelooflijk groot) die
niemand van ons kende en ook niet geneigd was iemand te matsen.

Het was een pafferige man met een rood soort varkensgezicht, amper dertig. Hij pakte zijn walkie-talkie alsof het een revolver was en zei:
'Wat krijgen we nou?'

En er kwam een eind aan het leven dat ik tot dan toe had geleid.

2

Toen ik zoals gewoonlijk te laat op mijn werk kwam, wachtte er
voicemail op mij.

Ik was zelfs nog later dan op andere dagen. Ik voelde me misselijk,
mijn hoofd bonkte en mijn hart sloeg te snel van de gigantische kop
goedkope koffie die ik in de metro naar binnen had geslobberd. Er trok
een golf van zuur door mijn maag. Ik had erover gedacht me ziek te
melden, maar dat kleine stemmetje van het verstand in mijn hoofd zei
dat het na de gebeurtenissen van de vorige avond beter was als ik naar
mijn werk ging en de consequenties aanvaardde.

Ik verwachtte namelijk dat ik ontslagen zou worden – ik verheugde me daar bijna op, zoals je bang bent wanneer de tandarts in een pijnlijke kies gaat boren en je je daar tegelijk op verheugt. Toen ik uit de lift kwam en de halve kilometer langs al die kamertjes en hokjes naar mijn werkplek liep, zag ik mensen als nieuwsgierige prairiehonden naar me opkijken. Ik was een beroemdheid; het nieuws was bekend geworden. Reken maar dat de e-mailtjes door het gebouw vlogen.

Ik had bloeddoorlopen ogen, mijn haar was een warboel, kortom, ik zag eruit als een wandelend reclamespotje tegen drankmisbruik.

Op het LCD-schermpje van mijn IP-telefoon stond: 'U hebt elf voicemails.' Ik zette de speaker aan en riep ze op. Alleen al het aanhoren van die boodschappen, enthousiast en ernstig en vleiend, verhoogde de druk op mijn oogballen. Ik haalde het Advil-buisje uit de onderste bureaula en slikte er twee zonder water door. Daarmee kwam het totale aantal Advils van die ochtend op zes, en dat was meer dan het aanbevolen maximum. Maar wat kon mij nou nog gebeuren? Dat ik doodging aan een overdosis *ibuprofen* voordat ik de zak kreeg?

Ik was junior productlijnmanager voor routers op onze afdeling Ondernemingen. Je wilt niet horen waar ik mee bezig was, daar is het te geestdodend saai voor. De hele dag hoorde ik kreten als 'circuit-emulatie voor dynamische bandbreedte' en 'geïntegreerde toegangsdevice' en 'ATM-backbones' en 'protocol voor IP-beveiligingstunneling', en ik zweer je dat ik nog niet voor de helft wist wat die shit betekende.

Er was een boodschap van iemand van Verkoop, een zekere Griffin, die me 'grote jongen' noemde. Hij pochte dat hij net enkele tientallen van mijn routers had verkocht door de klant te verzekeren dat ze een bepaalde eigenschap hadden – extra multicast-protocollen voor live video *streaming* – waarvan hij verdomd goed wist dat ze ze niet hadden. Maar het zou niet gek zijn als die eigenschap aan het product werd toegevoegd, bijvoorbeeld in de komende twee weken, voordat het product werd verzonden. Ja, droom maar lekker door, jongen.

Vijf minuten later was er een follow-up-telefoontje van Griffins manager geweest, om 'even te informeren naar de voortgang van het werk aan het multicastprotocol waarvan we hoorden dat je ermee bezig was', alsof ik het technische werk zelf deed.

En dan was er de norse, gewichtige stem van een zekere Arnold Meacham, die zei dat hij de directeur Beveiliging was en die me verzocht om 'even langs te komen' zodra ik was gearriveerd.

Ik had geen idee wie Arnold Meacham was, afgezien van zijn titel.

Ik had zijn naam nooit eerder gehoord. Ik wist niet eens waar Beveiliging zat.

Het is gek: toen ik die boodschap hoorde, bonkte mijn hart niet, zoals je zou verwachten. Het ging zelfs langzamer slaan, alsof mijn lichaam wist dat het uit was. Er was duidelijk iets Zen-achtigs aan de gang, de innerlijke sereniteit van het besef dat je er toch niets meer aan kunt doen. Ik genoot bijna van dat moment.

Een paar minuten staarde ik naar de wanden van mijn hokje, naar de bobbelige antracietgrijze Avora-wandbekleding die op de kamerbrede vloerbedekking in mijn vaders flat leek. Ik hield de paneelwanden vrij van elk teken van menselijke bewoning – geen foto's van vrouw en kinderen (makkelijk, want die had ik niet), geen Dilbert-cartoons, niets bijdehands of ironisch waaruit bleek dat ik daar onder protest zat, want dat stadium was ik allang voorbij. Ik had één boekenplank met een handboek van routingprotocollen en vier dikke zwarte mappen met de 'eigenschappenbibliotheek' voor de MG-50K router. Ik zou dit hokje niet missen.

Trouwens, het was ook weer niet zo dat ik werd gefusilleerd; ik wás al gefusilleerd, dacht ik. Nu was het alleen nog maar een kwestie van het lijk begraven en het bloed opdweilen. Ik herinnerde me dat ik in mijn studietijd een keer over de Franse guillotine had gelezen. Een beul, die arts was, had een keer een gruwelijk experiment gedaan (je moet toch wat). Als het hoofd was afgehakt, zag hij de ogen en lippen nog enkele seconden trillen, totdat de oogleden dichtgingen en alles ophield. Toen riep hij de naam van de dode, en de ogen van het onthoofde hoofd gingen open en keken de beul recht aan. Na nog een paar seconden gingen de ogen dicht, en toen riep de arts de naam van de man opnieuw, en toen gingen de ogen weer open. Leuk. Het hoofd reageerde dus nog dertig seconden nadat het van het lichaam was gescheiden. Zo voelde ik me nu ook. Het mes van de guillotine was al gevallen, en ze riepen mijn naam.

Ik pakte de telefoon en belde naar Arnold Meachams kantoor. Ik zei tegen zijn assistente dat ik op weg was en vroeg hoe ik daar kon komen.

Omdat ik een droge keel had, ging ik even naar de pauzekamer voor wat frisdrank die vroeger gratis was maar nu vijftig cent kostte. De pauzekamer was helemaal in het midden van de verdieping, bij de liften, en toen ik in een soort van trance door de gang liep, kregen nog een paar collega's me in de gaten en wendden ze zich vlug van me af.

Ik keek naar de beslagen vitrinekast met frisdrank en koos deze keer niet voor mijn gebruikelijke Pepsi light – ik had op dit moment echt geen behoefte aan nog meer cafeïne – maar haalde een Sprite te voorschijn. Uit balorigheid deed ik geen geld in het potje. Ik zou ze leren! Ik trok het blikje open en liep naar de lift.

Ik had de pest aan mijn baan, echt gruwelijk de pest, dus het verlies daarvan was niet het ergste dat me kon overkomen. Aan de andere kant had ik nou ook niet bepaald een groot vermogen achter de hand; ik had het geld echt nodig. Daar draaide het allemaal om, nietwaar? Ik was hier vooral gaan werken om de medische kosten van mijn vader te helpen betalen – mijn vader die me een mislukkeling vond. In Manhattan verdiende ik als barkeeper half zoveel geld, maar had ik een veel beter leven. Manhattan! Hier woonde ik in een gore benedenwoning in Pearl Street, waar het altijd naar uitlaatgassen stonk en waar de ruiten rammelden als de vrachtwagens om vijf uur 's morgens ronkend tot leven kwamen. Zeker, ik kon een paar avonden per week met vrienden uitgaan, maar dat had meestal tot gevolg dat ik in het rood stond, een week of zo voordat op de vijftiende van de maand mijn salarischeque wonder boven wonder arriveerde.

Niet dat ik me uit de naad werkte. Ik freewheelde. Ik werkte het minimale aantal uren, kwam laat op kantoor en ging vroeg weer weg, maar ik kreeg mijn werk gedaan. Mijn prestatiebeoordelingscijfers waren niet zo goed – ik was een 'kernpresteerder', een middenmoter, één stapje hoger dan een 'laagste presteerder': dan kun je meteen je biezen pakken.

Ik stapte in de lift, keek naar wat ik aanhad – zwarte spijkerbroek, grijs poloshirt, sportschoenen – en wou dat ik een das had omgedaan.

3

Als je voor een grote onderneming werkt, weet je nooit wat je moet geloven. Er is nooit gebrek aan gespierde macho-taal. Ze hebben het altijd over 'de concurrentie de grond in boren', een 'staak door hun hart drijven'. Ze hebben het over 'doden of gedood worden', 'eten of gegeten worden', 'hun lunch opvreten', 'je eigen hondenvoer opvreten' en 'je eigen kinderen opvreten'.

Je bent software engineer of productmanager of verkoopmedewerker, maar na een tijdje krijg je het gevoel dat je bij zo'n inheemse stam in Papoea Nieuw-Guinea verzeild bent geraakt, je weel wel, die types met zwijnenslagtanden door hun neus en kalebassen om hun pik. Als je een schunnige, politiek incorrecte grap naar je maatje op IT mailt, en hij CC't het naar iemand die een paar hokjes verder zit, dan kan het gebeuren dat je een week lang in een zweterige vergaderkamer van Personeelszaken komt te zitten voor een cursus Diversity Training. Als je paperclips pikt, krijg je een mep met de splinterige liniaal van het leven.

Nu had ik natuurlijk wel wat ergers gedaan dan een greep in de kast met kantoormaterialen.

Ze lieten me een halfuur, drie kwartier in een zijkamertje wachten, maar het leek veel langer. Er was niets te lezen – alleen *Bewaking & Beveiliging*, dat soort bladen. De receptioniste droeg haar asblonde haar als een helm en had gele rokerswallen onder haar ogen. Ze nam de telefoon op, tikte op een toetsenbord en wierp van tijd tot tijd een heimelijke blik in mijn richting, zoals je een glimp probeert op te vangen van een gruwelijk verkeersongeluk terwijl je tegelijk op de weg blijft letten.

Ik zat daar zo lang dat ik mijn zelfvertrouwen begon te verliezen. Dat was misschien ook de bedoeling. Die maandelijkse salarischeque leek me zo langzamerhand erg welkom. Misschien moest ik me niet al te provocerend opstellen. Misschien moest ik in het stof bijten. Misschien was het daar al veel te laat voor.

Arnold Meacham stond niet op toen de receptioniste me binnenbracht. Hij zat achter een kolossaal zwart bureau dat eruitzag alsof het van glanzend graniet was. Hij was een jaar of veertig, breed maar niet vet, een postuur als van de cartoonfiguur Gumby, met een langwerpig hoekig hoofd, een lange smalle neus, geen lippen. Grijzend bruin haar met grote inhammen. Hij droeg een blauwe blazer en een blauw gestreepte das, als de voorzitter van een zeilclub. Hij keek me niet al te vriendelijk aan door een grote stalen pilotenbril. Je kon zien dat hij verstoken was van elk gevoel voor humor. In een stoel rechts van zijn bureau zat een vrouw die een paar jaar ouder was dan ik en die blijkbaar aantekeningen maakte. Zijn kamer was groot en Spartaans ingericht, met veel ingelijste diploma's aan de muren. Een halfopen deur aan de achterkant leidde naar een donkere vergaderkamer.

'Dus jij bent Adam Cassidy,' zei hij. Hij had een precieze, stijve manier van spreken. 'Leuk feestje gehad?' Hij drukte zijn lippen op elkaar voor een grijns.

O, god. Dit ging helemaal niet goed. 'Wat kan ik voor u doen?' zei ik. Ik probeerde verbaasd en bezorgd te kijken.

'Wat je voor me kunt dóén? Als je nou eerst eens de waarheid sprak? Dát kun je voor me doen.' Hij had een vaag zuidelijk accent.

Meestal vinden mensen me aardig. Ik ben er vrij goed in om mensen voor me in te nemen – de woedende wiskundeleraar, de zakelijke klant die al zes weken op zijn bestelling wacht, noem maar op. Maar ik zag meteen dat dit geen moment voor een charme-offensief was. De kans dat ik mijn rotbaantje kon redden werd met de seconde kleiner.

'Goed,' zei ik. 'De waarheid waarover?'

Hij snoof vergenoegd. 'Nou, bijvoorbeeld het evenement van gisteravond.'

Ik dacht even na. 'U bedoelt het pensioneringsfeestje?' zei ik. Ik wist niet hoeveel ze wisten, want ik was nogal voorzichtig geweest met het financiële spoor dat ik achterliet. Ik moest op mijn woorden letten. De vrouw met het notitieboek, een tengere vrouw met rood kroeshaar en grote groene ogen, zat er waarschijnlijk als getuige bij. 'Dat was een dringend nodige morele oppepper,' voegde ik eraan toe. 'Gelooft u me, zoiets doet wonderen voor de productiviteit van een afdeling.'

Hij trok de hoeken van zijn liploze mond op. '"Een morele oppepper." Je vingerafdrukken zitten overal op de financiering van die "morele oppepper".'

'Financiering?'

'Zeik niet, man.'

'Ik begrijp het niet helemaal.'

'Denk je dat ik achterlijk ben?' Ondanks twee meter nepgraniet tussen hem en mij voelde ik nog druppeltjes speeksel van hem.

'Ik denk... Nee.' Er speelde een vage glimlach om mijn mondhoeken. Ik kon het niet helpen; ik was trots op mijn werk. Grote fout.

Meachams deegachtige gezicht liep rood aan. 'Je vindt het grappig om in beschermde databases van ons bedrijf te hacken en daar vertrouwelijke betalingsnummers uit te halen? Je ziet daar een lolletje in, een slimmigheidje? Het télt niet?'

'Nee...'

'Leugenachtige zak stront, lúl, het is net zoiets als tasjes van oude dametjes stelen in de metro!'

Ik probeerde deemoedig te kijken, maar ik zag al waar dit gesprek heen ging en het leek me zinloos.

'Jij hebt verdomme *achtenzeventigduizend dollar* van dit bedrijf gestolen om een feest voor je makkers op de expeditie te geven?'

Ik slikte. Shit. Achtenzeventigduizend dollar? Ik wist dat het prijzig was, maar ik had geen idee hoe duur.

'Zit die kerel ook in het complot?'

'Wie bedoelt u? Ik denk dat u zich misschien vergist in...'

'"Jonesie"? Die ouwe kerel, de naam die op de taart stond?'

'Jonesie had er niets mee te maken,' zei ik meteen.

Meacham leunde achterover. Hij keek triomfantelijk, want hij leek me beet te hebben.

'Als u me wilt ontslaan, moet u dat maar doen, maar Jonesie was volslagen onschuldig.'

'Je ontslaan?' Meacham keek alsof ik iets in het Servo-Kroatisch had gezegd. 'Denk je dat ik je wil ontsláán? Je bent een pientere jongen, je bent goed met computers en wiskunde. Je kunt goed rekenen, hè? Dus misschien kun je de volgende getallen bij elkaar optellen. Voor verduistering krijg je vijf jaar gevangenisstraf en een boete van tweehonderdvijftigduizend dollar. Postfraude komt je op nog eens vijf jaar gevangenis te staan, maar wacht – als de fraude ten koste gaat van een financiële instelling – en geluksvogel die je bent, je hebt onze bank én de ontvangende bank opgelicht, het was echt je geluksdag, rottig klootzakje – komt dat je op dertig jaar gevangenisstraf en een boete van een miljoen te staan. Kun je me nog volgen? Wat is de stand nu? Vijfendertig jaar in de bak. En dan hebben we het nog niet eens over vervalsing en computerfraude, informatie uit een beschermde computer halen om gegevens te stelen: dat is ook nog eens goed voor één tot twintig jaar gevangenisstraf, en nog meer boetes. Hoeveel maakt dat, veertig, vijftig, vijfenvijftig jaar gevangenisstraf? Je bent nu zesentwintig, dus je bent, eens kijken, eenentachtig als je vrijkomt.'

Ik zweette nu dwars door mijn poloshirt heen en voelde me koud en klam. Mijn benen trilden. 'Maar,' begon ik met schorre stem, en toen schraapte ik mijn keel. 'Achtenzeventigduizend dollar is wisselgeld in een onderneming van dertig miljard.'

'Ik stel voor dat je je bek houdt,' zei Meacham rustig. 'We hebben met onze advocaten gepraat, en die hebben er alle vertrouwen in dat ze je veroordeeld kunnen krijgen voor verduistering. Verder verkeerde je in een positie om nog meer aan te richten, en we denken dat dit maar één onderdeel was van een langdurige operatie om Wyatt Telecommunications te bestelen, een patroon van geldopnames en overboekingen. Dit is nog maar het topje van de ijsberg.' Voor het eerst wendde hij zich tot de onopvallende vrouw die aantekeningen maakte. 'Het nu volgende hoeft niet te worden genotuleerd.' Hij keek mij weer aan. 'De officier van justitie is een vroegere studievriend van onze huisadvocaat, en hij heeft ons verzekerd dat hij gehakt van je gaat maken. En misschien is het je ontgaan, maar het openbaar ministerie voert momenteel een campagne tegen witteboordencriminaliteit, en ze zijn op zoek naar iemand die ze openlijk kunnen aanpakken. Ze willen een voorbeeld stellen, Cassidy.'

Ik keek hem aan. Mijn hoofdpijn was terug. Er liep een straaltje zweet van mijn oksel naar mijn middel.

'We hebben de politie ook aan onze kant staan. Om het simpel te zeggen: we hebben je bij de ballen. Het gaat er nu alleen nog om hoe hard we daarin gaan knijpen, hoeveel schade we willen aanrichten. En denk maar niet dat je naar een luxe gevangenis gaat. Zo'n knappe jonge vent als jij duwen ze in de Marion-gevangenis direct de brits op. Je komt er als een tandeloze oude man uit. En voor het geval je niet op de hoogte bent van ons rechtsstelsel: als je voor een federaal delict bent veroordeeld, maak je geen kans op vervroegde vrijlating. Vandaag is je leven totaal veranderd. Je kunt het wel schudden, jongen.' Hij keek de vrouw met het notitieboek aan. 'Je kunt nu weer notuleren. Nou, Cassidy, laten we eens horen wat je te zeggen hebt. Ik hoop voor jou dat je met iets goeds komt.'

Ik slikte, maar er kwam geen speeksel meer. Ik zag witte flitsen langs de rand van mijn gezichtsveld. Hij was doodserieus.

In mijn school- en studententijd was ik vrij vaak aangehouden wegens te hard rijden, en ik had toen de reputatie dat ik me goed onder een bekeuring uit kon praten. Het gaat erom dat je politieagenten laat voelen hoe moeilijk je het hebt. Het is psychologische oorlogvoering. Daarom dragen ze gespiegelde zonnebrillen, dan kun je niet in hun ogen kijken terwijl je je zaak bepleit. Ze zijn ook maar mensen, zelfs die smerissen. Ik had altijd een paar handboeken over recht en wet op de voorbank liggen en zei tegen hen dat ik voor politieagent studeerde en hoopte dat die bekeuring mijn kansen niet zou bederven. Of ik liet hun een medicijnflesje zien en zei dat ik haast had omdat mijn moeder epilepsie had en ik zo gauw mogelijk medicijnen voor haar moest halen. Ik heb toen wel geleerd dat als je aan zoiets begint je geen halve maatregelen moet nemen; je moet je hele ziel en zaligheid erin leggen.

Het ging nu niet meer om het redden van mijn baan. Ik moest steeds weer aan die brits in de Marion-gevangenis denken. Ik was doodsbang.

Daarom ben ik niet trots op wat me te doen stond, maar weet je, ik had geen keus. Als ik niet alle registers opentrok en die beveiligings-klootzak niet mijn allerbeste verhaal opdiste, werd ik iemands gevan-genisliefje.

Ik haalde diep adem. 'Goed,' zei ik. 'Ik zal open kaart met u spelen.'

'Dat werd tijd.'

'Het zit zo. Jonesie... Nou, Jonesie heeft kanker.'

Meacham grijnsde en leunde in zijn stoel achterover. Kom maar op met je verhaaltje.

Ik zuchtte en beet op het binnenste van mijn wang alsof ik iets ver-telde wat ik eigenlijk niet wilde vertellen. 'Kanker aan de alvleesklier. Niet te opereren.'

Meacham keek me met een ijzig gezicht aan.

'Drie weken geleden hebben ze hem de diagnose verteld. Ze kunnen niets meer voor hem doen – hij gaat dood. En Jonesie, weet u – nou, u kent hem niet, maar hij houdt zich altijd goed. Hij zei tegen de on-coloog: "U bedoelt dat ik niet meer hoef te flossen?" Ik keek hem met een triest glimlachje aan. 'Typisch Jonesie.'

De vrouw was diep getroffen en hield even op met aantekeningen maken. Toen ging ze weer verder.

Meacham likte over zijn lippen. Drong ik tot hem door? Ik kon het niet goed nagaan. Ik moest het nog wat opvoeren. Ik moest tot het ui-terste gaan.

'U zou dat helemaal niet hoeven te weten,' ging ik verder. 'Ik bedoel, Jonesie is hier niet bepaald belangrijk. Hij is geen directielid of zo, maar gewoon iemand van de expeditie. Maar hij is belangrijk voor mij, want...' Ik deed mijn ogen even dicht en haalde diep adem. 'Weet u... Ik heb dit nooit aan iemand willen vertellen, het was ons geheim, maar Jonesie is mijn vader.'

Meachams stoel kwam langzaam naar voren. Hij luisterde nu aan-dachtig.

'We hebben verschillende achternamen, want mijn moeder veran-derde mijn naam in de hare toen ze twintig jaar geleden bij hem van-daan ging en mij meenam. Ik was een kind, ik wist niet beter. Maar pa, hij...' Ik beet op mijn onderlip. Ik had nu tranen in mijn ogen. 'Hij bleef ons ondersteunen, had twee en soms drie banen. Vroeg nooit om iets. Ma wilde hem helemaal niet meer zien, maar met Kerstmis...' Ik ademde scherp in, alsof ik hikte. 'Pa kwam met Kerstmis altijd naar ons huis. Soms stond hij een uur in de vrieskou aan te bellen voordat ma hem binnenliet. Hij had altijd een cadeau voor me, een groot duur ding dat hij zich eigenlijk niet kon veroorloven. Later, toen ma zei dat ze me niet kon laten studeren, niet met wat ze als verpleegster verdiende, stuurde pa geld. Hij... Hij zei dat hij mij het leven wilde geven dat hij zelf nooit had gehad. Ma had nooit respect voor hem, en ze had me min of meer tegen hem opgezet, weet u. Daarom heb ik de man nooit bedankt. Ik nodigde hem niet eens uit toen ik mijn diploma kreeg, want ik wist dat ma zich niet op haar gemak zou voelen als hij er ook was. Maar hij kwam toch, ik zag hem ergens op de achtergrond, in een of ander lelijk oud pak. Ik had hem nooit eerder een pak of een das zien dragen, hij moet het van het Leger des Heils hebben gehaald, want hij wilde me zo graag zien afstuderen en hij wilde niet dat ik me voor hem schaamde.'

Meachams ogen leken zowaar vochtig te worden. De vrouw maakte geen aantekeningen meer en staarde me alleen maar aan. Nu en dan knipperde ze een traan weg.

Ik was goed op dreef. Meacham verdiende het beste dat ik kon verzinnen, en dat kreeg hij ook. 'Toen ik hier bij Wyatt kwam werken, wist ik niet dat mijn pa op de expeditie werkte. Die schok kwam hard aan. Mijn moeder was een paar jaar geleden gestorven, en opeens kreeg ik een goed contact met mijn vader, die aardige geweldige man die nooit iets van me had gevraagd, die nooit iets had verlangd, die zich een ongeluk had gewerkt om een ondankbare rotzak van een zoon te ondersteunen die hij nooit te zien kreeg. Het is het lot, weet u. En toen hij hoorde dat hij ongeneeslijke kanker aan de alvleesklier had, en erover praatte dat hij zich van kant wilde maken voordat de kanker hem te pakken kreeg, ik bedoel...'

De vrouw die aantekeningen maakte, pakte een papieren zakdoekje en snoot haar neus. Ze keek Arnold Meacham nu woedend aan. Meacham huiverde.

Ik ging fluisterend verder: 'Ik moest hem gewoon laten zien hoeveel hij voor me betekende – wat hij voor ons allemaal betekende. Zoals in die televisieprogramma's waarin je iemands grootste wens in vervulling kunt laten gaan. Ik zei tegen hem... Ik zei tegen hem dat ik geld had gewonnen op de paardenrenbaan, want ik wilde niet dat hij iets wist of zich ergens zorgen over maakte, ik bedoel, natuurlijk was het verkeerd wat ik deed, helemaal verkeerd. Het was verkeerd in wel honderd opzichten, dat zal ik niet ontkennen. Maar misschien was het in één klein opzicht ook goed.' De vrouw pakte weer een papieren zakdoekje en keek Meacham aan alsof hij het schuim der aarde was. Meacham had zijn ogen neergeslagen. Hij had nog steeds een rood gezicht en kon me niet aankijken. Ik was zelf ook ontroerd.

Toen hoorde ik in het donkere achterste eind van de kamer een deur opengaan. Ik hoorde ook iets wat als applaus klonk. Een traag maar luid applaus.

Het was Nicholas Wyatt, de oprichter en president-directeur van Wyatt Telecommunications. Hij kwam al klappend en met een brede grijns naar me toe. 'Een briljant optreden,' zei hij. 'Absoluut briljant.'

Ik keek geschrokken op en schudde toen bedroefd met mijn hoofd. Wyatt was een lange man, een meter vijfennegentig, en hij had de bouw van een worstelaar. Toen hij dichterbij kwam, werd hij maar groter en groter, totdat hij amper een meter van me af stond en meer dan levensgroot leek. Wyatt stond erom bekend dat hij zich goed kleedde, en inderdaad droeg hij een Armani-achtig grijs pak met een subtiel krijtstreepje. Hij wás niet alleen machtig, hij zag er ook zo uit.

'Meneer Cassidy, laat me u een vraag stellen.'

Ik wist niet wat ik moest doen, dus stond ik op en stak hem mijn hand toe.

Wyatt schudde mijn hand niet. 'Wat is Jonesies voornaam?'

Ik aarzelde net even te lang. 'Al,' zei ik ten slotte.

'Al? Een afkorting van... waarvan?'

'Al... Alan,' zei ik. 'Albert. Shit.'

Meacham staarde me aan.

'Details, Cassidy,' zei Wyatt. 'Die verpesten het steeds weer. Maar ik moet zeggen dat je me hebt ontroerd – echt waar. Dat van dat pak van het Leger des Heils heeft me diep getroffen. Hier.' Hij klopte met zijn vuist op zijn borst. 'Buitengewoon.'

Ik grijnsde schaapachtig en voelde me echt een idioot. 'Meneer hier zei dat ik met iets goeds moest komen.'

Wyatt glimlachte. 'Je bent een erg begaafde jongeman, Cassidy. Een regelrechte Sheherezade. En ik denk dat we eens met elkaar moeten praten.'

4

Nicholas Wyatt was een kerel om bang van te worden. Ik had hem nooit eerder ontmoet, maar ik had hem op tv gezien, op CNBC, en op de website van het bedrijf, de videoboodschappen die hij had opgenomen. Ik had zelfs een paar keer een glimp van hem opgevangen in de drie jaar dat ik in zijn onderneming werkte. Van dichtbij kwam hij nog intimiderender over. Hij had een gebruinde huid en schoenpoetszwart haar, waar gel in zat en dat achterover was gekamd. Zijn tanden waren volmaakt regelmatig en Las Vegas-wit.

Hij was zesenvijftig maar leek dat niet, voor zover je een idee hebt van hoe iemand van zesenvijftig eruit zou moeten zien. Hoe dan ook, hij leek zeker niet op mijn vader van zesenvijftig, een dikke, kalende oude man die zogenaamd in de kracht van zijn jaren was. Dat was een andere zesenvijftig.

Ik had geen idee waarom hij hier was. Waar kon de president-directeur van de onderneming me mee bedreigen dat Meacham nog niet op me had afgevuurd? De dood door duizend snijdende papierrandjes? Levend opgevreten worden door een wild zwijn?

Heel even fantaseerde ik dat hij me zou gelukwensen met de geweldige stunt die ik had uitgehaald, dat hij me zou complimenteren met mijn lef, mijn vindingrijkheid. Maar die zielige kleine dagdroom verschrompelde even snel als hij in mijn wanhopige geest was opgekomen. Nicholas Wyatt was geen basketballende priester. Hij was een wraakzuchtige rotzak.

Ik had verhalen over hem gehoord. Ik wist dat je, als je ook maar een beetje verstand had, hem beter uit de weg kon gaan. Je hield je hoofd gebogen en probeerde niet zijn aandacht te trekken. Hij stond bekend om zijn woedeaanvallen, zijn driftbuien en tirades. Hij stond er ook om bekend dat hij mensen op staande voet ontsloeg. Dan liet hij de beveiligingsdienst hun bureau leegruimen en hen het gebouw uit escorteren. Op zijn directievergaderingen koos hij altijd iemand uit die hij steeds weer vernederde. Wee je gebeente als je hem slecht nieuws te vertellen had en een seconde van zijn tijd verspilde. Als je de pech had dat je een PowerPoint-presentatie voor hem moest houden, repeteerde en repeteerde je die tot hij perfect was. Maar zat er ook maar één foutje in je presentatie, dan onderbrak hij je door te schreeuwen: 'Dit is toch niet te gelóven!'

Ze zeiden dat hij in de loop van de jaren wat milder was geworden, maar hoe erg was het vroeger dan? Hij was verschrikkelijk competitief ingesteld, deed aan gewichtheffen en triatlon. Collega's die in de fitnessruimte van de onderneming trainden, zeiden dat hij de sterksten van hen altijd uitdaagde voor een opdrukwedstrijdje. Hij verloor nooit, en als de andere kerel het opgaf, zei hij spottend: 'Moet ik nog even doorgaan?' Ze zeiden dat hij het lichaam van Arnold Schwarzenegger had, als een bruin condoom propvol walnoten.

Hij wilde niet alleen altijd winnen, maar was pas tevreden als hij de verliezer belachelijk had gemaakt. Op een kerstfeest voor de hele onderneming schreef hij eens de naam van zijn grootste concurrent, Trion Systems, op een wijnfles en gooide die vervolgens tegen de muur aan scherven, toegejuicht door de dronken menigte.

Hij leidde een toko met een hoog testosterongehalte. Zijn voornaamste medewerkers kleedden zich allemaal als hij, dus in pakken van zevenduizend dollar van Armani of Prada of Brioni of Kiton of andere ontwerpers waar ik zelfs nooit van had gehoord. En ze accepteerden die shit van hem, omdat ze er walgelijk goed voor werden betaald. Er bestond een bekende grap over hem: Wat is het verschil tussen God en Nicholas Wyatt? God denkt niet dat hij Nicholas Wyatt is.

Nick Wyatt sliep drie uur per nacht en at alleen energierepen. Hij was een kernreactor van nerveuze energie en zweette overdadig. Ze noemden hem 'De verdelger'. Hij leidde zijn bedrijf door mensen angst aan te jagen en zag in zijn vernederingen zelfs de subtielste beledigingen niet over het hoofd. Toen een ex-vriend van hem ontslagen werd als president-directeur van een grote technische onderneming, stuurde hij een krans van zwarte rozen – zijn assistentes wisten altijd waar je zwarte rozen kon krijgen. Het citaat waar hij om bekendstaat, het citaat dat hij zo vaak heeft herhaald dat het in graniet gehouwen boven de ingang zou moeten staan en als verplichte screensaver in ieders computer zou moeten zitten, was: 'Natuurlijk ben ik paranoïde. Ik wil dat iedereen die voor me werkt paranoïde is. Succes vereist paranoia.'

Ik volgde Wyatt door de gang van Beveiliging naar zijn directiesuite, en het kostte me moeite om hem bij te houden, zo hard liep hij. Ik moest bijna rennen. Achter mij volgde Meacham, die met een zwarte leren map zwaaide alsof het een stok was. Toen we de directievertrekken naderden, gingen de wanden van wit gips over in mahoniehout.

De vloerbedekking werd zacht en hoogpolig. We waren in zijn kantoor, zijn heiligdom.

Zijn twee secretaresses keken stralend naar hem op toen we in optocht voorbijkwamen. Een blonde en een zwarte. Hij zei 'Linda, Yvette' alsof hij ze een onderschrift gaf. Ik vond het niet verrassend dat ze er allebei als fotomodellen uitzagen – alles was hier het beste van het beste, net als de wanden en de vloerbedekking en het meubilair. Ik vroeg me af of er ook niet-administratieve activiteiten onder hun taakomschrijving vielen, zoals pijpen. Daar gingen wel geruchten over.

Wyatt had een immens kantoor. Er zou daar een compleet Bosnisch dorp kunnen wonen. Twee van de wanden waren van glas, van vloer tot plafond, en het uitzicht op de stad was ongelooflijk. De andere wanden waren van duur donker hout, bedekt met ingelijste dingen, tijdschriftomslagen met zijn tronie erop, *Fortune, Forbes, Business Week*. Ik keek er met grote ogen naar toen ik er min of meer op een drafje langs liep. Een foto van hem en een paar andere kerels met wijlen prinses Diana. Van hem met George Bush junior en senior.

Hij liep met ons naar een 'conversatiegroep', een sofa van gecapitonneerd zwart leer met bijpassende fauteuils. Het geheel zou in het Museum of Modern Art in New York zeker niet misstaan. Hij liet zich op het eind van de enorme sofa zakken.

Mijn hoofd duizelde. Ik was gedesoriënteerd, alsof ik in een andere wereld terechtgekomen was. Ik kon me niet voorstellen waarom ik hier zat, in Nicholas Wyatts kantoor. Misschien was hij een van die jongens geweest die het leuk vinden om de pootjes van insecten een voor een met een pincet uit te trekken, om ze vervolgens levend te verbranden met een vergrootglas.

'Nou, je hebt een erg slimme truc uitgehaald,' zei hij. 'Erg indrukwekkend.'

Ik glimlachte en boog bescheiden mijn hoofd. Aan ontkennen viel niet te denken. *Goddank*, dacht ik. Het leek erop dat hij me toch nog ging feliciteren.

'Maar niemand die mij in mijn ballen schopt, loopt rustig weg. Dat zou je inmiddels moeten weten. Ik bedoel: niémand.'

Hij had het pincet en het vergrootglas te voorschijn gehaald.

'Nou, hoe zit het met jou? Je bent hier nu drie jaar productlijnmanager, je prestatiebeoordelingen zijn knudde, je hebt in al die tijd geen promotie gemaakt of opslag gekregen; je doet wat er van je wordt verlangd, maar ook niet meer dan dat. Erg ambitieus ben je niet, hè?' Hij praatte snel, en dat maakte me nog nerveuzer dan ik al was.

Ik glimlachte weer. 'Misschien niet. Ik heb andere prioriteiten.'

'Zoals?'

Ik aarzelde. Hij had me te pakken. Ik haalde mijn schouders op.

'Iedereen moet érgens een passie voor hebben. Anders ben je niks waard. Jij hebt blijkbaar geen passie voor je werk, dus waar dan wel voor?'

Ik ben bijna nooit sprakeloos, maar deze keer wist ik niets slims te zeggen. Meacham keek ook naar me, en hij deed dat met een gemeen, sadistisch glimlachje op zijn messcherpe gezicht. Ik dacht aan collega's die ik kende, mensen van mijn afdeling, die altijd uitkeken naar gelegenheden om dertig seconden met Wyatt alleen te zijn, in een lift of bij de lancering van een product of wat dan ook. Ze hadden zelfs een 'liftpraatje' voorbereid. En nu zat ik in het kantoor van de grote baas en kon ik geen woord uitbrengen.

'Doe je in je vrije tijd aan toneelspelen of zoiets?'

Ik schudde mijn hoofd.

'Je bent er anders wel goed in. Een regelrechte Marlon Brando. Misschien ben je niet veel waard als verkoper van routers aan zakelijke klanten, maar als acteur en bedrieger ben je van Olympisch niveau.'

'Als dat een compliment is: dank u.'

'Ik heb gehoord dat je een verdomd goede Nick Wyatt-imitatie in huis hebt – is dat waar? Laat maar eens horen.'

Ik kreeg een kleur en schudde mijn hoofd.

'Maar goed, het komt erop neer dat je van me hebt gestolen en denkt dat je daarmee weg kunt komen.'

Ik keek geschokt. 'Nee, ik denk echt niet dat ik daarmee weg kan komen.'

'Bespaar me dat. Ik hoef geen tweede demonstratie. Je hebt me de eerste keer al overtuigd.' Hij maakte een snel handgebaar als een Romeinse keizer, en Meacham gaf hem een map. Hij keek erin. 'Je aanlegscore zit in het hoogste percentiel. Je hebt technologie gestudeerd. Wat voor technologie?'

'Elektronica.'

'Als tiener wilde je ingenieur worden?'

'Mijn vader wilde dat ik iets studeerde waarmee ik een echte baan kon krijgen. Zelf wilde ik liever leadgitaar spelen bij Pearl Jam.'

'Kun je goed spelen?'

'Nee,' gaf ik toe.

Hij glimlachte vaag. 'Het was een studie van vijf jaar. Wat gebeurde er?'

'Ik werd er voor een jaar uit geschopt.'

'Ik stel je eerlijkheid op prijs. Je komt tenminste niet aanzetten met "een jaar stage in het buitenland" of zoiets. Wat is er gebeurd?'

'Ik haalde een stomme grap uit. Ik had een slecht semester, en dus hackte ik in het computersysteem van de universiteit en veranderde mijn gegevens. En ook die van mijn kamergenoot.'

'Je hebt dat dus al vaker geflikt.' Hij keek op zijn horloge, keek Meacham aan en richtte zijn blik weer op mij. 'Ik heb een voorstel, Adam.' Ik vond het niet prettig dat hij me bij mijn voornaam noemde; dat voorspelde niets goeds. 'Een erg goed voorstel. Een uiterst royaal aanbod, mag ik wel zeggen.'

'Dank u.' Ik had geen idee waar hij het over had, maar ik wist dat het niet goed of royaal kon zijn.

'Ik ga je nu iets vertellen waarvan ik altijd zal ontkennen dat ik het ooit heb gezegd. Sterker nog, ik zal het niet alleen ontkennen, maar ik zal je ook wegens laster aanklagen als je het ooit herhaalt. Is dat duidelijk? Dan vermorzel ik je.' Ik wist niet waar hij het over had, maar hij beschikte over de middelen. Hij was miljardair, de op twee of drie na rijkste man van Amerika, maar hij was nummer twee geweest voordat onze aandelenprijs kelderde. Hij wilde de rijkste worden – hij wilde Bill Gates voorbij – maar dat zat er niet in.

Mijn hart bonkte. 'Ja.'

'Je bent je goed bewust van de situatie waarin je verkeert? Achter deur nummer één heb je de zekerheid – de verdomde zekerheid – dat je voor minstens twintig jaar de gevangenis in gaat. Het is dus dat, óf deur twee. Zullen we spelen?'

Ik slikte. 'Ja.'

'Laat me je vertellen wat er achter deur twee zit, Adam. Dat is een erg mooie toekomst voor een slimme academicus als jij, al moet je je dan wel aan de regels houden. Mijn regels.'

Mijn gezicht voelde verhit aan.

'Ik wil dat je een speciaal project voor me onderneemt.'

Ik knikte.

'Ik wil dat je een baan bij Trion neemt.'

'Bij... Trion Systems?' Ik begreep het niet.

'Bij hun marketing van nieuwe producten. Ze hebben een paar vacatures op strategische plaatsen in de onderneming.'

'Ze zouden mij nooit in dienst nemen.'

'Nee, je hebt gelijk, jóú zouden ze nooit nemen. Niet zo'n luie niets-nut als jij. Maar een superster van Wyatt, een jong genie dat op het punt staat duizelingwekkend hoog te stijgen, zouden ze binnen een nanoseconde aannemen.'

'Ik kan het niet volgen.'

'Zo'n slimme jongen als jij! Nu scoor je toch een paar iq-punten la-ger. Kom op, sukkel. De Lucid – dat was toch jouw project?'

Hij had het over het vlaggenschipproduct van Wyatt Telecom, de al-les-in-één-PDA, een soort Palm Pilot met turbo- aandrijving. Een on-gelooflijk stukje speelgoed. Ik had daar niets mee te maken. Ik bezat niet eens zo'n ding.

'Ze zouden het nooit geloven,' zei ik.

'Luister naar wat ik zeg, Adam. Ik neem mijn grootste zakelijke be-slissingen instinctief, en mijn instinct geeft me in dat jij de koperen ballen en de slimheid en het talent hebt om het te doen. Doe je mee of niet?'

'U wilt dat ik aan u rapporteer, is dat het?'

Hij keek me met een staalharde blik aan. 'Meer dan dat. Ik wil dat je informatie voor me haalt.'

'Als een spion. Een mol of zoiets.'

Hij draaide zijn handpalmen omhoog, in de trant van: ben jij nou debiel of hoe zit dat? 'Hoe je het maar wilt noemen. Er is waardevol-le, eh, *intellectuele eigendom* bij Trion waar ik de hand op wil leggen, en hun beveiliging is bijna onneembaar. Alleen een Trion-insider kan te pakken krijgen wat ik wil hebben, en dan ook niet zomaar een insi-der. Een topfiguur. Je rekruteert er een, koopt er een of je wacht tot er een op je deur klopt. En hier hebben we een intelligente, representa-tieve jongeman met de beste kwalificaties – ik denk dat we een vrij goe-de kans maken.'

'En als ik word betrapt?'

'Dat word je niet,' zei Wyatt.

'Maar als ik toch...?'

'Als je je werk goed doet,' zei Meacham, 'word je niet betrapt. En als je het op de een of andere manier verknoeit en tóch wordt betrapt – nou, dan zijn wij er om je te beschermen.'

Dat waagde ik te betwijfelen. 'Ze zullen erg achterdochtig zijn.'

'Waarom?' zei Wyatt. 'In deze branche maken mensen zo vaak de sprong van de ene naar de andere onderneming. De toptalenten worden weggekaapt. Laaghangend fruit. Je hebt net een groot succes behaald bij Wyatt, en misschien vind je dat je niet voldoende beloond bent. Je wilt meer verantwoordelijkheid, meer kansen, meer geld – de gebruikelijke onzin.'

'Ze doorzien me meteen.'

'Niet als je het goed aanpakt,' zei Wyatt. 'Je zult je moeten verdiepen in productmarketing; je zult daar briljant in moeten worden. Je zult harder moeten werken dan je ooit in je miezerige leven hebt gedaan. Je gaat je uit de naad werken. En er is maar één grote speler die krijgt wat ik wil. Als je je oude trucjes gaat uithalen bij Trion, en wordt ontslagen of op een zijspoor gezet, is ons kleine experiment voorbij. En dan krijg je deur nummer één.'

'Ik dacht dat nieuwe productmanagers allemaal een MBA hadden.'

'Nee, Goddard vindt MBA's niks – een van de weinige dingen waar we het over eens zijn. Hij heeft er niet één. Hij denkt dat het je beperkingen oplegt. Over beperkingen gesproken.' Hij knipte met zijn vingers en Meacham gaf hem iets, een metalen doosje dat me bekend voorkwam. Een doosje van Altoids-pepermuntjes. Hij liet het openspringen en er zaten een paar witte tabletjes in die er als aspirine uitzagen maar het niet waren. Ja, dat kwam me bekend voor. 'Je gaat stoppen met deze troep, deze Ecstasy of hoe het ook maar heet.' Ik had dat Altoids-doosje thuis op mijn salontafel liggen; ik vroeg me af wanneer en hoe ze het te pakken hadden gekregen, maar ik was te versuft om me kwaad te maken. Hij liet het doosje in een kleine zwarte leren prullenbak naast de bank vallen. Het maakte een *dunk*-geluid. 'Dat geldt ook voor hasj en drank en al die troep. Je gaat voortaan met een helder hoofd door het leven, jongen.'

Dat leek me niet mijn grootste probleem. 'En als ik niet word aangenomen?'

'Deur nummer één.' Hij keek me met een lelijk glimlachje aan. 'En je hoeft je golfschoenen niet in te pakken. Pak liever je vaseline in.'

'Ook als ik mijn best doe?'

'Het is jouw taak om het niet te verknoeien. Met de kwalificaties die we je meegeven, en met een coach als ik, heb je geen enkel excuus.'

'Over hoeveel geld hebben we het?'

'Hoeveel géld? Hoe weet ik dat nou? Geloof me, het is veel meer dan je hier krijgt. In elk geval zes cijfers voor de komma.' Ik moest moeite doen om mijn mond niet te laten openvallen.

'Plus mijn salaris hier.'

Hij staarde me met zijn strakke gezicht aan. Hij had geen enkele uitdrukking in zijn ogen. Botox? vroeg ik me af. 'Nou neem je me in de maling.'

'Ik neem een enorm risico.'

'Pardon? Als er iemand een risico neemt, ben ik het. Jij bent een nulliteit, een groot vraagteken.'

'Als u dat echt dacht, zou u me dit niet vragen.'

Hij keek Meacham aan. 'Ik kan dit niet geloven.'

Meacham zag eruit alsof hij een drol had ingeslikt. 'Lulletje,' zei hij tegen me. 'Ik hoef de telefoon maar op te nemen...'

Wyatt stak zijn keizerlijke hand op. 'Laat maar. Hij heeft lef. Ik hou daar wel van. Als je door Trion wordt aangenomen en je werk goed doet, krijg je van ons ook een salaris. Maar als je het verknoeit...'

'Ik weet het,' zei ik. 'Deur nummer één. Laat me erover nadenken. Ik neem morgen contact met u op.'

Wyatts mond viel open en zijn ogen staarden me aan. Hij zweeg even en zei toen ijzig: 'Ik geef je de tijd tot morgenvroeg negen uur. Als de officier van justitie op zijn werk komt.'

'Ik raad je aan om hier niets over te zeggen tegen een van je vriendjes, of je vader, of wie dan ook,' merkte Meacham op. 'Anders loopt het slecht met je af.'

'Ik begrijp het,' antwoordde ik. 'Zo'n dreigement is niet nodig.'

'O, dat is geen dreigement,' zei Nicholas Wyatt. 'Het is een belofte.'

5

Omdat ik geen enkele reden zag om weer aan het werk te gaan, ging ik naar huis. Het was een vreemd gevoel om al om één uur 's middags in de metro te zitten, tussen de bejaarden en de studenten, de moeders met kinderen. Mijn hoofd duizelde nog en ik voelde me zwakjes.

Ik woonde ruim tien minuten lopen van het metrostation vandaan. Het was een heldere dag, belachelijk stralend.

Mijn overhemd was nog vochtig en verspreidde een lelijke zweetlucht. Een paar jonge meisjes met schorten en talloze piercings trokken een stel kleine kinderen aan een lang touw mee. De kinderen gierden het uit. Zwarte jongens speelden basketbal met hun shirts uit, op een speelterrein van asfalt achter een draadgazen hek. De tegels van het trottoir lagen niet goed, en ik struikelde bijna, en toen trapte ik in de hondenstront en voelde die misselijkmakende gladheid. Perfecte symboliek.

De ingang van mijn appartementengebouw rook sterk naar urine, hetzij van een kat hetzij van een dakloze. De post was er nog niet. Mijn sleutels rinkelden toen ik de drie sloten van mijn deur openmaakte. De oude dame in het appartement aan de andere kant van de gang zette haar deur op een kier, zo ver als haar veiligheidsketting wilde gaan; ze was te klein om bij het kijkgaatje te kunnen. Ik woof haar vriendelijk toe.

Het was donker in de kamer, al was de zonwering omhoog. Er hing een benauwde lucht van muffe sigaretten. Omdat ik op de begane grond woonde, kon ik de ramen overdag niet openzetten om te luchten.

Mijn meubilair stelde niet veel voor: mijn enige kamer werd gedomineerd door een slaapbank met een groenige geruite bekleding waar gouddraad doorheen geweven was. Hij had een hoge rug en zat onder de biervlekken, en hij stond tegenover een 19-inch tv van Sanyo waarvan de afstandsbediening zoek was. Een hoge, smalle boekenkast van ongelakt vurenhout stond eenzaam in een hoek. Ik ging op de bank zitten en er kwam meteen een stofwolk omhoog. De stang onder het kussen deed pijn aan mijn kont. Ik dacht aan Nicholas Wyatts zwarte leren bank en vroeg me af of hij ooit in zo'n troep had gewoond. Ze zeiden dat hij met niets was begonnen, maar dat geloofde ik niet; ik kon me niet voorstellen dat hij ooit in zo'n rattenhol had gewoond. Ik vond de Bic-aansteker onder de glazen salontafel, stak een sigaret aan en keek naar de stapel rekeningen op de tafel. Ik maakte de enveloppen niet eens meer open. Ik had twee MasterCards en drie Visa's, en die hadden allemaal een gigantisch debetsaldo, en ik had amper het geld om de minimumbetalingen te doen.

Ik had mijn besluit natuurlijk al genomen.

6

'Je bent gearresteerd?'

Seth Marcus, mijn beste vriend sinds de middelbare school, stond drie avonden per week achter de bar van een yuppietent die de Alley Cat heette. Overdag was hij juridisch assistent op een advocatenkantoor in de binnenstad. Hij zei dat hij het geld nodig had, maar ik was ervan overtuigd dat hij barkeeper wilde zijn om een beetje cool te blijven, om niet in het soort carrièremaker te veranderen waar we allebei zo graag de spot mee mochten drijven.

'Gearresteerd waarvoor?' Hoeveel had ik hem verteld? Had ik hem verteld over het telefoontje van Meacham, de directeur Beveiliging? Ik hoopte van niet. Nu kon ik hem niks meer vertellen over de bankschroef waar ze me tussen hadden geklemd.

'Je grote feest.' Er was veel lawaai, ik kon hem niet goed verstaan, en iemand aan het andere eind van de bar floot met twee vingers in zijn mond, hard en schel. 'Fluit die kerel naar míj? Ben ik een hónd of zo?' Hij negeerde de fluiter.

Ik schudde mijn hoofd.

'Het is je gelukt, hè? Je hebt het geflikt! Wat kan ik voor je inschenken om het te vieren?'

'Brooklyn Brown?'

Hij schudde zijn hoofd. 'Nee.'

'Newcastle? Guinness?'

'Wat zou je zeggen van een tapbiertje? Die houden ze niet bij.'

Ik haalde mijn schouders op. 'Goed.'

Hij tapte een biertje voor me, geel en schuimend: het was duidelijk dat hij dit nog niet lang deed. Het bier klotste op de verweerde houten bar. Hij was een lange, donkerharige, goed uitziende jongen – de meiden waren gek op hem – met een belachelijk sikje en een oorhanger. Hij was half joods, maar wilde graag zwart zijn. Hij speelde en zong in een band die Slither heette, en ik had ze een paar keer gehoord; ze waren niet erg goed, maar hij praatte veel over een contract dat ze zouden krijgen. Hij deed wel tien van dat soort dingen tegelijk, alleen om niet te hoeven toegeven dat hij een kantoorpik was.

Seth was de enige die ik kende die nog cynischer was dan ik. Waarschijnlijk waren we daarom vrienden. En verder zeurde hij me niet aan mijn hoofd over mijn vader, al had hij op school in het footballteam gespeeld dat gecoacht (en getiranniseerd) werd door Frank Cassidy. In de zevende klas zaten we naast elkaar en vonden we elkaar meteen sympathiek omdat we allebei belachelijk werden gemaakt door de wiskundeleraar, meneer Pasquale. In de negende klas ging ik van de openbare school af om leerling te worden van het Bartholomew Browning & Knightley, de dure particuliere school waar mijn vader als footbal- en hockeycoach was aangenomen, zodat ik er gratis op mocht. Twee jaar lang zag ik Seth bijna nooit, totdat mijn vader ontslagen werd omdat hij twee botten in de rechteronderarm en één bot in de linkeronderarm van een leerling had gebroken. De moeder van die jongen was voorzitter van de oudercommissie van het Bartholomew Browning. Aan de gratis lessen kwam ook een eind, en ik ging naar de openbare school terug. Pa werd daar ook in dienst genomen, na het Bartholomew Browning.

Toen we op school zaten, werkten we allebei in hetzelfde Gulf-station, totdat Seth genoeg kreeg van de overvallen en opeens naar Dunkin' Donuts ging om donuts te maken. Een paar zomers maakten hij en ik ramen schoon voor een bedrijf dat veel wolkenkrabbers in de binnenstad als klant had, totdat we merkten dat het toch niet zo cool was om op de vijfentwintigste verdieping aan een paar touwen te bungelen. Het was niet alleen saai werk, maar ook angstaanjagend – een verschrikkelijke combinatie. Misschien zien sommige mensen het als een extreme vorm van sport om honderd meter boven de grond aan de zijkant van een gebouw te hangen, maar ik vond het eerder een zelfmoordpoging in slow motion.

Het fluiten werd harder. Mensen keken naar de fluiter, een dikke kalende man in een pak, en sommigen giechelden.

'Ik ga door het lint,' zei Seth.

'Niet doen,' zei ik, maar het was te laat, hij was al op weg naar het andere eind van de bar. Ik nam een sigaret en stak hem aan en zag intussen hoe hij zich over de bar boog en de fluiter woedend aankeek, alsof hij op het punt stond de kerel bij zijn jasje te grijpen maar zich nog net kon inhouden. Hij zei iets. In de omgeving van de fluiter werd gelachen. Kalm en ontspannen liep Seth mijn kant weer op. Hij bleef even staan om met twee beeldschone vrouwen te praten, een blonde en een brunette, en hen met zijn stralende glimlach aan te kijken.

'Hé. Ik kan bijna niet geloven dat je nog rookt,' zei hij tegen mij. 'Verrekte stom, met je vader.' Hij haalde een sigaret uit mijn pakje, stak hem aan, nam een trek en legde hem in de asbak.

'Dank je voor je fijne woorden,' zei ik. 'Wat is jouw excuus?'

Hij blies de rook door zijn neusgaten uit. 'Ik ben graag een beetje veelzijdig. En er zit geen kanker in mijn familie. Alleen krankzinnigheid.'

'Hij heeft geen kanker.'

'Emfyseem. Wat dan ook. Hoe gaat het met hem?'

'Goed.' Ik haalde mijn schouders op. Ik wilde daar niet over praten, en Seth ook niet.

'Man, een van die meiden wil een Cosmopolitan, en de ander wil een bevroren drankje. Daar heb ik de pest aan.'

'Waarom?'

'Te arbeidsintensief, en dan geven ze me een kwartje fooi. Vrouwen geven nooit fooien, daar ben ik al achter. Jezus, je trekt twee flesjes Budbier open en je krijgt een paar dollar. Bevroren drankjes!' Hij schudde zijn hoofd. 'Man.'

Hij ging een tijdje weg en ik hoorde hem stommelen en de blender gieren. Hij gaf de meisjes hun drankjes met een van zijn schitterende glimlachjes. Ze zouden hem geen kwartje fooi geven. Ze keken allebei naar mij en glimlachten.

Toen hij terugkwam, zei hij: 'Wat doe je later?'

'Later?' Het liep al tegen tienen, en ik had de volgende morgen om halfacht een afspraak met een ingenieur van Wyatt. Een paar dagen training met hem, een belangrijke figuur van het Lucid-project, en dan nog een paar dagen met een marketingmanager voor nieuwe producten, en regelmatige sessies met een 'executive coach'. Ze hadden een moordend programma voor me opgesteld. Het ergste soort rekrutentraining, leek het me. Ik hoefde niet meer om negen of tien uur aan te komen zetten. Maar dat kon ik Seth niet vertellen; ik kon het niemand vertellen.

'Ik ben om één uur vrij,' zei hij. 'Die twee meiden vroegen of ik daarna met ze naar de Nightcrawler wilde. Ik zei dat ik een vriend had. Ze hebben even naar je gekeken en ze vinden het goed.'

'Ik kan niet,' zei ik.

'Huh?'

'Ik moet vroeg naar mijn werk. Beter gezegd, op tijd.'

Seth keek me geschrokken, ongelovig aan. 'Wat? Wat is er aan de hand?'

'Het werk wordt serieus. Morgen vroeg dag. Groot project.'

'Nou maak je toch een grapje?'

'Jammer genoeg niet. Hoef jij 's morgens niet te werken?'

'Word je een van Hen? Een van de tredmolensukkels?'

Ik grijnsde. 'Het is tijd om volwassen te worden. Geen kinderachtig gedoe meer.'

Seth keek me vol walging aan. 'Jongen, het is nóóit te laat voor een mooie kindertijd.'

7

Na tien slopende dagen van onderricht en indoctrinatie door ingenieurs en productmanagingtypes die betrokken waren geweest bij de Lucid-PDA, zat mijn hoofd vol nutteloze informatie. Ik kreeg een minuscuul 'kantoor' op de directieverdieping, een kamertje dat vroeger voor opslag was gebruikt, maar daar was ik bijna nooit. Ik verscheen elke dag op tijd en deed braaf wat er van me werd verwacht. Ik wist niet hoe lang ik dat kon volhouden zonder dat ik gekke dingen ging doen, maar de gedachte aan de brits in de Marion-gevangenis hield me scherp.

Toen werd ik op een ochtend in een kamer ontboden die zich twee deuren van de suite van Nicholas Wyatt vandaan bevond. Er zat een koperen plaat met JUDITH BOLTON op de deur. De kamer was helemaal wit – wit tapijt, witte bekleding van het meubilair, een witte marmerplaat als bureau, zelfs witte bloemen.

Nicholas Wyatt zat op een witte leren bank naast een aantrekkelijke vrouw van een jaar of veertig, die heel familiair met hem praatte en lachte en haar hand op zijn arm legde. Ze had koperkleurig rood haar, lange benen die ze bij de knieën over elkaar had geslagen, een slank lichaam waar ze duidelijk hard aan werkte, en ze droeg een marineblauw pakje. Verder had ze blauwe ogen, goed uitziende hartvormige lippen en haar wenkbrauwen waren uitdagend opgetrokken. Ze moest een adembenemend mooie meid zijn geweest, maar ze had wat scherpe kantjes gekregen.

Ik besefte dat ik haar in de afgelopen week ook al eens had gezien. Ze had Wyatt vergezeld toen hij zijn korte bezoekjes aan mijn trainingssessies met marketingjongens en ingenieurs bracht. Ze had veel in zijn oor gefluisterd en aandachtig naar me gekeken, maar we werden nooit aan elkaar voorgesteld en ik had me afgevraagd wie ze was.

Toen ik dichterbij kwam, stak ze, zonder van de bank op te staan, haar hand uit – lange vingers, rode nagellak – en gaf me een stevige, zakelijke handdruk.

'Judith Bolton.'

'Adam Cassidy.'

'Je bent laat,' zei ze.

'Ik was verdwaald,' zei ik om de stemming wat luchtiger te maken.

Ze schudde haar hoofd, glimlachte en drukte haar lippen op elkaar. 'Je hebt er moeite mee om op tijd te komen. Ik wil dat je nooit meer te laat komt. Is dat duidelijk?'

Ik glimlachte terug, dezelfde glimlach waarmee ik politieagenten aankijk als ze vragen of ik weet hoe hard ik reed. Maar deze dame liet zich niet vermurwen. 'Absoluut.' Ik ging in een stoel tegenover haar zitten.

Wyatt keek geamuseerd naar de confrontatie. 'Judith is een van mijn waardevolste mensen,' zei hij. 'Mijn "executive coach". Mijn *consigliere*, en jouw Svengali. Ik stel voor dat je goed luistert naar elk woord dat ze zegt. Ik doe dat ook.' Hij stond op en excuseerde zich. Ze woof even naar hem toen hij wegging.

Je zou me niet meer hebben herkend. Ik was totaal veranderd. Geen Bondmobile meer: ik reed nu in een zilverkleurige Audi A6, geleast door de onderneming. Ik had ook een nieuwe garderobe. Een van Wyatts secretaresses, de zwarte, die een fotomodel uit Brits West-Indië bleek te zijn geweest, ging op een middag kleren met me kopen in een heel dure winkel die ik alleen vanbuiten kende. Ze zei dat ze daar ook kleren voor Nick Wyatt kocht. Ze koos wat pakken, overhemden, dassen en schoenen voor me uit en betaalde met een Amex-card van de onderneming. Ze kocht zelfs sokken voor me. En dit was niet het Structure-spul dat ik anders altijd droeg, het was Armani en Ermenegildo Zegna. Deze kleren hadden een aura: je kon zien dat ze met de hand gemaakt waren door Italiaanse weduwen die naar Verdi luisterden.

De bakkebaarden moesten weg, besloot ze. En het was ook afgelopen met dat warrige haar, alsof ik net uit mijn bed kwam. Ze ging met me naar een dure kapsalon, en toen ik naar buiten kwam, zag ik eruit als een Ralph Lauren-model, zij het niet zo nichterig. Ik zag al op tegen mijn volgende ontmoeting met Seth; die zou er nooit meer over ophouden.

Er was een verhaal bedacht. Mijn collega's en managers van de routerdivisie kregen te horen dat ik was 'overgeplaatst'. Er gingen geruchten dat ik naar Siberië werd gestuurd omdat de manager van mijn divisie mijn houding zat was. Volgens andere geruchten had een van de directieleden van Wyatt grote bewondering gehad voor een memo dat ik had geschreven en stond mijn houding hem juist wel aan; ik had juist meer verantwoordelijkheid gekregen, niet minder. Niemand wist de waarheid. Het enige dat iedereen wist, was dat ik van de ene op de andere dag uit mijn hokje verdwenen was.

Als iemand de moeite had genomen om eens goed naar het organisatieschema op de website van de onderneming te kijken, zou die hebben gezien dat ik tegenwoordig hoofd Speciale Projecten was en rechtstreeks aan de grote baas rapporteerde.

Er werd een elektronisch en papieren spoor aangelegd.

Judith keek me weer aan en ging verder alsof Wyatt er nooit was geweest. 'Als je door Trion wordt aangenomen, kom je daar altijd drie kwartier te vroeg. Onder geen beding ga je in de lunchpauze of na werktijd iets drinken. Geen happy hour, geen feestjes, niet "rondhangen" met "vrienden" van kantoor. Geen geboemel. Als je naar een feestje moet dat met je werk te maken heeft, drink je frisdrank.'

'Het lijkt wel of ik bij de AA ben.'

'Dronken worden is een teken van zwakheid.'

'Dan is roken zeker helemaal verboden.'

'Mis,' zei ze. 'Het is een smerige, walgelijke gewoonte, en het wijst op een gebrek aan zelfbeheersing, maar er spelen andere overwegingen mee. Rokersruimten zijn erg geschikt voor kruisbestuiving. Je komt daar in contact met mensen van verschillende afdelingen en je vergaart nuttige informatie. Nu je handdruk.' Ze schudde haar hoofd. 'Je deed het helemaal verkeerd. Beslissingen over het aannemen van iemand worden in de eerste vijf seconden genomen – bij de handdruk. Iedereen die iets anders tegen je zegt, liegt. Je krijgt de baan met de handdruk en in de rest van het sollicitatiegesprek moet je vechten om die baan te houden, hem niet te verliezen. Omdat ik een vrouw ben, gaf je me een slap handje. Dat is geen goede handdruk. Hij moet stevig zijn, hard zijn, en...'

Ik glimlachte ondeugend en zei: 'De laatste vrouw die dat tegen me zei...' Ik merkte dat ze midden in een zin was opgehouden. 'Sorry.'

Ze hield haar hoofd even schuin als een kat die kopjes geeft en glimlachte. 'Dank je.' Een korte stilte. 'Je houdt de hand een seconde of twee langer vast. Je kijkt me in de ogen en je glimlacht. Je kijkt me met heel je hart aan. Laten we het nog een keer doen.'

Ik stond op en schudde Judith Bolton opnieuw de hand.

'Beter,' zei ze. 'Je bent een natuurtalent. Mensen die je ontmoeten, denken: er is iets aan die man wat me bevalt, al weet ik niet wat het is. Je hebt het in je.' Ze keek me onderzoekend aan. 'Heb je je neus een keer gebroken?'

Ik knikte.

'Laat me raden: toen je football speelde?'

'Eigenlijk was het hockey.'

'Het ziet er leuk uit. Ben je een sportman, Adam?'

'Dat wás ik.' Ik ging weer zitten.

Ze boog zich met haar kin op de kom van haar hand naar me toe en keek me weer aan. 'Dat kan ik merken. Het zit in je manier van lopen, in je hele houding. Ik mag dat wel. Maar je synchroniseert niet.'

'Pardon?'

'Je moet synchroniseren. Spiegelen. Ik buig me naar voren, en dus doe jij dat ook. Ik leun achterover, jij leunt achterover. Ik sla mijn benen over elkaar, jij slaat je benen over elkaar. Je let op de stand van mijn hoofd en imiteert me. Je synchroniseert zelfs je ademhaling met de mijne. En dat doe je niet subtiel, maar volledig. Op die manier leg je op een onderbewust niveau contact met mensen en geef je ze het gevoel dat het prettig is om bij jou te zijn. Mensen houden van mensen die net zo zijn als zijzelf. Is dat duidelijk?'

Ik grijnsde ontwapenend, of wat ik dacht dat ontwapenend was.

'En dan nog iets.' Ze boog zich nog dichter naar me toe, tot haar gezicht maar een paar centimeter van het mijne verwijderd was. Ze fluisterde: 'Je gebruikt te veel aftershave.'

Mijn gezicht gloeide van schaamte.

'Laat me eens raden. Drakkar Noir.' Ze wachtte niet op mijn antwoord, want ze wist dat ze gelijk had. 'Erg goed als je nog op school zit. De meisjes worden er week in hun knieën van.'

Later hoorde ik wie Judith Bolton was. Ze was een vooraanstaande consultant bij McKinsey geweest en een paar jaar geleden als directielid naar Wyatt Telecom gehaald om Nicholas Wyatt persoonlijk van advies te dienen over gevoelige personeelskwesties, 'conflictoplossing' in de hoogste echelons van de onderneming en bepaalde psychologische aspecten van onderhandelingen, transacties en acquisities. Ze had gedragspsychologie gestudeerd. En of je haar nu 'executive coach' of 'leiderschapsstrateeg' noemde, ze was in feite de persoonlijke topcoach van Wyatt. Ze adviseerde hem wie geschikt was voor het topmanagement en wie niet, wie ontslagen moest worden, wie er achter zijn rug om complotteerde. Ze had röntgenogen voor een gebrek aan loyaliteit. Ongetwijfeld had hij haar voor een belachelijk salaris van McKinsey weggekocht. Ze was machtig genoeg en zeker genoeg van haar baan om hem in zijn gezicht tegen te spreken, om dingen tegen hem te zeggen die hij van niemand anders zou pikken.

'Nou, we gaan je eerst leren een sollicitatiegesprek te voeren,' zei ze.

'Ik ben hier ook aangenomen,' zei ik zwakjes.

'We spelen in een heel nieuwe divisie, Adam,' zei ze glimlachend. 'Je bent een topper, en zo moet je ook je sollicitatiegesprek voeren. Trion moet je tot elke prijs van ons weg willen kapen. Hoe vind je het om bij Wyatt te werken?'

Ik keek haar schaapachtig aan. 'Nou, ik probeer hier weg te gaan, nietwaar?'

Ze rolde met haar ogen en hield haar adem even in. 'Nee. Je houdt het positief.' Ze draaide haar hoofd opzij en bracht toen een verbazingwekkend goede imitatie van mijn stem ten gehore: 'Ik vind het gewéldig. Het is zo inspirérend. Mijn collega's zijn fantástisch!' De mimiek was zo goed dat ik er versteld van stond; het was of ik een bandopname van mijn eigen stem hoorde.

'Waarom ga ik dan praten met Trion?'

'Nieuwe kánsen, Adam. Er is níéts mis met je baan bij Wyatt. Je bent níét ontevreden. Je zet de logische volgende stap in je carrière, en er zijn meer kansen bij Trion om nog grótere, nog bétere dingen te doen. Wat is je grootste zwakheid, Adam?'

Ik dacht even na. 'Eigenlijk niets,' zei ik. 'Nooit een zwakheid toegeven.'

Ze trok een kwaad gezicht. 'O, godnogaantoe. Dan denken ze dat je niet goed bij je hoofd bent.'

'Het is een strikvraag.'

'Natúúrlijk is het een strikvraag. Sollicitatiegesprekken zijn míjnenvelden, mijn vriend. Je móét zwakheden "toegeven", maar je moet ze nóóit iets schadelijks vertellen. Dus je bekent dat je een te trouwe echtgenoot bent, een te liefhebbende vader.' Ze sprak weer met de Adamstem: 'Soms voel ik me zo op mijn gemak met een bepaalde softwaretoepassing dat ik niet op zoek ga naar andere. Of: als kleine dingen me dwarszitten, kom ik daar soms niet mee naar buiten, omdat ik denk dat de meeste dingen vanzelf wel goed komen. Je kláágt niet genoeg!

Of dit: ik ga vaak helemaal op in een project en dan maak ik soms lange uren, te lange uren, omdat ik graag alles heel goed wil doen. Misschien werk ik langer aan dingen dan nodig is. Begrijp je? Dan zitten ze te kwijlen, Adam.'

Ik glimlachte en knikte. Man o man, wat had ik me op de hals gehaald?

'Wat is de grootste fout die je ooit in je werk hebt gemaakt?'

'Blijkbaar moet ik iets toegeven,' zei ik nerveus.

'Je leert snel,' merkte ze droogjes op.

'Misschien heb ik een keer te veel werk op me genomen, en toen...'

'... en toen verknoeide je het? Dus je weet niet hoe groot je eigen onbekwaamheid is? Ik dácht het niet. Nee, je zegt: o, niets bijzonders. Ik werkte een keer aan een belangrijk rapport voor mijn baas, en ik vergat een back-up te maken, en toen cráshte mijn computer en was ik alles kwijt. Ik moest tot drie uur 's nachts opblijven om het werk dat ik was kwijtgeraakt te herstellen. Goh, heb ik toen even een lesje geleerd – altijd een back-up maken! Snap je? De grootste fout die je ooit hebt gemaakt, was niet jóuw fout, en je hebt alles ook nog in orde gemaakt.'

'Ik snap het.' De boord van mijn overhemd voelde te strak aan, en ik wilde daar weg.

'Je bent een natuurtalent, Adam,' zei ze. 'Je gaat dit heel goed doen.'

8

De avond voor mijn eerste gesprek bij Trion ging ik bij mijn vader op bezoek. Ik deed dat minstens een keer per week, soms vaker, dat hing ervan af of hij belde en vroeg of ik wilde komen. Hij belde vaak, voor een deel omdat hij eenzaam was (mijn moeder was zes jaar eerder gestorven) en voor een deel omdat hij paranoïde was van de steroïden die hij slikte en ervan overtuigd was dat zijn verzorgsters hem probeerden te vermoorden. Daarom waren zijn telefoontjes nooit vriendelijk, nooit gezellig; het waren klachten, tirades, beschuldigingen. Hij miste wat pijnstillers, zei hij bijvoorbeeld, en hij was ervan overtuigd dat Caryn de verpleegster ze had gejat. De zuurstof die door het zuurstofbedrijf werd geleverd, was van belabberde kwaliteit. Rhonda de verpleegster struikelde steeds weer over zijn luchtslang en rukte de kleine slangetjes, de cannula's, zo hard uit zijn neus dat zijn oren bijna afscheurden.

Als ik zou zeggen dat het moeilijk was om mensen langer aan te houden die voor hem wilden zorgen, zou dat een komisch soort understatement zijn. Ze gingen bijna nooit langer dan een paar weken mee. Francis X. Cassidy was een slechtgehumeurde man, dat was hij al zo lang als ik me kon herinneren, en hij was alleen maar chagrijniger geworden toen hij ouder en zieker werd. Hij had altijd twee pakjes per dag gerookt, had een harde blafhoest en kreeg steeds weer bronchitis. Het was dan ook geen verrassing toen werd vastgesteld dat hij emfyseem had. Wat had hij dan verwacht? Hij kon al jaren de kaarsen van zijn verjaardagstaart niet meer uitblazen. Momenteel bevond zijn emfyseem zich in wat ze het eindstadium noemden. Dat betekende dat hij over een paar weken, of maanden, of misschien tien jaar zou sterven. Niemand wist het.

Jammer genoeg viel aan mij, zijn enige nakomeling, de taak toe om hem aan verzorging te helpen. Hij woonde nog steeds in de benedenwoning met souterrain waar ik was opgegroeid, en hij had daar niets veranderd sinds ma was gestorven: dezelfde tarwegele koelkast die het nooit goed deed, de bank die aan een kant doorzakte, de vitrage die geel geworden was van ouderdom. Hij had niet genoeg geld gespaard en zijn pensioen was erbarmelijk slecht; hij had nauwelijks genoeg om zijn medische kosten te betalen. Dat betekende dat een deel van mijn salaris opging aan zijn huur, het salaris van de verzorgster, enzovoort. Ik verwachtte geen woord van dank en kreeg dat ook nooit. Nog in geen miljoen jaar zou hij me ooit om geld vragen. We deden allebei min of meer alsof hij van een trustfonds of zoiets leefde.

Toen ik bij hem aankwam, zat hij in zijn favoriete Barcalounger voor de kolossale televisie. Dat was zijn hoofdbezigheid. Intussen had hij de gelegenheid om uitgebreid over alles te klagen. Met slangetjes in zijn neus (hij kreeg nu vierentwintig uur per dag zuurstof) keek hij naar een of andere commercial op een van de kabelzenders.

'Hallo, pa,' zei ik.

Hij keek een hele tijd niet op – hij werd gehypnotiseerd door de reclame, alsof het de douchescène in *Psycho* was. Hij was mager geworden, al had hij nog steeds een ronde buik, en zijn stekeltjeshaar was wit. Toen hij naar me opkeek, zei hij: 'Het kreng heeft ontslag genomen, weet je dat?'

Het 'kreng' in kwestie was zijn nieuwste verzorgster, een humeurige Ierse vrouw van in de vijftig met een zuur gezicht. Ze heette Maureen en ze had vlammend neprood haar. Net op dat moment strompelde ze door de huiskamer – ze had een slechte heup. Ze had een plastic wasmand bij zich met daarin netjes opgevouwen een stapeltje T-shirts en boxershorts, de complete garderobe van mijn vader. Het enige dat me aan haar ontslagname verbaasde, was dat ze daar zo lang mee had gewacht. Hij had een draadloze deurbel op het bijzettafeltje naast zijn Barcalounger en drukte daarop als ze iets voor hem moest doen, en dat was zo ongeveer voortdurend. Hij kreeg niet genoeg zuurstof, of die neusslangetjes droogden uit in zijn neus, of hij moest pissen en had hulp nodig om in de wc te komen. Nu en dan nam ze hem mee op een 'wandeling' in zijn gemotoriseerde wagentje. Dan kon hij door het winkelcentrum rijden en klagen over 'tuig' en haar nog meer uitschelden. Hij beschuldigde haar ervan dat ze hem probeerde te vergiftigen. Een normaal mens zou daar gek van worden, en Maureen maakte toch al een nogal gespannen indruk.

'Waarom vertelt u hem niet wat u me noemde?' zei ze, terwijl ze de was op de bank zette.

'O, verdomme,' zei hij. Hij sprak in korte, afgemeten zinnen, omdat hij altijd adem te kort kwam. 'Je hebt antivries in mijn koffie gedaan. Dat proef ik. Ze noemen dat gerontocide, weet je. Grijze moord.'

'Als ik je wilde vermoorden, had ik wel iets beters dan antivries gebruikt,' snauwde ze terug. Haar Ierse accent was nog sterk, al woonde ze al meer dan twintig jaar in Amerika. Hij beschuldigde zijn verzorgsters er altijd van dat ze hem probeerden te vermoorden. Als ze dat deden, wie zou het hun kwalijk nemen? 'Hij noemde me een... een woord dat ik niet eens zal herhalen.'

'Jezus verdomde christus nog aan toe, ik noemde haar een teef. En daarmee ben ik nog beleefd. Ze heeft me mishandeld. Ik zit hier aan die luchtslangetjes vast, en dat kreng slaat me.'

'Ik pakte een sigaret uit zijn handen,' zei Maureen. 'Hij probeerde stiekem te roken terwijl ik beneden de was deed. Alsof ik het niet door het hele huis kan ruiken.' Ze keek me aan. Ze had een lui oog. 'Hij mag niet roken! Ik weet niet eens waar hij de sigaretten verstopt – hij moest ze ergens verborgen hebben, ik wéét het!'

Mijn vader glimlachte triomfantelijk, maar zei niets.

'Trouwens, wat kan het mij schelen?' zei ze bitter. 'Dit is mijn laatste dag. Ik hou het niet meer uit.'

Het betaalde studiopubliek in het reclameprogramma juichte en applaudisseerde enthousiast.

'Alsof ik daar iets van zal merken,' zei pa. 'Ze doet geen moer. Moet je al dat stof eens zien. Wat doet dat kreng nou?'

Maureen pakte de wasmand op. 'Ik had een maand geleden al moeten vertrekken. Ik had deze baan nooit moeten aannemen.' Ze liep de kamer uit, als een manke pony in korte galop.

'Ik had haar moeten ontslaan toen ze hier voor het eerst binnenkwam,' bromde hij. 'Ik zag meteen dat ze een van die grijze moordenaars was.' Hij ademde met zijn lippen stijf op elkaar, alsof hij door een rietje ademde.

Ik wist niet wat ik nu moest doen. De man kon niet alleen zijn – hij kon nog niet zonder hulp naar de wc. Hij weigerde in een verpleegtehuis te gaan; hij zei dat hij zich dan nog liever van kant maakte.

Ik legde mijn hand op zijn linkerhand, die waarvan de wijsvinger verbonden was met een lichtgevend rood metertje, de hartslag-oximeter heet dat, geloof ik. De digitale cijfers op het metertje gaven 88 procent aan. Ik zei: 'We vinden wel iemand, pa, maak je maar geen zorgen.'

Hij bracht zijn hand omhoog om die van mij weg te slaan. 'Wat voor verpleegster is ze nou eigenlijk?' zei hij. 'Ze geeft geen moer om een ander.' Hij raakte in een langdurige hoestbui en rochelde en spoog in een samengepropte zakdoek die hij ergens uit zijn stoel had gehaald. 'Ik weet niet waarom jij niet weer thuis komt wonen. Wat heb jij nou eigenlijk te doen? Je hebt toch een baantje van niks.'

Ik schudde mijn hoofd en zei op milde toon: 'Dat kan niet, pa. Ik heb studieschulden af te lossen.' Ik wilde niet zeggen dat iemand geld moest verdienen om te betalen voor de hulp die steeds weer ontslag nam.

'Aan die studie heb je ook niks gehad,' zei hij. 'Dat was weggegooid geld. Alle dagen aan de zuip met die mooie vriendjes van je. Ik had geen twintigduizend dollar per jaar hoeven betalen om jou de beest te laten uithangen. Dat had je hier ook kunnen doen.'

Ik glimlachte om hem te laten weten dat ik me niet gekwetst voelde. Ik wist niet of het door de steroïden kwam, de prednison die hij kreeg om zijn luchtwegen open te houden, dat hij zo'n klootzak was, of dat het gewoon zijn karakter was. 'Je moeder, ze ruste in vrede, heeft je straal verwend. Ze heeft een doetje van je gemaakt.' Hij zoog wat lucht in. 'Je verspilt je leven. Wanneer neem je nou eens een echte baan?'

Pa was er goed in om de juiste snaar te raken. Ik liet een golf van ergernis door me heen gaan. Als je die kerel serieus nam, werd je gek. Hij had het humeur van een hond op een autosloperij. Ik heb altijd gedacht dat zijn woede te vergelijken was met rabiës; hij had zichzelf niet echt onder controle, dus je kon hem niets kwalijk nemen. Hij had zich nooit kunnen beheersen. Toen ik een kind was, zo klein dat ik niet terug kon vechten, had hij bij het kleinste vergrijp zijn leren riem uitgetrokken om me af te ranselen. Als hij klaar was met het pak slaag, mompelde hij altijd: 'Zie je nu wat je me laat doen?'

'Daar werk ik aan,' zei ik.

'Ze ruiken een verliezer al op een kilometer afstand, weet je.'

'Wie?'

'De bedrijven. Niemand wil een verliezer. Iedereen wil winnaars. Wil je een cola voor me halen?'

Dat was zijn mantra, en die stamde nog uit de tijd dat hij coach was: ik was een 'verliezer', en winnen was het enige dat telde en je was een verliezer als je tweede werd. Er was een tijd dat ik kwaad werd als ik zoiets hoorde. Maar ik was eraan gewend geraakt; ik hoorde het nauwelijks.

Ik ging naar de keuken en vroeg me af wat we nu moesten doen. Hij had dag en nacht hulp nodig; dat leed geen enkele twijfel. Maar geen van de bemiddelingsbureaus wilde nog iemand sturen. In het begin hadden we echte ziekenhuisverpleegsters, die in hun vrije tijd wat bijverdienden. Toen hij die had uitgekotst, slaagden we erin een aantal enigszins gekwalificeerde mensen te vinden die een opleiding van twee weken hadden gevolgd om hun diploma verpleegassistente te krijgen. Daarna namen we iedereen die we maar via krantenadvertenties konden vinden.

Maureen had alles in de tarwegele Kenmore-koelkast zo georganiseerd dat het in een laboratorium niet zou hebben misstaan. Een rij cola's stond, de ene achter de ander, precies op de juiste hoogte opgesteld. Zelfs de glazen in de kast, meestal dof en vuil, fonkelden nu. Ik deed ijs in twee glazen en vulde ze op met de inhoud van een blikje. Ik moest met Maureen praten, me namens mijn vader verontschuldigen, smeken en bidden, haar desnoods omkopen. In ieder geval kon ze blijven tot ik vervanging had gevonden. Misschien kon ik een beroep doen op haar verantwoordelijkheidsgevoel ten opzichte van de oudere medemens, al was dat gevoel waarschijnlijk al flink aangetast door het gal dat pa gespuid had. Kortom, ik was wanhopig. Als ik het sollicitatiegesprek van de volgende dag verknoeide, zou ik alle tijd van de wereld hebben, maar dan zat ik ergens in Illinois achter de tralies. Dat zou niet helpen.

Ik kwam met de glazen terug. Het ijs tinkelde terwijl ik ermee liep. Het reclameprogramma was nog aan de gang. Hoe lang duurde flauwekul? Wie keken er eigenlijk naar? Behalve mijn vader, bedoel ik.

'Pa, maak je maar nergens zorgen over,' zei ik, maar hij was al niet meer bij kennis.

Ik bleef enkele seconden bij hem staan om te zien of hij nog ademhaalde. Dat deed hij nog. Zijn kin hing op zijn borst en zijn hoofd had een vreemde stand aangenomen. De zuurstof maakte een zacht suizend geluid. Ergens in het souterrain was Maureen aan het stommelen. Waarschijnlijk was ze in gedachten al haar afscheidstoespraakje aan het instuderen. Ik zette de cola's op zijn bijzettafeltje, dat vol lag met medicijnen en afstandsbedieningen.

Toen boog ik me naar de oude man toe en kuste hem op zijn vlekkerige rode voorhoofd. 'We vinden wel iemand,' zei ik zachtjes.

9

Het hoofdkantoor van Trion Systems zag eruit als het Pentagon, maar dan van gepolijst chroom. Elk van de vijf kanten was een 'vleugel' van acht verdiepingen. Het was ontworpen door een beroemde architect. Helemaal beneden, in het souterrain, bevond zich een parkeergarage vol BMW's en Range Rovers en een hoop VW-kevers en noem maar op, maar voor zover ik kon zien, waren er geen gereserveerde plaatsen.

Ik gaf mijn naam aan de 'lobby ambassador' van vleugel B – dat was hun dure naam voor de receptioniste. Ze printte een identiteitssticker uit waarop BEZOEKER stond. Die plakte ik op de borstzak van mijn grijze Armani-pak en wachtte in de hal tot een zekere Stephanie me zou komen halen.

Ze was de assistente van de directeur die met het aannemen van personeel was belast, Tom Lundgren. Ik probeerde me te ontspannen en te mediteren. Ik herinnerde me eraan dat de omstandigheden niet gunstiger hadden kunnen zijn. Trion was op zoek naar een productmarketingmanager. Iemand was plotseling weggegaan, en ik was helemaal klaargestoomd voor die baan, genetisch gemanipuleerd, zou je kunnen zeggen, *digitally remastered*. In de laatste paar weken hadden een paar geselecteerde headhunters verhalen gehoord over een verbazingwekkende jonge vent bij Wyatt, die rijp voor het plukken was. Laaghangend fruit. Het nieuws was informeel verspreid op een congres van de bedrijfstak, en van daaruit ging het verder. Ik kreeg allerlei telefoontjes van rekruteerders op mijn voicemail.

Bovendien had ik me grondig in Trion Systems verdiept. Ik had ontdekt dat het een gigant op het gebied van consumentenelektronica was. Het bedrijf was in het begin van de jaren zeventig opgericht door de legendarische Augustine Goddard, wiens roepnaam niet Gus maar Jock was. Hij was bijna een cultfiguur. Hij had aan de Cal Tech gestudeerd, had bij de marine gezeten. Vervolgens was hij voor Fairchild Semiconductor en daarna voor Lockheed gaan werken en had hij een of andere revolutionaire technologie voor het produceren van televisiebeeldbuizen uitgevonden. Hij werd alom als een genie beschouwd, maar in tegenstelling tot sommige van de geniale tirannen die gigantische multinationals hadden opgericht, was hij blijkbaar geen klootzak. Mensen vonden hem aardig en waren enorm loyaal ten opzichte van hem. Hij had een terughoudende, vaderlijke persoonlijkheid. De zeldzame keren dat iemand Jock Goddard te zien kreeg, hadden ze het over 'signaleringen', alsof hij een UFO was.

Trion maakte geen beeldbuizen voor kleurentelevisies meer, maar de Goddard-buis werd onder licentie gemaakt door Sony en Mitsubishi en alle andere Japanse ondernemingen die de televisies voor de Amerikaanse huiskamers maakten. Later ging Trion over op elektronische communicatie – gelanceerd door de beroemde Goddard-modem. Tegenwoordig maakte Trion mobiele telefoons en semafoons, computeronderdelen, kleurenlaserprinters, PDA's, dat soort dingen.

Een pezige vrouw met bruin kroeshaar kwam via een deur de hal in. 'Jij moet Adam zijn.'

Ik gaf haar een mooie, stevige handdruk. 'Leuk je te ontmoeten.'

'Ik ben Stephanie,' zei ze. 'Ik ben Tom Lundgrens assistente.' Ze leidde me naar de lift en naar de vierde verdieping. We praatten over alledaagse dingen. Ik probeerde enthousiast maar niet al te happig over te komen, en zij was blijkbaar ergens anders met haar gedachten. De vierde verdieping had de gebruikelijke kantoorindeling, een eindeloze opeenvolging van kleine hokjes, zo ver als het oog reikte. Toen we erdoorheen liepen, was het een waar labyrint. Zelfs al strooide ik broodkruimels, dan nog zou ik de weg naar de liften niet terug kunnen vinden. Alles was hier zakelijk en sober, behalve een computermonitor die ik passeerde en die als screensaver een driedimensionale afbeelding had van Jock Goddards hoofd, dat grijnsde en ronddraaide als dat van Linda Blair in *The Exorcist*. Als je dat bij Wyatt deed – met Nick Wyatts hoofd, bedoel ik – zouden Wyatts beveiligingsmensen waarschijnlijk je knieën breken.

We kwamen in een vergaderkamer met het opschrift STUDEBAKER op de deur.

'Studebaker, huh?' zei ik.

'Ja, alle vergaderkamers zijn genoemd naar klassieke Amerikaanse auto's. Mustang, Thunderbird, Corvette, Camaro. Jock is gek op Amerikaanse auto's.' Ze sprak die naam op een vreemde manier uit, bijna alsof er aanhalingstekens omheen stonden. Blijkbaar gaf ze daarmee aan dat ze de president-directeur niet echt bij de voornaam aansprak, maar dat iedereen hem zo noemde. 'Zal ik iets te drinken voor je halen?'

Judith Bolton had me verteld dat ik altijd ja moest zeggen. Mensen bewezen een ander immers graag een dienst, en er zou aan iedereen, zelfs de secretaresses, worden gevraagd wat ze van me dachten. 'Coca-Cola, Pepsi, wat dan ook,' zei ik. Ik wilde niet te kieskeurig overkomen. 'Dank je.'

Ik ging aan een kant van de tafel zitten, de kant tegenover de deur, niet aan het hoofd van de tafel. Een paar minuten later kwam een korte, gedrongen man in een kaki broek en een marineblauw golfshirt met het Trion-logo de kamer in. Tom Lundgren: ik herkende hem meteen van het dossier dat Judith Bolton voor me had samengesteld. De directeur Personal Communications. Drieënveertig, vijf kinderen, een verwoede golfspeler. Achter hem kwam Stephanie. Ze had een blikje Coke en een fles Aquafina-water bij zich.

Hij gaf me een verpletterende handdruk. 'Adam, ik ben Tom Lundgren.'

'Aangenaam kennis te maken.'

'Nee, het genoegen is geheel aan mijn kant. Ik heb geweldige dingen over je gehoord.'

Ik glimlachte en haalde bescheiden mijn schouders op. Lundgren had niet eens een das om, dacht ik, en ik zag eruit als de directeur van een uitvaartbedrijf. Judith Bolton had dat al voorspeld, maar ze had ook gezegd dat ik beter overdressed naar het sollicitatiegesprek kon gaan dan te informeel gekleed. Op die manier gaf ik blijk van respect.

Hij kwam naast me zitten en draaide zich naar me om. Stephanie deed de deur achter zich dicht toen ze wegging.

'Het is nogal enerverend om voor Wyatt te werken, wed ik.' Hij had dunne lippen en een snelle glimlach die als het ware aan- en uitklikte. De huid van zijn gezicht was schraal en rood; misschien golfde hij te veel of had hij couperose of zoiets. Zijn rechterbeen ging de hele tijd op en neer. Hij was een bundel nerveuze energie, een ganglion; hij maakte de indruk dat hij te veel cafeïne had binnengekregen en hij liet me snel praten. Toen herinnerde ik me dat hij een mormoon was en geen cafeïne gebruikte. Ik zou hem niet graag meemaken als hij een pot koffie op had. Waarschijnlijk raakte hij dan in een baan om de aarde.

'Daar hou ik wel van,' zei ik.

'Blij dat te horen. Wij ook.' Zijn glimlach klikte aan, en weer uit. 'Ik denk dat er hier meer type A-mensen zijn dan ergens anders. Iedereen heeft hier een hogere kloksnelheid.' Hij schroefde de dop van zijn waterflesje en nam een slok. 'Ik zeg altijd dat Trion een geweldige plek is om te werken – als je op vakantie bent. Je kunt e-mails en voicemails beantwoorden en allerlei dingen gedaan krijgen, maar man, als je vrij neemt, betaal je daar wel een prijs voor. Kom je terug, dan zit je voicemailbox helemaal vol en word je geplet als een druif.'

Ik knikte en glimlachte veelbetekenend. Zelfs marketingmensen van hightechbedrijven mochten graag als ingenieurs praten, en dus deed ik dat ook. 'Komt me bekend voor,' zei ik. 'Je hebt maar een bepaald aantal cycli. Je moet beslissen waar je je cycli aan besteedt.' Ik spiegelde zijn lichaamstaal, aapte hem bijna na, maar hij scheen het niet te merken.

'Absoluut. Nou, we zijn de laatste tijd niet echt fanatiek aan het werven; dat doet niemand. Maar een van onze managers van nieuwe producten is plotseling overgeplaatst.'

Ik knikte weer.

'De Lucid is geniaal – hij heeft Wyatts hachje gered in een kwartaal dat verder erg somber is verlopen. Een product van jou, hè?'

'Nou, van mijn team. Ik maakte alleen maar deel uit van het team. Ik deed het niet alleen.'

Dat stond hem wel aan. 'Nou, het schijnt dat je een tamelijk belangrijke rol hebt gespeeld.'

'Dat weet ik niet. Ik werk hard en hou van wat ik doe, en ik was toevallig op het juiste moment op de juiste plaats.'

'Je bent te bescheiden.'

'Misschien.' Ik glimlachte. Hij slikte alles, mijn zogenaamde bescheidenheid en mijn directheid.

'Hoe heb je het gedaan? Wat is het geheim?'

Ik blies wat lucht uit tussen mijn samengedrukte lippen, alsof ik terugdacht aan een marathon die ik had gelopen. Ik schudde mijn hoofd. 'Geen geheim. Teamwerk. Naar consensus toe werken, mensen motiveren.'

'Wees eens specifiek.'

'Het idee is eerlijk gezegd begonnen als een Palm-killer.' Ik had het over Wyatts draadloze PDA, het dingetje dat de Palm Pilot van de markt had geveegd. 'In de eerste conceptplanningsessies kwamen we bij elkaar als interfunctionele groep: Technologie, Marketing, onze interne ID-mensen, een externe ID-firma.' ID is jargon voor industrieel design. Ik was goed op dreef; dit antwoord kende ik uit mijn hoofd. 'We keken naar het marktonderzoek, wat de gebreken waren van het Trion-product, en van de Palm, de Handspring, de Blackberry.'

'En wat was het gebrek in ons product?'

'Snelheid. Het draadloze contact werkt niet goed, maar daarmee vertel ik niets nieuws.' Dit was een zorgvuldig uitgedachte steek onder water: Judith had een paar openhartige opmerkingen die Lundgren op congressen had gemaakt, voor me gedownload. Hij had dat gebrek toen met zoveel woorden toegegeven. Hij had enorm veel kritiek op Trion-producten als ze tekortschoten. Mijn nogal botte opmerking was een gecalculeerd risico dat Judith had genomen. Ze had zijn managementstijl bestudeerd en was tot de conclusie gekomen dat hij een hekel had aan pluimstrijkerij en het liefst klare taal hoorde.

'Zo is dat,' zei hij. Die glimlach ging een milliseconde aan.

'Hoe dan ook, we namen een hele reeks scenario's door. Wat zou een voetbalmoeder echt willen, en een bedrijfsdirecteur, en een ploegbaas in de bouw? We praatten over features, de vormfactor, al die dingen. Die gesprekken verliepen nogal informeel. Het ging me vooral om elegante design in combinatie met eenvoud.'

'Ik vraag me af of jullie niet te veel op het design hebben gelet, ten koste van de functionaliteit,' zei Lundgren.

'Hoe dan?'

'Er is geen flash slot. De enige grote zwakheid in het product, voor zover ik kan zien.'

Een prachtige voorzet, en ik trapte hem erin. 'Daar ben ik het volkomen mee eens.' Ik was grondig voorbereid met verhalen over 'mijn' successen en de pseudo-mislukkingen die ik zo goed uit het slop had gehaald dat het bijna overwinningen op het slagveld leken. 'Een groot fiasco. Dat was absoluut de grootste feature die overboord werd gezet. Hij zat wel in de oorspronkelijke productdefinitie, maar de vormfactor werd te belangrijk en de feature werd ergens midden in de cyclus geschrapt.' Pak aan.

'Doen jullie daar iets aan in de volgende generatie?'

Ik schudde mijn hoofd. 'Sorry, daar kan ik niets over zeggen. Dat is een bedrijfsgeheim van Wyatt Telecom. Dat is voor mij niet alleen een juridische kwestie, maar ook een morele zaak. Als je je woord geeft, moet dat iets betekenen. Als dat een probleem is...'

Hij keek me met een oprechte, waarderende glimlach aan. Doelpunt. 'Helemaal geen probleem. Ik respecteer dat. Iemand die bedrijfsgeheimen van zijn vorige werkgever doorvertelde, zou dat mij ook flikken.'

Die woorden 'vorige werkgever' ontgingen mij niet: Lundgren had me al aangenomen, dat had hij zojuist verraden.

Hij haalde zijn semafoon te voorschijn en keek er even op. Terwijl we zaten te praten, had hij een paar oproepen gekregen zonder dat er een geluidssignaal was afgegaan. 'Ik hoef niet langer beslag op je tijd te leggen, Adam. Ik wil je aan Nora voorstellen.'

10

Nora Sommers was blond en een jaar of vijftig, en ze had starende ogen die ver uit elkaar stonden. De blik in die ogen was die van een roofdier. Misschien was ik bevooroordeeld door haar dossier, waarin ze meedogenloos en tiranniek werd genoemd. Ze behoorde tot de directie en was teamleider van het Maestro-project, een bijproduct van de Blackberry dat al bijna was afgedankt. Ze was berucht om de teambesprekingen die ze om zeven uur 's morgens hield. Niemand wilde in haar team zitten, en daarom was het niet gelukt de vacature intern te vervullen.

'Het is zeker niet leuk om voor Nick Wyatt te werken, hè?' begon ze.

Ik had ook zonder Judith Bolton wel geweten dat je niet op je vroegere werkgever moest afgeven. 'Tja, hij is veeleisend,' zei ik, 'maar hij heeft wel het beste in me naar boven gehaald. Hij is een perfectionist. Ik heb alleen maar bewondering voor hem.'

Ze knikte verstandig en glimlachte alsof ik het juiste multiple-choice-antwoord had gekozen. 'Hij houdt de drive erin, hè?'

Wat had ze dan verwacht dat ik zou zeggen, de waarheid over Nick Wyatt? Dat hij een vervelende kerel en een rotzak was? Natuurlijk niet. Ik ging nog even door: 'Als je bij Wyatt werkt, is het net of je in één jaar tien jaar ervaring krijgt – in plaats van tien keer één jaar ervaring.'

'Mooi antwoord,' zei ze. 'Ik hou er wel van als mijn marketingmensen me ondersteboven proberen te praten. Dat is een belangrijke vaardigheid voor hen. Als je mij ondersteboven kunt praten, lukt je dat ook met de *Journal*.'

Gevaarlijk terrein. Daar waagde ik me niet. Ik zag de scherpe punten van de val. Daarom keek ik haar alleen maar aan.

'Nou,' ging ze verder, 'er doen veel verhalen over jou de ronde. Wat was het moeilijkste gevecht dat je voor het Lucid-project moest leveren?'

Ik vertelde haar het verhaal dat ik Tom Lundgren ook al had verteld, maar ze was niet erg onder de indruk. 'Het lijkt me nogal tam,' zei ze. 'Ik zou het gewoon een compromis noemen.'

'Misschien had je erbij moeten zijn,' zei ik. Zwak. Ik zocht in mijn mentale cd-rom naar anekdotes over de ontwikkeling van de Lucid. 'Er was nogal veel onenigheid over het design van de joy pad. Dat is een vijfwegs directionele pad met ingebouwde speaker.'

'Ik ken het product. Wat was de controverse?'

'Nou, onze ID-mensen zagen daarin een focuspunt van het product – het trok je aandacht. Maar ik kreeg nogal veel tegengas van de ingenieurs. Die zeiden dat het bijna onmogelijk was, veel te lastig; ze wilden de speaker en de directionele pad gescheiden houden. De ID-jongens waren ervan overtuigd dat als je die dingen scheidde het design te rommelig zou worden, te asymmetrisch. Dat stond met elkaar op gespannen voet. En dus moest ik mijn poot stijf houden. Ik zei dat dit een hoeksteen was. Van het design ging niet alleen een visueel statement uit, maar ook een belangrijk technologisch statement. Het zei tegen de markt dat wij iets konden wat onze concurrenten niet konden.'

Ze laserde met die ver uit elkaar staande ogen op me in alsof ik een kreupel kuiken was. 'Ingenieurs,' zei ze met een huivering. 'Soms zijn ze onmogelijk. Helemaal geen zakelijk inzicht.'

De metalen tanden van de val glansden van het bloed. 'Eigenlijk heb ik nooit problemen met ingenieurs,' zei ik. 'Ik denk dat ze in feite het hart van de onderneming zijn. Ik ga nooit een confrontatie met ze aan; ik inspiréér ze, tenminste, dat probeer ik. Intellectueel leiderschap en kennisuitwisseling – daar draait het om. Dat is een van de dingen die me vooral zo aanspreken in Trion – ingenieurs hebben hier de overhand, en zo hoort het ook. Jullie hebben hier een echte innovatiecultuur.'

Zeker, ik papegaaide een interview na dat Jock Goddard eens aan *Fast Company* had gegeven, maar ik dacht dat het werkte. De ingenieurs van Trion stonden erom bekend dat ze gek op Goddard waren, omdat hij een van hen was. Ze vonden Trion een geweldig bedrijf om voor te werken, omdat Trion zoveel geld in onderzoek en ontwikkeling stak.

Een ogenblik was ze sprakeloos. Toen zei ze: 'Uiteindelijk is innovatie van kritiek belang voor de missie.' Jezus, ik dacht dat ik open deuren intrapte, maar voor deze vrouw waren managementclichés een tweede taal. Het was alsof ze het uit een Berlitz-boekje had geleerd.

'Absoluut,' beaamde ik.

'Vertel eens, Adam – wat is je grootste zwakheid?'

Ik glimlachte, knikte en zond in gedachten een dankgebed naar Judith Bolton.

Doelpunt.

Man, het leek me bijna te makkelijk.

11

Ik kreeg het nieuws van Nick Wyatt zelf. Toen ik door Yvette in zijn kantoor werd binnengeleid, zag ik hem op zijn Precor-elliptische trainer in de hoek van zijn kantoor zitten. Hij droeg een met zweet doorweekt mouwloos shirt en een rood sportbroekje en zag er verbeten uit. Ik vroeg me af of hij aan de steroïden was. Hij had een draadloze koptelefoon op zijn hoofd en blafte bevelen.

Er was meer dan een week verstreken sinds de sollicitatiegesprekken bij Trion, een week van niets dan radiostilte. Ik wist dat de gesprekken goed waren verlopen, en ik twijfelde er niet aan dat mijn referenties uitstekend waren, maar ja, er kon van alles gebeuren.

Ik had gedacht dat ik na mijn sollicitatiegesprekken niet meer naar de KGB-school hoefde, maar daar had ik me in vergist. De training ging door, inclusief die in 'spionagetechniek', zoals ze het noemden: dingen stelen zonder betrapt te worden, papieren en computerbestanden kopiëren, de databases van Trion doorzoeken, contact met hen opnemen als zich iets voordeed wat niet op een geplande ontmoeting kon wachten. Meacham en een andere veteraan uit Wyatts beveiligingsafdeling, die twintig jaar bij de FBI had gezeten, leerden me hoe ik per e-mail contact met hen kon opnemen, en hoe ik dan gebruik kon maken van een *'anonymizer'*, een *remailer* in Finland die je echte naam en adres verborgen hield; hoe ik mijn e-mail kon versleutelen met superkrachtige 1024-bits software die in strijd met de Amerikaanse wet ergens in het buitenland ontwikkeld was. Ze leerden me traditionele spionagefoefjes, zoals uitwisselplaatsen en signalen, en hoe ik hun kon laten weten dat ik documenten door te geven had. Ze leerden me kopieën te maken van de identiteitsbadges die de meeste ondernemingen tegenwoordig gebruiken, die badges waarmee je deuren openkrijgt als je ze langs een sensor beweegt. Sommige van die dingen waren erg interessant. Ik voelde me al een echte spion. Op dat moment had ik er echt zin in. Ik wist niet beter.

Maar na een paar dagen van wachten en wachten op bericht van Trion was ik doodsbang. Meacham en Wyatt hadden me goed duidelijk gemaakt wat er zou gebeuren als ik die baan niet kreeg.

Nick Wyatt keek me niet eens aan.

'Gefeliciteerd,' zei hij. 'Ik heb bericht van de headhunter gekregen. Je bent net voorwaardelijk vrijgekomen.'

'Ik heb een aanbod gekregen?'

'Aanvangssalaris honderdvijfenzeventigduizend, aandelenopties, noem maar op. Je wordt aangenomen als individueel medewerker op managementniveau, maar zonder directe ondergeschikten, niveau tien.'

Ik was opgelucht en stond versteld van het bedrag. Het was ongeveer drie keer zoveel als wat ik nu verdiende. Als ik mijn Wyatt-salaris erbij optelde, kwam ik op 235.000. Jezus.

'Mooi,' zei ik. 'Wat doen we nu, onderhandelen?'

'Wat bazel je nou? Ze hebben acht andere kerels ondervraagd voor die baan. Wie weet, hebben ze een favoriete kandidaat, een vriendje, wat dan ook. Je moet geen risico's nemen. Je zorgt er eerst voor dat je daar binnenkomt en dan laat je ze zien wat je kunt.'

'Wat ik kan...'

'Je laat ze zien hoe geweldig je bent. Je hebt ze al lekker gemaakt met een paar voorproefjes. Nu laat je ze versteld staan. Als dat je niet lukt na de opleiding die je hier hebt gehad, en met mij en Judith als souffleurs, ben je een nog ergere sukkel dan ik al dacht.'

'Ja.' Ik had intussen een zieke fantasie: hoe ik Wyatt op zijn nummer zou zetten terwijl ik de deur uit liep om voor Trion te gaan werken – maar toen herinnerde ik me dat Wyatt niet alleen mijn baas was, maar dat hij me ook bij de ballen had.

Wyatt ging, nat van het zweet, van het trainingsapparaat af, pakte een witte handdoek van het stuur en veegde zijn gezicht, zijn armen en zijn oksels af. Hij stond zo dicht bij me dat ik de muskusgeur van zijn transpiratie en zijn zurige adem kon ruiken. 'Luister nu goed,' zei hij met een onmiskenbaar dreigende ondertoon. 'Zo'n zestien maanden geleden ging de directie van Trion akkoord met een buitengewone uitgave van bijna vijfhonderd miljoen dollar voor de financiering van een soort skunkwerk.'

'Een wat?'

Hij snoof. 'Een geheim intern project. Hoe dan ook, het is heel ongewoon dat bestuursleden akkoord gaan met zo'n grote uitgave zonder dat ze over veel informatie beschikken. In dit geval gingen ze blindelings akkoord, uitsluitend op grond van verzekeringen van de president-directeur. Goddard is de oprichter van het bedrijf, en dus vertrouwen ze hem. Hij verzekerde hun ook dat de technologie die ze ontwikkelen, wat het ook mag zijn, een monumentale doorbraak is. En nu heb ik het over een gigantische, wereldschokkende sprong vooruit. Een technologie die alles op zijn kop zal zetten. Dit was de grootste uitvinding sinds de transistor, zei hij, en iedereen die deze boot mist, blijft voorgoed achter.'

'Wat is het?'

'Als ik dat wist, zou jij hier niet zijn, idioot. Mijn informanten zeggen dat het de hele telecommunicatie gaat veranderen, dat niets meer hetzelfde blijft. En ik ben niet van plan die boot te missen. Snap je?'

Ik snapte het niet, maar ik knikte.

'Ik heb veel te veel in deze firma geïnvesteerd om hem dezelfde weg op te laten gaan als de mastodont en de dodo te laten gaan. Het is dus jouw taak, mijn vriend, om zoveel mogelijk over dat skunkwerk aan de weet te komen: wat doet het, waar zijn ze precies mee bezig? Voor mijn part ontwikkelen ze een of andere elektronische pogo-stick. Ik neem geen enkel risico. Is dat duidelijk?'

'Hoe?'

'Dat moet je zelf weten.' Hij draaide zich om en liep door het enorme kantoor naar een uitgang die ik nog niet eerder had gezien. Hij maakte de deur open, en daarachter bleek zich een glanzende marmeren badkamer met douche te bevinden. Ik bleef aarzelend staan. Ik wist niet of ik op hem moest wachten of moest weggaan.

'Je krijgt later vanmorgen het telefoontje,' zei Wyatt zonder zich om te draaien. 'Doe alsof je verrast bent.'

DEEL TWEE

ACHTERVANGEN

Achtervangen: Allerlei vervalste identificaties creëren die aan een agent worden verstrekt en die tegen een rigoureus onderzoek bestand zijn.
- *The Dictionary of Espionage*

12

Ik had in drie plaatselijke kranten een advertentie gezet waarin ik om een verzorgster voor mijn vader vroeg. In die advertentie maakte ik goed duidelijk dat iedereen mocht reageren en dat ik geen hoge eisen stelde. Ik betwijfelde of er nog iemand over was; ik had de bron al aardig uitgeput.

Er kwamen precies zeven reacties binnen. Drie daarvan waren van mensen die de advertentie verkeerd hadden begrepen en zelf op zoek waren naar een verzorgster. Twee andere bellers hadden zo'n zwaar buitenlands accent dat ik niet eens zeker wist of ze Engels probeerden te spreken. Een van hen was een volkomen redelijk klinkende man met een vriendelijke stem. Hij zei dat hij Antwoine Leonard heette.

Niet dat ik veel vrije tijd had, maar ik sprak toch met die Antwoine af dat we koffie zouden drinken. Ik wilde niet dat hij mijn vader ontmoette tenzij het echt nodig was. Ik wilde hem eerst in dienst nemen, voordat hij zag waar hij mee te maken kreeg, want dan kon hij er niet meer zo gemakkelijk meer onderuit.

Antwoine bleek een kolossale, angstaanjagend uitziende zwarte man met gevangenistatoeages en dreadlocks te zijn. Mijn vermoeden was juist: zodra hij de gelegenheid had, vertelde hij me dat hij net uit de gevangenis was gekomen, waar hij wegens autodiefstal had gezeten, en dat was niet zijn eerste keer in de bak geweest. Hij gaf me de naam van zijn reclasseringsambtenaar als referentie. Ik vond het wel sympathiek dat hij daar zo open over sprak en geen enkele poging deed het te verbergen. Eigenlijk mocht ik hem wel. Hij had een vriendelijke stem, een verrassend mooie glimlach en een bedaarde manier van doen. Zeker, ik was wanhopig, maar ik dacht ook dat als iemand mijn vader de baas kon, hij dat misschien zou zijn, en ik nam hem meteen aan.

'Zeg, Antwoine,' zei ik toen ik opstond. 'Dat van die gevangenis?'

'Dat is een probleem voor u, nietwaar?' Hij keek me recht aan.

'Nee, dat is het niet. Ik vind het prettig dat je er zo eerlijk over praat.'

Hij haalde zijn schouders op. 'Ja, nou...'

'Het lijkt me alleen niet nodig dat je ook zo eerlijk tegen mijn vader bent.'

De avond voordat ik bij Trion begon, ging ik vroeg naar bed. Seth had een telefonische boodschap achtergelaten. Hij nodigde me uit om met hem en een stel vrienden van ons de stad in te gaan, omdat hij die avond niet hoefde te werken, maar ik zei nee.

De wekker ging om halfzes af, en het was net of de klok niet goed liep: het was nog nacht. Toen ik me herinnerde waar ik heen moest, ging er een schok door me heen, een vreemde combinatie van angst en opwinding. Ik zou aan het grote spel gaan meedoen. De oefentijd was voorbij; het was nu menens. Ik nam een douche en schoor me met een gloednieuw mesje, heel langzaam om me niet te snijden. Ik had zelfs mijn kleren klaargelegd voordat ik ging slapen; ik had mijn pak en das uitgekozen en mijn schoenen gepoetst tot ze glommen. Het leek me beter om de eerste dag in een pak te verschijnen, hoe ouderwets dat ook was. Ik kon me altijd nog van het jasje en de das ontdoen.

Het was bizar: voor het eerst in mijn leven verdiende ik een salaris van zes cijfers voor de komma, al had ik dat salaris nog niet één keer ontvangen, en ik woonde nog steeds in een krot. Nou, dat zou gauw genoeg veranderen.

Toen ik in de zilverkleurige Audi A6 stapte, die nog naar nieuwe auto rook, voelde ik me al heel wat welvarender, en om mijn carrièrestap te vieren ging ik naar een Starbucks en nam ik een *triple grande latte*. Bijna vier dollar voor een kop koffie, verdomme, maar hé, ik verdiende nu het grote geld. Het hele eind naar Trion zette ik het volume van Rage Against the Machine steeds hoger, en toen ik daar aankwam, schreeuwde Zack de la Rocha 'Bullet in the Head' en brulde ik 'No escape from the mass mind rape!' met hem mee, en dat alles in mijn perfecte Zegna-pak met das en Cole-Haan schoenen. Ik was er helemaal klaar voor.

Tot mijn grote verbazing stonden er vrij veel auto's in de ondergrondse garage, al was het nog maar halfacht. Ik parkeerde twee verdiepingen beneden straatniveau.

De receptioniste van vleugel B kon mijn naam in geen enkele lijst van bezoekers of nieuwe medewerkers vinden. Ik was niemand. Ik vroeg haar Stephanie te bellen, Tom Lundgrens secretaresse, maar Stephanie was er nog niet. Ten slotte bereikte ze iemand op Human

Resources, die tegen haar zei dat ze me naar de tweede verdieping van vleugel E moest sturen. Dat was een lange wandeling.

De volgende twee uren zat ik met een klembord op de receptie van Human Resources en vulde ik het ene na het andere formulier in: W-4, W-9, kredietfaciliteiten, verzekeringen, automatische storting op mijn bankrekening, aandelenopties, pensioenregelingen, geheimhoudingsverklaringen... Ze maakten een foto van me en gaven me een identiteitsbadge en een paar andere plastic kaartjes die ik aan mijn badgehouder vast moest maken. Daar stonden dingen op als TRION – VERANDER JE WERELD en OPEN COMMUNICATIE en FUN en MATIGHEID. Het deed nogal aan de Sovjet-Unie denken, maar daar zat ik niet mee.

Een van de HR-mensen gaf me een snelle rondleiding door Trion, en het was allemaal erg indrukwekkend. Een fantastisch fitnesscentrum, geldautomaten, een plek waar je je was- en stomerijgoed kon achterlaten, pauzekamers met gratis frisdrank, flessen water, popcorn, cappuccinomachines.

In de pauzekamers hingen grote glanzende kleurenposters waarop je een groep vrouwen en mannen met vierkante schouders (Aziatisch, zwart, blank) zag die triomfantelijk onder de woorden DRINK VERSTANDIG! DRINK MET MATE! boven op de planeet Aarde zaten. 'De gemiddelde Trion-medewerker drinkt vijf drankjes per dag,' stond er. 'Eén frisdrank minder per dag, en Trion bespaart 2,4 miljoen dollar per jaar!'

Je kon je auto laten wassen, eventueel de uitgebreide behandeling, kortingskaartjes voor films, concerten en honkbalwedstrijden krijgen; ze hadden een kraamcadeauproject ('één cadeau per huishouden, per keer'). Ik zag dat de lift van vleugel D niet op de vierde verdieping stopte – 'Speciale Projecten', legde ze uit. 'Verboden toegang.' Ik probeerde geen blijk te geven van bijzondere belangstelling. Ik vroeg me af of dat het 'skunkwerk' was waar Wyatt zo in geïnteresseerd was.

Ten slotte kwam Stephanie om me naar de vijfde verdieping van vleugel B te brengen. Tom was aan het telefoneren, maar maakte een gebaar dat ik kon binnenkomen. Overal in zijn kantoor zag je foto's van zijn kinderen – vijf jongens, zag ik – afzonderlijk en samen, en tekeningen die ze hadden gemaakt, dat soort dingen. De boeken op de planken achter hem waren de gebruikelijke plankvulling – *De kaas van het brood, Weg met alle regels, Directeur zijn: Hoe Het Moet.* Zijn benen gingen wild op en neer en zijn gezicht zag eruit alsof het was schoon geboend met een Brillospons. 'Steph,' zei hij. 'Wil je Nora vragen of ze even wil komen?'

Een paar minuten later gooide hij de hoorn op de haak, sprong overeind en schudde mijn hand. Zijn trouwring was breed en glanzend.

'Hé, Adam, welkom in het team!' zei hij. 'Man, wat ben ik blij dat we je hebben gestrikt! Ga zitten, ga zitten.' Ik nam plaats. 'We hebben je nodig, jongen. Dringend nodig. We zitten hier verschrikkelijk omhoog. Het meisje dat je vervangt, is overgeplaatst. Je komt in Nora's team te werken. Ze zijn daar bezig met de vernieuwing van de Maestro-lijn, en je zult merken dat het daar niet zo goed mee gaat. Er moeten een paar grote branden worden geblust, en – daar is ze!'

Nora Sommers stond in de deuropening. Ze steunde met haar ene hand op de deurpost, poserend als een diva. Een beetje koket stak ze haar andere hand uit. 'Hallo, Adam, welkom! Ik ben zo blij dat je bij ons bent gekomen.'

'Ik vind het prettig om hier te zijn.'

'Het was geen gemakkelijke beslissing, dat wil ik je best vertellen. We hadden veel erg sterke kandidaten. Maar zoals ze dan zeggen: het beste komt vanzelf bovendrijven. Nou, zullen we meteen aan het werk gaan?'

Haar stem, die een bijna meisjesachtige zangerigheid bezat, leek dieper te worden zodra we van Tom Lundgrens kantoor vandaan liepen. Ze praatte vlugger, spuwde de woorden bijna uit. 'Je kamer is daar,' zei ze, en ze stak met haar wijsvinger door de lucht. 'We gebruiken hier webtelefoons. Ik neem aan dat je daarmee kunt werken?'

'Maak je geen zorgen.'

'Computer, telefoon; ik denk dat je alles wel hebt. Als je nog iets nodig hebt, bel je gewoon naar de facilitaire dienst. Nou, Adam, ik moet je waarschuwen, we houden hier niet elkaars handje vast. Je zult in korte tijd veel moeten leren, maar dat is jou wel toevertrouwd. We gooien je meteen in het diepe en het is zwemmen of verzuipen.' Ze keek me uitdagend aan.

'Ik zwem liever,' zei ik met een vage grijns.

'Ik ben blij dat te horen,' zei ze. 'Ik mag jouw houding wel.'

13

Ik voelde me niet op mijn gemak in de buurt van Nora. Ze was er het type naar om me laarzen van beton aan te trekken, in de kofferbak van een Cadillac te leggen en in de East River te gooien. Zwemmen of ver-zuipen, vertel mij wat.

Ze liet me in mijn nieuwe kamer achter, waar ik oriëntatiemateriaal las en codenamen voor alle projecten uit mijn hoofd leerde. Elk high-techbedrijf geeft zijn producten codenamen. Trion werkte met de na-men van stormen: Tornado, Typhoon, Tsunami, enzovoort. Maestro had de codenaam Vortex. Het was verwarrend, al die verschillende na-men, en daar kwam nog bij dat ik ook nog informatie aan het verza-melen was voor Wyatt. Tegen de middag, toen ik honger kreeg, ver-scheen er een potige kerel van in de veertig in mijn kamer. Hij had een paardenstaart van grijzend zwart haar en droeg een oud hawaïshirt en een bril met een dik zwart montuur en ronde glazen.

'Jij moet mijn nieuwste slachtoffer zijn,' zei hij. 'Het verse vlees dat in de leeuwenkooi wordt geslingerd.'

'En dat terwijl jullie allemaal zo vriendelijk zijn,' zei ik. 'Ik ben Adam Cassidy.'

'Weet ik. Ik ben Noah Mordden. Eminent Trion-Ingenieur. Het is je eerste dag, je weet niet wie je kunt vertrouwen, met wie je een bond-genootschap moet sluiten. Wie wil er met je spelen en wie wil dat je op je bek gaat? Nou, ik ben er om al je vragen te beantwoorden. Zul-len we wat gaan eten in de gesubsidieerde personeelskantine?'

Het was een vreemde vent, maar hij maakte me nieuwsgierig. Toen we naar de lift liepen, zei hij: 'Zo, dus ze hebben je de baan gegeven die niemand wilde hebben, hè?'

'O, ja?' Fantastisch.

'Nora wilde iemand die hier al werkt, maar niemand met de juiste kwalificaties wilde voor haar werken. Alana, de vrouw die jij opvolgt, smeekte om van Nora verlost te worden, en dus hebben ze haar over-geplaatst. Er gaat hier het gerucht dat Maestro op de rand van de af-grond balanceert.' Ik kon hem bijna niet verstaan, want hij praatte nog-al mummelend en intussen liepen we naar de liften. 'Als hier iets niet goed gaat, trekken ze nogal gauw de stekker eruit. Je hoeft maar een beetje te hoesten en ze meten je al op voor je doodkist.'

Ik knikte. 'Het product is overbodig.'

'Het is shit. En het maakt geen kans. Trion komt ook met een mobiele telefoon die al diezelfde voorzieningen heeft, dus ook precies hetzelfde draadloze messagingpakket, dus wat heeft Maestro nog voor zin? Laten we dat ding uit zijn lijden verlossen. En het helpt ook niet dat Nora een kreng van het zuiverste water is.'

'Is ze dat?'

'Als je daar nog niet binnen tien seconden achter was, ben je niet zo slim als ze zeggen. Maar je moet haar niet onderschatten: ze heeft de zwarte band in bedrijfspolitiek, en ze heeft haar luitenants, dus wees op je hoede.'

'Dank je.'

'Goddard houdt van klassieke Amerikaanse auto's, dus is zij daar ook gek op. Ze heeft een paar gerestaureerde patserbakken, al heb ik haar daar nooit in zien rijden. Ik denk dat ze Jock Goddard daarmee alleen maar wil laten weten dat ze uit hetzelfde hout gesneden is. Ze is gehaaid, die Nora.'

De lift stond vol met andere personeelsleden die naar de kantine op de tweede verdieping gingen. Veel van hen droegen golf- of poloshirts met het Trion-logo. De lift stopte op elke verdieping. Iemand achter me zei voor de grap: 'Zo te zien hebben we het stamcafé gevonden.' Ik denk dat elke dag in elke bedrijfslift op de wereld iemand die grap maakt.

De kantine, of het personeelsrestaurant, zoals de officiële benaming luidde, was enorm groot en gonsde van de honderden, misschien wel duizenden, Trion-werknemers. Het was net zo'n *food court* als in een winkelcentrum: een sushi-bar met twee sushi-koks, een pizzabuffet waar je je eigen vulling mocht kiezen, een burrito-bar, Chinees eten, steaks en hamburgers, een verbijsterende salad bar, en zelfs een buffet voor vegetariërs en veganisten.

'Jezus,' zei ik.

'Geef de mensen brood en spelen,' zei Noah. 'Juvenalis. Zorg dat de arme mensen goed te eten krijgen en ze merken niet dat ze slaven zijn.'

'Misschien.'

'Tevreden koeien geven meer melk.'

'Alles wat werkt.' Ik keek om me heen. 'Het valt wel mee met die matigheid, hè?'

'Ah. Neem bijvoorbeeld de automaten in de pauzekamers: kip met saté voor vijfentwintig cent, maar een dollar voor een Klondike-reep. Dranken en dingen waar cafeïne in zit, zijn gratis. Vorig jaar probeerde het hoofd financiën, Paul Camilletti, de wekelijkse bierfuiven af te schaffen, maar toen gaven managers hun eigen zakgeld uit om bier te kopen, en iemand liet een mailtje rondgaan waarin op zakelijke gronden voor handhaving van de bierfuiven werd gepleit. Bier kost X per jaar, terwijl het Y kost om nieuwe medewerkers aan te nemen en op te leiden, dus gezien het moreel onder de troepen en de kosten van personeelsretentie, bla bla bla, je snapt het wel. Camilletti, gek op cijfers als hij is, gaf zich gewonnen. Evengoed gaat zijn matigheidscampagne gewoon door.'

'Dat is bij Wyatt ook zo,' zei ik.

'Zelfs op internationale vluchten moeten personeelsleden economy class vliegen. Camilletti zelf logeert in een Motel 6 als hij in de Verenigde Staten op reis is. Trion heeft geen bedrijfsvliegtuig – nou ja, Jock Goddards vrouw heeft hem een vliegtuig voor zijn verjaardag gegeven, dus we hoeven geen medelijden met hem te hebben.'

Ik nam een hamburger en een Pepsi light en hij nam een of ander mysterieus Aziatisch roerbakgerecht. Het was belachelijk goedkoop. We keken in de kantine om ons heen, met onze dienbladen in onze handen, maar Mordden vond niemand bij wie hij wilde zitten en dus namen we een eigen tafeltje. Ik had het gevoel van een eerste dag op een nieuwe school, als je nog niemand kent. Het deed me denken aan de dag waarop ik voor het eerst naar het Bartholomew Browning ging.

'Goddard logeert niet ook in een Motel 6 als hij op reis is?'

'Vast niet. Maar hij patst niet erg met zijn geld. Hij wil geen limousines. Hij rijdt zelf in zijn auto. Al geef ik toe dat hij er een stuk of tien heeft, allemaal oldtimers die hij zelf heeft gerestaureerd. Verder geeft hij zijn vijftig hoogste managers de wagen van hun keuze, en ze verdienen allemaal scheppen geld – dat is gewoon niet mooi meer. Goddard is slim – hij weet dat je je toptalenten goed moet betalen, anders raak je ze kwijt.'

'En jullie, Eminente Ingenieurs?'

'O, ik heb hier zelf ook schandalig veel geld verdiend. In theorie zou ik tegen iedereen kunnen zeggen waar ze het in kunnen steken, en dan zou ik nog genoeg hebben om mijn kinderen een comfortabel leven te laten leiden, als ik kinderen had.'

'Maar je werkt nog.'

Hij zuchtte. 'Toen ik de grote klapper had gemaakt, een paar jaar nadat ik hier was begonnen, nam ik ontslag en ben ik om de wereld gezeild. Ik had alleen mijn kleren bij me en een paar zware koffers met de westerse canon.'

'De westerse canon?'

Hij glimlachte. 'De grootste literatuur uit het Westen.'

'Het Wilde Westen? Winnetou?'

'Nee, denk eerder aan Herodotos, Thucydides, Sophocles, Shakespeare, Cervantes, Montaigne, Kafka, Freud, Dante, Milton, Burke...'

'Man, ik sliep onder die les,' zei ik.

Hij glimlachte weer. Waarschijnlijk dacht hij dat ik debiel was.

'Hoe dan ook,' zei hij, 'zodra ik alles had gelezen, besefte ik dat ik niet in staat was om niet te werken, en toen ging ik naar Trion terug. Heb je *De vrijwillige slavernij* van Étienne de la Boétie gelezen?'

'Staat dat op de lijst?'

'Tirannen hebben alleen de macht die hun slachtoffers hun geven.'

'Ja, en ook de macht om gratis Pepsi's uit te delen,' zei ik, en ik hield hem mijn blikje voor. 'Dus je bent ingenieur.'

Hij glimlachte beleefd; het leek bijna een grimas. 'Niet zomaar ingenieur, denk daaraan, maar een Eminente Ingenieur, zoals ik al zei. Dat betekent dat ik een laag personeelsnummer heb en zo ongeveer mag doen waar ik zin in heb. Als dat betekent dat ik een doorn in het oog van Nora Sommers ben, dan moet dat maar. Nou, even over de rolbezetting aan de marketingkant van jouw divisie. Eens kijken, je hebt de giftige Nora al ontmoet. En Tom Lundgren, je hoog verheven divisiedirecteur, in wezen een brave burgerman. Hij leeft voor de kerk, zijn gezin en golf. En Phil Bohjalian, zo oud als Methusalem en in technologisch opzicht ook ongeveer zo ver. Hij is begonnen bij Lockheed Martin toen dat nog anders heette en de computers zo groot als huizen waren en op ponskaarten van IBM liepen. Zijn dagen hier zijn geteld. En... Ziedaar, daar hebben we Elvis zelf die zich in ons midden waagt!'

Ik draaide me om en keek in dezelfde richting als hij. Bij de salad bar stond een man met witte haren en kromme schouders. Hij had een zwaar doorgroefd gezicht, borstelige witte wenkbrauwen, grote oren en een kabouterachtige uitdrukking. Hij droeg een zwarte coltrui. Je voelde dat de energie in de kantine veranderde, dat die energie in golven om hem heen bewoog. Mensen draaiden zich naar hem om en fluisterden onder elkaar. Iedereen deed zijn best om er blasé en nonchalant uit te zien.

Augustine Goddard, de oprichter en president-directeur van Trion, in hoogsteigen persoon.

Hij leek ouder dan op de foto's die ik had gezien. Naast hem stond een veel jongere en langere man, die iets zei. De jongere man, een jaar of veertig, was slank en zag er fit uit. Hij had zwart haar met grijze vleugen, net een knappe filmster van Italiaanse afkomst, een actieheld die met de jaren zijn aantrekkelijkheid niet had verloren, al had hij wel pokdalige wangen. Afgezien van die slechte huid deed hij me denken aan Al Pacino in de eerste twee *Godfather*-films. Hij droeg een fraai antracietgrijs pak.

'Is dat Camilletti?' vroeg ik.

'Camilletti de Beul,' zei Mordden, terwijl hij met eetstokjes op zijn roerbak aanviel. 'Onze financieel directeur. De tsaar van de matigheid. Ze zijn een mooi stel, die twee.' Hij sprak met zijn mond vol. 'Zie je zijn gezicht, die littekens van *acne vulgaris*? Volgens de geruchten betekenen ze "eet stront en sterf" in braille. Hoe dan ook, Goddard beschouwt Camilletti als de wedergeboorte van Jezus Christus, de man die de exploitatiekosten gaat snoeien, de winstmarges gaat verhogen en de Trion-aandelen weer de stratosfeer in gaat schieten. Sommigen zeggen dat Camilletti het *id* van Jock Goddard is, de slechte Jock. Zijn Iago. De duivel op zijn schouder. Ik denk zelf dat hij de slechte smeris is die Jock de kans geeft om de goede smeris te zijn.'

Ik was klaar met mijn hamburger. De president-directeur en zijn financieel directeur stonden in de rij en betaalden voor hun salade, zag ik. Konden ze niet gewoon iets meenemen zonder te betalen? Of meteen vooraan in de rij gaan staan of zoiets?

'Het is ook typisch iets voor Camilletti om in de personeelskantine te gaan lunchen,' ging Mordden verder. 'Op die manier laat hij de massa weten dat hij zich echt voor die kostenbesparingen inzet. Hij verlaagt geen onkosten, hij "snoeit" ze. Er is hier bij Trion geen directierestaurant. Geen aparte kok voor de top. Geen lunches die speciaal bij een cateringbedrijf zijn besteld, o nee, dat zouden ze nooit doen. Ze breken het brood met het gewone volk.' Hij nam een slok Dr Pepper. 'Waar waren we in mijn *Wie is Wie*? O, ja. Chad Pierson, Nora's blonde jongen en beschermeling, wonderkind en professionele pluimstrijker. Hij heeft zijn MBA gehaald in Tuck en ging daarna meteen op de productmarketing van Trion werken. Kortgeleden heeft hij een zware marketingopleiding gevolgd, en reken maar dat hij jou als een bedreiging ziet die zo snel mogelijk geëlimineerd moet worden. En dan is er Audrey Bethune, de enige zwarte vrouw in...'

Noah zweeg plotseling en stak nog wat roerbak in zijn mond. Ik zag dat een knappe blonde man van ongeveer mijn leeftijd vlug naar onze tafel kwam, zo soepel als een haai zich door water beweegt. Blauw button-downoverhemd, ballerig, atletisch. Een van die lichtblonde jongens die je in grote advertenties in tijdschriften tegenkomt, waar ze op een cocktailparty op het gazon van hun landhuis te bewonderen zijn, in gezelschap van andere exemplaren van het superras.

Noah Mordden nam vlug een slok van zijn Dr Pepper en stond op. Hij had bruine roerbakvlekken op de voorkant van zijn Aloha-shirt. 'Sorry,' zei hij onbehaaglijk. 'Ik heb een afspraak.' Hij liet alles op de tafel staan en ging ervandoor. Op datzelfde moment kwam de lichtblonde jongen met uitgestoken hand bij mijn tafeltje aan.

'Hé, man hoe gaat het ermee?' zei de jongen. 'Chad Pierson.'

Ik wilde zijn hand schudden, maar hij liet zijn hand alleen maar over de mijne glijden om te laten blijken dat hij te hip en te cool was om het op de normale manier te doen. Zijn nagels zagen er gemanicuurd uit. 'Man,' zei hij. 'ik heb zoveel over je gehoord, genie dat je bent!'

'Allemaal onzin,' zei ik. 'Marketing, weet je.'

Hij lachte veelbetekenend. 'Nee, het schijnt dat jij alles weet. Als ik bij je in de buurt blijf, leer ik misschien een paar trucjes.'

'Ik zal alle hulp nodig hebben die ik kan krijgen. Ze zeggen dat het hier zwemmen of verzuipen is, en het lijkt inderdaad of ik in het diepe ben gegooid.'

'Zo, dus Mordden moest weer de cynische intellectueel uithangen?'

Ik glimlachte neutraal. 'Vertel me eens wat over hem.'

'Ik weet alleen maar negatieve dingen. Hij denkt dat hij in een of andere soapserie verzeild is geraakt, een Machiavelli-achtige wereld. Misschien is híj daar ook wel, maar ik zou niet te veel naar hem luisteren.'

Ik besefte dat ik op mijn eerste schooldag bij de onpopulairste jongen van de klas aan tafel had gezeten, maar juist daardoor voelde ik me geroepen om Mordden te verdedigen. 'Ik mag hem wel,' zei ik.

'Hij is ingenieur. Die zijn allemaal gek. Speel je basketbal?'

'Ja, weleens.'

'Elke dinsdag en donderdag spelen we partijtjes in de lunchpauze. Dat doen we in de sportzaal. We moeten jou ook inzetten. En verder kunnen we misschien eens samen wat gaan drinken, of een keer naar het stadion, of weet ik veel.'

'Lijkt me geweldig,' zei ik.

'Heeft iemand je al over de bierfuif van de bedrijfsspelen verteld?'

'Nog niet.'

'Dat is misschien ook niks voor Mordden. Hoe dan ook, het is grote lol.' Hij was erg beweeglijk en draaide zijn lichaam heen en weer als een basketbalspeler die op zoek is naar een mogelijkheid om een dunk te maken. 'Dus je bent er om twee uur?'

'Ik zou het niet willen missen.'

'Cool. Goed dat we je in ons team hebben, jongen. We maken ze in, jij en ik.' Hij keek me met een stralende glimlach aan.

14

Toen ik Corvette kwam binnenlopen, stond Chad Pierson voor een *whiteboard* en schreef daar met rode en blauwe markers een vergaderschema op. Het was een vergaderkamer als alle vergaderkamers die ik ooit had gezien: een grote tafel (maar dan wel hightech-designer-zwart in plaats van notenhout), een Polycom-geluidsinstallatie die als een geometrische spin, een zwarte weduwe misschien, midden op de tafel stond, een fruitmand, een ijsemmer met frisdrank en pakjes sap.

Hij knipoogde even naar me toen ik aan een van de lange kanten van de tafel ging zitten. Er zaten daar al een paar andere mensen. Nora Sommers zat aan het hoofd van de tafel. Ze droeg een zwarte leesbril die aan een ketting om haar hals zat, las een dossier door en mompelde soms iets tegen Chad, haar secretaris. Blijkbaar merkte ze mij helemaal niet op.

Naast me zat een grijsharige man in een blauw Trion-poloshirt. Hij typte op een Maestro, was waarschijnlijk aan het e-mailen. Hij was slank, maar had een buikje, en hij had magere armen en knobbelige ellebogen die uit zijn overhemd met korte mouwen staken. Verder had hij een randje grijs haar, onverwacht lange bakkebaarden en grote rode oren. In zijn bril zaten dubbelfocusglazen. Als hij een ander soort overhemd had gedragen, zou hij waarschijnlijk een plastic borstzakbeschermer hebben gehad. Hij leek op een nerd-ingenieur oude stijl, iemand uit de tijd van de Hewlett Packard-rekenmachine. Zijn tanden waren klein en bruin, alsof hij pruimde.

Dit moest Phil Bohjalian zijn, die zo oud als Methusalem was, al had ik aan Morddens beschrijving de indruk overgehouden dat hij een ganzenveer en perkament zou gebruiken. Hij wierp mij steeds nerveuze, stiekeme blikken toe.

Noah Mordden kwam stilletjes de kamer in, zonder mij of iemand anders te groeten. Hij ging aan het andere eind van de vergadertafel zitten en klapte zijn notebook open. Er kwamen nog meer mensen binnen, lachend en pratend. Er waren nu misschien wel meer dan tien mensen in de kamer. Chad was klaar met het whiteboard en legde zijn papieren op de lege stoel naast mij. Hij klopte me op de schouder. 'Blij dat je hier bent komen werken,' zei hij.

Nora Sommers schraapte haar keel, stond op en liep naar het whiteboard. 'Zullen we dan maar beginnen? Laat ik eerst ons nieuwste teamlid voorstellen, voor zover jullie nog niet het voorrecht hebben gehad hem te ontmoeten. Adam Cassidy, welkom.'

Ze fladderde even met haar rode nagels naar me, en alle hoofden draaiden zich in mijn richting. Ik glimlachte bescheiden en boog me enigszins voorover.

'We zijn erg blij dat we Adam konden wegkapen van Wyatt, waar hij een van de belangrijkste medewerkers aan Lucid was. We hopen dat hij ook iets van zijn magische talent aan Maestro ten goede zal laten komen.' Ze glimlachte gelukzalig.

Chad nam het woord. Hij keek daarbij heen en weer, alsof hij een groot geheim onthulde. 'Deze rotzak is een genie. Ik heb met hem gepraat. Alles wat jullie over hem hebben gehoord, is waar.' Hij keek me met zijn grote blauwe ogen aan en schudde mijn hand.

Nora ging verder. 'Zoals we allemaal maar al te goed weten, ondervindt Maestro grote tegenwerking. In heel Trion zijn de messen geslepen, en ik hoef geen namen te noemen.' Er werd zachtjes gegrinnikt. 'We zitten met een belangrijke, dreigende deadline – een presentatie voor meneer Goddard zelf. Op die presentatie zullen we de voortzetting van de Maestro-productlijn moeten bepleiten. Het gaat om veel meer dan een functionele uiteenzetting, om meer dan een voortgangsrapportage. Het gaat om leven en dood. Onze vijanden willen ons op de elektrische stoel zetten, en wij vragen om uitstel van executie. Is dat duidelijk?'

Ze keek dreigend de tafel rond en zag iedereen gehoorzaam knikken. Toen draaide ze zich om en streepte met een paarse marker het eerste punt van de agenda door. Ze deed dat net een beetje te heftig. Toen draaide ze zich met een ruk weer om en gaf Chad wat papieren die aan elkaar waren geniet. Hij gaf ze door naar rechts en links. Het leken me een soort specificaties, een productdefinitie of productprotocol of iets dergelijks, maar de naam van het product, dat vermoedelijk op het bovenste papier had gestaan, was weggehaald.

'Nou,' zei ze. 'Ik zou graag willen dat we een oefening deden – een demonstratie, als je het zo wilt noemen. Sommigen van jullie herkennen dit productprotocol misschien wel, en zo ja, houd het dan voor je. Ik wil dat we bij het vernieuwen van de Maestro allemaal even buiten de geijkte kaders denken, en ik wil onze nieuwste ster vragen dit te bekijken en me zijn mening te geven.'

Ze keek me recht aan.

Ik legde mijn hand op mijn borst en zei schaapachtig: 'Ik?'

Ze glimlachte. 'Jij.'

'Mijn... mening?'

'Ja. Go/no go. Het groene licht voor dit project of niet. Jij, Adam, bent de poortwachter van dit voorgestelde product. Vertel ons wat je ervan denkt. Moeten we het doen of niet?'

Ik voelde me misselijk. Mijn hart bonkte. Ik probeerde mijn ademhaling onder controle te krijgen, maar ik voelde dat ik een kleur kreeg. Intussen bladerde ik de papieren door. Ik wist bij god niet wat het voor protocol was. Ik hoorde lichte nerveuze geluiden in de stilte – Nora die de top van de Expo-marker dicht- en openklikte en eraan draaide zodat hij een knerpend geluid maakte. Iemand speelde met het rietje van zijn pakje Minute Maid-appelsap, duwde het in en uit het pak, zodat het piepte.

Ik knikte langzaam en wijs terwijl ik de papieren bekeek en deed mijn best om er niet uit te zien als een hert dat ineens in het schijnsel van koplampen staat. Al voelde ik me wel zo. Er stond wat abracadabra over 'marktsegmentanalyse' in, en over 'een ruwe inschatting van de marktfactoren'. Godnogaantoe. De zenuwslepende muziek uit *Jeopardy* ging door mijn hoofd.

Knerp, knerp. Piep, piep.

'Nou, Adam? Doen we het of niet?'

Ik knikte weer, probeerde er tegelijk gefascineerd en geamuseerd uit te zien. 'Het bevalt me wel,' zei ik. 'Het is slim.'

'Hmm,' zei ze. Er werd zacht gegrinnikt. Dit was niet goed. Ik had het foute antwoord gegeven, dacht ik, maar ik kon het nu niet meer veranderen.

'Zeg,' zei ik, 'met alleen de productdefinitie in handen is het natuurlijk moeilijk om meer te zeggen dan...'

'Meer hebben we op dit moment niet,' onderbrak ze me. 'Nou? Doen of niet doen?'

Ik improviseerde maar wat. 'Ik heb altijd in duidelijke uitspraken geloofd,' zei ik. 'Ik vind dit erg interessant. De vormfactor staat me wel aan, de met de hand geschreven recognition specs... Gezien het gebruiksmodel, de marktfactoren, zou ik hier zeker verder mee gaan, in elk geval tot aan het volgende controlepunt.'

'Aha,' zei ze. Een van haar mondhoeken ging omhoog voor een kwaadaardige glimlach. 'En dan te bedenken dat onze vrienden in Cupertino ook zonder Adams wijsheid het groene licht voor dezelfde stinkbom konden geven. Adam, dit zijn de specificaties van de Apple Newton. Een van de grootste bommen die Cupertino ooit heeft laten vallen. Het kostte ze meer dan vijfhonderd miljoen dollar om het ding te ontwikkelen, en daarna, toen het op de markt was gebracht, verloren ze er zestig miljoen dollar per jáár op.' Nog meer gegrinnik. 'Maar het leverde de media in 1993 een hoop sappig materiaal op.'

Ze hadden allemaal hun ogen van me afgewend. Chad beet op het binnenste van zijn wang en keek ernstig. Mordden leek zich in een andere wereld te bevinden. Ik had zin om Nora Sommers' smoel van haar hoofd te trekken, maar ik gedroeg me als een sportieve verliezer.

Nora keek de tafel rond, van het ene gezicht naar het volgende, haar wenkbrauwen opgetrokken. 'Er valt hier iets uit te leren. Je moet altijd dieper boren, altijd onder de marketinghype kijken, onder de motorkap. En geloof me, als we over veertien dagen onze presentatie voor Jock Goddard geven, kijkt hij onder de motorkap. Laten we dat nooit vergeten.'

Er werd alom beleefd geglimlacht: iedereen wist dat Goddard een sleutelaar, een autogek was.

'Goed,' zei ze. 'Ik denk dat ik dat nu wel duidelijk heb gemaakt. Laten we verder gaan.'

Ja, dacht ik. Laten we verder gaan. Welkom bij Trion. Je hebt het duidelijk gemaakt. Mijn maag voelde hol aan.

Waar was ik nu weer in verzeild geraakt?

15

De ontmoeting van mijn vader en Antwoine Leonard verliep niet soepel. Zeg maar gerust dat het een volslagen ramp was. Geen synergie. Geen strategische fit.

Meteen na mijn eerste werkdag bij Trion ging ik naar mijn vader. Ik parkeerde de auto een eindje verderop, want ik wist dat pa altijd uit zijn raam keek, als hij niet naar zijn 36-inch televisiescherm zat te kijken, en ik wilde geen gezeur van hem horen over mijn nieuwe auto. Zelfs wanneer ik zou zeggen dat ik een grote salarisverhoging had gehad, zou hij kans zien er een lelijke draai aan te geven.

Ik kwam daar net op tijd aan om te zien hoe Maureen bezig was een grote zwarte nylon koffer op wieltjes naar een taxi te rijden. Ze hield haar lippen op elkaar geperst en droeg haar 'chique' outfit, een limoengroen broekpak met overal schreeuwerige tropische bloemen en vruchten, en spierwitte sportschoenen. Ik onderschepte haar toen ze net tegen de chauffeur riep dat hij haar koffer achterin moest zetten en gaf haar een laatste cheque – inclusief een fors extra bedrag aan smartengeld. Ik bedankte haar overvloedig voor haar trouwe dienst en probeerde haar zelfs een ceremoniële kus op haar wang te geven, maar ze wendde haar hoofd af. Toen trok ze het portier met een klap dicht en reed de taxi weg.

Die arme vrouw. Ik had haar nooit gemogen, maar ik had onwillekeurig medelijden met haar na alles wat mijn vader haar had laten doormaken.

Toen ik binnenkwam, keek pa naar Dan Rather op de televisie, of beter gezegd, hij schreeuwde naar Rather. Hij had een grote hekel aan alle presentatoren van het netwerk, en je wilde niet horen hoe hij over de 'verliezers' van de kabeltelevisie dacht. De enige kabelprogramma's waar hij graag naar keek, waren die programma's waarin vooringenomen extreemrechtse gastheren hun gasten zaten te jennen om ze te laten schuimbekken van woede. Dat was tegenwoordig zijn sport.

Hij zat daar in een wit geribbeld hemd. Ik kreeg daar altijd de kriebels van. Ze riepen onaangename gedachten bij me op – in mijn herinnering had hij altijd zo'n hemd aangehad als hij me 'leerde gehoorzamen'. Ik zag nog duidelijk voor me hoe ik, acht jaar oud, per ongeluk ranja op zijn Barcalounger-stoel had gemorst en hij me met zijn riem sloeg. Hij stond over me heen gebogen – vlekkerig geribbeld hemd, rood zwetend gezicht – en brulde: 'Zie je nu wat je me laat doen?' Niet mijn leukste herinnering.

'Wanneer komt die nieuwe kerel hier?' zei hij. 'Hij is al laat, hè?'

'Nog niet.' Maureen had geweigerd ook maar een minuut extra te blijven om haar opvolger in te werken, dus jammer genoeg zaten we nu even zonder.

'Waarvoor ben je zo netjes aangekleed? Je lijkt wel een begrafenis-ondernemer. Ik word er nerveus van.'

'Dat heb ik je toch gezegd? Ik ben vandaag met een nieuwe baan begonnen.'

Hij keek weer naar Rather en schudde vol walging met zijn hoofd. 'Je bent ontslagen, hè?'

'Bij Wyatt? Nee, ik ben weggegaan.'

'Je probeerde de kantjes eraf te lopen, zoals je altijd doet, en toen hebben ze je ontslagen. Ik weet hoe die dingen gaan. Ze ruiken een ver-liezer al op een kilometer afstand.' Hij haalde een paar keer diep adem. 'Je moeder heeft je altijd verwend. Net als met hockey. Je had prof kun-nen worden als je meer je best had gedaan.'

'Zo goed was ik niet, pa.'

'Dat kun je makkelijk zeggen, hè? Als je dat zegt, is het gemakkelij-ker. Daar heb ik je mee verknoeid; ik stuurde je naar die dure univer-siteit, waar je alle dagen met je dure vriendjes aan het feestvieren was.' Hij had natuurlijk maar voor een deel gelijk: ik was werkstudent ge-weest. Maar wat mij betrof, mocht hij zich herinneren wat hij wilde. Hij keek me met bloeddoorlopen kraaloogjes aan. 'En waar zijn al je dure vriendjes nu?'

'Ik red me wel, pa,' zei ik. Hij had weer een van zijn buien, maar ge-lukkig ging de bel, en ik ging vlug naar de deur om open te doen.

Antwoine was precies op tijd. Hij droeg een lichtblauw ziekenhuis-pak, waardoor hij net een ziekenbroeder leek. Ik vroeg me af waar hij die kleren had opgepikt, want voor zover ik wist had hij nooit in een ziekenhuis gewerkt.

'Wie is dat?' schreeuwde pa met schorre stem.

'Dit is Antwoine,' zei ik.

'Antwoine? Wat voor naam is dat nou weer? Heb jij een of ander Frans mietje aangenomen?' Maar pa had zich al omgedraaid en zag Antwoine in de voordeur staan, en zijn gezicht was meteen paars aan-gelopen. Hij kneep zijn ogen bijna dicht en liet zijn mond openvallen van schrik. 'Jezus... christus!' zei hij, diep ademhalend.

'Hoe gaat het?' zei Antwoine, en hij gaf me een verpletterende hand-druk. 'En dit moet de beroemde Francis Cassidy zijn,' zei hij, terwijl hij naar de Barcalounger liep. 'Ik ben Antwoine Leonard. Aangenaam ken-nis te maken.' Hij sprak met een diepe, welluidende baritonstem.

Pa bleef staren, diep in- en uitademend. Ten slotte zei hij: 'Adam, ik wil meteen met je praten.'

'Goed, pa.'

'Nee. Je zegt tegen An-*twoine* of hoe hij ook mag heten, dat hij moet opkrassen, en dan gaan jij en ik met elkaar praten.'

Antwoine keek me verbaasd aan. Hij vroeg zich af wat hij moest doen.

'Waarom breng je je spullen niet naar je kamer?' zei ik. 'Het is de tweede deur rechts. Je kunt beginnen met uitpakken.'

Hij droeg twee nylon plunjezakken door de gang. Pa wachtte niet eens tot hij de kamer uit was en zei: 'Ten eerste wil ik geen mán die voor me zorgt, is dat duidelijk? Je moet een vrouw voor me vinden. Ten tweede wil ik hier geen zwárte man hebben. Die zijn onbetrouwbaar. Wat dacht je wel? Dat je me hier met Sambo kunt achterlaten? Ik bedoel, moet je die neger toch eens zien, die tatoeages, die vlechten. Dat wil ik niet in mijn huis hebben. Dat is verdomme toch niet te veel gevraagd?' Hij hijgde nu meer dan ooit. 'Hoe kun je hier een zwarte binnenhalen, na alle problemen die ik met die verrekte kinderen uit de gemeentewoningen heb gehad, die hier kwamen inbreken?'

'Ja, en ze gaan altijd meteen weer weg als ze zien dat hier niets de moeite van het stelen waard is.' Ik sprak met gedempte stem, maar ik was woedend. 'Ten eerste, pa, hebben we niet echt een keus, want de bemiddelingsbureaus willen niets meer met ons te maken hebben, omdat je zoveel mensen hebt weggepest, ja? Ten tweede kan ik niet bij je blijven, want ik heb een baan, weet je nog wel? En ten derde heb je die jongen niet eens een kans gegeven.'

Antwoine kwam door de gang naar ons toe. Hij ging bijna dreigend dicht bij mijn vader staan, maar sprak met een zachte, vriendelijke stem. 'Meneer Cassidy, als u wilt dat ik wegga, dan ga ik. Desnoods ga ik nu meteen. Dat vind ik geen enkel probleem, want ik wil niet ergens blijven waar ik niet gewenst ben. Ik heb niet dringend een baan nodig. Zolang mijn reclasseringsambtenaar maar weet dat ik serieus heb geprobeerd een baan te krijgen, zit ik goed.'

Pa keek naar de televisie, een reclamespotje voor incontinentieluiers, en er trilde een adertje onder zijn linkeroog. Ik had dat gezicht al vaker gezien, meestal wanneer hij iemand uitkafferde, en het ging je niet in de koude kleren zitten. Hij liet de footballers altijd rondjes rennen tot er iemand moest overgeven, en als iemand weigerde verder te gaan, kreeg die het Gezicht. Maar mijn vader had het zo vaak tegen mij gebruikt dat het niet veel uitwerking meer op me had. En nu draaide hij zich bliksemsnel om en richtte het op Antwoine, die in de gevangenis vast wel heel wat ergere dingen had meegemaakt.

'Zei je "reclasseringsambtenaar"?'

'U hebt me goed verstaan.'

'Jij bent een verrekte gedetineerde?'

'Een éx-gedetineerde.'

'Wat probeer je me nou weer te flikken?' zei hij, en hij keek me strak aan. 'Wou je me doodmaken voordat de ziekte dat doet? Moet je mij toch eens zien, ik kan me amper bewegen, en jij laat me hier achter met een crimineel?'

Antwoine scheen zich niet eens te ergeren. 'Zoals uw zoon zegt, hebt u niets wat de moeite van het stelen waard is, zelfs wanneer ik dat zou willen,' zei hij rustig en met slaperige ogen. 'Dat zult u me toch moeten nagegeven. Als ik mensen wilde bestelen, zou ik niet híér een baan nemen.'

'Hoor je dat?' hijgde pa woedend. 'Hoor je dat?'

'En als ik hier blijf, moeten u en ik het eens worden over een paar dingen.' Antwoine snoof de lucht op. 'Ik kan sigaretten ruiken, en u zult meteen met die troep moeten stoppen. Door die rotdingen bent u ziek geworden.' Hij stak zijn kolossale hand uit en tikte op de armleuning van de Barcalounger. Er sprong een vakje open dat ik nooit eerder had gezien, en daaruit sprong een rood-wit pakje Marlboro omhoog als een duveltje uit een doosje. 'Dat dacht ik al. Daar verstopte mijn vader die van hem ook altijd.'

'Hé!' riep mijn vader. 'Dat geloof ik niet!'

'En u gaat ook systematisch trainen. Uw spieren teren weg. Niet uw longen zijn uw probleem, maar uw spieren.'

'Ben jij niet goed bij je hoofd of zo?' zei pa.

'Als je last van je luchtwegen hebt, moet je bewegen. Aan die longen is niks te doen, die zijn kapot, maar we kunnen wel aan de spieren werken. We gaan beginnen met wat beenoefeningen in uw rolstoel om de beenspieren weer aan het werk te krijgen. Daarna gaan we één minuut lopen. Mijn vader had emfyseem, en mijn broer en ik...'

'Zeg tegen die grote... getatoeëerde nikker,' zei pa tussen het hijgen door, 'dat hij zijn spullen... uit die kamer haalt... en maakt dat hij mijn huis uit komt!'

Ik ging bijna door het lint. Ik had een rotdag gehad en mijn humeur bevond zich op een dieptepunt, en al maanden en maanden had ik me het vuur uit de sloffen gelopen om te proberen iemand te vinden die het een beetje met mijn ouweheer uithield. De een na de ander had ik

moeten vervangen omdat hij ze allemaal wegpestte, een hele stoet, allemaal tijdverspilling. En nu stuurde hij de laatste weg, die misschien
niet de ideale kandidaat was, maar wel de enige die we hadden. Ik wilde hem te lijf gaan, erop los timmeren, maar dat kon ik niet doen. Ik
kon niet tegen mijn vader schreeuwen, die pathetische stervende oude
man met emfyseem in het eindstadium. En dus hield ik me in, op het
gevaar af dat ik zou ontploffen.

Voordat ik iets kon zeggen, keek Antwoine me aan. 'Ik geloof dat uw
zoon me heeft aangenomen. En dus is hij de enige die me kan ontslaan.'

Ik schudde mijn hoofd. 'Vergeet het maar, Antwoine. Jij komt hier
niet weg – niet zo makkelijk. Waarom begin je niet meteen?'

16

Ik moest stoom afblazen. Dat kwam door alles; de manier waarop Nora Sommers me had laten afgaan, terwijl ik niet tegen haar kon zeggen
dat ze kon doodvallen, de onmogelijkheid om me lang genoeg bij Trion
te handhaven om zelfs maar een koffiekopje te stelen, in het algemeen
het gevoel dat het me allemaal boven het hoofd groeide. En dan tot
overmaat van ramp: mijn vader. Steeds maar weer mijn woede op-
kroppen, niet tegen hem kunnen zeggen hoe ik over hem dacht – *ondankbare klootzak, ga nou eens dood!* – het werkte zwaar op mijn ge-
moed.

Daarom ging ik gewoon naar de Alley Cat. Ik wist dat Seth die avond
werkte. Ik wilde alleen maar aan de tap zitten en straalbezopen worden van gratis drank.

'Hé, maatje,' zei Seth, die blij was me te zien. 'Je eerste dag in je nieuwe baan, hè?'

'Ja.'

'Was het zo erg?'

'Ik wil er niet over praten.'

'Verschrikkelijk erg. Oei.' Hij schonk me een whisky in alsof ik een
oude drinkebroer was, een vaste tooghanger. 'Magnifiek kapsel heb je.
Ga me niet vertellen dat je dronken werd en wakker werd met dat haar.'

Ik zei niets terug. De whisky steeg meteen naar mijn hoofd. Ik had geen avondeten gehad, en ik was moe. Het was een geweldig gevoel.

'Hoe erg kon het nou zijn, jongen? Het was je eerste dag, en ze wilden je natuurlijk allemaal laten zien waar de wc's zijn.' Hij werd even afgeleid door de basketbalwedstrijd op de tv en keek toen mij weer aan.

Ik vertelde hem over Nora Sommers en haar leuke trucje met de Apple Newton.

'Wat een kreng, hè? Waarom gaf ze je zo op je kop? Wat had ze dan verwacht. Jij bent nieuw, jij weet toch nergens wat van?'

Ik schudde mijn hoofd. 'Nee, ze...' Plotseling besefte ik dat ik een belangrijk deel van het verhaal had weggelaten, het feit dat ik zogenaamd een superster bij Wyatt Telecom was geweest. Dat verhaal was alleen te begrijpen als je wist dat de feeks me een toontje lager probeerde te laten zingen. Mijn hersenen voelden doorgebrand aan. Het leek me onbegonnen werk om die uitglijder te boven te komen, ongeveer even moeilijk als de Mount Everest beklimmen of over de Atlantische Oceaan zwemmen. Ik was al helemaal verstrikt geraakt in een leugen. Ik voelde me week vanbinnen en erg moe. Gelukkig wenkte iemand Seth naar zich toe. 'Sorry man, het is vanavond hamburgers halve prijs,' zei hij, en hij ging iemand een paar biertjes brengen.

Ik dacht aan de mensen die ik die dag had ontmoet, de 'rolbezetting' waarover die bizarre Noah Mordden het had gehad. Ze trokken in een optocht door mijn hoofd en werden steeds grotesker. Ik wilde met iemand praten, maar dat kon niet. Het liefst wilde ik alles downloaden, over Chad en die ouwe Phil Weet-ik-veel praten. Ik wilde iemand over Trion vertellen, hoe het daar was, en dat ik Jock Goddard in de kantine had gezien. Maar dat kon ik niet, want het gevaar was te groot dat ik niet meer wist waar de Grote Muur stond, welk deel van het verhaal voor iedereen geheim moest blijven.

De eerste bedwelming van de whisky trok weg, en een zoemende ondertoon van angst, een pedaaltoon, zwol langzaam aan en werd geleidelijk schel, als een rondzingende microfoon, hoog en oorverdovend. Toen Seth terugkwam, was hij vergeten waarover we hadden gepraat. Zoals de meeste mannen was Seth meer geïnteresseerd in zijn eigen sores dan in die van anderen. En zo werd ik gered door het mannelijk narcisme.

'God, wat zijn vrouwen toch gek op barkeepers,' zei hij. 'Hoe zou dat komen?'

'Ik weet het niet, Seth. Misschien komt het door jou zelf.' Ik hield hem mijn lege glas voor.

'Ongetwijfeld. Ongetwijfeld.' Hij liet weer wat whisky in het glas klokken en deed er nieuwe ijsblokjes bij. Met een diepe, vertrouwelijke stem, nauwelijks hoorbaar bij alle herrie en de harde stemmen en het geschreeuw van de basketbalwedstrijd, zei hij: 'Mijn baas vindt dat ik niet goed schenk. Hij wil steeds weer dat ik een schenktester gebruik, dat ik blijf oefenen. En hij kijkt me steeds op de vingers. "Schenk eens in! Te veel! Je geeft de winst weg!"'

'Ik denk dat je het heel goed doet,' zei ik.

'Eigenlijk zou ik een bonnetje moeten schrijven, weet je.'

'Doe maar. Ik verdien nu smakken geld.'

'Nee, maak je maar geen zorgen, we mogen vier drankjes per avond uitdelen. Dus je denkt dat het niet goed gaat in je nieuwe baan. Mijn baas op de zaak kaffert me al uit als ik tien minuten te laat kom.'

Ik schudde mijn hoofd.

'Ik bedoel, Shapiro kan nog geen kopieerapparaat gebruiken. Hij kan nog geen fax versturen. Hij kan nog niet eens een Lexis-Nexis-zoekopdracht geven. Zonder mij zou hij reddeloos verloren zijn.'

'Misschien wil hij dat iemand anders de rotklusjes opknapt.'

Seth hoorde me blijkbaar niet. 'Heb ik je al over mijn laatste truc verteld?'

'Vertel eens.'

'Jingles!'

'Huh?'

'Jingles! Zoals dat!' Hij wees omhoog naar de tv, een of ander stompzinnig spotje voor een matrassenbedrijf, met een flauw, irritant liedje dat je steeds weer hoorde. 'Ik heb op het advocatenkantoor iemand ontmoet die voor een reclamebureau werkt, en die heeft me er alles over verteld. Hij zei dat hij me aan een auditie bij een van die jinglesbedrijven kon helpen, Megamusic of Crushing of Rocket. Hij zei dat je daar het makkelijkst binnen kon komen als je zelf een jingle schreef.'

'Jij kunt niet eens noten lezen, Seth.'

'Dat kan Stevie Wonder ook niet. Hé, een hoop van die grote talenten kunnen geen noten lezen. Hoe lang doe je erover om een stukje muziek van dertig seconden te leren? Dat meisje dat al die spotjes van JCPenney doet, zegt dat ze amper noten kan lezen, maar ze heeft de stém!'

Een vrouw naast me aan de tap riep naar Seth. 'Wat voor wijn heb je?'

'Rood, wit en rosé,' zei hij. 'Wat kan ik voor je inschenken?'

Ze zei wit, en hij schonk wat in een waterglas.

Hij keek mij weer aan. 'Maar het grote geld is met zingen te verdienen. Ik heb net een bandje bij elkaar, een CD, en binnenkort sta ik op de A-lijst – het is allemaal een kwestie van wie je kent. Kun je me volgen? Bijna geen werk, *mucho* dollars!'

'Klinkt geweldig,' zei ik, met net genoeg enthousiasme.

'Je ziet er niet veel in?'

'Nee, het klinkt geweldig, echt waar,' zei ik met iets meer enthousiasme. 'Grote truc.' De laatste paar jaar praatten Seth en ik veel over trucs, manieren om zo min mogelijk te werken. Hij vond het prachtig om te horen hoe ik aan het lijntrekken was bij Wyatt, en dat ik urenlang op internet naar *The Onion* keek, of naar websites als BoredAtWork.com en ILoveBacon.com en FuckedCompany.com. Ik hield vooral van de sites met een 'chef'-knop waarop je kon klikken als je chef voorbijkwam, waarna al die grappige dingen verdwenen en op je scherm weer de stomvervelende Excel-spreadsheet verscheen waaraan je had gewerkt. We stelden er allebei eer in om ons geld met zo min mogelijk werk te verdienen. Daarom vond Seth het prachtig om juridisch assistent te zijn; dat gaf hem de kans om in de marge te opereren, bijna zonder toezicht, cynisch en buiten de werkende wereld.

Ik stond op om te gaan pissen en haalde op de terugweg een pakje Camel zonder filter uit de automaat.

'Ben je weer aan die shit?' zei Seth toen hij me het plastic van het pakje zag trekken.

'Ja, ja,' zei ik op een toon van laat-me-met-rust.

'Als je er maar niet op rekent dat ik je zuurstoftank achter je aan draag.' Hij pakte een gekoeld martiniglas uit de koelkast en schonk een beetje vermouth in. 'Moet je kijken.' Hij gooide de martini uit het glas, over zijn schouder, en schonk toen wat Bombay Sapphire in. 'Kijk, dát is nog eens een martini.'

Terwijl hij de martini ging brengen, nam ik een grote slok van de whisky en genoot van het brandend gevoel in het achterste van mijn keel. De alcohol werkte nu pas goed. Ik zat een beetje wankelend op de barkruk. Ik dronk als de spreekwoordelijke mijnwerker die net zijn loonzakje had gekregen. Nora Sommers en Chad Pierson en alle anderen vervaagden, verschrompelden, namen een onschuldig, grotesk, cartoonachtig aura aan. Goed, ik had een rottige eerste dag gehad, maar wat was daar zo ongewoon aan? Op de eerste dag van een nieuwe baan voelde niemand zich op zijn gemak. Ik was góéd. Dat moest ik nooit vergeten. Als ik niet zo goed was, zou Wyatt me niet voor deze missie hebben uitgekozen. Denk maar niet dat hij en zijn *consigliere* Judith hun tijd aan mij zouden verspillen als ze niet dachten dat ik het voor elkaar kon krijgen. Dan hadden ze me gewoon ontslagen en me bij de politie aangegeven. Dan zou ik nu voorovergebogen staan over die brits in de Marion-gevangenis.

Ik voelde een aangenaam, alcoholisch zelfvertrouwen dat aan grootheidswaan grensde. Ik was met een parachute in nazi-Duitsland neergelaten, met weinig meer dan wat noodrantsoenen en een kortegolfradio, en het succes van de geallieerden hing helemaal af van mij, ja zelfs het lot van de westerse beschaving.

'Ik heb Elliot Krause vandaag in de binnenstad gezien,' zei Seth.

Ik keek hem vragend aan.

'Elliot Krause? Weet je nog wel? Elliot Port-O-San?'

Mijn reactietijd was vertraagd; het kostte me een paar seconden, maar toen barstte ik in lachen uit. Ik had Elliot Krauses naam in geen jaren gehoord.

'Hij is natuurlijk partner in een advocatenfirma.'

'Gespecialiseerd in... milieurecht, nietwaar?' zei ik, stikkend van de lach. Ik spuwde een mondvol whisky uit.

'Kun je je zijn gezicht herinneren?'

'Vergeet zijn gezicht maar. Denk aan zijn bróék!'

Daarom ging ik zo graag met Seth om. We praatten in morsecode; we begrepen elkaar meteen. Door onze gezamenlijke voorgeschiedenis hadden we een geheime taal, zoals tweelingen met elkaar praten wanneer ze nog klein zijn. Toen we nog op de middelbare school zaten, werkte Seth in een zomervakantie als terreinknecht op een kakkerige tennisclub. Er was daar een groot internationaal tennistoernooi aan de gang en hij liet me stiekem binnen. Met het oog op de grote stroom bezoekers hadden ze een van die 'draagbare toiletfaciliteiten' gehuurd – Handy Houses of Port-O-Sans of Johnny On the Job, ik weet niet meer wat voor grappige naam ze hadden – die dingen die eruitzien als grote oude koelkasten. Op de tweede of derde dag waren ze vol geraakt. De mensen van Handy House waren ze niet komen leegpompen, en ze stonken.

Er was een kakkerige jongen, een zekere Elliot Krause. Aan hem hadden we allebei de pest, deels omdat hij Seths vriendin had ingepikt en deels omdat hij op ons jongens uit de arbeidersklasse neerkeek. Hij was in een mietjesachtige tennissweater en een witte broek op het tennistoernooi verschenen, met Seths vriendin aan de arm, en hij beging de fout dat hij naar een van die Handy Houses ging om zijn behoefte te doen. Seth, die aan het papierprikken was, zag dat en keek me met een kwaadaardig glimlachje aan. Hij rende naar het wc-hokje, stak de houten handgreep van zijn papierprikker door de sluiting, en samen met een vriend van ons, Flash Flaherty, schommelde ik de Porta Potti heen en weer. Je kon Elliot binnen horen schreeuwen: 'Hé! Hé! Wat gebeurt er?' En je kon het klotsen van de onuitsprekelijke inhoud horen. Ten slotte kregen we het ding op zijn kant, met Elliot er nog steeds in. Ik wil er niet aan denken waar die arme jongen in lag te drijven. Seth raakte zijn baantje kwijt, maar hield vol dat hij dat er wel voor over had. Alleen al voor het grote genoegen om Elliot Krause, kokhalzend, onder de stront, in zijn niet-meer-witte tennniskledij uit dat hokje te zien komen zou hij veel geld hebben betaald.

Bij de herinnering aan Elliot Krause die zijn met stront bespatte bril weer op zijn met stront bedekte gezicht zette en uit de Handy House gestrompeld kwam, lachte ik zo hard dat ik mijn evenwicht verloor en languit op de vloer terechtkwam. Een paar seconden bleef ik daar liggen. Ik kon niet overeind komen. Mensen kwamen om me heen staan; grote hoofden bogen zich naar me toe en vroegen me of het wel ging. Ik was duidelijk ladderzat. Alles was wazig geworden. Opeens moest ik denken aan mijn vader en Antwoine Leonard, en dat vond ik zo'n grappig idee dat ik lag te schudden van het lachen.

Ik voelde dat iemand me bij mijn schouder pakte, en iemand anders pakte me bij mijn elleboog. Seth en een andere man hielpen me naar buiten. Het leek wel of iedereen naar me keek.

'Sorry, man,' zei ik, want op dat moment schaamde ik me diep. 'Dank je. Mijn auto staat hier.'

'Jij gaat niet rijden, jongen.'

'Hij staat híér,' hield ik zwakjes vol.

'Dat is jouw auto niet. Dat is een Audi of zoiets.'

'Hij is van mij,' zei ik met klem, en om mijn woorden kracht bij te zetten knikte ik heftig. 'Audi, A6, denk ik.'

'Wat is er met Bondo gebeurd?'

Ik schudde mijn hoofd. 'Nieuwe auto.'

'Man, die nieuwe baan, betalen ze je daar veel meer voor?'

'Ja,' zei ik, en toen voegde ik er een beetje brabbelend aan toe: 'Niet zoveel meer.'

Hij floot een taxi, en die andere man en hij werkten me op de achterbank. 'Weet je nog waar je woont?' vroeg Seth.

'Kom nou,' zei ik. 'Natuurlijk weet ik dat nog.'

'Wil je een kop koffie voor onderweg, om een beetje nuchter te worden?'

'Nee,' zei ik. 'Ik moet slapen. Morgen werken.'

Seth lachte. 'Ik benijd je niet, man,' zei hij.

17

Midden in de nacht piepte mijn mobiele telefoon oorverdovend hard, alleen was het niet midden in de nacht. Ik zag een bundel zonlicht achter de gordijnen. Volgens de klok was het halfzes – 's morgens? 's Middags? Ik was zo gedesoriënteerd dat ik geen idee had. Ik pakte de telefoon en wou dat ik hem niet aan had laten staan.

'Ja?'

'Slaap je nog?' vroeg een stem ongelovig.

'Met wie spreek ik?'

'Je hebt de Audi in een wegsleepzone laten staan.' Arnold Meacham, besefte ik meteen: de beveiligingsnazi van Wyatt. 'Het is niet jóúw auto. Hij is geleast door Wyatt Telecommunications, en het minste dat je kunt doen, is er goed voor zorgen – en hem dus niet als een gebruikt condoom ergens achterlaten.'

Het kwam weer in me opzetten: de vorige avond, dat ik dronken was geworden in de Alley Cat, dat ik op de een of andere manier thuis was gekomen, dat ik vergeten was de wekker te zetten... Trion!

'O, shit,' zei ik. Ik kwam met een ruk overeind en mijn maag kwam in opstand. Mijn hoofd pulseerde, en voelde enorm groot aan, zoals dat van sommige buitenaardse wezens in *Star Trek.*

'We hebben je de regels heel goed uitgelegd,' zei Meacham. 'Geen gezuip meer. Geen geboemel. Er wordt van je verwacht dat je op je topniveau functioneert.' Praatte hij vlugger en luider dan anders? Daar leek het sterk op. Ik kon hem bijna niet volgen.

'Ik weet het,' mompelde ik schor.

'Dit is geen veelbelovend begin.'

'Het was gisteren erg... erg druk. Mijn eerste dag, en mijn vader...'

'Dat kan me geen moer schelen. We hebben een duidelijke afspraak, en het is de bedoeling dat je je daaraan houdt. En wat ben je over het skunkwerk aan de weet gekomen?'

'Het skunkwerk?' Ik zwaaide mijn benen naar de vloer, ging op de rand van het bed zitten en masseerde mijn slapen met mijn vrije hand.

'Geheime codewoordprojecten. Waarvoor denk je dat je daar zit?'

'Nee, daar is het te vroeg voor,' zei ik. 'Ik heb daar nog geen tijd voor gehad, bedoel ik.' Langzaam begonnen mijn hersenen te functioneren. 'Ik had gisteren voortdurend iemand bij me. Ik ben geen minuut alleen geweest. Het zou veel te riskant zijn geweest als ik iets stiekems had gedaan. Jullie willen toch niet dat ik het op de eerste dag al verknoei?'

Meacham zweeg enkele ogenblikken. 'Goed,' zei hij. 'Maar je krijgt binnenkort vast wel een kans en ik verwacht van je dat je daar dan gebruik van maakt. Ik wil dat je aan het eind van vandáág verslag aan me uitbrengt. Is dat duidelijk?'

18

Tegen de middag voelde ik me wat minder een wandelend lijk, en ik besloot naar de gymzaal – sorry, het 'fitnesscentrum' – te gaan om even wat te trainen. Het fitnesscentrum bevond zich in een soort luchtbel op het dak van vleugel E. Het had tennisbanen, allerlei hartbewakingsapparatuur, tredmolens en StairMasters en elliptische trainers die allemaal voorzien waren van een eigen tv/videoscherm. De kleedkamers hadden een sauna en waren even ruim als die van alle dure sportclubs waar ik ooit was geweest.

Ik had me omgekleed en wilde net naar de machines en de gewichten gaan, toen Chad Pierson de kleedkamer kwam binnenslenteren.

'Daar is hij,' zei Chad. 'Hoe gaat het, grote jongen?' Hij maakte een kast naast de mijne open. 'Kom je basketballen?'

'Nou, eigenlijk...'

'Er is vast wel een wedstrijd aan de gang. Doe je mee?'

Ik aarzelde even. 'Goed.'

Omdat er niemand anders op de basketbalvloer was, wachtten we een paar minuten. We dribbelden en deden worpen. Ten slotte zei Chad: 'Zullen we een partijtje één op één doen?'

'Goed.'

'Tot de elf. Na scoren de bal terug?'

'Mij best.'

'Zeg, als we er nou eens wat op inzetten? Ik ben niet zo competitief ingesteld – misschien wordt het dan wat spannender.'

Ja hoor, dacht ik. Jíj bent niet competitief ingesteld. 'Een sixpack bier of zoiets?' stelde ik voor.

'Kom nou, man. Een honderdje. Honderd dollar.'

Hónderd dollar? Hé, waren we hier in Las Vegas? Met tegenzin zei ik: 'Goed, zoals je wilt.'

Dat was een vergissing. Chad was goed, hij speelde agressief, en ik had een kater. Hij ging naar het midden van de driepuntslijn, wierp, en scoorde. Toen maakte hij, zo te zien bijzonder tevreden over zichzelf, een pistool van zijn vinger en duim, blies de rook van de loop en zei: 'Pang.'

Hij drong me weer in de verdediging, maakte een paar schijnbewegingen en scoorde opnieuw. Af en toe maakte hij die typische Alonzo Mourning-beweging. Dan bewoog hij zijn beide handen snel heen en weer, als een scherpschutter die zijn revolvers bliksemsnel ronddraait voordat hij aan een duel begint. Dat was bijzonder irritant. 'Zo te zien is dit niet je beste wedstrijd,' zei hij. Zijn gezicht stond vriendelijk, zelfs bezorgd, maar zijn ogen straalden van arrogantie.

'Blijkbaar niet,' zei ik. Ik probeerde aardig te blijven, van de wedstrijd te genieten, niet als een idioot op hem af te gaan, maar ik ergerde me steeds meer aan hem. Als ik op de basket af dribbelde, kreeg ik het ritme er niet goed in. Ik miste een stuk of wat worpen en hij blokkeerde er een paar. Maar toen scoorde ik tegenpunten, en algauw was het zes-drie voor hem. Het viel me op dat hij steeds met zijn rechterhand dribbelde.

Hij balde zijn vuist en maakte weer dat stompzinnige pistoolgebaar. Hij bleef rechts dribbelen en gooide de bal weer door de basket. 'Bingo!' kraaide hij.

Op dat moment ging er in mijn hoofd een soort schakelaar over die alle competitieve sappen vrijelijk liet stromen. Chad bleef rechts dribbelen en rechts werpen, zag ik. Het was duidelijk dat hij niets met zijn linkerhand kon. Daarom dwong ik hem naar links te gaan, en even later scoorde ik met een lay-up.

Ik had het goed gezien. Hij kon niets met zijn linkerhand. Hij miste worpen die over links gingen, en een paar keer pakte ik hem gemakkelijk de bal af wanneer hij met dribbelen op zijn linkerhand moest overgaan. Ik zorgde dat ik tegenover hem kwam en sprong toen plotseling rechts naar achteren, zodat hij snel van richting moest veranderen. Toen ik in het ritme van de wedstrijd kwam, was ik voornamelijk aan het dribbelen geweest, en Chad zal wel hebben gedacht dat ik geen jumpshot had. Hij keek verbaasd toen ik daar opeens wel mee begon.

'Je hebt je ingehouden,' zei hij knarsetandend. 'Je hebt wél een jumpshot – maar je bent nog niet klaar met mij.'

Ik bleef trucjes met hem uithalen. Ik maakte een schijnbeweging alsof ik een jumpshot ging doen, dwong hem op te springen, en vloog hem toen voorbij. Dat lukte zo goed dat ik het nog een keer probeerde, en Chad was zozeer van zijn stuk gebracht dat het de tweede keer nog beter ging. Algauw stonden we gelijk.

Ik haalde trucjes met hem uit. Ik maakte een kleine schijnbeweging naar links, en hij ging meteen mee, zodat ik de ruimte kreeg om een drive naar rechts te maken. Telkens wanneer ik scoorde, raakte hij meer uit zijn doen.

Ik dribbelde naar de basket en scoorde met een lay-up. Ik stond nu voor, en Chad hijgde en liep rood aan. En die arrogante opmerkingen maakte hij ook niet meer.

Ik stond met tien-negen voor toen ik hard naar voren dribbelde en opeens bleef staan. Chad verloor zijn evenwicht en viel op zijn achterste. Ik nam de tijd om mijn voeten in de juiste stand te zetten en wierp de bal precies in de basket. Ik maakte een pistooltje van mijn duim en wijsvinger, blies de rook weg en zei met een vette grijns: 'Pang!'

Half onderuitgezakt tegen de gecapitonneerde muur van de zaal, hijgde Chad: 'Nou, dat had ik niet van je gedacht, grote jongen. Je bent hier beter in dan ik dacht.' Hij zoog zijn longen vol lucht. 'Dit was goed. Hartstikke leuk. Maar de volgende keer maak ik je in, jongen... Ik weet nu hoe je speelt.' Hij grijnsde alsof hij maar een grapje maakte, en legde toen een klamme, zweterige hand op mijn schouder. 'Ik ben je een honderdje schuldig.'

'Laat maar. Ik speel toch al niet graag om geld.'

'Nee, echt. Ik sta erop. Koop maar een nieuwe stropdas of zoiets.'

'Vergeet het maar, Chad. Ik neem het niet aan.'

'Ik ben het je schuldig...'

'Jij bent me niets schuldig, man.' Ik dacht even na. Er is niets wat mensen liever aan een ander geven dan advies. 'Behalve misschien een paar Nora-tips.'

Zijn ogen straalden meteen; ik speelde nu op zijn terrein. 'Ach, dat doet ze met alle nieuwkomers. Het is haar manier van pesten. Meer is het niet. Geloof me, het is niets persoonlijks... Ik kreeg dezelfde behandeling toen ik hier begon.'

Ik wist wat hij er in gedachten aan toevoegde. *En kijk eens hoe ver ik het heb gebracht.* Hij zou heus geen kritiek op Nora uitoefenen; hij wist dat hij voor mij op zijn hoede moest zijn, dat hij me niet in vertrouwen kon nemen. 'Ik ben een grote jongen,' zei ik. 'Ik kan het wel hebben.'

'Ik bedoel juist dat je dat niet hoeft, jongen. Ze heeft duidelijk gemaakt wat ze bedoelt – dat je altijd op je qui-vive moet zijn – en nu gaat ze gewoon over tot de orde van de dag. Ze zou dat niet hebben gedaan als ze jou niet als een groot talent beschouwde. Ze mag je graag. Als ze je niet in haar team had gekregen, zou ze daarvoor hebben gevochten.'

'Goed.' Ik kon niet nagaan of hij me in de maling nam.

'Ik bedoel, als je... Bijvoorbeeld de vergadering van vanmiddag – Tom Lundgren is er dan ook, hij komt de productgegevens beoordelen. En we zijn al weken verwikkeld in een stomme discussie over de vraag of we de GoldDust-functie moeten toevoegen.' Hij rolde met zijn ogen. 'Allemachtig. Breek Nora daar de bek niet over open. Hoe dan ook, het zou waarschijnlijk wel goed zijn als je een mening had over GoldDust. Je hoeft het niet met Nora eens te zijn dat het volslagen onzinnig is, pure geldverspilling. Waar het om gaat, is dat je er een mening over hebt. Ze discussieert graag met mensen die weten waar ze het over hebben.'

GoldDust, wist ik, was het allernieuwste op het gebied van consumentenelektronica. Het was de marketingnaam die een of andere commissie had gegeven aan draadloze overdrachtstechnologie met weinig energie en een kort bereik. Het was de bedoeling dat je je Palm of Blackberry of Lucid contact liet maken met een telefoon of een laptop of een printer of zoiets. Dat alles binnen een meter of zeven. Zoals je computer met je printer kon praten en iedereen met alle anderen praatte; en er waren geen lastige kabels waar je over struikelde. Die technologie zou ons bevrijden van al onze ketenen, onze draden en kabels en snoeren. Natuurlijk hadden de types die GoldDust hadden uitgevonden niet aan de explosieve opkomst van de WiFi, 802.11 gedacht. Zelfs voordat Wyatt me hier voor het blok zette, moest ik van WiFi op de hoogte zijn. Over GoldDust had ik gehoord van Wyatts ingenieurs, die het volkomen de grond in boorden.

'Ja, er was bij Wyatt altijd wel iemand die daarmee kwam aanzetten, maar we hielden voet bij stuk.'

Hij schudde zijn hoofd. 'Ingenieurs willen alles in alles verpakken, ongeacht de kosten. Wat kan het hun schelen of de prijs daardoor boven de vijfhonderd dollar komt? Hoe dan ook, dat komt vast en zeker ter sprake – je kunt er goed mee scoren.'

'Ik weet niet meer dan wat ik heb gelezen. Dat snap je toch wel?'

'Op dé vergadering geef ik je een voorzet, en dan trap je hem in het doel. Het levert je een paar pluspunten bij de baas op, en dat kan nooit kwaad, hè?'

Chad was te vergelijken met overtrekpapier: hij was doorzichtig, je kon zijn motieven zien. Hij was een slang en ik wist dat ik hem nooit zou kunnen vertrouwen, maar het was ook duidelijk dat hij een bondgenootschap met me probeerde te sluiten. Waarschijnlijk was hij in de veronderstelling dat het beter was om met het nieuwe grote talent aan te pappen dan de indruk te wekken dat hij zich door mij bedreigd voelde, zoals natuurlijk het geval was.

'Goed, man, bedankt,' zei ik.

'Het minste dat ik kan doen.'

Toen ik in mijn kamer terug was, had ik nog een halfuur voordat de vergadering begon. Dus ging ik het internet op en deed ik vlug wat onderzoek naar GoldDust, opdat ik tenminste de schijn kon wekken dat ik wist waarover ik het had. Ik ging vlug naar tientallen websites van uiteenlopende kwaliteit, voor een deel promotiesites en voor een deel (zoals GoldDustGeek.com) ontworpen door types die door die shit geobsedeerd werden. Opeens merkte ik dat iemand over mijn schouder stond mee te kijken. Het was Phil Bohjalian.

'Harde werker, hè?' zei hij. Hij stelde zich voor. 'Nog maar je tweede dag, en moet je jou toch eens zien.' Hij schudde verwonderd met zijn hoofd. 'Als je te hard werkt, brand je op. Daar komt nog bij dat wij anderen dan lui lijken.' Hij liet een soort grinniklachje horen, alsof het een citaat uit *The Producers* of zoiets was, en hij verliet het toneel.

De Maestro-marketinggroep kwam weer in Corvette bijeen. Iedereen zat min of meer op dezelfde plaats, alsof ons stoelen waren toegewezen.

Maar deze keer was Tom Lundgren er ook bij. Hij zat met zijn rug tegen de achtermuur, niet aan de vergadertafel. En net voordat Nora de vergadering wilde openen, kwam Paul Camilletti binnenlopen, de financieel directeur van Trion. Hij zag er elegant uit, als een idool uit *Love Italian Style*, in een chique donkergrijs pied-de-poule-jasje en een zwarte coltrui. Hij ging naast Tom Lundgren zitten, en je kon merken dat het helemaal stil werd in de kamer, alsof iemand een schakelaar had overgehaald en er opeens een elektrische lading in de lucht hing.

Zelfs Nora keek een beetje geschrokken. 'Nou,' zei ze, 'zullen we dan maar beginnen? Tot mijn genoegen kan ik Paul Camilletti verwelkomen, onze financieel directeur. Welkom, Paul.'

Hij boog even met zijn hoofd, alsof hij wilde zeggen: *Let maar niet op mij – ik zit hier incognito, anoniem, als een meubelstuk.*

'Wie hebben we nog meer? Wie doen per telefoon mee?'

Er kwam een stem uit de intercom: 'Ken Hsiao, Singapore.'

En toen: 'Mike Matera, Brussel.'

'Goed,' zei ze. 'Dus de hele bende is aanwezig.' Ze maakte een opgewonden indruk, al deed ze zich misschien alleen maar enthousiast voor omdat Tom Lundgren en Paul Camilletti erbij waren. 'Dit lijkt me een goed moment om eens naar de prognoses te kijken, ons daarin te verdiepen en na te gaan hoe het ervoor staat. Want we willen toch geen van allen dat oude cliché horen, "een stervend merk"? Maestro is geen stervend merk. Trion heeft in deze productlijn veel merkwaarde opgebouwd, en dat gaan we niet ongedaan maken omdat er opeens iets nieuws is. Ik denk dat we het daar allemaal wel over eens zijn.'

'Nora, met Ken in Singapore.'

'Ja, Ken?'

'Eh, we staan hier een beetje onder druk, moet ik zeggen, van Palm en Sony en Blackberry, vooral op de bedrijvenmarkt. In de sector Azië Pacific loopt het niet storm met advance-orders voor Maestro Gold.'

'Dank je, Ken,' zei ze vlug om hem de pas af te snijden. 'Kimberly, wat is jouw beeld van de distributiewereld?'

Kimberly Ziegler, bleek en nerveus, met een hoofd vol krullen en een hoornen bril, keek op. 'Ik denk er heel anders over dan Ken, moet ik zeggen.'

'O, ja? In welk opzicht?'

'Ik zie een productdifferentiatie die ons ten goede komt. We hebben een gunstiger prijs dan de nieuwste text-paging-apparaten van Blackberry en Sony. Zeker, het merk heeft wat slijtage opgelopen, maar de upgrade in de processor en het flash memory voegen reële waarde toe. Daarom denk ik dat we goed zitten, vooral op de verticale markten.'

Slijmbal, dacht ik.

'Uitstekend.' Nora straalde. 'Blij dat te horen. Ik zou ook erg graag willen horen wat er aan feedback over GoldDust is binnengekomen...' Ze zag Chad zijn vinger opsteken. 'Ja, Chad?'

'Ik dacht dat Adam misschien wel een paar ideeën over GoldDust had.'

Ze keek mij aan. 'Geweldig, laat maar eens horen,' zei ze, alsof ik zojuist had aangeboden een stukje piano te spelen.

'GoldDust?' zei ik met een grijns alsof ik er alles van wist. 'Kom nou, kan het nog 1999-er? De Betamax van de draadloze verbindingen. Het hoort thuis in het rijtje van New Coke, koude fusie, xfl-football en de Yugo.'

Er werd waarderend gegrinnikt. Nora keek me aandachtig aan.

Ik ging verder. 'De compatibiliteitsproblemen zijn zo gigantisch dat we ons daar maar niet in zullen verdiepen. Ik bedoel, apparaten met GoldDust werken alleen met apparaten van dezelfde fabrikant en er is geen gestandaardiseerde code. Philips zegt steeds weer dat ze met een nieuwe, gestandaardiseerde versie van GoldDust komen. Nou ja, misschien wanneer we allemaal Esperanto spreken.'

Er werd opnieuw gelachen, al zag ik ook dat ongeveer de helft van de aanwezigen met een ijzig gezicht naar me keek. Tom Lundgren keek met een vreemd, scheef glimlachje naar me. Zijn rechterbeen ging de hele tijd op en neer.

Ik raakte nu echt op dreef. 'Ik bedoel, het overdrachtstempo is, nou, minder dan één megabit per seconde? Dat is toch om te huilen? Minder dan een tiende van WiFi. Alsof we nog in het stoomtijdperk leven. En laten we het er vooral niet over hebben hoe gemakkelijk het te onderscheppen is. Er zit geen enkele beveiliging in.'

'Zo is dat,' zei iemand met gedempte stem, al kon ik niet horen wie het was. Mordden straalde. Phil Bohjalian keek me met half dichtgeknepen ogen aan. Zijn gezicht was volkomen ondoorgrondelijk. Toen keek ik nog eens naar Nora. Haar gezicht werd rood. Je kon zien hoe dat rood geleidelijk opsteeg van haar hals tot aan haar ver uit elkaar staande ogen.

'Ben je klaar?' snauwde ze.

Ik voelde me plotseling misselijk. Dit was niet de reactie die ik had verwacht. Was ik soms te lang doorgegaan? 'Ja,' zei ik behoedzaam.

Een man met een indiaans uiterlijk die tegenover me zat, zei: 'Waarom komen we hierop terug? Ik dacht dat je hierover vorige week een definitieve beslissing had genomen, Nora. Je had toch sterk het gevoel dat de extra functie de kosten waard was? Waarom komen jullie marketingmensen dan weer op die oude discussie terug? De zaak is toch al geregeld?'

Chad, die de aanwezigen had bestudeerd, zei: 'Hé, kom nou, jongens, geef de nieuweling een kans. Je kunt niet van hem verwachten dat hij alles weet. Hij weet nog niet eens waar de cappuccino-automaat staat.'

'ik denk dat we hier geen tijd meer aan hoeven te verspillen,' zei Nora. 'Het besluit is al genomen. We voegen GoldDust toe.' Ze keek me met een duister soort woede aan.

Toen de vergadering voorbij was, twintig beklemmende minuten later, en de mensen de kamer uit liepen, gaf Mordden me een heimelijk schouderklopje, en dat sprak boekdelen. Ik was grandioos in de fout gegaan. Ze keken me allemaal vreemd aan.

'Eh, Nora,' zei Paul Camilletti, en hij stak zijn vinger op. 'Vind je het erg om even achter te blijven? Ik wil een paar dingen doornemen.'

Toen ik de kamer verliet, kwam Chad naast me lopen en zei hij zachtjes: 'Blijkbaar is het niet goed bij haar gevallen. Toch was dat een erg goede input van je, jongen.'

Ja, vast wel, klootzak.

20

Een kwartier na het eind van de vergadering kwam Mordden naar mijn kamer.

'Nou, ik ben onder de indruk,' zei hij.

'O, ja?' zei ik zonder veel enthousiasme.

'Absoluut. Jij hebt meer ruggengraat dan ik had gedacht. Dat je het tegen je chef, de gevreesde Nora, opnam toen het over haar lievelings-project ging...' Hij schudde zijn hoofd. 'Over creatieve spanning ge-sproken. Maar ik moet je wel waarschuwen voor de gevolgen van je da-den. Nora vergeet zo'n belediging niet. Bedenk wel dat de wreedste bewakers in de nazi-concentratiekampen vrouwen waren.'

'Dank je voor je goede raad,' zei ik.

'Je moet bedacht zijn op subtiele signalen waarmee Nora haar on-genoegen laat blijken. Bijvoorbeeld een stapeltje lege dozen naast je ka-mer. Of dat je plotseling niet meer op je computer kunt inloggen. Of dat HR je badge terug wil hebben. Maar vrees niet: ze zullen je een uit-stekend getuigschrift meegeven, en de outplacementdiensten van Trion zijn helemaal gratis.'

'O. Dank je.'

Ik zag dat ik voicemail had. Toen Mordden weg was, pakte ik de te-lefoon.

Het was een boodschap van Nora Sommers. Ze vroeg me – nee, bevál me – om onmiddellijk naar haar kantoor te komen.

Toen ik daar aankwam, was ze druk op haar toetsenbord aan het ty-pen. Ze wierp me een snelle, zijdelingse, hagedisachtige blik toe en ging toen verder met het werk. Op die manier negeerde ze me minstens twee minuten. Ik bleef in verlegenheid staan. Ze had weer een kleur gekre-gen; het zat me niet lekker dat haar huid zo gemakkelijk haar gevoe-lens verried.

Ten slotte keek ze weer op en draaide ze zich in haar stoel naar me toe. Haar ogen glansden, maar niet van verdriet. Het was iets anders, iets dat me aan een roofdier deed denken.

'Hoor eens, Nora,' zei ik vriendelijk. 'Ik wil me verontschuldigen voor mijn...'

Ze sprak zo zachtjes dat ik haar amper kon verstaan. 'Ik stel voor dat jíj luistert, Adam. Je hebt vandaag wel genoeg gepraat.'

'Ik was een idioot...' begon ik.

'En dat je zo'n opmerking dan ook nog maakt in het bijzijn van Ca-milletti, meneer Rendement, meneer Winstmarge... Door jouw toe-doen heb ik hem heel wat uit te leggen.'

'Ik had mijn mond moeten houden...'

'Als je mij probeert te ondermijnen,' zei ze, 'weet je niet waar je aan begint.'

'Als ik had geweten...' probeerde ik ertussen te krijgen.

'Hou maar op. Phil Bohjalian heeft me verteld dat hij kort voor de vergadering langs je kamer kwam en dat je toen naarstig onderzoek aan het doen was naar GoldDust. Dat was dus voor je "terloopse", "non-chalante" afwijzing van die essentiële technologie. Laat me je één ding verzekeren, meneer Cassidy. Jij denkt misschien dat je een grote ster bent omdat je zo'n goede staat van dienst bij Wyatt had, maar ik zou hier bij Trion maar niet zo zeker van mijn zaak zijn. Als je niet in de bus stapt, rijdt hij over je heen. En let op mijn woorden: dan zit ík achter het stuur.'

Ik bleef daar enkele ogenblikken staan terwijl ze met die ver uit elkaar staande roofdierogen door me heen probeerde te kijken. Ik sloeg mijn ogen neer en keek toen weer op. 'Ik heb het totaal verknald,' zei ik, 'en dat spijt me verschrikkelijk. Blijkbaar heb ik de situatie verkeerd ingeschat, en waarschijnlijk heb ik ook mijn oude Wyatt-vooroordelen meegebracht, maar dat is geen excuus. Het zal niet meer gebeuren.'

'Je krijgt ook niet de kans om het nog eens te laten gebeuren,' zei ze rustig. Ze was harder dan elke gelaarsde motoragent die me ooit aan de kant had gezet.

'Ik begrijp het,' zei ik. 'En als iemand me had verteld dat de beslissing al was genomen, zou ik natuurlijk mijn grote mond hebben gehouden. Ik zal er wel van uit zijn gegaan dat ze hier bij Trion ook van Sony hadden gehoord. Dat is alles. Mijn schuld.'

'Sony?' zei ze. 'Wat bedoel je, "van Sony gehoord"?'

Wyatts inlichtingenmensen hadden hem dat stukje informatie verstrekt, en hij had het aan mij doorverteld, dan kon ik het op een strategisch moment gebruiken. 'Je weet wel, dat ze afzien van hun plannen om GoldDust in al hun nieuwe handhelds te zetten.'

'Waarom?' vroeg ze achterdochtig.

'Omdat de nieuwste versie van Microsoft Office het niet zal ondersteunen. Bij Sony denken ze dat als ze voor GoldDust kiezen, ze miljoenen dollars mislopen op de bedrijvenmarkt, en dus kiezen ze voor BlackHawk, het *local-wireless* protocol dat wél door de nieuwste Office-versie wordt ondersteund.'

'Is dat zo?'

'Absoluut.'

'En je weet dat zeker? Je bronnen zijn volkomen betrouwbaar?'

'Volkomen, voor honderd procent. Ik wil mijn leven eronder verwedden.'

'En ook je carrière?' Haar ogen boorden zich weer in mij.

'Ik denk dat ik dat zojuist heb gedaan.'
'Erg interessant,' zei ze. 'Buitengewoon interessant, Adam. Dank je.'

21

Ik werkte die avond laat door.

Om halfacht, acht uur, was het kantoor bijna leeg. Zelfs de echte onverbeterlijke workaholics bleven niet op kantoor maar gingen naar huis om daar op het Trion-netwerk in te loggen en verder te gaan met hun werk. Om negen uur was er niemand meer te zien. De tl-buizen bleven branden, zachtjes flikkerend. De ramen, die van vloer tot plafond reikten, leken vanaf sommige plaatsen helemaal zwart, en vanaf andere plaatsen kon je de stad onder je uitgestrekt zien liggen, lichtjes die twinkelden, koplampen die zich geluidloos voortbewogen.

Ik zat in mijn kamer en surfde wat op de interne website van Trion.

Als Wyatt wilde weten wie er in dienst waren genomen om een of ander 'skunkwerk' te doen dat ergens in de afgelopen twee jaar was begonnen, moest ik eerst nagaan wie de afgelopen twee jaar bij Trion waren komen werken. Dat was tenminste een begin. Er waren allerlei manieren om in de database van personeelsleden te zoeken, maar ik zat met het probleem dat ik niet precies wist wie of wat ik zocht.

Na een tijdje was ik erachter: het personeelsnummer. Iedere werknemer van Trion kreeg een nummer. Als je een laag nummer had, wilde dat zeggen dat je lang geleden in dienst was gekomen. Nadat ik naar een aantal willekeurige personeelsbio's had gekeken, wist ik welke nummers degenen hadden die daar in de afgelopen twee jaar waren komen werken. Gelukkig (tenminste, voor mij) had Trion een nogal moeilijke tijd achter de rug, dus het waren er niet zoveel. Uiteindelijk had ik een lijst van een paar honderd nieuwkomers – nieuw in die zin dat ze nog geen twee jaar bij Trion werkten. Ik zette alle namen en hun bio's op een cd-rom. Nu had ik tenminste iets.

Trion had zijn eigen instant-messaging-service; dat heette InstaMail. Het werkte net als Yahoo Messenger of Instant Messenger van America Online; je kon een 'vriendenlijst' bijhouden waarop je kon zien wanneer collega's on line waren en wanneer ze dat niet waren. Ik zag dat Nora Sommers was ingelogd. Ze was niet op kantoor, maar ze was wel

92

on line. Dat betekende dat ze thuis werkte.

Dat was goed, want het betekende dat ik nu kon proberen in haar kantoor in te breken zonder het risico te lopen dat ze opeens binnenkwam.

Bij de gedachte dat ik zou inbreken trok mijn maag zich samen als een vuist, maar ik wist dat ik geen keus had. Arnold Meacham wilde tastbare resultaten zien, en liever gisteren dan vandaag. Nora Sommers, wist ik, zat in verschillende marketingcommissies die zich met nieuwe Trion-producten bezighielden. Misschien had ze informatie over nieuwe producten of nieuwe technologieën die Trion in het geheim ontwikkelde. Het was in ieder geval de moeite waard om eens goed te gaan kijken.

De waarschijnlijkste plaats waar ze die informatie zou bewaren, was de computer in haar kantoor.

Op haar deur had ze een bordje met N. SOMMERS. Ik verzamelde de moed om de deurknop te proberen. Hij zat op slot. Dat verraste me niet zo erg, want ze bewaarde daar ook geheime HR-gegevens. Ik kon door het ruitje in haar verduisterde kantoor kijken, alle drie bij drie meter. Er stond niet veel in en het was natuurlijk fanatiek opgeruimd.

Ik wist dat er ergens een sleutel moest liggen in het bureau van haar secretaresse. Strikt genomen was haar secretaresse – een grote, stevig gebouwde, keiharde vrouw van een jaar of dertig, Lisa McAuliffe – niet alleen van háár. Officieel werkte Lisa voor Nora's hele afdeling, ook voor mij. Alleen directieleden kregen hun eigen secretaresse; dat was Trion-beleid. Maar dat was alleen maar een formaliteit. Ik was er al achter dat Lisa McAuliffe voor Nora werkte en de pest had aan iedereen die haar in de weg zat.

Lisa had erg kort, bijna gemillimeterd haar en ze droeg een overall of een schildersbroek. Je zou niet verwachten dat Nora, die zich altijd modieus en vrouwelijk kleedde, een secretaresse als Lisa McAuliffe zou hebben. Maar Lisa was ontzaglijk trouw; ze reserveerde haar weinige glimlachjes voor Nora en joeg alle anderen de stuipen op het lijf.

Lisa hield van katten. Overal in haar kamer zag je kattendingen: Garfield-poppen, Catbert-beeldjes, dat soort dingen. Ik keek om me heen, zag niemand en trok haar bureauladen open. Na een paar minuten vond ik de sleutelring, die verborgen zat op de aarde van haar kamerplant, in een plastic papercliphouder. Ik haalde diep adem en nam de sleutelring. Er zaten zo'n twintig sleutels aan en ik probeerde ze een voor een. Met de zesde sleutel kreeg ik Nora's deur open.

Ik deed de lichten aan, ging aan Nora's bureau zitten en zette haar computer aan.

Ik had me voorbereid op de mogelijkheid dat er onverwachts iemand zou binnenkomen. Arnold Meacham had me veel strategieën bijgebracht – ga in het offensief, stel vragen aan hén – maar hoe groot was de kans dat een schoonmaker, die Portugees of Spaans en geen Engels sprak, in de gaten zou hebben dat ik in het kantoor van iemand anders was? Daarom concentreerde ik me op mijn taak.

Die taak was helaas niet zo gemakkelijk. Op het scherm knipperde GEBRUIKERSNAAM/WACHTWOORD. Shit. Een wachtwoord: ik had het kunnen weten. Ik typte NSOMMERS in; dat was gebruikelijk. Toen typte ik NSOMMERS in het vakje voor het wachtwoord. Zeventig procent van de mensen, had ik geleerd, maakten hun wachtwoord hetzelfde als hun gebruikersnaam.

Nora niet.

Nora leek me niet zo iemand die haar wachtwoorden op een Post-it-briefje in een bureaula noteerde, maar ik moest zekerheid hebben. Ik keek op de gebruikelijke plaatsen – onder de muismat, onder het toetsenbord, achter de computer, in de bureauladen, maar ik vond niets. En dus zou ik moeten improviseren.

Ik probeerde gewoon SOMMERS. Ik probeerde haar geboortedatum, probeerde het eerste en de laatste zeven cijfers van haar sofi-nummer, haar personeelsnummer. Allerlei combinaties. TOEGANG GEWEIGERD. Na de tiende poging hield ik ermee op. Ik moest ervan uitgaan dat elke poging werd geregistreerd. Tien pogingen waren er al te veel. Mensen vergisten zich meestal niet meer dan twee of drie keer.

Dit was foute boel.

Maar er waren andere manieren om het wachtwoord te kraken. Ik was daarin urenlang getraind, en ze hadden me wat apparatuur gegeven waar bijna elke idioot mee kon werken. Ik was geen computerhacker of zoiets, maar ik kon aardig overweg met computers – goed genoeg om bij Wyatt in de grootst mogelijke problemen te komen, nietwaar? – en de dingen die ze me hadden gegeven, waren belachelijk gemakkelijk te installeren.

In feite was het een apparaatje dat een 'toetsaanslaglogger' werd genoemd. Die dingen leggen in het geheim alle toetsaanslagen van een computergebruiker vast.

Het kan software zijn, een computerprogramma, maar ook hardware. En met de softwareversies moest je voorzichtig zijn, want je wist nooit hoe nauwlettend de netwerksystemen van de onderneming in de gaten werden gehouden; misschien konden ze het ontdekken. Daarom had Arnold Meacham me aangeraden het apparaatje te gebruiken.

Hij had me een heleboel klein speelgoed gegeven. Een daarvan was een minuscule kabelconnector die tussen het toetsenbord en de pc werd aangebracht. Het dingetje zou je nooit opvallen. Er zat een chip in die maximaal twee miljoen toetsaanslagen registreerde en opsloeg. Je kwam gewoon later terug, haalde het van de computer weg, en je kon precies nagaan wat de persoon in kwestie allemaal had ingetypt.

In zo'n tien seconden maakte ik Nora's toetsenbord los, maakte het kleine Keyghost-ding eraan vast en sloot dat op haar computer aan. Ze zou het nooit zien, en over een paar dagen zou ik terugkomen om het op te halen.

Maar ik was niet van plan om met lege handen uit haar kantoor te vertrekken. Ik keek in de papieren die ze op haar bureau had liggen. Niet dat het veel bijzonders was. Ik vond een concept voor een e-mailbericht aan het Maestro-team, dat ze nog niet had verstuurd. 'Mijn nieuwste marktonderzoek,' schreef ze, 'wijst uit dat, hoewel GoldDust ongetwijfeld superieur is, Microsoft Office in plaats daarvan de draadloze technologie van BlackHawk zal ondersteunen. Hoewel dit op onze ingenieurs misschien storend zal overkomen, zullen we het er allemaal over eens zijn dat je maar beter niet tegen de Microsoft-stroom in kunt zwemmen...'

Snel werk, Nora, dacht ik. Ik hoopte vurig dat Wyatt gelijk had.

Ik kon ook de archiefkasten doorzoeken. Zelfs in een hightechbedrijf als Trion staan belangrijke gegevens bijna altijd op papier, of het nu originelen of back-ups van computerbestanden zijn. Dat is de grote waarheid van het zogenaamd papierloze kantoor: hoe meer we allemaal gebruik maken van computers, des te meer pakken kopieerpapier hebben we nodig. Ik maakte de eerste de beste archiefkast open. Die bleek helemaal geen archiefkast te zijn maar een boekenkast met een deur ervoor. Waarom zou ze boeken uit het zicht bewaren? vroeg ik me af. Toen keek ik nog eens goed naar de titels en moest ik bijna hardop grinniken.

Ze had rijen en rijen boeken met titels als *Vrouwen die met de wolven mee rennen*, *Keihard spel voor vrouwen* en *Spelen als een man, winnen als een vrouw*. Titels als *Waarom goede meisjes niet vooruitkomen... maar meisjes met lef wel* en *Zeven geheimen van succesvolle vrouwen* en

De elf geboden van enorm succesvolle vrouwen.

Nora, Nora, dacht ik onwillekeurig. Meisje toch.

Vier van haar archiefkasten zaten niet op slot, en ik ging naar de eerste daarvan en bladerde door de verbijsterende saaie inhoud: projectbeoordelingen, productgegevens, productontwikkelingsdossiers, financiële... Ze legde blijkbaar alles vast, maakte waarschijnlijk een uitdraai van alle e-mails die ze verstuurde of ontving. Het interessante materiaal, wist ik, moest in de kasten liggen die op slot zaten. Waarom zouden ze anders op slot zitten?

Algauw vond ik de kleine sleutel van de archiefkast aan Lisa's sleutelring. In de afgesloten laden vond ik veel HR-dossiers over haar ondergeschikten. Misschien zou dat interessant leesvoer zijn, als ik de tijd had. Uit haar persoonlijke financiële gegevens bleek dat ze al een hele tijd bij Trion werkte, dat ze veel van haar opties had uitgeoefend en dat ze een vermogen van zeven cijfers voor de komma had opgebouwd. Ik vond mijn eigen dossier, dat dun was en niets angstaanjagends bevatte. Niets van belang.

Toen keek ik wat beter en vond een paar papieren, uitdraaien van e-mails die Nora van iemand in de top van Trion had ontvangen. Voor zover ik kon nagaan, was Alana Jennings, de vrouw die mijn baan voor mij had gehad, plotseling naar een andere afdeling in de onderneming overgeplaatst. En Nora was kwaad – zo kwaad zelfs dat ze haar klacht helemaal door de voedselketen omhoog stuurde naar directieniveau, een nogal brutale manoeuvre:

BETR: Overplaatsing van Alana Jennings
DATUM: Dinsdag 8 april, 8:42:19 v.m.
van: GAllred
aan: NSommers

Nora,

Ik heb je e-mails ontvangen waarin je protesteert tegen de overplaatsing van ALANA JENNINGS naar een andere divisie van de onderneming. Ik begrijp dat je van streek bent, aangezien Alana je hoogste medewerker is en ook een gewaardeerd lid van je team.

Tot mijn spijt zijn je bezwaren echter op het hoogste niveau afgewezen. Alana's vaardigheden zijn dringend nodig voor project AURORA.

Laat me je verzekeren dat je hetzelfde aantal ondergeschikten houdt. Je bent gemachtigd Alana's positie te laten overnemen door ie-

dere geïnteresseerde en gekwalificeerde medewerker binnen de onderneming.

Laat het me weten als ik meer kan doen om je te helpen.

Groeten,
Greg Allred
Directeur Geavanceerd Onderzoek
Trion Systems
Trion helpt je de toekomst te veranderen

En dan een e-mail van twee dagen later:

BETR: Overplaatsing van Alana Jennings
DATUM: Donderdag 10 april, 2:13:07 n.m.
VAN: GAllred
AAN: NSommers

Nora,
Met betrekking tot AURORA bied ik je mijn diepste verontschuldigingen aan, maar ik mag je de exacte aard van dat project niet vertellen,
behalve dat het van kritiek belang is voor de toekomst van Trion. Aangezien AURORA een geheim onderzoeksproject van het grootste belang
is, verzoek ik je met alle respect om je niet nader in deze zaak te verdiepen.

Dat gezegd zijnde, begrijp ik dat het je moeite kost om Alana's positie te laten innemen door een Trion-medewerker met voldoende kwalificaties. Daarom kan ik je tot mijn genoegen mededelen dat je in dit
geval ontheffing hebt van het algehele verbod om mensen van buiten
de onderneming aan te nemen. Er is aan deze positie de status 'silver bullet' toegekend, zodat je iemand van buiten Trion mag aannemen. Ik vertrouw en hoop erop dat dit je probleem minder groot maakt.

Als je vragen hebt, aarzel dan niet me te bellen of te schrijven.
Groeten,
Greg Allred
Directeur Geavanceerd Onderzoek
Trion Systems
Trion helpt je de toekomst te veranderen

Tjonge. Plotseling begon ik de dingen een beetje te begrijpen. Ik was aangenomen om die Alana te vervangen, die naar iets was overgeplaatst wat project AURORA heette.

Project AURORA was duidelijk erg geheim – een skunkwerk. Ik had het gevonden.

Omdat het me geen goed idee leek om de e-mails uit hun mappen te halen en ermee naar het kopieerapparaat te gaan, nam ik een geel schrijfblok van een hoge stapel in Nora's voorraadkast en maakte ik aantekeningen.

Ik weet niet hoe lang ik daar op de vloer van haar kantoor heb zitten schrijven, maar het moeten minstens vier of vijf minuten zijn geweest. En plotseling werd ik me bewust van iets aan de rand van mijn gezichtsveld. Ik keek op en zag een bewaker die in de deuropening naar me stond te kijken.

Trion maakte geen gebruik van een bewakingsfirma. De onderneming had eigen beveiligingsmensen, die blauwe blazers en witte overhemden droegen en er ongeveer zo uitzagen als politieagenten. Deze bewaker was een lange, gespierde zwarte man met grijs haar en veel moedervlekken, die als sproeten op zijn wangen zaten. Hij had grote basset-ogen met zware leden en droeg een metalen bril. En hij stond daar naar me te kijken.

In gedachten had ik van alles gerepeteerd wat ik zou kunnen zeggen als ik werd betrapt, maar nu kon ik geen woord uitbrengen.

'Ik zie wat u daar hebt,' zei de bewaker. Hij keek niet naar mij; hij keek recht naar Nora's bureau. Naar de computer – de Keyghost? Nee, god, alsjeblieft, néé.

'Pardon?' zei ik.

'Ik zie wat u daar hebt. Ja. Ik wéét het.'

Mijn hart ging wild tekeer. Jezus christus allemachtig, dacht ik: ik ben de klos.

22

Hij knipperde met zijn ogen en bleef staren. Had hij me het apparaatje zien installeren? En toen kwam er plotseling een andere, even zorgwekkende gedachte bij me op: had hij Nora's naam op de deur gezien? Zou hij zich niet afvragen waarom er een man in het kantoor van een vrouw was en in haar dossiers bladerde?

Ik keek naar het naambordje op de open deur, achter de bewaker. Daar stond N. SOMMERS. N. SOMMERS kon iedereen zijn, een man of een vrouw. Aan de andere kant was het best mogelijk dat hij al een eeuwigheid door deze gangen patrouilleerde en dat Nora en hij elkaar al jaren kenden.

De bewaker stond nog steeds in de deuropening en belette me dus de aftocht. Wat moest ik nu doen? Ik kon proberen weg te rennen, maar dan moest ik eerst langs die man. Dat betekende dat ik op hem af moest duiken en hem moest tackelen om hem uit de weg te krijgen. Hij was groot, maar op leeftijd, en waarschijnlijk niet snel; het zou kunnen lukken. Maar was ik nu al serieus van plan iemand te mishandelen, een oude man? Godnogaantoe.

Ik dacht snel na. Moest ik zeggen dat ik hier nieuw was? Ik liet allerlei mogelijke verklaringen door mijn hoofd gaan: ik was Nora Sommers' nieuwe assistent. Ik was haar ondergeschikte – ja, dat wás ik ook – en ik was op haar verzoek aan het overwerken. Wat wist die kerel? Hij was een bewáker, verdomme.

Hij kwam een paar stappen het kantoor in en schudde zijn hoofd. 'Man, ik dacht dat ik alles al had meegemaakt.'

'Zeg, er staat voor morgenvroeg een kolossaal project op het programma...' begon ik verontwaardigd.

'U hebt hier een Bullitt. Dat is een echte Bullitt.'

Toen zag ik waar hij naar keek en nu naartoe liep. Het was een grote kleurenfoto die in een zilveren lijst aan de muur hing. Een foto van een schitterend gerestaureerde klassieke auto. Hij liep er met wazige ogen heen, alsof hij de Ark des Verbonds naderde. 'Shit, man, dat is een echte 1968 Mustang GT 390,' fluisterde hij alsof hij zojuist het gelaat van God had aanschouwd.

De adrenaline vloog door mijn bloed en de opluchting dampte uit mijn poriën. Jezus.

'Ja,' zei ik trots. 'Erg goed.'

'Man, moet je die Mustang zien. Is dat een fabrieks-GT?'

Wat wist ik daar nou van? Ik kon nog geen Mustang van een Dodge Dart onderscheiden. Voor zover ik wist, kon het net zo goed een foto van een AMC Gremlin zijn. 'Zeker,' zei ik.

'Er zit veel namaak tussen, weet je. Heb je ooit onder de achterbank gekeken om te zien of die extra metalen platen daar zitten, die versterkingen van de dubbele uitlaat?'

'O, ja,' zei ik luchtig. Ik stond op en stak mijn hand uit. 'Nick Sommers.'

Zijn handdruk was droog. Zijn hand was groot en omsloot die van mij helemaal. 'Luther Stafford,' zei hij. 'Ik heb je hier nog niet eerder gezien.'

'Nou, ik ben hier 's avonds nooit. Dat verrekte project – het is altijd: "We hebben het om negen uur morgenvroeg nodig, grote haast, dus schiet een beetje op."' Ik probeerde nonchalant te spreken. 'Ik ben blij dat ik niet de enige ben die vanavond werkt.'

Maar hij wilde niet ophouden over die auto. 'Man, ik geloof niet dat ik ooit een wagen met fastback heb gezien in Highland Green. Behalve in films, bedoel ik. Dat lijkt me precies dezelfde als de wagen die Steve McQueen gebruikte om die slechte zwarte Dodge Charger van de weg af te jagen, dat benzinestation in. De wieldoppen vlogen in het rond.' Hij keek me met een laag, warm grinniklachje aan, het product van veel sigaretten en whisky. '*Bullitt*. Mijn favoriete film. Ik moet hem wel duizend keer hebben gezien.'

'Ja,' zei ik. 'Dezelfde.'

Hij ging er dichter naartoe. Plotseling besefte ik dat er een groot gouden beeldje op de plank stond, dicht bij de foto in zijn zilveren lijst. Op het voetstuk van het beeldje stond met grote zwarte letters VROUW VAN HET JAAR, 1999, AANGEBODEN AAN NORA SOMMERS. Ik ging vlug achter het bureau staan om het beeldje met mijn lichaam af te schermen. Daarbij deed ik alsof ik ook aandachtig naar de foto keek.

'Met achterspoiler en al,' ging hij verder. 'Een dubbele uitlaat, hè?'

'O, ja.'

'Met vloeiende randen en al?'

'Reken maar.'

Hij schudde weer met zijn hoofd. 'Man. Je hebt hem zelf gerestaureerd?'

'Nee. Ik wou dat ik daar de tijd voor had.'

Hij lachte weer, een diepe rommelende lach. 'Ik weet wat je bedoelt.'

'Ik heb hem van iemand die hem in zijn schuur had staan.'

'Drieëntwintig pk?'

'Ja,' zei ik, alsof ik dat wist.

'Moet je de richtingaanwijzers van die wagen zien. Ik heb eens een hardtop uit '68 gehad, maar ik moest hem wegdoen. Mijn vrouw dwong me hem te verkopen, toen we ons eerste kind kregen. Ik ben er altijd naar blijven verlangen. Maar ik kijk niet eens naar die nieuwe GT Bullitt Mustang, o nee.'

Ik schudde mijn hoofd. 'Allicht niet.' Ik had geen idee waar hij het over had. Was iedereen in dit bedrijf bezeten van auto's?

'Je moet het zeggen als ik me vergis, maar het lijkt wel of je GR-zeventig-banden hebt, op American Torque Thrust-velgen van vijftien bij zeven. Is dat zo?'

Jezus, konden we het niet over wat anders hebben? 'Weet je, Luther, ik heb helemaal geen verstand van Mustangs. Ik verdien het eigenlijk niet om er een te bezitten. Mijn vrouw heeft hem op mijn verjaardag aan me gegeven. Natuurlijk moet ík de volgende vijfenzeventig jaar de lening afbetalen.'

Hij grinnikte nog wat meer. 'Ik weet er alles van.' Ik zag hem naar het bureau kijken, en toen besefte ik waar hij naar keek.

Het was een grote bruine envelop met Nora's naam erop, die in grote hoofdletters met een rode Sharpie-marker was aangebracht. NORA SOMMERS. Ik keek of er iets op het bureau lag wat ik eroverheen kon leggen om hem aan het zicht te onttrekken, voor het geval hij de naam nog niet had gelezen, maar Nora hield haar bureau uiterst netjes. Zo nonchalant mogelijk pakte ik het bovenste vel van het schrijfblok vast en scheurde het zachtjes af, waarna ik het op het blad van het bureau liet vallen en met mijn linkerhand over de envelop schoof. Heel handig, Adam. Op het gele papier stonden een paar aantekeningen in mijn handschrift, maar niemand zou daar iets van kunnen begrijpen.

'Wie is Nóra Sommers?' zei hij.

'Ah, dat is mijn vrouw.'

'Nick en Nora, huh?' Hij grinnikte.

'Ja, dat valt iedereen op.' Ik glimlachte. 'Daarom ben ik met haar getrouwd. Nou, ik moest maar eens verder gaan met de dossiers, anders zit ik hier de hele nacht. Ik vond het prettig met je kennis te maken, Luther.'

'Insgelijks, Nick.'

Toen de bewaker wegging, was ik zo nerveus dat ik niet veel meer kon doen dan de rest van de e-mails overschrijven. Vervolgens deed ik het licht uit en draaide ik de deur van Nora's kantoor weer op slot. Toen ik me omdraaide om de sleutelring in Lisa McAuliffes kamer terug te leggen, zag ik iemand lopen, niet ver van me vandaan. Luther weer, dacht ik. Wat wilde die kerel, nog verder over die Mustang praten? Ik hoefde alleen nog maar de sleutels terug te leggen zonder dat iemand me zag, en dan kon ik maken dat ik wegkwam.

Maar het was Luther niet. Het was een dikke man met een hoornen bril en een paardenstaart.

De laatste die ik om tien uur 's avonds op kantoor verwachtte tegen te komen, maar ja, ingenieurs werkten op vreemde uren.

Noah Mordden.

Had hij me Nora's deur op slot zien doen, of me zelfs ín haar kantoor gezien? Of waren zijn ogen niet zo goed? Misschien lette hij niet eens op; misschien leefde hij in zijn eigen wereld – maar wat dééd hij hier?

Hij zei niets en knikte me ook niet toe of zoiets. Ik wist niet eens zeker dat hij me had gezien. Aan de andere kant was ik de enige die daar rondliep, en hij was niet blind.

Hij sloeg de volgende gang in en liet een map in iemands kamer achter. Zo nonchalant mogelijk slenterde ik langs Lisa's kamer en liet de sleutelring in de aarde van de kamerplant achter, precies op de plaats waar ik hem had gevonden, één snelle beweging, en toen liep ik gewoon door.

Ik was al een eind op weg naar de liften, toen ik hoorde: 'Cassidy.'

Ik draaide me om.

'En ik dacht dat alleen ingenieurs nachtdieren waren.'

'Ik probeer me in te werken,' zei ik zwakjes.

'Aha,' zei hij. Hij zei dat op een toon die een huivering door me heen joeg. Toen vroeg hij: 'Wat doe je dan?'

'Sorry?'

'Waar ben je mee bezig?'

'Ik geloof dat ik het niet begrijp,' zei ik. Mijn hart bonkte.

'Probeer je dat te herinneren.'

'Huh?'

Maar Mordden was al op weg naar de lift, en hij gaf geen antwoord.

DEEL DRIE

LOODGIETERSWERK

Loodgieterswerk: Spionagejargon voor allerlei hulpmiddelen, zoals geheime huizen, uitwisselplaatsen enz. van een clandestiene inlichtingendienst
– *The International Dictionary of Espionage*

23

Toen ik thuiskwam, was ik een wrak. Ik was er nog slechter aan toe dan eerder op de dag. Dit soort werk lag me helemaal niet. Ik had zin om uit te gaan en me weer te bezatten, maar ik moest naar bed om wat slaap te krijgen.

Mijn woning leek me kleiner en armzaliger dan ooit. Ik verdiende een salaris van zes cijfers voor de komma en zou me dus een van die appartementen in de nieuwe hoogbouw op de kade kunnen permitteren. Er was geen enkele reden om in dit krot te blijven, behalve dat het míjn krot was. Deze woning herinnerde me aan de schooierige mislukkeling die ik in werkelijkheid was, niet de goed geklede, gladde poseur die ik was geworden. Daar kwam nog bij dat ik helemaal niet de tijd had om naar andere woonruimte te zoeken.

Ik drukte op de lichtschakelaar bij de deur en het bleef donker in de kamer. Verdomme. Dat betekende dat het lampje in de grote lelijke schemerlamp bij de bank, de voornaamste lichtbron in de kamer, kapot was. Ik liet die lamp altijd aan om hem bij de deur aan en uit te kunnen doen. Nu moest ik door de donkere woning naar het kastje strompelen waarin ik de gloeilampen en dat soort dingen bewaarde. Gelukkig kende ik elke vierkante centimeter van mijn kleine woning letterlijk met mijn ogen dicht. Ik tastte in de doos van golfkarton naar een nieuwe lamp en hoopte dat het er een van honderd watt was, en niet van vijfentwintig watt of zoiets. Vervolgens navigeerde ik me door de kamer naar de bijzettafel naast de bank. Ik schroefde het ding los dat de kap op zijn plaats hield, schroefde de gloeilamp los, deed de nieuwe erin. Het licht ging nog steeds niet aan. Shit: een passend einde van een rotdag. Ik vond het knopje op de voet van de lamp en drukte erop, en meteen baadde de kamer in het licht.

Ik was al op weg naar de badkamer toen me iets te binnen schoot: hoe kon het dat die lamp uitgeschakeld was? Ik deed hem daar nooit uit – nooit. Was ik mijn verstand aan het verliezen?

Was er iemand in mijn woning geweest?

Het was een griezelig gevoel, een moment van paranoia. Er was inderdaad iemand in mijn woning geweest. Hoe kon de lamp anders met zijn eigen knop zijn uitgeschakeld?

Ik had geen huisgenoten, geen vriendin, en niemand anders had de sleutel. De mensen van de nonchalante huizenfirma die het gebouw voor de nonchalante krottenbaas beheerde, kwamen nooit in de woningen. Zelfs niet als je ze smeekte om iemand te sturen die de radiatoren kwam repareren. Er kwam daar nóóit iemand, behalve ikzelf.

Ik keek naar de telefoon vlak naast de lamp, een oud zwart Panasonic-toestel met antwoordapparaat. Dat laatste gebruikte ik nooit meer, want ik had nu voicemail via het telefoonbedrijf. Op dat moment zag ik iets anders wat niet deugde. Het zwarte telefoonsnoer lag over de toetsen van de telefoon, erbovenop, in plaats van opgerold naast het toestel, zoals het anders altijd lag. Zeker, dat waren domme kleine details, maar je let op zulke dingen als je in je eentje woont. Ik probeerde me te herinneren wanneer ik voor het laatst had gebeld, waar ik was geweest, wat ik had gedaan. Was ik zo afgeleid geweest dat ik de hoorn andersom had neergelegd? Maar ik wist zeker dat het telefoonsnoer niet op die manier op het toestel had gelegen toen ik die ochtend van huis ging.

Er was absoluut iemand bij mij thuis geweest.

Ik keek weer naar het telefoontoestel/antwoordapparaat en besefte dat er nog iets anders mis was, en dat was niet eens zo subtiel. Het antwoordapparaat, dat ik nooit gebruikte, had een systeem met twee bandjes, een microcassette voor de uitgaande boodschap en een andere om de binnenkomende berichten vast te leggen.

Maar de cassette voor de binnenkomende berichten was weg. *Iemand had hem weggehaald.*

Waarschijnlijk iemand die een kopie van de berichten op mijn antwoordapparaat wilde hebben.

Of – het idee kwam plotseling in me op – iemand die er zeker van wilde zijn dat ik het antwoordapparaat niet had gebruikt om binnengekomen telefoongesprekken vast te leggen. Dat moest het zijn. Ik stond op en ging op zoek naar de enige andere recorder die ik had, een klein ding voor microcassettes dat ik had gekocht toen ik studeerde, al wist ik bij god niet meer waarom. Ik herinnerde me vaag dat ik het een paar weken geleden in mijn onderste bureaula had zien liggen, toen ik op zoek was naar een aansteker. Ik trok de la open, zocht erin, maar het was er niet. En het lag ook niet in een van de andere bureauladen. Hoe meer ik keek, des te zekerder was ik ervan dat ik dat recordertje in de onderste la had zien liggen. Toen ik nog eens keek, vond ik de adapter die erbij hoorde, en daardoor werd mijn vermoeden bevestigd. De recorder was ook weg.

Nu wist ik het zeker: degene die mijn woning had doorzocht, was op zoek geweest naar bandopnamen die ik misschien had gemaakt. De vraag was: wie had mijn woning doorzocht? Als het mensen van Wyatt en Meacham waren, waren ze zich op een grove manier te buiten gegaan.

Maar als zij het nu eens niet waren? Als het nu eens mensen van Trion waren geweest? Dat was zo angstaanjagend dat ik er niet eens aan wilde denken. Ik herinnerde me Morddens vraag. *Waar ben je mee bezig?*

24

Nick Wyatts huis stond in de duurste forensenplaats. Het was een huis dat iedereen kende, zo duur dat er grappen over werden gemaakt. Het was met gemak het grootste, riantste en schandalig duurste huis in een plaats die bekendstond om zijn grote, riante en schandalig dure huizen. Ongetwijfeld was het belangrijk voor Wyatt om in het huis te wonen waarover iedereen praatte, het huis dat op het omslag van *Architectural Digest* had gestaan, het huis waar plaatselijke journalisten altijd met een of andere smoes probeerden binnen te komen. Ze vonden het prachtig om verbijsterende, ongelooflijke dingen over de elektronicamagnaat te vertellen. Ze waren gek op die Japanse dingen – de zogenaamde Zen-sereniteit en de soberheid en de eenvoud, die zo grotesk in strijd waren met Wyatts vloot van Bentley-convertibles en zijn fanatisme, dat beslist niet Zen was.

Op de pr-afdeling van Wyatt Telecommunications was iemand helemaal vrijgemaakt voor Nick Wyatts persoonlijke publiciteit. Die persoon had de taak artikelen in *People* en *USA Today* of waar dan ook geplaatst te krijgen. Van tijd tot tijd bracht hij verhalen over Wyatts huis de wereld in, en zo wist ik dat het vijftig miljoen dollar had gekost, dat het veel groter en duurder was dan Bill Gates' huis bij Seattle, dat het een replica was van een veertiende-eeuws Japans paleis en dat Wyatt het in Osaka had laten bouwen en in gedeelten naar de Verenigde Staten had laten overbrengen. Het werd omringd door vijftien hectare Japanse tuinen vol zeldzame bloemen, rotspartijen, een kunstmatige waterval, een kunstmatig meer en antieke houten bruggen die uit Japan waren overgevlogen. Zelfs de onregelmatige stenen van de oprijlaan waren uit Japan overgebracht.

Natuurlijk zag ik daar niets van toen ik over die eindeloze oprijlaan reed. Ik zag een natuurstenen wachthuis en een hoog ijzeren hek dat automatisch openzwaaide, en zoveel bamboe dat er geen eind aan leek te komen, een carport met zes Bentley convertibles in verschillende kleuren (deze man hield niet van Amerikaanse sleeën) en een gigantische laag houten huis, omringd door een hoge natuurstenen muur.

Ik had via een beveiligde e-mailverbinding opdracht van Meacham gekregen om naar deze bespreking te komen. De boodschap was gestuurd naar mijn Hushmail-account, afkomstig van 'Arthur', verstuurd via de Finse *anonymizer*, de remailer die de herkomst onnaspeurbaar maakte. Er zat een hele vocabulaire van codetaal in, waardoor het leek op de bevestiging van een order die ik bij een on line-winkel had geplaatst. In werkelijkheid vertelde hij me de tijd en de plaats, enzovoort.

Meacham had me precies verteld hoe ik moest rijden. Ik moest naar het parkeerterrein van een Denny's-restaurant gaan en daar op een donkerblauwe Lincoln wachten, die ik naar Wyatts huis moest volgen. Ik denk dat ze het op die manier deden om er zeker van te zijn dat ik niet naar dat huis werd gevolgd. Ze gedroegen zich wel een beetje paranoïde, vond ik, maar wie was ik om te protesteren? Per slot van rekening was ik degene die al het risico liep.

Zodra ik was uitgestapt, reed de Lincoln weg. Een Filippino man deed open en zei dat ik mijn schoenen moest uittrekken. Hij bracht me naar een wachtkamer met *shoji*-schermen, tatami-matten, een laag zwart gelakt tafeltje en een lage futon-achtige rechthoekige witte bank. Niet erg comfortabel. Ik bladerde in de tijdschriften die artistiek op de zwarte salontafel gerangschikt lagen – *The Robb Report, Architectural Design* (inclusief natuurlijk het nummer met Wyatts huis op het omslag), een catalogus van Sotheby's.

Ten slotte kwam de huismeester, of hoe je hem ook moest noemen, terug en knikte me toe. Ik volgde hem door een lange gang naar een andere bijna lege kamer, waar ik Wyatt aan het hoofd van een lange, lage zwarte eettafel zag zitten.

Toen we de ingang van de eetkamer naderden, hoorde ik plotseling een schel alarm afgaan. Het was een ongelooflijk hard geluid. Ik keek verbaasd om me heen, maar voordat ik begreep wat er aan de hand was, werd ik vastgegrepen door de Filippijnse man en een andere man die uit het niets was opgedoken en werkten ze me samen tegen de vloer. 'Wat moet dat?' zei ik, en ik verzette me een beetje, maar die kerels waren zo sterk als sumo-worstelaars. Toen hield de tweede man me tegen de vloer, terwijl de Filippino me fouilleerde. Waar zochten ze naar, wapens? De Filippino vond mijn iPod MP3-speler en griste hem uit mijn tas. Hij keek ernaar, zei iets in wat voor taal het maar is die ze op de Filippijnen spreken. Toen gaf hij hem aan de andere man, die het ding van alle kanten bekeek, en zei toen iets onverstaanbaars. Het klonk niet al te vriendelijk.

Ik ging rechtop zitten. 'Is dit de manier waarop jullie alle gasten van meneer Wyatt verwelkomen?' zei ik. De huismeester nam de iPod mee, ging de eetkamer in en gaf hem aan Wyatt, die alles had gadegeslagen. Wyatt gaf hem aan de Filippino terug zonder er zelfs maar naar te kijken.

Ik stond op. 'Hebben jullie nooit zo'n ding gezien? Of is muziek van buiten hier verboden?'

'Ze gaan alleen maar grondig te werk,' zei Wyatt. Hij droeg een nauwsluitend zwart overhemd met lange mouwen dat eruitzag alsof het van linnen was en dat waarschijnlijk meer had gekost dan ik in een maand verdiende, zelfs nu bij Trion. Hij leek me meer gebruind dan anders. Waarschijnlijk slaapt hij in een solariumbed, dacht ik.

'Bang dat ik gewapend zou zijn?' zei ik.

'Ik ben nergens "bang" voor, Cassidy. Ik wil alleen dat iedereen zich aan de regels houdt. Als je verstandig bent en geen trucjes uithaalt, komt het allemaal best in orde. Je moet er niet eens aan dénken om een "verzekeringspolis" te nemen, want we zijn je altijd een stap voor.' Vreemd genoeg was dat idee nog niet bij me opgekomen.

'Ik kan het niet volgen.'

'Als je iets stoms doet, bijvoorbeeld probeert bandopnamen te maken van gesprekken die je met mij of iemand uit mijn omgeving voert, loopt het niet goed met je af. Jij hebt geen extra verzekering nodig, Adam, want ík ben je verzekering.'

Een beeldschone Japanse vrouw in een kimono verscheen met een dienblad en gaf hem met een zilveren tang een opgerolde warme handdoek aan. Hij veegde zijn handen af en gaf hem aan haar terug. Van dichtbij kon je zien dat hij een facelift had gehad. Zijn huid was te strak, zodat zijn ogen op die van Eskimo's leken.

'De telefoon in je huis is niet veilig,' ging hij verder. 'En je voicemail, je computer en je mobiele telefoon zijn dat ook niet. Je moet alleen in geval van nood contact met ons opnemen, behalve wanneer we je daarom hebben gevraagd. In alle andere gevallen zal via een beveiligde, versleutelde e-mailverbinding contact met je worden opgenomen. Nou, mag ik zien wat je hebt?'

Ik gaf hem de cd met de lijst van alle nieuwe Trion-werknemers die ik van de website had gedownload en enkele papieren met gegevens. Terwijl hij mijn aantekeningen doorlas, kwam de Japanse vrouw met een ander dienblad terug en zette ze voor Wyatt een verzameling minuscule, perfect gevormde stukjes sushi en sashimi op doosjes van gelakt mahoniehout neer, met kleine bergjes witte rijst en vaalgroene wasabi en roze plakjes ingelegde gember. Wyatt keek niet op; hij was helemaal verdiept in de papieren die ik hem had gebracht. Na een paar minuten pakte hij een kleine zwarte telefoon die op de tafel lag maar die ik nog niet eerder had gezien, en zei daarin iets met zachte stem. Ik meende het woord 'fax' te horen.

Ten slotte keek hij me aan. 'Goed werk,' zei hij. 'Erg interessant.'

Er verscheen een andere vrouw, een zedige vrouw van middelbare leeftijd met een gerimpeld gezicht, grijs haar en een leesbril aan een ketting om haar hals. Ze glimlachte, nam de papieren van hem over en ging weg zonder een woord te zeggen. Had hij dag en nacht een secretaresse tot zijn beschikking?

Wyatt pakte een paar eetstokjes op, bracht een stukje rauwe vis naar zijn mond en kauwde daar peinzend op, terwijl hij mij bleef aankijken. 'Zie je de superioriteit van het Japanse voedsel in?' zei hij.

Ik haalde mijn schouders op. 'Ik hou van tempura en zo.'

Hij trok een smalend gezicht en schudde zijn hoofd. 'Ik heb het niet over tempura. Waarom denk je dat de Japanners gemiddeld het oudst van de hele wereld worden? Voeding met weinig vet en veel eiwit, veel plantaardig voedsel met veel antioxidanten. Ze eten veertig keer meer soja dan wij. Al eeuwenlang eten ze geen vierpotige dieren.'

'Ja,' zei ik. Ik vroeg me af waar hij heen wilde.

Hij nam weer een hapje vis. 'Je zou er echt eens serieus over moeten denken de kwaliteit van je leven te verbeteren. Hoe oud ben je, vijfentwintig?'

'Zesentwintig.'

'Je hebt nog tientallen jaren voor de boeg. Zorg goed voor je lichaam. Dat roken, dat drinken, die Big Macs en al die troep – daar moet een eind aan komen. Ik slaap drie uur per nacht. Meer heb ik niet nodig. Heb je plezier, Adam?'

'Nee.'

'Goed. Het is ook niet de bedoeling dat je plezier hebt. Voel je je op je gemak in je nieuwe rol bij Trion?'

'Ik leer er steeds iets bij. Mijn baas is een kreng...'

'Ik heb het niet over je dekmantel. Ik heb het over je échte baan: de penetratie.'

'Op mijn gemak? Nee, nog niet.'

'De inzet is erg hoog. Ik voel dat je het moeilijk hebt. Ga je nog met je oude vrienden om?'

'Ja.'

'Ik verwacht niet van je dat je ze laat vallen. Dat zou argwaan kunnen wekken. Maar je moet er wel verdomd goed op letten dat je je mond houdt, anders zal het je bezuren.'

'Begrepen.'

'Ik hoef je er niet aan te herinneren welke gevolgen een mislukking heeft.'

'Daar hoef ik niet aan te worden herinnerd.'

'Goed. Je taak is moeilijk, maar een mislukking is nog veel erger.'

'Eigenlijk vind ik het wel prettig om bij Trion te werken.' Ik sprak naar waarheid, maar ik wist dat hij het als een steek onder water zou opvatten.

Hij keek op en grijnsde al kauwend. 'Ik ben blij dat te horen.'

'Mijn team geeft binnenkort een presentatie voor Augustine Goddard.'

'Die goeie ouwe Jock Goddard, hè? Nou, je zult gauw genoeg inzien dat hij een pretentieuze, hypocriete blaaskaak is. Volgens mij gelooft hij echt in al die slijmerige profielen, dat gelul van "het geweten van de hightechsector" dat je altijd in *Fortune* ziet. Hij gelooft echt dat zijn stront niet stinkt.'

Ik knikte; wat moest ik daarop zeggen? Ik kende Goddard niet en kon het dus niet beamen of tegenspreken. In ieder geval was duidelijk dat Wyatt jaloers op de man was.

'Wanneer houden jullie die presentatie voor die oude zak?'

'Over een paar weken.'

'Misschien kan ik helpen.'

'Ik accepteer alle hulp die ik kan krijgen.'

De telefoon ging, en hij nam meteen op. 'Ja?' Hij luisterde een minuut. 'Goed,' zei hij, en toen hing hij op. 'Je hebt iets ontdekt. Over een week of twee krijg je alle achtergrondinformatie over die Alana Jennings.'

'Ja, zoals ik informatie over Lundgren en Sommers kreeg.'

'Nee, dit zal veel gedetailleerder zijn.'

'Waarom?'

'Omdat je hiermee zult werken. Ze is jouw sleutel om binnen te komen. En nu je een codenaam hebt, wil ik de namen van iedereen die ook maar iets met AURORA te maken heeft. Iedereen, van de projectdirecteur tot en met de schoonmaker.'

'Hoe moet ik daaraan komen?' Zodra ik dat zei, had ik er spijt van.

'Dat zoek je zelf maar uit. Dat is je taak, man. En ik wil het morgen hebben.'

'Mórgen?'

'Ja.'

'Goed,' zei ik een klein beetje uitdagend. 'Maar dan heb je alles wat je nodig hebt, nietwaar? Dan zijn we klaar.'

'O nee,' zei hij. Hij glimlachte, zodat ik zijn grote witte bijters kon zien. 'Dit is nog maar het begin, jongen. Eigenlijk zijn we nog niet eens begonnen.'

25

Inmiddels maakte ik zulke krankzinnig lange dagen dat ik er suf van werd. Naast mijn normale uren bij Trion zat ik tot laat op de avond internetresearch te doen of de inlichtingendossiers door te nemen die Meacham en Wyatt me stuurden, de gegevens waardoor ik zo slim leek. Een paar keer viel ik, gedurende de lange rit door het drukke verkeer naar huis, bijna achter het stuur in slaap. Dan deed ik plotseling mijn ogen open, werd met een schok wakker en kon op het laatste moment nog voorkomen dat ik op de rijbaan voor tegemoetkomend verkeer terechtkwam of tegen mijn voorganger dreunde. Na de lunchpauze zakte ik meestal wat weg, en dan moesten er enorme doses cafeïne aan te pas komen om te verhinderen dat ik mijn armen over elkaar legde en in slaap viel in mijn kamertje. Ik fantaseerde erover om vroeg naar huis te gaan en in mijn donkere krot onder de dekens te gaan liggen en te slapen tot midden op de dag. Ik leefde op koffie en Pepsi light en Red Bull. Er zaten donkere wallen onder mijn ogen. Workaholics krijgen tenminste nog een vreemd soort kick van zoiets; ik voelde me alleen maar kapot, als een afgebeeld paard in een Russische roman.

Toch was het feit dat ik helemaal opbrandde niet mijn grootste probleem. Het was nog veel erger dat ik niet meer goed kon bijhouden wat mijn 'echte' baan en wat mijn 'zogenaamde' baan was. Ik rende van vergadering naar vergadering en probeerde alles goed genoeg bij te houden om te voorkomen dat Nora argwaan kreeg. Daardoor had ik nauwelijks de tijd om rond te sluipen en informatie over AURORA te verzamelen.

Nu en dan kwam ik Mordden tegen, op Maestro-bijeenkomsten of in de personeelskantine, en dan maakte hij altijd een praatje. Maar hij had het nooit over die avond waarop hij me al dan niet uit Nora's kantoor had zien komen. Misschien had hij me niet in haar kantoor gezien. Of misschien had hij me wel gezien en had hij een reden om daar niets over te zeggen.

En dan kreeg ik elke paar avonden nog een e-mail van 'Arthur', die vroeg hoe ver ik met het onderzoek was, hoe het ging en waarom ik er verdomme zo lang over deed.

Ik werkte bijna elke avond laat door en was bijna nooit thuis. Seth sprak wat telefonische boodschappen voor me in, maar na een week of zo gaf hij het op. Veel van mijn andere vrienden hadden het al eerder opgegeven. Ik probeerde nu en dan een halfuur de tijd te nemen om even naar mijn vader te gaan en te kijken hoe het met hem ging. Als ik dan kwam, was hij alleen maar kwaad omdat ik een hele tijd niet bij hem was geweest, en dan wilde hij me nauwelijks aankijken. Het was tot een soort wapenstilstand tussen pa en Antwoine gekomen, een soort Koude Oorlog, zou je kunnen zeggen. In elk geval dreigde Antwoine niet ontslag te nemen. Nog niet.

Op een avond ging ik naar Nora's kantoor terug en haalde ik de toetslogger weg. Dat ging snel en zonder problemen. Mijn vriend, de bewaker en Mustang-liefhebber, kwam meestal tussen tien uur en twintig over tien op zijn ronde voorbij, en dus deed ik het voordat hij kwam. Het duurde nog geen minuut, en Noah Mordden was nergens te bekennen.

In dat kleine kabeltje zaten nu honderdduizenden toetsaanslagen van Nora opgeslagen, inclusief al haar wachtwoorden. Ik hoefde het apparaatje alleen nog maar aan mijn computer te koppelen en de tekst te downloaden. Maar ik durfde dat niet meteen in mijn kamer te doen. Wie wist wat voor detectieprogramma's ze in het Trion-netwerk gebruikten? Dat risico kon ik beter niet nemen.

In plaats daarvan logde ik in op de interne website van het bedrijf. In het zoekvakje typte ik AURORA in, maar dat leverde niets op. Dat was geen verrassing. Maar ik had nog een ander idee, en ik typte Alana Jennings' naam in en riep haar pagina op. Er was geen foto – de meeste mensen hadden hun foto opgenomen, al deden sommigen dat niet – maar er stond wel elementaire informatie in, zoals haar doorkiesnummer, haar functiebenaming (marketingdirecteur, onderzoekseenheid disruptieve technologieën) en haar afdelingsnummer, dat hetzelfde was als haar mailstopcode.

Dat kleine getal, wist ik, was een bijzonder nuttig stukje informatie. Bij Trion kreeg je, net als bij Wyatt, hetzelfde afdelingsnummer als alle anderen die in jouw deel van de onderneming werkten. Ik hoefde dat nummer nu alleen maar in de database in te voeren om een lijst te krijgen van iedereen die met Alana Jennings samenwerkte; dat hield in dat ze allemaal aan het AURORA-project werkten.

Dat betekende niet dat ik een complete lijst van alle AURORA-medewerkers had, want die konden in verschillende afdelingen op dezelfde verdieping werken, maar op deze manier kreeg ik er in elk geval een flink aantal te pakken: zevenenveertig namen. Ik printte de webpagina van al die personen en stopte de papieren in een map, die ik in mijn tas deed. Daarmee kon ik Wyatts mensen weer een tijdje tevreden houden, dacht ik.

Toen ik die avond om een uur of tien thuiskwam en van plan was achter mijn computer te gaan zitten en alle toetsaanslagen van Nora's computer te downloaden, trok iets anders mijn aandacht. Midden op mijn 'keukentafel' – een formicageval dat ik voor vijfenveertig dollar in een uitdragerij had gekocht – lag een nieuw uitziende, dikke, gesloten bruine envelop.

Ik was daar 's morgens niet geweest. Opnieuw was iemand van Wyatt mijn woning binnengeglipt, bijna alsof ze duidelijk probeerden te maken dat ze overal konden komen. Nou, dat was dus duidelijk. Misschien leek hun dit de veiligste manier om me iets te geven zonder dat iemand het zag. Maar op mij kwam het bijna als een bedreiging over.

De envelop bevatte een dik dossier over Alana Jennings, precies zoals Nick Wyatt had beloofd. Toen ik het had opengemaakt en een heleboel foto's van de vrouw had gezien, had ik plotseling geen belangstelling meer voor Nora Sommers' toetsaanslagen. Die Alana Jennings was, om het maar ronduit te zeggen, een stuk.

Ik ging in mijn leesstoel zitten en verdiepte me in het dossier.

Het was duidelijk dat er veel tijd, moeite en geld in was gestoken. Privédetectives hadden haar gevolgd en zorgvuldig notities gemaakt van haar komen en gaan, van haar gewoonten, de boodschappen die ze deed. Er waren foto's van haar toen ze het Trion-gebouw binnenging, in een restaurant met een paar vriendinnen, op een tennisclub, in een van die sportscholen voor alleen vrouwen, en terwijl ze uit haar blauwe Mazda Miata stapte. Ze had glanzend zwart haar en blauwe ogen, en een slank lichaam (dat was goed te zien op de foto's waarop ze in een stretchpak aan het trainen was). Soms droeg ze een bril met een groot zwart montuur, het soort bril dat mooie vrouwen dragen om te kennen te geven dat ze intelligent en serieus zijn, en toch ook zo mooi dat ze een lelijke bril kunnen dragen. Ze leek er zelfs sexier door. Misschien was dat ook de bedoeling.

Toen ik een uur in het dossier had gelezen, wist ik meer van haar dan ik ooit van een vriendinnetje had geweten. Ze was niet alleen mooi, maar ook rijk – een dubbele bedreiging. Ze was opgegroeid in Darien, Connecticut, en was naar de Miss Porter's School in Farmington en daarna naar Yale gegaan, waar ze Engels studeerde, met als hoofdvak Amerikaanse literatuur. Ze liep ook colleges informatica en elektrotechniek. Volgens haar universiteitsgegevens haalde ze vooral tienen en negens en werd ze in haar derde jaar tot Phi Beta Kappa gekozen. Dus ze was ook intelligent; dat maakte haar een drievoudige bedreiging.

Meachams mensen hadden allerlei financiële informatie over haar en haar familie verzameld. Ze had een trustfonds van enkele miljoenen dollars, maar haar vader, president-directeur van een kleine fabriek in Stamford, had een nog veel groter vermogen. Ze had twee jongere zussen; de een studeerde nog aan het Wesleyan en de ander werkte bij Sotheby's in New York.

Omdat ze bijna elke dag haar ouders belde, mocht je aannemen dat ze een nauwe band met hen had. (In het dossier zaten de telefoonrekeningen van het afgelopen jaar, maar gelukkig had iemand ze voor me verwerkt en een lijstje gemaakt van degenen die ze het vaakst belde.) Ze was alleenstaand, ging blijkbaar niet regelmatig met iemand om en had een koopappartement in een gewilde forensenplaats, niet ver van het Trion-hoofdkantoor.

Ze deed elke zondag boodschappen in een natuurvoedingssupermarkt en was blijkbaar vegetariër, want ze kocht nooit vlees of zelfs kip of vis. Ze at als een vogel in een tropisch regenwoud: veel fruit, bessen, noten. Ze ging niet naar bars of happy hours, maar ze liet weleens iets bezorgen door een slijterij bij haar in de buurt, dus ze had minstens één zonde. Haar favoriete wodka was blijkbaar Grey Goose, haar favoriete gin Tanqueray Malacca. Ze ging een of twee keer per week naar een restaurant, en dan niet een Denny's of een Applebee's of een Hooters; ze gaf de voorkeur aan dure, 'culinaire' restaurants met namen als Chakra en Alto en Buzz en Om. Ze kwam ook veel in Thaise restaurants.

Ze ging minstens één keer per week naar de bioscoop en kocht haar kaartje dan meestal on line. Soms koos ze voor een typische vrouwenfilm, maar meestal ging ze naar buitenlandse films. Blijkbaar was dit een vrouw die liever naar *The Tree of Wooden Clogs* keek dan naar *Porky's*. Ach ja. Ze kocht veel boeken on line, van Amazon en Barnes and Noble, meestal trendy serieuze romans, ook wat Latijns-Amerikaans spul en nogal wat boeken over films. Verder kocht ze de laatste tijd boeken over boeddhisme en oosterse wijsheid en dat soort onzin. Ze had ook wat films op dvd gekocht, waaronder de hele *Godfather*-box, en ook wat klassieke films noirs uit de jaren veertig, zoals *Double Indemnity*. Ze had *Double Indemnity* zelfs twee keer gekocht, een paar jaar geleden op video en kortgeleden op dvd. Blijkbaar had ze pas in de afgelopen twee jaar een dvd-speler gekocht en was die oude film met Fred MacMurray en Barbara Stanwyck een favoriet van haar. Ze scheen ook alle platen te hebben gekocht die ooit door Ani DiFranco en Alanis Morissette waren gemaakt.

Ik prentte al deze informatie in mijn hoofd. Geleidelijk kreeg ik een beeld van Alana Jennings. En er kwam ook een plan in me op.

26

Op zaterdagmiddag ging ik in witte tenniskleding ('s morgens gekocht – normaal gesproken tennis ik in een spijkerbroek met afgeknipte pijpen en een T-shirt) en met een belachelijk duur Italiaans duikershorloge waaraan ik me kortgeleden te buiten was gegaan, naar een heel chique, exclusieve gelegenheid die zich de Tennis and Racquet Club noemde. Alana Jennings was daar lid van, en volgens het dossier speelde ze hier de meeste zaterdagen. Ik wist wanneer ze ging tennissen, want ik had de vorige dag naar de tennisclub gebeld met het verhaaltje dat ik de volgende dag tegen haar zou spelen en de tijd was vergeten; ik kon haar niet bereiken, wanneer was het ook weer? Gemakkelijk. Ze had een dubbelpartij om halfvijf.

Een halfuur voordat Alana zou spelen, gaf de lidmaatschapsdirecteur van de club me een korte rondleiding. Dat was niet zo gemakkelijk in zijn werk gegaan, want het was een particuliere club; je kon daar niet zomaar naar binnen lopen. Ik had Arnold Meacham aan Wyatt laten vragen of die niet een of andere rijkaard, een clublid – een vriend van een vriend van een vriend, niet iemand uit Wyatts naaste omgeving – kon vragen contact met de club op te nemen en een goed woordje voor me te doen. De man zat in de lidmaatschapscommissie en zijn naam legde blijkbaar nogal wat gewicht in de schaal, want de lidmaatschapsdirecteur, Josh, vond het prachtig om me rond te leiden. Hij gaf me zelfs een gastenpasje voor die dag, zodat ik de banen kon bekijken (klei, binnen en buiten) en misschien zelfs een partijtje kon spelen.

Het gebouw was een kolossaal landhuis in Shingle-Style. Het stond midden in een smaragdgroene zee van perfect onderhouden gras. Ik wist Josh ten slotte af te schudden door te doen alsof ik naar iemand zwaaide die ik kende. Hij bood aan een partijtje voor me te regelen, maar dat hoefde niet, zei ik. Ik kende daar mensen, ik redde me wel.

Een paar minuten later zag ik haar. Ze kon je ook moeilijk ontgaan. Ze droeg een Fred Perry-shirt en ze had (om de een of andere reden was dat op de foto's van de privédetectives niet te zien geweest) opvallende prammen. Haar blauwe ogen waren schitterend. Ze kwam met een andere vrouw van haar leeftijd de kantine in en ze bestelden allebei een Pellegrino. Ik vond een tafel dicht bij haar, maar niet te dichtbij, en achter haar, buiten haar gezichtsveld. Ik wilde haar gadeslaan en naar haar luisteren, maar beslist niet gezien worden. Als ze me zag, zou ik de volgende keer in de problemen komen. Ik probeerde ervoor te zorgen dat ik in de buurt bleef. Niet dat ik een Brad Pitt ben, maar ik ben ook niet bepaald oerlelijk; vrouwen kijken wel naar mij. Ik zou voorzichtig moeten zijn.

Ik kon niet nagaan of de andere vrouw een buurvrouw of een studievriendin of wat dan ook was, maar het was duidelijk dat ze niet over zaken praatten. Aangenomen mocht worden dat ze niet samenwerkten in het AURORA-team. Dat was jammer – ik zou niets interessants kunnen afluisteren.

Maar toen ging haar mobieltje. 'Met Alana,' zei ze. Ze had een fluweelzachte stem, het soort stem dat je op een particuliere school aanleert, beschaafd maar niet geaffecteerd.

'O, ja?' zei ze. 'Nou, zo te horen heb je het opgelost.'

Ik spitste mijn oren.

'Keith, je hebt de time-to-fab zojuist gehalveerd, en dat is ongelooflijk!'

Het was duidelijk dat ze over haar werk praatte. Ik ging wat dichter naar haar toe om het beter te kunnen horen. Er was veel gelach en gekletter van borden en *wop-wop* van tennisballen om me heen, waardoor ik niet veel kon horen van wat ze zei. Iemand perste zich langs mijn tafel, een grote kerel met een dikke buik die tegen mijn colaglas kwam. Hij lachte hard en maakte daarmee Alana's gesprek volkomen onhoorbaar. Doorlopen, lul.

Hij waggelde verder en ik hoorde weer iets van haar telefoongesprek. Ze sprak nu met gedempte stem, en er kwamen alleen willekeurige flarden mijn kant op. Ik hoorde haar zeggen: '... Nou, dat is de hamvraag, nietwaar? Ik wou dat ik het wist.' En toen een beetje luider: 'Bedankt dat je het me hebt laten weten – geweldig nieuws.' Een kleine pieptoon, en het gesprek was afgelopen. 'Werk,' zei ze verontschuldigend tegen de andere vrouw. 'Sorry. Ik wou dat ik dit ding uit kon laten, maar tegenwoordig moet ik vierentwintig uur per dag bereikbaar zijn. Daar heb je Drew!' Een lange, gespierde man – begin dertig, gebronsd, het brede en platte lichaam van een roeier – kwam naar haar toe en gaf haar een kus op haar wang. Het viel me op dat hij de andere vrouw niet kuste.

'Hallo, schat,' zei hij.

Geweldig, dacht ik. Dus Wyatts detectives hadden niet in de gaten gekregen dat ze toch wel met iemand omging.

'Hallo, Drew,' zei ze. 'Waar is George?'

'Hij heeft je niet gebeld?' zei Drew. 'De sukkel. Hij was vergeten dat hij zijn dochter dit weekend heeft.'

'Dus we hebben geen vierde man?' zei de andere vrouw.

'We kunnen iemand vragen,' zei Drew. 'Ik kan niet geloven dat hij je niet heeft gebeld. Wat een klungel.'

Er ging bij mij een lampje branden. Ik was van plan geweest haar anoniem gade te slaan, maar opeens veranderde ik van gedachten. In een fractie van een seconde nam ik een beslissing. Ik stond op en zei: 'Neem me niet kwalijk.'

Ze keken me aan.

'Jullie hebben een vierde man nodig?' zei ik.

Ik stelde me met mijn echte naam voor en zei dat ik nog wat aan het rondkijken was op de club. Trion noemde ik niet. Zo te zien waren ze wel blij met me. Ze zullen wel op grond van mijn Yones titaniumracket hebben gedacht dat ik erg goed was, al verzekerde ik hun dat ik niet meer dan redelijk speelde en dat ik een hele tijd niet had getennist. Dat was nog waar ook.

We hadden een van de buitenbanen. Het was zonnig en warm en er stond een beetje wind. Alana en Drew speelden tegen mij en de andere vrouw, die Jody heette. Jody en Alana waren ongeveer aan elkaar gewaagd, maar Alana speelde veel gracieuzer. Ze was niet erg agressief, maar ze had een mooie backhand-slice, ze sloeg serves altijd terug, raakte altijd de bal, maakte geen beweging te veel. Haar eigen serves waren eenvoudig en nauwkeurig; ze scoorde bijna altijd. Haar manier van spelen was zo natuurlijk als ademhalen.

Jammer genoeg had ik die mooie jongen onderschat. Hij was een serieuze speler. Ik begon nogal zwak en sloeg tot Jody's zichtbare ergernis een dubbele fout met mijn eerste serve. Maar algauw kreeg ik het weer te pakken. Intussen speelde Drew alsof hij op Wimbledon stond. Hoe beter ik ging spelen, des te agressiever werd hij, totdat het belachelijk was. Hij pikte de bal van zijn partner in en rende over de baan om ballen te slaan die voor Alana bestemd waren. Je kon zien hoe hij grimassen naar hem stond te trekken. Ik voelde iets van hun gezamenlijke voorgeschiedenis – daar zat heel wat opgekropte spanning.

Er was hier iets heel anders aan de gang – het gevecht tussen hanige mannetjes. Als Drew serveerde, sloeg hij nu recht op me af, erg hard, en soms sloeg hij de bal over me heen. Hoewel hij venijnig snel serveerde, had hij de bal niet goed onder controle, en dus begonnen Alana en hij te verliezen. Bovendien kreeg ik hem na een tijdje door. Ik voorzag wanneer hij de bal ging inpikken, maakte schijnbewegingen en sloeg de bal achter hem langs. Die mooie jongen had de oude competitiedrift in me wakker gemaakt. Ik wilde hem op zijn nummer zetten. Ik wilde de vrouw van die andere holbewoner. Algauw zweette ik. Ik besefte dat ik er veel te hard tegenaan ging, dat ik te agressief was voor dit vriendschappelijke partijtje; dat kwam niet goed over. Daarom hield ik me een beetje in en speelde ik wat minder driftig. Ik hield de bal in het spel en liet Drew zijn fouten maken.

Na afloop van de wedstrijd kwam Drew naar het net om me de hand te schudden. Toen klopte hij me op de rug. 'Je kunt een aardig balletje slaan,' zei hij op die quasi-joviale toon.

'Jij ook,' zei ik.

Hij haalde zijn schouders op. 'Ik moest veel loopwerk doen.'

Alana hoorde dat, en haar blauwe ogen flikkerden van ergernis. Ze keek mij aan. 'Heb je tijd om iets te drinken?'

Alana en ik zaten met zijn tweetjes op de 'veranda', zoals ze het noemden – een houten mammoetterras met uitzicht op de tennisbanen. Jody had zich geëxcuseerd, want met haar vrouwelijke intuïtie had ze aangevoeld dat Alana geen groepje wilde. Ze zei dat ze moest gaan. Toen Drew zag wat er gebeurde, excuseerde hij zich ook, al deed hij dat niet zo hoffelijk.

De serveerster kwam en Alana zei dat ik maar eerst moest bestellen, want ze had haar keuze nog niet bepaald. Ik vroeg om een Tanqueray Malacca gin-tonic. Ze keek me verrast aan, een fractie van een seconde maar, en had zich toen weer onder controle.

'Voor mij hetzelfde,' zei Alana.

'Ik moet eerst even kijken of we het hebben,' zei de serveerster, een grof gebouwde blonde scholiere. Een paar minuten later kwam ze met de drankjes terug.

We praatten een tijdje over de club, de leden ('snobistisch', zei ze), de banen ('verreweg de beste hier in de buurt'), maar ze was te beschaafd om aan dat saaie gedoe van wat-doe-jij-voor-werk te beginnen. Ze sprak niet over Trion, en ik roerde het ook niet aan. Ik zag tegen dat deel van het gesprek op, want ik wist me niet goed raad met het bizarre toeval dat we allebei voor Trion werkten, en hé, jij had dus vroeger precies de baan die ik nu heb! Ik kon al niet meer geloven dat ik had aangeboden met hen te tennissen, dat ik midden in haar wereld was gesprongen in plaats van op de achtergrond te blijven. Nog een geluk dat we elkaar nooit op het werk hadden gezien. Ik vroeg me af of die AURORA-mensen een aparte ingang gebruikten. Evengoed steeg de gin vrij gauw naar mijn hoofd. Het was een mooie zonnige dag en het gesprek haperde geen moment.

'Sorry dat Drew zo agressief ging spelen,' zei ze.

'Hij tennist goed.'

'Hij is soms zo'n klootzak. Je vormde een bedreiging. Het zal wel iets mannelijks zijn. Het gevecht met de rackets.'

Ik glimlachte. 'Het is net als die tekst van Ani DiFranco, weet je? "*Cause every tool it is a weapon if you hold it right.*"'

Haar ogen straalden. 'Precies! Hou je van Ani?'

Ik haalde mijn schouders op. '"*Science chases money, and money chases its tail*"'

'"*And the best minds of my generation can't make bail*",' maakte ze af. 'Er zijn niet veel mannen die van Ani houden.'

'Ik ben nogal gevoelig, denk ik,' zei ik met een uitgestreken gezicht.

'Waarschijnlijk wel. We zouden eens uit moeten gaan,' zei ze.

Hoorde ik dat goed? Had zíj zojuist aan míj gevraagd of ik met haar uit wilde?'

'Goed idee,' zei ik. 'Hou je van Thais eten?'

27

Na mijn gezellig samenzijn met Alana Jennings ging ik zo uitbundig naar mijn vader dat het was of ik een harnas droeg. Niets wat hij zou zeggen of doen, kon me treffen.

Toen ik de splinterige treden van de veranda opging, hoorde ik ze ruzie maken – de schelle, nasale stem van mijn vader, die meer en meer als een vogel klonk, en Antwoines diepe stem, zwaar en resonerend. Ik trof ze beneden aan, in de badkamer, die gevuld was met damp uit een vaporizer. Pa lag op zijn buik op een bank, met kussens onder zijn hoofd en borst. Antwoine, wiens lichtblauwe ziekenhuispak drijfnat was, smakte met zijn kolossale handen op pa's naakte rug. Hij keek op toen ik de deur openmaakte.

'Yo, Adam.'

'Die kelerelijer wil me vermoorden,' krijste pa.

'Zo raak je het slijm uit je longen kwijt,' zei Antwoine. 'Door al die beschadigde cilia gaat die troep daar vastzitten.' Hij ging verder met zijn werk en deelde weer een smak uit. Pa's rug was ziekelijk bleek, wit als papier, slap en doorgezakt. Alsof er geen spier meer in zat. Ik herinnerde me hoe de rug van mijn vader er vroeger had uitgezien, toen ik nog een kind was: hard, pezig, bijna angstaanjagend. Dit was oude-mannenhuid, en ik wou dat ik hier geen getuige van was geweest.

'Die schoft heeft tegen me gelogen,' zei pa, zijn stem gedempt door de kussens. 'Hij zei dat ik alleen maar stoom ging inademen. Hij zei er niet bij dat hij mijn ribben ging breken, verdomme. Jezus christus, ik leef op steroïden, mijn botten zijn kwetsbaar, verrekte nikker!'

'Hé, pa,' riep ik. 'Zo is het wel genoeg!'

'Ik ben niet je bajesliefje, nikker!' zei hij.

Antwoine vertoonde geen enkele reactie. Hij bleef gestaag, ritmisch op pa's rug smakken.

'Pa,' zei ik, 'deze man is veel groter en sterker dan jij. Het lijkt me niet verstandig om hem tegen je in te nemen.'

Antwoine keek met slaperige, geamuseerde ogen op. 'Hé, man, toen ik in de bak zat, had ik elke dag met racisten te maken. Geloof me, zo'n ouwe invalide leuteraar doet me niks.'

Ik huiverde.

'Vuile húfter!' krijste pa. Ik merkte dat hij het woord met de N niet meer gebruikte.

Even later zat pa voor de tv geparkeerd. Hij was met een zuurstofles verbonden, met het slangetje in zijn neus.

'Dit is niks,' zei hij, terwijl hij met een kwaad gezicht naar de tv keek. 'Heb je gezien wat voor konijnenvoer hij me probeert te geven?'

'Dat heet groente en fruit,' zei Antwoine. Hij zat een meter van pa vandaan. 'Ik weet wat hij lekker vindt – ik heb gezien wat hij in de bijkeuken heeft staan. Hachee uit blik, knakworst, leverworst. Nou, niet zolang ik hier ben. Je hebt gezond voedsel nodig, Frank, om weer wat immuniteit op te bouwen. Als je kou vat, krijg je longontsteking en moet je naar het ziekenhuis, en wat moet ik dan? Als je in het ziekenhuis ligt, heb je mij niet meer nodig.'

'Christus.'

'En geen cola meer. Dat is ook voorbij. Je hebt vocht nodig om je slijm te verdunnen, niets met cafeïne erin. Je hebt kalium nodig, en calcium vanwege de steroïden.' Hij porde met zijn wijsvinger in zijn handpalm, alsof hij de trainer was van de wereldkampioen zwaargewicht.

'Maak maar zoveel konijnenvoer klaar als je wilt. Ik vreet het toch niet,' zei pa.

'Dan maak je alleen maar jezelf dood. Je hebt tien keer zoveel energie nodig om adem te halen als een normaal mens, en dus moet je eten, kracht opbouwen, je spieren versterken, enzovoort. Als je doodgaat waar ik bij ben, wil ik niet dat het mijn schuld is.'

'Alsof het jou ook maar een moer kan schelen,' zei pa.

'Denk je dat ik hier ben om je te helpen doodgaan?'

'Daar lijkt het wel op.'

'Als ik je wilde doodmaken, waarom zou ik het dan zo langzaam doen?' zei Antwoine. 'Of dacht je soms dat ik dit leuk vind, dat ik van deze onzin geníét?'

'Je hebt hier de tijd van je leven, hè?' zei ik.

'Hé, moet je zien wat voor horloge die man heeft!' zei Antwoine plotseling. Ik was vergeten de Panerai af te doen. Misschien dacht ik onbewust dat hij mijn vader en hem niet zou opvallen. 'Laat me eens kijken.' Hij kwam naar me toe en keek verwonderd naar mijn horloge. 'Man, dat moet wel vijfduizend dollar hebben gekost.' Hij zat er niet ver naast. Ik schaamde me – het was meer dan hij in twee maanden verdiende. 'Is dat een van die Italiaanse duikhorloges?'

'Ja,' zei ik vlug.

'Neem een ander in de maling,' zei mijn vader met een stem als een roestige scharnier. 'Ik geloof er geen barst van.' Hij keek nu ook naar mijn horloge. 'Heb jij vijfduizend dollar uitgegeven aan een horlóge? Wat een sukkel ben je toch! Heb je enig idee hoe ik me vroeger het schompes moest werken voor vijfduizend dollar, toen ik jou liet studeren? En dat geef jij uit aan een horlóge?'

'Het is mijn geld, pa.' En toen voegde ik er zwakjes aan toe: 'Het is een investering.'

'O, jezus nog aan toe, denk je dat ik een idióót ben? Een investéring?'

'Pa, luister, ik heb net een gigantische promotie gemaakt. Ik werk bij Trion Systems voor ongeveer twee keer zo'n hoog salaris als wat ik bij Wyatt verdiende.'

Hij keek me argwanend aan. 'Wat voor geld betalen ze je dan, dat je vijfdúízend dollar kunt uitgeven aan... Jezus, ik kan het niet eens uit mijn mond krijgen.'

'Ze betalen me een heleboel, pa. En als ik mijn geld wil vergooien, dan doe ik dat. Ik heb het zelf verdiend.'

'Je hebt het verdiend,' herhaalde hij met dik opgelegd sarcasme. 'Als je me ooit nog iets wilt terugbetalen van de...' Hij haalde adem. '... van de ik-weet-niet-hoeveel tienduizenden dollars die ik voor jou heb uitgegeven, ga dan gerust je gang.'

Het scheelde niet veel of ik vertelde hem hoeveel geld ik voor hem had besteed, maar ik hield me nog net op tijd in. Zo'n tijdelijke overwinning zou tot grote problemen leiden. In plaats daarvan zei ik keer op keer tegen mezelf: dit is je vader niet, maar een kwaadaardige cartoonversie van je vader, getekend door Hanna-Barbara, onherkenbaar veranderd door de prednison en meer dan tien andere substanties die op de geest inwerken. Maar natuurlijk wist ik wel dat het niet zo was; dit was in werkelijkheid dezelfde oude klootzak en het was heus niet alleen de knop die een beetje was teruggedraaid.

'Jij leeft in een fantasiewereld,' ging pa verder, en toen haalde hij luidruchtig adem. 'Jij denkt dat je een van hén wordt als je maar een pak van tweeduizend dollar en schoenen van vijfhonderd dollar en een horloge van vijfduizend dollar koopt, hè?' Hij haalde adem. 'Nou, laat me je wat vertellen. Jij loopt rond in een carnavalskostuum; dat is alles. Je bent verkleed. Ik zeg je dit omdat je mijn zoon bent en niemand anders het je in je gezicht zal zeggen. Jij bent niets meer dan een aap in een smoking.'

'Wat bedoel je daar nou weer mee?' mompelde ik. Ik zag dat Antwoine tactvol de kamer uit liep. Mijn gezicht werd helemaal rood.

Hij is ziek, zei ik tegen mezelf. Hij heeft terminaal emfyseem. Hij gaat dood. Hij weet niet wat hij zegt.

'Jij denkt dat je ooit een van hén wordt? Jongen, dat wil je graag denken, hè? Je denkt dat ze je met open armen ontvangen en je lid laten worden van hun privéclubs, en dat je hun dochters mag naaien en polo met hen mag spelen, goddomme.' Hij zoog zijn longen vol lucht. 'Maar zíj weten wie jij bent, jongen, en waar je vandaan komt. Misschien laten ze je een tijdje in hun zandbak spelen, maar zodra jij vergeet wie je werkelijk bent, zal iemand je keihard met de neus op de feiten drukken.'

Ik kon me niet langer inhouden. Hij maakte me razend. 'Zo gaat het niet in het bedrijfsleven, pa,' zei ik rustig. 'Het is geen club. Het gaat om geld. Als je ze helpt geld te verdienen, bevredig je een behoefte. Ik ben waar ik ben, omdat ze me nodig hebben.'

'O, ze hebben je nódig,' herhaalde pa. Hij rekte dat laatste woord uit en knikte. 'Dat is een goeie. Ze hebben je nodig zoals iemand die moet schijten een stuk pleepapier nodig heeft, snap je dat? En als ze de stront hebben weggeveegd, trekken ze door. Neem nou maar van mij aan dat ze alleen geïnteresseerd zijn in winnaars, en ze weten dat jij een typische verliezer bent en dat zullen ze je nooit laten vergeten.'

Ik rolde met mijn ogen, schudde mijn hoofd, zei niets. Er klopte een adertje op mijn slaap.

Een keer ademhalen. 'En jij bent te stom en te verwaand om het te weten. Je leeft verdomme in een fantasiewereld, net als je moeder. Die dacht altijd dat ze te goed voor me was, maar ze was zelf niks. Ze droomde. En jij bent ook niks. Je hebt een paar jaar op een dure school gezeten, en je bent naar een dure universiteit geweest waar je geen bal hebt uitgevoerd, en je bent nog steeds niks.'

Hij haalde diep adem, en zijn stem werd een beetje milder. 'Ik vertel je dit omdat ik niet wil dat ze jou in de zeik nemen zoals ze dat met mij hebben gedaan, jongen. Zoals die kloterige dure school, met al die rijke ouders die op me neerkeken omdat ik niet een van hen was. Nou, en wat denk je? Het duurde even voor ik erachter was, maar ze hadden gelijk. Ik was niet een van hen. En jij bent dat ook niet, en hoe eerder je daarachter komt, des te beter ben je af.'

'Beter af zoals jij,' zei ik. Het was eruit voor ik het wist.

Hij keek me met zijn kraaloogjes aan. 'Ik weet tenminste wie ik ben,' zei hij. 'Jij weet helemaal niet wie je bent.'

28

De volgende morgen was het zondag, mijn enige kans om uit te slapen, en daarom stond Arnold Meacham er natuurlijk op dat we elkaar vroeg zouden ontmoeten. Ik had met de naam 'Donnie' op zijn dagelijkse mailtje geantwoord; dat betekende dat ik hem iets te geven had. Hij mailde meteen terug; ik moest om negen uur precies op het parkeerterrein van een bepaalde Home Depot-bouwmarkt zijn.

Er waren daar al veel mensen; niet iedereen sliep uit op zondag. Ze kochten hout en tegels en elektrisch gereedschap en zakken graszaad en kunstmest. Ik zat meer dan een halfuur in de Audi te wachten.

Toen stopte er een zwarte BMW 745i naast me. Die auto leek niet helemaal op zijn plaats tussen de pick-ups en suv's. Arnold Meacham droeg een babyblauw vest en zag eruit alsof hij op weg was naar de golfbaan. Hij gaf me een teken dat ik in zijn auto moest stappen. Toen ik had plaatsgenomen, gaf ik hem een cd en een map.

'En wat hebben we hier?' vroeg hij.

'Een lijst van medewerkers aan project AURORA,' zei ik.

'Allemaal?'

'Dat weet ik niet. In elk geval een aantal.'

'Waarom niet allemaal?'

'Het zijn zevenenveertig namen,' zei ik. 'Het is een goed begin.'

'We moeten de complete lijst hebben.'

Ik zuchtte. 'Ik zal zien wat ik kan doen.' Ik zweeg even. Aan de ene kant wilde ik de man niets vertellen wat ik niet hoefde te vertellen – hoe meer hij van me kreeg, des temeer zou hij eisen. Aan de andere kant wilde ik graag pochen over de vorderingen die ik had geboekt. 'Ik heb de wachtwoorden van mijn baas,' zei ik ten slotte.

'Welke baas? Lundgren?'

'Nora Sommers.'

Hij knikte. 'Je gebruikt de software?'

'Nee, de Keyghost.'

'Wat ga je met die wachtwoorden doen?'

'In haar e-mailarchief zoeken. Misschien in haar MeetingMaker kijken en uitzoeken met wie ze in contact staat.'

'Dat schiet niet op,' zei Meacham. 'Ik denk dat het tijd wordt om in AURORA te penetreren.'

'Dat is nu nog te riskant.' Ik schudde mijn hoofd.

'Waarom?'

Een man reed een winkelwagentje met groene zakken Scott's-kunstmest langs het raam van Meachams auto. Vier of vijf kleine kinderen renden achter hem aan. Meacham keek naar hen, drukte op de knop om zijn raampje dicht te doen en wendde zich weer tot mij. 'Waarom?' herhaalde hij.

'Daar heb je een aparte badge voor nodig.'

'Jezus christus, dan volg je iemand naar binnen, of je steelt een badge, of wat dan ook. Moet ik je de complete opleiding weer laten volgen?'

'Ze registreren wie er naar binnen gaan, en elke ingang heeft een draaihek, zodat je niet zomaar naar binnen kunt glippen.'

'En de schoonmakers?'

'Er zijn ook videocamera's op alle toegangspunten gericht. Het is niet zo gemakkelijk. Je wilt niet dat ik betrapt word, niet nu.'

Hij nam daar blijkbaar genoegen mee. 'Jezus, het is daar goed verdedigd.'

'Ze zouden jou waarschijnlijk nog wel wat kunnen leren.'

'Rot op,' snauwde hij. 'En de HR-dossiers?'

'De HR is ook erg goed beschermd,' zei ik.

'Niet zo goed als AURORA. Het zal niet zo moeilijk zijn. Geef ons de personeelsdossiers van zoveel mogelijk mensen die iets met AURORA te maken hebben. In elk geval van de mensen op deze lijst.' Hij hield de cd omhoog.

'Dat kan ik volgende week proberen.'

'Doe het vanavond. De zondagavond is daar een goed moment voor.'

'Ik heb morgen een belangrijke dag. We houden een presentatie voor Goddard.'

Hij keek me vol walging aan. 'Wat, je hebt het te druk met je dek-mantelbaan? Ik hoop dat je niet bent vergeten voor wie je echt werkt.'

'Ik moet het bijhouden. Het is belangrijk.'

'Dan heb je des temeer reden om vanavond op kantoor te werken,' zei hij, en hij draaide het contactsleuteltje om.

29

In het begin van die avond reed ik naar het hoofdkantoor van Trion. De parkeergarage was bijna leeg, en de enige mensen daar waren waarschijnlijk bewakers, de mensen die dag en nacht de operatiecentra bemanden, plus een enkele workaholic, zoals ik ook pretendeerde te zijn. Ik herkende de receptioniste niet, een latino-vrouw die het zo te zien niet leuk vond om daar te zitten. Ze keek amper naar me toen ik binnenkwam, maar ik groette haar nadrukkelijk en zorgde dat ik er vermoeid en versuft uitzag. Ik ging naar mijn kamer en deed een beetje echt werk, een paar spreadsheets met Maestro-verkoopcijfers in Europa en Azië. De trendlijnen zagen er niet goed uit, maar Nora wilde dat ik creatief met de cijfers omging en alle eventuele bemoedigende punten goed naar voren liet komen.

Het grootste deel van de verdieping was in duisternis gehuld. Ik moest zelfs de lichten aandoen. Dat gaf me geen goed gevoel.

Meacham en Wyatt wilden de personeelsdossiers van iedereen die aan AURORA werkte. Ze wilden de voorgeschiedenis van al die mensen weten, dus wat hun vorige bedrijf was geweest en wat ze daar hadden gedaan. Dat was een goede manier om erachter te komen wat AURORA inhield.

Maar het was ook weer niet zo dat ik gewoon naar Human Resources kon gaan om daar een paar archiefkasten open te trekken en de dossiers eruit te halen die ik nodig had. De HR-afdeling van Trion was, in tegenstelling tot de meeste andere onderdelen van het bedrijf, deugdelijk beveiligd. Hun computers waren bijvoorbeeld niet toegankelijk via de database van de onderneming; ze vormden een afzonderlijk netwerk. Dat was ook wel te begrijpen – personeelsgegevens bevatten allerlei persoonlijke informatie over prestatiebeoordelingen, de waarde van pensioenplannen, aandelenopties, enzovoort. Misschien was HR bang dat het eenvoudige voetvolk te zien zou krijgen hoeveel meer de topmanagers van Trion betaald kregen dan alle anderen en dat er dan rellen zouden uitbreken bij de koffieautomaten.

HR bevond zich op de tweede verdieping van vleugel E, een heel eind lopen vanaf Marketing Nieuwe Producten. Ik zou veel deuren tegenkomen die op slot zaten, maar met mijn badge kreeg ik ze waarschijnlijk allemaal open.

Toen herinnerde ik me dat ergens werd opgeslagen wie welke controlepunten passeerde, en hoe laat. Die informatie werd opgeslagen, maar dat wilde nog niet zeggen dat iemand ernaar keek of er iets mee deed. Maar als dat wel het geval was, zou het argwaan wekken dat ik op een zondagavond om de een of andere reden helemaal van Marketing Nieuwe Producten was komen aanlopen en her en der digitale broodkruimels had achtergelaten. Dan zou ik in de problemen kunnen komen.

Daarom verliet ik het gebouw. Ik ging met de lift naar beneden en nam een van de achterdeuren. Die bewakingssystemen registreerden alleen wie er binnenkwam, niet wie er wegging. Als je naar buiten ging, hoefde je je badge niet te gebruiken. Misschien was dat een voorschrift van de brandweer, dat wist ik niet. In ieder geval betekende het dat ik het gebouw kon verlaten zonder dat iemand zou weten dat ik was weggegaan.

Inmiddels was het buiten donker. Het Trion-gebouw was verlicht, zijn chromen huid glansde, de ruiten waren donkerblauw. Het was daar 's avonds relatief stil, met alleen het geluid van een enkele auto die over de grote weg voorbijkwam.

Ik liep om het gebouw heen naar vleugel E, waar blijkbaar veel van de administratieve functies waren gehuisvest – Centrale Inkoop, Systemenbeheer, dat soort dingen – en zag iemand uit een dienstingang komen.

'Hé, houdt u de deur even tegen?' riep ik. Ik zwaaide met mijn Trion-badge naar de man, die eruitzag als een schoonmaker of zoiets. 'Die verrekte badge doet het niet goed.'

De man hield de deur voor me open zonder me aan te kijken, en ik liep meteen naar binnen. Er werd niets geregistreerd. Wat het centrale systeem betrof, was ik nog boven in mijn kamer.

Ik nam de trap naar de tweede verdieping. De deur naar de tweede verdieping zat niet op slot. Ook dat was een of ander brandweervoorschrift: in gebouwen boven een bepaalde hoogte moest je ingeval van nood met de trap van de ene naar de andere verdieping kunnen. Waarschijnlijk hadden sommige verdiepingen een badge-leesapparaat bij de trap, maar de tweede verdieping had dat niet. Ik liep zo de receptie van HR binnen.

De wachtruimte was ingericht in een typische HR-stijl; veel stemmig mahoniehout om duidelijk te maken dat ze je serieus namen en dat het om je carrière ging, en kleurrijke, verwelkomende, comfortabele stoelen. Daaruit kon je afleiden dat je, als je naar HR ging, erop moest rekenen dat je daar een godgeklaagd lange tijd moest zitten wachten.

Ik keek of ik ergens bewakingscamera's zag, maar zag ze niet. Niet dat ik ze had verwacht; dit was geen bank – of het skunkwerk – maar ik wilde zekerheid hebben. Of tenminste zoveel zekerheid als ik kon krijgen.

De lichten waren gedimd, waardoor alles er nog statiger uitzag. Of spookachtiger. Dat zou ik niet kunnen zeggen.

Enkele seconden bleef ik daar staan nadenken. Er waren geen schoonmakers die me konden binnenlaten; waarschijnlijk kwamen ze laat op de avond of vroeg in de morgen. Dat zou de beste manier zijn geweest om binnen te komen. In plaats daarvan zou ik het moeten proberen met de oude bekende truc van mijn-badge-doet-het-niet, waarmee ik het gebouw was binnengekomen. Ik ging weer naar beneden en liep achterom naar de hal, waar een receptioniste met een grote bos rossig haar zat, die op een van de bewakingsmonitoren naar een herhaling van *The Bachelor* keek.

'En ik dacht nog wel dat ik de enige was die op zondag moest werken,' zei ik tegen haar. Ze keek op, lachte beleefd en keek weer naar haar televisieprogramma. Ik zag eruit alsof ik daar thuishoorde. Ik had een badge aan mijn riem en ik kwam van binnen, dus het was heel normaal dat ik daar was, nietwaar? Ze was geen spraakzaam type, maar dat was gunstig; ze wilde alleen maar met rust worden gelaten, dan kon ze naar *The Bachelor* kijken. Ze had er alles voor over om van me af te zijn.

'Hé,' zei ik. 'Sorry dat ik je lastig val, maar heb je dat apparaat om badges te repareren? Niet dat ik echt naar mijn kantoor wil, maar ik moet wel, anders raak ik mijn baan kwijt, en die verrekte badge-aflezer wil me er niet in laten. Net of dat ding wéét dat ik liever thuis naar de sportprogramma's zit te kijken.'

Ze glimlachte. Waarschijnlijk was ze het niet gewend dat Trion-medewerkers haar zelfs maar opmerkten. 'Ik weet wat je bedoelt,' zei ze. 'Maar sorry, de vrouw die dat doet, is er morgen pas weer.'

'Verdorie. Hoe moet ik nou binnenkomen? Ik kan niet tot morgen wachten. Wat een rotsituatie.'

Ze knikte en pakte haar telefoon op. 'Stan,' zei ze. 'kun je even helpen?'

Stan, de bewaker, kwam een paar minuten later. Hij was een kleine, pezige, donkere man van in de vijftig met een onmiskenbaar toupetje, dat gitzwart was, terwijl de rand van echt haar die er overal omheen zat al grijs werd. Ik heb nooit begrepen waarom je een haarstukje zou dragen als je het niet van tijd tot tijd verving om het enigszins overtuigend te laten lijken. We gingen met de lift naar de tweede verdieping. Ik vertelde hem een ingewikkeld verhaal over een hiërarchisch apart badge-systeem van HR, maar het interesseerde hem niet erg. Hij wilde over sport praten, en dat kon ik ook – geen probleem. Hij wond zich op over de Denver Broncos, en ik deed alsof ik me daar ook kwaad over maakte. Toen we bij HR kwamen, haalde hij zijn badge te voorschijn, waarmee hij waarschijnlijk overal kon komen in het deel van het gebouw waar hij werkte. Hij bewoog hem voor de aflezer langs. 'Werk niet te hard,' zei hij.

'Dank je,' zei ik.

Hij keek me aan. 'En laat die badge repareren,' zei hij.

En ik was binnen.

30

Zodra je de receptie voorbij was, zag HR eruit als elk ander kantoor bij Trion, met dezelfde indeling in kamers en hokjes. Alleen brandden de tl-buizen hier niet, maar was de noodverlichting aan. Voor zover ik kon zien, waren alle hokjes leeg, en ook alle kantoren. Ik ontdekte algauw waar de gegevens werden bewaard. In het midden van de verdieping bevond zich een enorm raster van lange rijen beige horizontale archiefstellingen.

Ik had erover gedacht al mijn spionagewerk on line te doen, maar zonder HR-wachtwoord zou dat niet lukken. Maar nu ik hier toch was, zou ik een van die toetsloggers achterlaten. Ik kon later terugkomen om hem op te halen. Wyatt Telecom betaalde voor die apparaatjes, niet ik. Ik vond een hokje en installeerde het ding.

Voorlopig kon ik niets anders doen dan in de dossierladen naar de AURORA-mensen zoeken. En ik zou dat snel moeten doen – hoe langer ik hier bleef, des te groter was de kans dat ik betrapt werd.

De vraag was: hoe waren die dossiers gerangschikt? Alfabetisch, op naam? Op personeelsnummer? Hoe langer ik naar de labels van de dossierladen keek, des te moedelozer ik werd. Had ik nou echt gedacht dat ik, eenmaal binnen, gewoon naar een kast kon lopen om daar de dossiers uit te halen die ik nodig had? Er waren rijen laden met opschriften als SECUNDAIRE VOORZIENINGEN en PENSIOENGEGEVENS en ZIEKTE-, VAKANTIE- EN ANDER VERLOF; laden met CLAIMS, ONGEVALLENWET en BETWISTE CLAIMS; een hele zone met IMMIGRATIE EN NATURALISATIE... enzovoort, enzovoort. Geestdodend.

Om de een of andere reden ging er een onnozel oud nummer door mijn hoofd: 'Band on the Run' uit de onzalige Wings-periode van Paul McCartney. Een nummer waar ik echt de pest aan heb, meer nog dan aan alles van Celine Dion. De melodie is irritant maar aanstekelijk, als verkoudheid, en de woorden slaan nergens op. '*A bell was ringing in the village square for the rabbits on the run!*' Tja.

Ik probeerde een van de archiefladen, en natuurlijk zat die op slot, dat zaten ze allemaal. Elke archiefkast had een slot aan de bovenkant, en je had absoluut een sleutel nodig. Ik zocht naar een bureau van een secretaresse, en intussen ging dat verrekte nummer maar door mijn hoofd... '*The county judge... held a grudge*'... Ik zocht dus naar het bureau van een secretaresse, en ja hoor, daar lag een sleutel van de archiefkasten. Hij zat aan een ring in een bovenla die niet op slot zat. Goh, Meacham had gelijk; de sleutel is altijd gemakkelijk te vinden.

Ik ging naar de personeelsdossiers die op alfabet lagen.

Ik nam een naam uit de AURORA-lijst – Yonah Oren – en keek onder de O. Daar was niets te vinden. Ik zocht naar een andere naam – Sanjay Kumar – en vond daar ook niets. Ik probeerde Peter Daut: niets. Vreemd. Voor alle zekerheid zocht ik ook naar die namen in de laden met VERZEKERINGEN en ONGEVALLEN. Niets. Ook niet in de pensioendossiers. Voor zover ik kon nagaan, waren deze namen nergens te vinden.

'*The jailer man and Sailor Sam*'. Dit was net een Chinese waterkwelling. Wat betekenden die flauwe teksten nou eigenlijk? Wist iemand dat?

Het was vreemd, maar op de plaatsen waar de gegevens hadden moeten zitten, zat soms een kleine opening, een kleine leegte, alsof er een map was weggehaald. Of verbeeldde ik me dat alleen maar? Net toen ik het wilde opgeven, liep ik nog een keer langs de rijen met archiefkasten, en toen zag ik een nis – een afzonderlijke, open ruimte naast het raster van archiefkasten. Op een bord bij de ingang van die nis stond:

GEHEIME PERSONEELSGEGEVENS –
TOEGANG ALLEEN NA DIRECTE TOESTEMMING
VAN JAMES SPERLING OF LUCY CELANO.

Ik ging de nis in en zag tot mijn opluchting dat alles hier eenvoudig op afdelingsnummer was ingedeeld. James Sperling was de directeur van HR, en Lucy Celano, wist ik, was zijn secretaresse. Binnen een paar minuten vond ik het bureau van Lucy Celano, en na nog eens een halve minuut had ik haar sleutelring (onderste la rechts) gevonden.

Toen ging ik naar de geheime archiefkasten terug en vond de la met de afdelingsnummers, waaronder die van het AURORA-project. Ik haalde de kast van het slot en trok de lade open. Hij maakte een metalen *dunk*-geluid, alsof er een wieltje achter aan de la naar beneden was gevallen. Ik vroeg me af hoe vaak deze laden werden opengetrokken. Werkten ze meestal on line met gegevens en bewaarden ze de uitdraaien alleen voor juridische doeleinden?

En toen zag ik iets wat wel heel bizar was: álle dossiers van de afdeling AURORA waren weg. Ik bedoel, er zat een leegte van vijftig of zestig centimeter tussen het nummer ervoor en het nummer erna. De la was halfleeg.

De AURORA-dossiers waren verwijderd.

Gedurende een seconde was het of mijn hart stilstond. Ik voelde me licht in mijn hoofd.

Vanuit mijn ooghoek zag ik dat er een fel lichtje begon te flikkeren. Het was een van die xenonlampjes voor noodgevallen die hoog op de muur waren aangebracht, net onder het plafond en net buiten de nis. Waar was dat voor? En enkele seconden later was er het ongelooflijk harde, schelle *hoe-ha hoe-ha* van een sirene.

Op de een of andere manier had ik een inbraakalarm in werking gesteld. Dat was natuurlijk verbonden met de la waar de geheime dossiers in zaten.

De sirene was zo hard dat je hem waarschijnlijk in de hele vleugel kon horen.

31

De bewakers konden er nu elk moment zijn. Misschien waren ze alleen nog niet verschenen omdat het weekend was en ze met minder waren.

Ik rende naar de deur, beukte er met mijn zij tegenaan, maar hij kwam niet in beweging. De dreun deed verrekte veel pijn.

Ik probeerde het opnieuw; de deur was vergrendeld. O, jezus. Ik probeerde een andere deur, en die zat ook op slot.

Nu besefte ik wat dat rare metaalgeluid was geweest dat ik een minuut of twee eerder had gehoord; door de dossierla open te trekken had ik een of ander mechanisme in werking gesteld dat automatisch alle deuren van deze ruimte op slot deed. Ik rende naar de andere kant van de verdieping, waar nog meer deuren waren, maar die wilden ook niet open. Zelfs de nooduitgang die naar een brandtrap leidde, zat op slot, en dat móést wel in strijd met de voorschriften zijn.

Ik zat als een rat in de val. De bewakingsdienst kon er nu elk moment zijn, en dan zouden ze de verdieping doorzoeken.

Ik dacht koortsachtig na. Kon ik ze iets wijsmaken? Stan, de bewaker, had me binnengelaten. Misschien kon ik hem ervan overtuigen dat ik per ongeluk in de verkeerde ruimte terecht was gekomen en de verkeerde la had opengetrokken. Hij vond me blijkbaar wel sympathiek, dus misschien zou het lukken. Maar als hij zijn werk nu eens goed deed en naar mijn badge vroeg en dan zag dat ik daar helemaal niet thuishoorde?

Nee, dat kon ik niet riskeren. Ik had geen keus. Ik moest me verstoppen.

Ik zat daar opgesloten.

'*Stuck inside these four walls,*' jengelde Wings me toe. Jezus christus!

De xenonlamp flikkerde oogverblindend fel, en het alarm ging van *hoe-ha hoe-ha*, alsof dit een kernreactor was en de kern was gesmolten.

Maar wáár kon ik me verstoppen? Ik zou eerst een afleidingsmanoeuvre moeten bedenken, een geloofwaardige, onschuldige verklaring voor het afgaan van het alarm. Shit, ik had geen tijd!

Als ik hier werd betrapt, was het uit. Alles. Ik zou niet alleen mijn baan bij Trion verliezen. Het zou nog veel erger zijn. Het was een ramp, een totale nachtmerrie.

Ik pakte de eerste de beste metalen prullenbak. Omdat die leeg was, pakte ik een papier van een bureau, verkreukelde het, nam mijn aansteker en stak er de vlam in. Ik rende ermee naar de nis met de geheime gegevens en zette hem tegen de muur. Toen haalde ik een sigaret uit mijn pakje en gooide hem ook in de prullenbak. Het papier brandde, vlamde op en joeg een grote rookwolk omhoog. Als ze een deel van de sigaret vonden, zouden ze misschien de schuld geven aan een peuk die had liggen smeulen. Misschien.

Ik hoorde harde voetstappen. Blijkbaar kwamen ze van de achtertrap.

Nee, alsjeblieft, god. Ik ben verloren. Ik ben verloren.

Ik zag iets wat op een kastdeur leek. Hij zat niet op slot. Daarachter bevond zich een voorraadkast. Hij was niet erg breed, maar wel zo'n vier meter diep, vol planken met pakken papier en dergelijke.

Omdat ik het licht niet aan durfde te doen, kon ik bijna niets zien, maar ik zag wel een ruimte tussen twee planken achterin, waar ik me in zou kunnen persen.

Net toen ik de deur achter me dichttrok, hoorde ik een andere deur opengaan, en daarna hoorde ik gedempte kreten.

Ik verstijfde. De sirene ging gewoon door. Er renden mensen heen en weer. Ze schreeuwden harder, dichterbij.

'Hier!' riep iemand.

Mijn hart bonkte. Ik hield mijn adem in. Toen ik een klein beetje bewoog, kraakte de plank achter me. Ik verplaatste mijn gewicht, en mijn schouder kwam tegen een doos, die hoorbaar verschoof. Ik geloofde niet dat iemand die voorbijliep die kleine geluiden kon horen, niet met al die herrie daar, het geschreeuw en de sirenes en noem maar op. Maar ik dwong me om helemaal stil te blijven staan.

'... verdomde sigarét!' hoorde ik tot mijn opluchting.

'... brandblusser...' zei iemand anders.

Gedurende lange, lange tijd – het kunnen tien minuten zijn geweest, maar ook een halfuur, ik had geen idee, ik kon mijn arm niet bewegen om op mijn horloge te kijken – stond ik daar onbehaaglijk te wriemelen, verhit en bezweet, in staat van verdoving, en omdat ik in zo'n rare houding stond, had ik geen gevoel meer in mijn voeten.

Ik verwachtte elk moment dat de kastdeur openging, dat het licht naar binnen zou vallen, dat het uit zou zijn.

Ik wist absoluut niet wat ik dan zou kunnen zeggen. Ik zou betrapt zijn en ik wist echt niet hoe ik me eruit zou kunnen praten. Ik zou me gelukkig mogen prijzen als ik alleen maar werd ontslagen. Waarschijnlijk zou Trion juridische stappen tegen me ondernemen – er was gewoon geen deugdelijke reden waarom ik daar was. Ik wilde er niet eens aan dénken wat Wyatt met me zou doen.

En wat had deze escapade me nu eigenlijk opgeleverd? Niets. Alle AURORA-dossiers waren toch al weg.

Ik hoorde een spuitend geluid, blijkbaar een brandblusser die in werking was gesteld, en inmiddels werd er niet meer zoveel geschreeuwd. Ik vroeg me af of de bewakingsdienst de bedrijfsbrandweer had opgeroepen of de plaatselijke brandweer. En of dat prullenbakbrandje kon verklaren waarom het alarm afging. Of zouden ze verder gaan met zoeken?

En zo stond ik daar. Mijn voeten veranderden in tintelende blokken ijs, terwijl het zweet over mijn gezicht stroomde en ik kramp in mijn schouders en rug had.

En ik wachtte.

Nu en dan hoorde ik stemmen, maar die klonken rustiger, zakelijker. Voetstappen, maar niet meer zo snel.

Na eindeloos veel tijd werd alles stil. Ik probeerde mijn linkerarm omhoog te brengen om te kijken hoe laat het was, maar mijn arm sliep. Ik bewoog hem heen en weer, verplaatste mijn rechterarm om in de slapende linkerarm te knijpen tot ik hem naar mijn gezicht kon brengen om op de verlichte wijzerplaat te kijken. Het was een paar minuten over tien, al had ik daar zo lang gestaan dat ik had gedacht dat het minstens middernacht was.

Langzaam maakte ik me los uit mijn Houdini-pose, en geluidloos bewoog ik me naar de deur van de kast. Daar bleef ik enkele ogenblikken gespannen staan luisteren. Ik hoorde geen enkel geluid. Ik kon er wel van uitgaan dat ze weg waren – ze hadden het brandje geblust en hadden zich ervan overtuigd dat er toch niet was ingebroken. Mensen hebben toch al niet veel vertrouwen in machines, zeker niet bewakers. Die moesten tot op zekere hoogte een hekel aan al die computers hebben omdat daardoor hun banen verloren dreigen te gaan. Ze zouden gauw aan een foutje in het alarmsysteem denken. Als ik veel geluk had, zou er misschien niemand zijn die zich afvroeg waarom het inbraakalarm eerder dan het rookalarm was afgegaan.

Toen haalde ik diep adem en maakte langzaam de deur open.

Ik keek naar weerskanten en recht vooruit, en zo te zien was er niemand. Ik deed een paar stappen en keek nog eens om me heen.

Niemand.

Er hing een sterke geur van rook, en ook van een of ander chemisch middel, waarschijnlijk het spul dat uit de brandblusser was gekomen.

Zachtjes liep ik langs de muur, zo ver mogelijk van eventuele buitenramen of deuren met ruiten vandaan, tot ik bij twee deuren kwam. Die deuren leidden niet naar de receptie, en ook niet naar het trappenhuis aan de achterkant, waar de bewakers vandaan waren gekomen.

En ze zaten op slot.

Jezus, nee.

Ze hadden het automatische slot niet uitgezet. Van schrik liep ik nu een beetje vlugger. Ik ging naar de deuren van de receptie en duwde ertegen, maar ook die zaten op slot.

Ik zat nog steeds gevangen.

Wat nu?

Ik had geen keus. Van binnen uit waren de deuren niet open te krijgen, in elk geval niet op een manier die mij was geleerd. En ik kon ook moeilijk de bewakingsdienst bellen, zeker niet na wat er zojuist was gebeurd.

Nee. Ik zou gewoon hier binnen moeten blijven totdat iemand me eruit liet. Dat zou misschien pas de volgende morgen gebeuren, als de schoonmaakploeg kwam. Of erger nog, als het eerste HR-personeel arriveerde. En dan zou ik heel wat uit te leggen hebben.

Ik was ook doodmoe. Ik vond een werkruimte ver van alle deuren en ramen en ging zitten. Ik was helemaal kapot. Ik had echt dringend slaap nodig. En dus legde ik mijn armen over elkaar en viel meteen in slaap, als een dronken student in de universiteitsbibliotheek.

32

Om ongeveer vijf uur in de morgen werd ik wakker van een kletterend geluid. Ik kwam met een ruk overeind. De schoonmaakploeg was er. Ze duwden grote gele plastic emmers op wielen voort, met dweilen en bezems, en ze hadden het soort stofzuiger dat je aan je schouders hangt. Het waren twee mannen en een vrouw, en ze spraken rad Portugees. Ik kende die taal een beetje; in mijn jeugd hadden we veel Braziliaanse buren gehad.

Ik had een beetje speeksel op het bureau gekwijld. Dat veegde ik met mijn mouw weg, en daarna stond ik op en slenterde ik naar de deuren, die ze met een rubberen deurstop openhielden.

'*Bom dia, como vai?*' zei ik. Ik schudde mijn hoofd, keek beschaamd en keek toen nadrukkelijk op mijn horloge.

'*Bem, obrigado e o senhor?*' antwoordde de vrouw. Ze grijnsde en ik zag een paar gouden tanden. Blijkbaar begreep ze het – arme kantoorman, 's avonds laat nog aan het werk, of misschien belachelijk vroeg op zijn werk gekomen, dat wist ze niet en dat kon haar ook niet schelen.

Een van de mannen keek naar de geschroeide metalen prullenbak en zei iets tegen de andere man. 'Wat is hier nou weer gebeurd?' of zoiets.

'*Cançado,*' zei ik tegen de vrouw: ik ben moe. '*Bom, até logo.*' Tot ziens.

'*Até logo, senhor,*' zei de vrouw, terwijl ik de deur uit liep.

Ik dacht er even over om naar huis te gaan, andere kleren aan te trekken en meteen weer terug te komen. Maar dat kon ik op dat moment niet opbrengen, en dus verliet ik vleugel E – inmiddels kwamen er mensen binnen – en ging ik vleugel B weer in om naar mijn kamer terug te keren. Als ze in de toegangsregistratie keken, zouden ze zien dat ik zondagavond om een uur of zeven was binnengekomen en dat ik maandagmorgen om een uur of zeven opnieuw was gearriveerd. Een ijverige medewerker. Ik hoopte alleen dat ik niemand zou tegenkomen die mij kende, want ik zag er verfomfaaid uit, alsof ik in mijn kleren had geslapen, wat natuurlijk ook het geval was. Gelukkig kwam ik niemand tegen. Ik haalde een Diet Vanilla Coke uit de pauzekamer en nam een grote slok. Zo vroeg op de morgen smaakte het beroerd, en dus zette ik een pot koffie in de Bunn-O-Matic, waarna ik naar de toiletten ging om me op te frissen. Mijn overhemd was een beetje verkreukeld, maar over het geheel genomen zag ik er presentabel uit, al voelde ik me belabberd. Dit was een belangrijke dag, en ik moest op mijn best zijn.

Een uur voor de grote bijeenkomst met Augustine Goddard verzamelden we ons in Packard, een van de grotere vergaderkamers, voor een generale repetitie. Nora droeg een prachtig blauw pakje en zag eruit alsof ze speciaal voor deze gelegenheid haar haar had laten doen. Ze was op van de zenuwen en praatte aan een stuk door. Verder glimlachte ze veel, met wijd opengesperde ogen.

Chad en zij repeteerden in de kamer terwijl de rest van ons binnenkwam. Chad speelde Jock. Ze praatten heen en weer als een oud echtpaar dat een oude vertrouwde woordenwisseling afwerkt, maar toen ging opeens Chads mobieltje. Hij had een van die inklapbare Motorola-telefoons, waarschijnlijk omdat hij een gesprek dan kon beëindigen door het ding dicht te klappen.

'Met Chad,' zei hij. Zijn stem werd meteen veel warmer. 'Hé, Tony.' Hij stak zijn wijsvinger omhoog om tegen Nora te zeggen dat ze moest wachten en ging naar een hoek van de kamer.

'Chad,' riep Nora hem geërgerd na. Hij draaide zich om, knikte naar haar en stak zijn vinger weer op. Even later hoorde ik hem de telefoon dichtklappen. Hij liep naar Nora toe en sprak haar zachtjes toe. We keken allemaal en luisterden mee.

'Dat was een vriendje van me op Financiën,' zei hij zachtjes en met een grimmig gezicht. 'De beslissing over Maestro is al genomen.'

'Hoe weet je dat?' vroeg Nora.

'De controller heeft net opdracht gegeven eenmalig vijftig miljoen dollar op Maestro af te schrijven. De beslissing is aan de top genomen. Deze bijeenkomst met Goddard is alleen maar een formaliteit.'

Nora werd knalrood en wendde zich af. Ze liep naar het raam en keek naar buiten, en een volle minuut zei ze helemaal niets.

33

Het briefingcentrum van de directie bevond zich op de zesde verdieping van vleugel A, niet ver van Goddards kantoor vandaan. We gingen er met zijn allen in een slechte stemming naartoe. Nora zei dat ze even later zou komen.

'Op naar de guillotine!' zong Chad naar me toen we daar liepen.

Ik knikte. Mordden keek even naar Chad die naast me liep, en bleef op een afstand. Hij dacht natuurlijk allemaal lelijke dingen over mij en vroeg zich af waarom ik Chad niet links liet liggen en wat ik in mijn schild voerde. Na de avond waarop ik Nora's kantoor was binnengeslopen, was hij niet meer zo vaak naar me toe gekomen. Het was moeilijk te zeggen of hij zich vreemd gedroeg, want dat had hij altijd al gedaan. Bovendien wilde ik niet in paranoia vervallen; steeds weer kijken of hij me vreemd aankeek, bijvoorbeeld. Toch vroeg ik me onwillekeurig af of ik met één roekeloze daad de hele missie had verknoeid, dus of Mordden me in grote moeilijkheden zou brengen.

'Het is belangrijk waar je gaat zitten,' mompelde Chad tegen me. 'Goddard zit altijd op de middelste plaats aan de kant van de tafel het dichtst bij de deur. Als je onzichtbaar wilt blijven, ga je rechts van hem zitten. Als je wilt dat hij je opmerkt, ga je links van hem zitten of recht tegenover hem.'

'Wíl ik dat hij me opmerkt?'

'Dat kan ik niet beantwoorden. Hij ís de baas.'

'Heb jij veel besprekingen met hem meegemaakt?'

'Niet zoveel.' Hij haalde zijn schouders op. 'Een paar.'

Ik nam me voor om op een plaats te gaan zitten die Chad me afraadde, bijvoorbeeld rechts van Goddard. Ik liet me geen tweede keer door hem belazeren.

De briefingkamer was indrukwekkend. De kamer werd gedomineerd door een gigantische houten vergadertafel van een of ander tropisch uitziend hout. Een presentatiescherm nam een complete wand in beslag. Er waren zware gordijnen waaraan je kon zien dat ze elektrisch van het plafond naar beneden waren gelaten, waarschijnlijk niet alleen om het licht tegen te houden maar ook om te voorkomen dat iemand anders kon horen wat er in de kamer werd besproken. De tafel had ingebouwde microfoons en kleine schermpjes voor elke stoel. Die schermpjes kwamen omhoog als ergens op een knop werd gedrukt.

Er werd veel gefluisterd en nerveus gelachen en gegrinnikt. Ik verheugde me erop de beroemde Jock Goddard van dichtbij te zien, al zou ik hem niet de hand schudden. Ik hoefde niet te spreken of mee te werken aan de presentatie, maar ik was toch een beetje nerveus.

Om vijf voor tien was Nora nog steeds niet komen opdagen. Was ze uit een raam gesprongen? Was ze druk aan het lobbyen geslagen, een laatste verwoede poging om haar dierbare product te redden? Trok ze aan alle touwtjes die ze had?

'Zou ze verdwaald zijn?' zei Phil voor de grap.

Om twee minuten voor tien kwam Nora de kamer binnen. Ze zag er kalm en stralend uit, op de een of andere manier nog aantrekkelijker dan anders. Zo te zien had ze zich opnieuw opgemaakt, met nieuwe lipliner en noem maar op. Misschien had ze zelfs gemediteerd of zoiets, want ze was als herboren.

Om precies tien uur kwamen Jock Goddard en Paul Camilletti de kamer in. Iedereen was meteen stil. Camilletti, 'de Beul', die een zwarte blazer en een olijfbruin zijden T-shirt droeg, had zijn haar naar achteren gekamd en leek op Gordon Gekko in *Wall Street*. Hij ging een eind van de hoek van de immense tafel vandaan zitten. Goddard, die zijn gebruikelijke zwarte coltrui onder een tweedachtige bruine colbert droeg, liep naar Nora toe en fluisterde iets waarom ze moest lachen. Hij legde zijn hand op haar schouder; zij legde haar hand even op zijn hand. Ze gedroeg zich meisjesachtig, een beetje flirtend; dat was een kant van Nora waarmee ik nog niet had kennisgemaakt.

Goddard ging aan het hoofd van de tafel zitten, met zijn gezicht naar het scherm. Dank je, Chad. Ik zat een eindje rechts van hem. Ik kon hem goed zien, maar ik voelde me bepaald niet onzichtbaar. Hij had ronde schouders, een beetje gebogen. Zijn witte haar, naar één kant gekamd, zat slordig. Zijn witte borstelige wenkbrauwen leken op besneeuwde bergtoppen. Zijn voorhoofd was diep doorgroefd en hij had een kwajongensachtige blik in zijn ogen.

Er volgden enkele momenten van pijnlijke stilte. Hij keek de tafel langs. 'Jullie zien er allemaal zo nerveus uit,' zei hij. 'Ontspan je! Ik bijt niet.' Zijn stem klonk aangenaam en een beetje knapperig, een niet al te diepe bariton. Hij keek Nora aan en knipoogde. 'Tenminste, niet vaak.' Ze lachte; enkele anderen grinnikten beleefd. Ik glimlachte, vooral om te laten blijken dat ik waardering had voor zijn poging om ons op ons gemak te stellen.

'Alleen wanneer je bedreigd wordt,' zei ze. Hij glimlachte; zijn lippen vormden een V. 'Jock, zal ik nu dan maar beginnen?'

'Ga je gang.'

'Jock, we hebben allemaal zo ongelooflijk hard aan de vernieuwing van Maestro gewerkt dat het ons soms moeite kost om de dingen in het juiste perspectief te zien. Ik heb de afgelopen zesendertig uur aan bijna niets anders gedacht. En het is me duidelijk dat we Maestro in veel belangrijke opzichten kunnen updaten en verbeteren. We kunnen het product aantrekkelijker maken, het marktaandeel vergroten – misschien zelfs aanzienlijk.'

Goddard knikte, maakte een bruggetje van zijn vingers en keek naar zijn aantekeningen.

Ze tikte op het gebonden en gelamineerde presentatieboek. 'We hebben een goede strategie uitgedacht en twaalf nieuwe functies toegevoegd. We hebben Maestro up-to-date gemaakt. Maar ik moet je in alle eerlijkheid zeggen dat ik, in jouw positie, de stekker eruit zou trekken.'

Goddard keek haar plotseling aan en trok zijn grote witte wenkbrauwen op. Wij keken allemaal geschokt naar haar. Ik kon niet geloven dat ik dit hoorde. Ze stond op het punt haar hele team af te branden.

'Jock,' ging ze verder, 'als je me één ding hebt geleerd, dan is het dat een ware leider soms datgene waar hij het meest van houdt moet opofferen. Ik vind het verschrikkelijk dat ik dit moet zeggen, maar ik kan gewoon niet aan de feiten voorbijgaan. Maestro was een geweldig product voor zijn tijd. Maar zijn tijd is gekomen... en gegaan. Dat is de Regel van Goddard; als je product het niet in zich heeft om nummer één of twee op de markt te worden, stap je eruit.'

Goddard zweeg enkele ogenblikken. Hij keek verrast, bewonderend, en na enkele ogenblikken knikte hij met een sluw glimlachje van dit-bevalt-me-wel. 'Zijn we... Is iedereen het daarover eens?' vroeg hij toen.

De een na de ander knikte. Ze sprongen allemaal op de trein die het station uit reed. Chad knikte en beet op zijn lip zoals Bill Clinton altijd deed; Mordden knikte heftig, alsof hij eindelijk uiting kon geven aan zijn echte mening. De andere ingenieurs bromden 'Ja' en 'Dat vind ik ook'.

'Ik moet zeggen dat dit me verbaast,' zei Goddard. 'Ik had verwacht dat ik heel iets anders te horen zou krijgen. Ik verwachtte een veldslag. Ik ben onder de indruk.'

'Wat voor ons als individuen op de korte termijn goed is,' voegde Nora eraan toe, 'is niet noodzakelijkerwijs het beste voor Trion.'

Ik kon niet geloven dat Nora haar eigen product finaal de grond in boorde, maar ik had onwillekeurig bewondering voor haar machiavellistische sluwheid.

'Nou,' zei Goddard. 'Laten we nog even wachten met het overhalen van de trekker. Jij... Ik zag jou niet knikken.'

Het leek wel of hij mij recht aankeek.

Ik keek om me heen en toen weer naar hem. Het leed geen twijfel dat hij mij aankeek.

'Jij,' zei hij. 'Jongeman, ik zag je niet knikken toen de rest dat deed.'

'Hij is nieuw,' merkte Nora vlug op. 'Net begonnen.'

'Hoe heet je, jongeman?'

'Adam,' zei ik. 'Adam Cassidy.' Mijn hart bonkte. O, shit. Alsof je op school een beurt kreeg. Ik voelde me een tweedeklasser.

'Heb je moeite met de beslissing die we hier aan het nemen zijn, Adam?' zei Goddard.

'Huh? Nee.'

'Dus jij vindt ook dat we de stekker eruit moeten trekken.'

Ik haalde mijn schouders op.

'Je vindt dat ook, je vindt het niet – hoe zit het?'

'Ik kan me heel goed in Nora's standpunt verplaatsen,' zei ik.

'En als je je in mij zou verplaatsen?' drong Goddard aan.

Ik haalde diep adem. 'Als ik zou zitten waar u zit, zou ik de stekker er niet uittrekken.'

'Nee?'

'En ik zou die twaalf nieuwe features ook niet toevoegen.'

'O nee?'

'Nee. Eentje maar.'

'Welke dan?'

Ik keek even naar Nora's gezicht en zag dat het zo rood als een biet was. Ze keek naar me alsof er een buitenaards wezen uit mijn borst was gesprongen. Ik wendde me weer tot Goddard. 'Een protocol om data te beveiligen.'

Goddards wenkbrauwen kwamen helemaal omlaag. 'Databeveiliging? Waarom zou dat klanten aantrekken?'

Chad schraapte zijn keel en zei: 'Kom nou, Adam, kijk nou eens naar het marktonderzoek. Databeveiliging staat op...? Op de vijfenzeventigste plaats op de lijst van features die de klanten willen.' Hij grijnsde. 'Tenzij je denkt dat James Bond de gemiddelde consument is.'

Er werd wat gegniffeld aan de andere kant van de tafel.

Ik glimlachte vriendelijk. 'Nee, Chad, je hebt gelijk – de gemiddelde klant heeft geen belangstelling voor databeveiliging. Maar ik heb het niet over de gemiddelde klant. Ik heb het over het leger.'

'Het leger.' Goddard trok zijn wenkbrauwen op.

'Adam...' onderbrak Nora me met een doffe, waarschuwende stem.

Goddard fladderde met zijn hand naar Nora. 'Nee, ik wil dit horen. Het leger, zeg je?'

Ik haalde diep adem en probeerde er niet zo paniekerig uit te zien als ik me voelde. 'Ja, het leger, de luchtmacht, de Canadezen, de Britten – het hele defensieapparaat in de Verenigde Staten, Groot-Brittannië en Canada. Ze hebben de laatste tijd hun wereldwijde communicatiesysteem vernieuwd, nietwaar?' Ik haalde wat knipsels uit *Defense News* en *Federal Computer Week* te voorschijn – tijdschriften die ik natuurlijk toevallig thuis had rondslingeren – en hield ze omhoog. Ik merkte dat mijn hand een beetje beefde en hoopte dat de anderen het niet merkten. Wyatt had me hierop voorbereid, en ik hoopte dat ik de details goed had. 'Het heet het Defense Message System, het DMS, het beveiligde berichtensysteem voor miljoenen militairen op de hele wereld. Het gaat allemaal via desktop-pc's, en het Pentagon wil heel graag op draadloze verbindingen overschakelen. Stel je voor wat voor verschil dat zou kunnen maken: beveiligde draadloze toegang tot geheime gegevens en berichten, met authenticering van verzenders en ontvangers, veilige encryptie van begin tot eind, databescherming, berichtintegriteit. Niemand heeft die markt!'

Goddard hield zijn hoofd schuin en luisterde aandachtig.

'En de Maestro is het ideale product voor die markt. Het apparaat is klein, stevig – bijna onverwoestbaar – en volkomen betrouwbaar. Op die manier maken we van de nood een deugd: het feit dat de Maestro een gedateerde technologie is, is voor het leger een pluspunt, omdat die technologie volkomen compatibel is met hun vijf jaar oude protocollen voor draadloze overdracht. We hebben alleen nog databeveiliging nodig. De kosten zijn minimaal, en de potentiële markt is gigantisch groot!'

Goddard keek strak naar me, al kon ik niet zien of hij onder de indruk was of dacht dat ik ze niet allemaal op een rijtje had.

Ik ging verder: 'Dus in plaats van te proberen dat oude, eerlijk gezegd inferieure product wat op te tutten, kiezen we voor *remarketing*. We zetten er een extra harde plastic buitenkant omheen, voegen er databeveiliging aan toe, en we zijn spekkoper. Als we snel zijn, hebben we onze eigen niche.We hoeven geen vijftig miljoen af te schrijven – we hebben het nu over honderden miljoenen aan extra inkomsten per jaar.'

'Jezus,' zei Camilletti vanaf zijn eind van de tafel. Hij was druk notities aan het maken.

Goddard knikte, eerst langzaam, toen krachtiger. 'Heel interessant,' zei hij. Hij keek Nora aan. 'Hoe heet hij ook weer – Elijah?'

'Adam,' zei Nora kortaf.

'Dank je, Adam,' zei hij. 'Dat is helemaal niet slecht.'

Bedank mij niet, dacht ik; bedank Nick Wyatt.

En toen zag ik de onverhulde haat waarmee Nora naar me keek.

34

Het officiële bericht kwam voor de lunch per e-mail: Goddard had Maestro uitstel van executie verleend. Het Maestro-team kreeg opdracht het product in allerijl aan te passen en opnieuw aan te kleden, met het oog op militair gebruik. Intussen zou de afdeling Overheidszaken van Trion onderhandelingen beginnen met de afdeling Inkoop en Logistiek van de dienst Informatiesystemen van het ministerie van Defensie.

Oftewel: bingo. Het oude product was niet alleen van de beademing afgehaald, het had ook een harttransplantatie en een fikse bloedtransfusie gekregen.

En nu hadden we de poppen aan het dansen.

Ik was in de toiletten en stond voor een urinoir mijn rits los te maken, toen Chad kwam binnenslenteren. Chad, had ik opgemerkt, scheen precies aan te voelen dat ik niet goed kon pissen als er iemand bij was. Hij kwam altijd achter me aan naar de toiletten om over werk of sport te praten, zodat mijn kraantje meteen niet meer open kon. Ditmaal kwam hij voor het urinoir naast me staan. Hij straalde over heel zijn gezicht, alsof hij het fantastisch vond me te zien. Ik hoorde hem zijn rits lostrekken. Mijn urinewegen gingen terstond dicht en ik staarde weer naar de voegen tussen de tegels boven het urinoir.

'Hé,' zei hij. 'Goed werk, jongen. Zo kom je hogerop!' Hij schudde langzaam met zijn hoofd en maakte een soort spuuggeluid. Zijn urine kletterde tegen het ruitvormige vakje op de bodem van het urinoir. 'Jezus.' Hij was een en al sarcasme. Hij was een onzichtbare streep overgestoken; hij speelde niet eens komedie meer.

Ik dacht, ga nou eens weg, dan kan ik pissen. 'Ik heb het product gered,' merkte ik op.

'Ja, en je hebt Nora afgebrand. Was dat het waard, alleen om wat punten bij de grote baas te scoren, jezelf onder de aandacht te brengen? Zo werkt het hier niet, jongen. Je hebt zojuist een heel grote fout gemaakt.' Hij schudde zich droog, trok zijn rits dicht en liep de toiletten uit zonder zijn handen te wassen.

Toen ik in mijn kamer terug was, bleek er een voicemail van Nora te zijn.

'Nora,' zei ik toen ik haar kantoor binnenkwam.

'Adam,' zei ze zachtjes. 'Ga zitten.' Ze glimlachte, een trieste, milde glimlach. Dat was onheilspellend.

'Nora, mag ik zeggen...'

'Adam, zoals je weet, beschouwen wij van Trion het als een van onze verworvenheden dat we altijd proberen de medewerker op de baan af te stemmen. We willen er zeker van zijn dat onze meest getalenteerde mensen de verantwoordelijkheden krijgen die bij hen passen.' Ze glimlachte weer, en haar ogen schitterden. 'Daarom heb ik zojuist een verzoek om overplaatsing voor je ingediend en Tom gevraagd daar zo snel mogelijk gevolg aan te geven.'

'Overplaatsing?'

'We zijn vreselijk onder de indruk van je talenten, je vindingrijkheid, de diepte van je kennis. Op de bijeenkomst van vanmorgen heb je daar weer blijk van gegeven. We hebben het gevoel dat iemand van jouw kaliber veel goed werk zou kunnen doen in onze RTP-vestiging. De managementeenheid Bevoorradingsketen daar kan een sterke teamspeler als jij heel goed gebruiken.'

'Wat is RTP?'

'Ons bijkantoor Research Triangle Park. In Raleigh-Durham, North Carolina.'

'North Carolina?' Hoorde ik dat goed? 'Je wilt me laten overplaatsen naar North Carolina?'

'Adam, je zegt dat alsof het Siberië is. Ben je ooit in Raleigh-Durham geweest? Het is een heel mooie omgeving.'

'Ik... Maar ik kan niet verhuizen. Ik heb hier verantwoordelijkheden, ik heb...'

'De afdeling Personeelsrelokatie zal dat allemaal voor je regelen. Ze vergoeden alle verhuisonkosten – binnen het redelijke, natuurlijk. Elke verhuizing is natuurlijk een heel gedoe, maar ze maken het verrassend pijnloos.' Haar glimlach werd breder. 'Je zult het daar geweldig vinden, en ze zullen jóú geweldig vinden!'

'Nora,' zei ik. 'Goddard vroeg me naar mijn eerlijke mening, en ik ben een grote fan van alles wat je met de Maestro-lijn hebt gedaan. Dat wilde ik helemaal niet ontkennen. Het laatste dat ik wilde, was jou kwaad maken.'

'Mij kwaad maken?' zei ze. 'Adam, integendeel – ik was erg blij met je opmerkingen. Ik wou alleen dat je er vóór de vergadering met me over had gepraat. Maar gebeurd is gebeurd. We gaan door naar grotere, betere dingen. En dat geldt ook voor jou!'

De overplaatsing zou in de komende drie weken zijn beslag krijgen. Ik wist me geen raad. In North Carolina deden ze alleen administratieve en ondersteunende dingen. Daar waren ze mijlenver van onderzoek en ontwikkeling verwijderd. Wyatt zou daar niets aan me hebben. En hij zou het mij kwalijk nemen dat het mis was gegaan. Ik hoorde het guillotinemes al glijden.

Het is gek. Pas toen ik haar kantoor uit liep, dacht ik aan mijn vader, en nu drong het pas goed tot me door. Ik kón niet verhuizen. Ik kon de oude man niet achterlaten. Maar hoe kon ik weigeren ergens heen te gaan waar Nora me wilde hebben? Als ik het niet op een escalatie wilde laten aankomen – haar passeren, of in elk geval dat proberen, en dat zou me bijna zeker lelijk opbreken – kon ik toch niets beginnen? Als ik weigerde naar North Carolina te gaan, zou ik ontslag moeten nemen bij Trion, en dan kon ik het wel schudden.

Het was of het hele gebouw langzaam ronddraaide; ik moest gaan zitten, ik moest nadenken. Toen ik langs Noah Morddens kamer kwam, wenkte hij me met zijn vinger naar zich toe.

'Ah, Cassidy,' zei hij. 'Trions eigen Julien Sorel. Je moet wel aardig zijn voor Madame de Renal.'

'Sorry?' zei ik. Ik wist bij god niet waar hij het over had.

Met zijn typische aloha-shirt en zijn grote ronde zwarte brillenglazen leek hij meer en meer op een karikatuur van hemzelf. Zijn ip-telefoon ging, maar natuurlijk had dat ding geen normale beltoon. Het was een deuntje uit 'Suffragette City' van David Bowie: '*O wham bam thank you ma'am!*'

'Ik denk dat je indruk op Goddard hebt gemaakt,' zei hij. 'maar tegelijk moet je ervoor zorgen dat je je directe superieur niet onnodig tegen je in het harnas jaagt. Vergeet Stendhal maar. Je kunt beter Sun Tzu lezen.' Hij trok een zuur gezicht. 'Het hachje dat je redt, zou weleens dat van jezelf kunnen zijn.'

Morddens kamer was versierd met allerlei vreemde dingen. Ik zag een schaakbord met een opstelling uit het midden van een partij, een poster van H.P. Lovecraft, een grote pop met krullend blond haar. Ik wees vragend naar het schaakbord.

'Tal-Botwinnik, 1960,' zei hij, alsof dat mij iets zou zeggen. 'Een van de grootste schaakpartijen aller tijden. Wat ik bedoel, is dat je geen ommuurde steden belegert als je het kunt vermijden. Bovendien – en dit is geen wijsheid van Sun Tzu maar van de Romeinse keizer Domitianus – als je een koning aanvalt, moet je hem doden. In plaats daarvan deed je een aanval op Nora zonder van tevoren voor luchtondersteuning te zorgen.'

'Ik was niet van plan in de aanval te gaan.'

'Wat het ook was dat je wilde bereiken, het was een ernstige misrekening, mijn vriend. Ze zal je vast en zeker vernietigen. Vergeet dat nooit, Adam: macht corrumpeert.'

'Ze laat me overplaatsen naar Research Triangle.'

Hij trok zijn wenkbrauwen op. 'Het had erger kunnen zijn, weet je. Ben je ooit in Jackson, Mississippi, geweest?'

Toevallig wel, en ik vond het een leuke stad, maar ik was doodmoe en ik had helemaal geen zin in een lang gesprek met die rare kerel. Ik voelde me niet bij hem op mijn gemak. Daarom wees ik nu naar de lelijke pop op de plank en zei: 'Is die van jou?'

'Love Me Lucille,' zei hij. 'Een grote flop en bovendien, kan ik je trots vertellen, mijn eigen project.'

'Je hebt... poppen gemaakt?'

Hij gaf een kneepje in de hand van de pop, en die kwam meteen tot leven. Haar griezelig realistische ogen gingen open en tuurden toen met dezelfde intensiteit als de ogen van een mens. Haar welgevormde mond ging open en liet een huiveringwekkend gekrijs horen.

'Je hebt vast nog nooit een pop dat horen doen.'

'En ik geloof niet dat ik het nog een keer wil horen,' zei ik.

Mordden permitteerde zich een vaag glimlachje. 'Lucille heeft een heleboel menselijke uitdrukkingen op haar repertoire. Ze is een complete robot, en ze is echt heel indrukwekkend. Ze jengelt, ze wordt druk en irritant, net als een echte baby. Ze doet boertjes. Ze gorgelt, kirt, piest zelfs in haar luier. Ze vertoont alarmerende symptomen van koliek. Ze doet alles wat een baby doet, behalve luieruitslag krijgen. Ze heeft spraaklokalisering; dat betekent dat ze degene tegen wie ze praat ook aankijkt. Je kunt haar leren praten.'

'Ik wist niet dat jullie ook poppen maakten.'

'Hé, ik mag hier alles doen wat ik wil. Ik ben een Eminente Ingenieur. Ik heb dit uitgevonden voor mijn nichtje, maar die wilde er niet mee spelen. Ze vond het eng.'

'Het is ook wel een lelijk ding,' zei ik.

'De vormgeving was niet goed.' Hij wendde zich tot de pop en zei langzaam: 'Lucille? Zeg onze president-directeur eens gedag.'

Lucille draaide haar hoofd langzaam naar Mordden toe. Ik hoorde een licht mechanisch gezoem. Ze knipperde met haar ogen, trok weer een kwaad gezicht en zei toen met de diepe stem van James Earl Jones, terwijl haar lippen de woorden vormden: 'Steek hem in je reet, Goddard.'

'Jézus,' riep ik uit.

Lucille wendde zich langzaam tot mij, knipperde weer met haar ogen en glimlachte vriendelijk.

'De technologische ingewanden van die foeilelijke trol waren hun tijd ver vooruit,' zei Mordden. 'Ik ontwikkelde een multithreaded besturingssysteem dat op een achtbitsprocessor draait. De allernieuwste kunstmatige intelligentie met een erg strak gecompileerde code. De architectuur is bijzonder slim. Drie afzonderlijke ASIC's in haar dikke buik, door mijzelf ontworpen.

Een ASIC, wist ik, was een ingewikkelde, speciaal ontwikkelde computerchip die een heleboel verschillende dingen kon doen.

'Lucille?' zei Mordden, en de pop draaide zich weer naar hem toe en knipperde met haar ogen. 'Pleur op, Lucille.' Lucilles ogen gingen langzaam halfdicht, haar mondhoeken wezen omlaag, en ze liet een verdrietig wa-a-h-geluid horen. Er rolde één traan over haar wang. Hij trok haar met veel kant afgezette pyjama omhoog, zodat er een rechthoekig LCD-scherm in zicht kwam. 'Mammie en pappie kunnen haar programmeren en de settings op dit speciaal door Trion ontworpen schermpje zien. Een van de ASIC's drijft deze LCD aan, een andere drijft de motor aan, en weer een ander de spraak.'

'Ongelooflijk,' zei ik. 'Dat alles voor een pop.'

'Ja. En toen verknoeide het speelgoedbedrijf waarmee we in zee waren gegaan de lancering. Laat dat een les voor je zijn. De verpakking was afschuwelijk. Ze verzonden het product pas in de laatste week van november, en dat is ongeveer acht weken te laat – mammie en pappie hadden hun kerstlijsten toen al klaar. Bovendien was de prijs veel te hoog – in de huidige economie geven mammie en pappie niet meer dan honderd dollar uit aan een stom stuk speelgoed. Natuurlijk dachten de marketinggenieën van Trion Educatief dat ik de volgende Beanie Baby had uitgevonden, en dus legden we een voorraad van enkele honderdduizenden van die speciale chips aan. We lieten ze in China maken. Dat kostte onnoemelijk veel geld en die dingen zijn nergens anders voor te gebruiken. Dat betekent dat Trion met bijna een half miljoen lelijke poppen bleef zitten die niemand wilde hebben, en nog eens driehonderdduizend extra poppenonderdelen die nog verwerkt moeten worden. Tot op de dag van vandaag ligt dat allemaal in een pakhuis in Van Nuys.'

'Oei.'

'Het is niet erg. Niemand kan me iets maken. Ik heb kryptoniet.'

Hij legde niet uit wat hij bedoelde, maar omdat Mordden nu eenmaal halfgek was, ging ik er niet op in. Ik ging naar mijn kamer terug, waar ik nogal wat voicemail aantrof. Toen ik het tweede bericht afspeelde, herkende ik de stem al voordat hij zei wie hij was.

'Meneer Cassidy,' zei de krassende stem. 'Ik eh... O, met Jock Goddard. Ik was erg onder de indruk van uw opmerkingen op de bespreking van vandaag, en ik vroeg me af of u even bij me kunt komen. Wilt u mijn assistente Flo bellen om een afspraak te maken?'

DEEL VIER

COMPROMITTERING

Compromittering: de ontdekking van een agent, een geheim adres of een inlichtingentechniek door iemand van de andere kant
– *The Dictionary of Espionage*

35

Jock Goddards kantoor was niet groter dan dat van Tom Lundgren of Nora Sommers. Daar stond ik van te kijken. Het kantoor van de president-directeur was amper een meter groter dan mijn eigen armzalige kamertje. Ik liep er eerst voorbij, want ik dacht dat ik verkeerd was. Maar de naam – AUGUSTINE GODDARD – stond op een koperen plaatje op zijn deur, en hijzelf stond trouwens bij die deur met zijn secretaresse te praten. Hij droeg een van zijn zwarte coltruien, geen jasje, en had een zwarte leesbril op. De vrouw met wie hij praatte, waarschijnlijk Florence, was een grote zwarte vrouw in een schitterend zilvergrijs pakje. Ze had grijze strepen als van een stinkdier in haar haar, één aan elke kant van haar hoofd, en zag er geducht uit.

Ze keken allebei op toen ik eraan kwam. De vrouw had geen idee wie ik was, en Goddard wist dat ook niet meteen, maar toen herkende hij me – het was de dag na de grote bijeenkomst – en zei: 'O, meneer Cassidy, geweldig, dank u voor uw komst. Kan ik u iets te drinken halen?'

'Nee, dank u,' zei ik. Toen herinnerde ik me Boltons advies en zei: 'Nou, misschien wat water.' Van dichtbij leek hij nog kleiner en krommer. Zijn beroemde kaboutergezicht, de dunne lippen, de twinkelende ogen – het leek allemaal precies op de Halloween-maskers van Jock Goddard die een van de afdelingen voor het bedrijfs-Halloween van vorig jaar had gemaakt. Ik had hem aan de wand van iemands kamer zien hangen. Iedereen van die afdeling droeg zo'n masker en voerde een of andere parodie op.

Flo gaf hem een lichtbruine map – ik zag dat het mijn HR-dossier was – en hij zei tegen haar dat ze alle telefoontjes moest tegenhouden en leidde me zijn kantoor in. Ik wist absoluut niet wat hij wilde en had bij voorbaat al een slecht geweten. Ik bedoel, ik had door het bedrijf van die kerel geslopen en spionagewerk gedaan. Zeker, ik was voorzichtig geweest, maar ik had ook een paar fouten gemaakt.

Maar zou het echt iets slechts zijn? De president-directeur zwaait nooit zelf met de bijl; daar heeft hij altijd zijn beulen voor. Toch vroeg ik het me onwillekeurig af. Ik was belachelijk nerveus en het lukte me niet dat verborgen te houden.

Hij maakte een klein koelkastje open dat in een kast verborgen zat en gaf me een flesje Aquafina. Toen ging hij achter zijn bureau zitten en leunde in zijn hoge leren stoel achterover. Ik nam een van de stoelen aan de andere kant van het bureau. Ik keek om me heen, zag een foto van een onopvallende vrouw van wie ik aannam dat ze zijn echtgenote was, want ze was van ongeveer zijn leeftijd. Ze zag er gewoontjes uit, met wit haar en opvallend veel rimpels (Mordden had haar de shar-pei genoemd), en ze droeg een drievoudig parelsnoer in Barbara Bush-stijl, waarschijnlijk om de kwabben onder haar kin te camoufleren. Ik vroeg me af of Nick Wyatt, die zo jaloers op Jock Goddard was dat je gerust van een obsessie kon spreken, wist bij wie Augustine Goddard elke avond thuiskwam. Wyatts sletjes werden elke paar nachten afgewisseld en hadden allemaal tieten als een Playboy-model; dat was een functievereiste.

Een hele plank werd in beslag genomen door ouderwetse blikken automodellen, convertibles met grote staartvinnen en vloeiende lijnen, een paar oude Divco-melkwagens. Het waren modellen uit de jaren veertig en vijftig, waarschijnlijk uit de tijd dat Jock Goddard een kind en een jongeman was.

Hij zag dat ik ernaar keek en vroeg: 'Wat rij je?'

'Rijd?' Ik begreep eerst niet waar hij het over had. 'O, een Audi A6.'

'Audi.' Hij herhaalde het alsof het een buitenlands woord was. En dat was het misschien ook wel. 'Hij bevalt je?'

'Ja, dat gaat wel.'

'Ik zou hebben gedacht dat je in een Porsche 911 reed, of minstens een Boxster, of zoiets. Een kerel als jij.'

'Ik ben niet zo'n autogek,' zei ik. Dat was een antwoord waarover ik had nagedacht, geef ik toe. Ik hield bewust de boot af. Wyatts *consigliere*, Judith Bolton, had zelfs een deel van een sessie aan een gesprek over auto's besteed, opdat ik in de bedrijfscultuur van Trion zou passen, maar ik had sterk het gevoel dat ik daar in een één-op-ééngesprek niet ver mee zou komen. Ik kon het onderwerp beter helemaal vermijden.

'Ik dacht dat iedereen bij Trion gek was op auto's,' zei Goddard. Ik kon zien dat hij dat niet serieus bedoelde. Hij dreef de spot met de slaafsheid van zijn volgelingen. Dat stond me wel aan.

'In elk geval iedereen met ambitie,' zei ik grijnzend.

'Nou, weet je, auto's zijn mijn enige extravagantie, en daar is een reden voor. In het begin van de jaren zeventig, toen Trion naar de beurs ging en ik meer geld verdiende dan ik kon uitgeven, kocht ik op een dag een boot van twintig meter. Ik was verrekte blij met die boot, tot ik een boot van vijfentwintig meter in de jachthaven zag liggen. Vijf meter langer, verdomme. En toen ging er iets door me heen. Mijn competitieve instinct was gewekt. Plotseling had ik het gevoel – o, ik weet dat het kinderachtig is, maar ik kon het niet helpen – ik moest een grotere boot kopen. En wat denk je dat ik deed?'

'Een grotere boot kopen.'

'Nee. Ik had met gemak een grotere boot kunnen kopen, maar dan zou er altijd een of andere klootzak met een nog grotere boot zijn geweest En wie is dan de echte klootzak? Ik. Op die manier kun je niet winnen.'

Ik knikte.

'En dus verkocht ik dat verrekte ding. De volgende dag. Het enige dat het ding drijvend hield, was fiberglas en jaloezie.' Hij grinnikte. 'Daarom heb ik dit kleine kantoor. Als het kantoor van de baas hetzelfde is als dat van alle andere managers, krijgen we hier in de firma tenminste niet veel jaloezie omdat de een meer vierkante meters heeft dan de ander. Mensen zullen altijd met elkaar wedijveren om te zien wie de grootste heeft – laten ze zich maar op iets anders richten. Zo, Elijah, dus je werkt hier nog maar kort.'

'Eigenlijk heet ik Adam.'

'Verdomme, dat zeg ik steeds fout. Sorry. Adam. Adam. Nu heb ik het.' Hij boog zich in zijn stoel naar voren, zette zijn leesbril op en keek in mijn HR-dossier. 'We hebben je bij Wyatt weggekaapt, en daar heb je de Lucid gered.'

'Ik heb de Lucid niet "gered", meneer Goddard.'

'Bespaar me je valse bescheidenheid.'

'Ik ben niet bescheiden. Ik geef de feiten weer.'

Hij glimlachte alsof hij mij wel komisch vond. 'Wat vind je van Trion in vergelijking met Wyatt? O, vergeet maar dat ik dat vroeg. Ik zou niet willen dat je daar antwoord op geeft.'

'Dat geeft niet. Ik wil er best iets over zeggen,' zei ik, een en al tegemoetkomendheid. 'Het bevalt me hier wel. Het is opwindend. Ik hou van de mensen hier.' Ik dacht een fractie van een seconde na en besefte hoe slijmerig het klonk, hoe volslagen onzinnig. 'Nou ja, van de meesten.'

Zijn kabouteroogjes twinkelden. 'Je hebt het eerste salarispakket geaccepteerd dat we je hebben aangeboden,' zei hij. 'Een jongeman met jouw kwalificaties, jouw staat van dienst, had kunnen onderhandelen om er veel meer uit te slepen.'

Ik haalde mijn schouders op. 'Ik vond het een interessante kans.'

'Misschien, maar ik leid daaruit af dat je daar verdomd graag weg wilde.'

Dat maakte me nerveus, en trouwens, ik wist dat Goddard wilde dat ik discreet was. 'Ik denk dat ik me bij Trion meer op mijn gemak voel.'

'Je krijgt hier de kansen waarop je had gehoopt?'

'Ja.'

'Paul, mijn financieel directeur, vertelde me wat je over GoldDust hebt gezegd. Je hebt blijkbaar bronnen.'

'Ik sta in contact met vrienden.'

'Adam, ik stel je ideeën over de vernieuwing van Maestro op prijs, maar ik ben bang dat het te veel tijd gaat kosten om het beveiligde encryptieprotocol toe te voegen. Reken maar dat het Pentagon onmiddellijk prototypes wil hebben die al werken.'

'Geen probleem,' zei ik. De details lagen nog zo vers in mijn geheugen alsof ik had zitten blokken voor een tentamen organische chemie. 'Kasten Chase heeft het RASP-beveiligingsprotocol voor toegangsgegevens al ontwikkeld. Ze hebben hun Fortezza-*cryptocard*, hun beveiligde Palladium-modem – de hardware- en softwareoplossingen zijn al ontwikkeld. Misschien zijn er twee maanden voor nodig om ze in de Maestro te verwerken. Lang voordat we het contract krijgen, hebben we het voor elkaar.'

Goddard schudde verbijsterd met zijn hoofd. 'De hele markt is veranderd. Alles is e-dit en i-dat, en alle technologie komt samen. Dit is de tijd van alles-in-één. De consumenten willen niet een televisie én een videorecorder én een fax en een computer én een stereo-installatie én een telefoon en noem maar op.' Hij keek me vanuit zijn ooghoek aan. Blijkbaar lanceerde hij het idee om te kijken wat ik ervan vond. 'In de toekomst zullen al die producten samenvallen. De toekomst is aan de convergentie. Denk je ook niet?'

Ik keek sceptisch, haalde diep adem en zei: 'Als ik eerlijk moet zijn... Nee.'

Na een korte stilte glimlachte hij. Ik had mijn huiswerk gedaan. Ik had de tekst gelezen van enkele informele opmerkingen die Goddard een jaar eerder in Palo Alto op een van die congressen over de toekomst van de technologie had gemaakt. Hij was toen van leer getrokken tegen het 'geniepige featurisme,' zoals hij het noemde, en ik had die opmerkingen uit mijn hoofd geleerd om ze misschien nog eens op een Trion-bijeenkomst te berde te kunnen brengen.

'Waarom niet?'

'Het is alleen maar een fixatie op features. Er worden allerlei snufjes toegevoegd en dat gaat ten koste van het gebruiksgemak, de eenvoud, de elegantie. Ik denk dat we er allemaal genoeg van krijgen om op zesendertig knoppen van tweeëntwintig afstandsbedieningen te drukken als we het journaal willen zien. Ik denk dat veel mensen zich al kapot ergeren aan dat lichtje met CONTROLEER MOTOR dat aangaat in je auto, vooral omdat je niet zomaar even de kap omhoog kunt trekken om zelf te kijken. Je moet met je auto naar een gespecialiseerde monteur met een diagnostische computer en een ingenieursdiploma van het MIT.'

'Zelfs wanneer je een autogek bent,' zei Goddard met een zuur glimlachje.

'Zelfs dan. Daar komt nog bij dat die convergentie alleen maar een mythe is, een modewoord dat gevaarlijk kan worden als je het serieus neemt. Slecht voor de zaken. Canons faxtelefoon was een flop – een middelmatige fax en een nog slechtere telefoon. Ik kan me ook niet voorstellen dat de wasmachine convergeert met de droger, of de magnetron met het gasfornuis. Ik wil geen combinatie van magnetron-koelkast-fornuis-televisie als ik alleen maar iets nodig heb om mijn cola koud te houden. Vijftig jaar nadat de computer is uitgevonden, is hij geconvergeerd met... Wat? Met niets. Als ik het goed zie, is al die onzin over convergentie alleen maar een herhaling van de *jackalope*.'

'De wát?'

'De jackalope: een mythische creatie van een of andere gekke preparateur, een combinatie van twee dieren: de jackrabbit, of prairiehaas, en de antilope. In het westen van het land staan ze overal op ansichtkaarten.'

'Jij legt je woorden niet op een goudschaaltje, hè?'

'Niet als ik overtuigd ben van mijn gelijk.'

Hij legde het HR-dossier neer en leunde weer in zijn stoel achterover. 'En het zicht vanaf drieduizend meter hoogte?'

'Pardon?'

'Trion als geheel. Heb je daar ook duidelijke meningen over?'

'Ja, een paar.'

'Laat eens horen.'

Wyatt liet altijd competitieve analyses van Trion uitvoeren, en die had ik uit mijn hoofd geleerd. 'Nou, Trion Medische Systemen is een redelijk uitgebreide portefeuille, met de beste technologieën op de terreinen van magnetische resonantie, nucleaire geneeskunde en ultrasoontechnieken, maar het is een beetje zwak in service-opzicht, bijvoorbeeld als het op het management van patiëntenvoorlichting en het activabeheer aankomt.'

Hij glimlachte en knikte. 'Akkoord. Ga verder.'

'De divisie Zakelijke Oplossingen van Trion is absoluut onder de maat – dat hoef ik u niet te vertellen – maar u hebt daar de meeste elementen voor een belangrijke marktpenetratie, vooral op het gebied van IP-based en circuit-switched stem- en ethernetdatadiensten. Ja, ik weet dat het niet zo goed gaat met de vezeloptiek, maar breedbanddiensten hebben de toekomst, dus we moeten volhouden. De divisie Lucht- en Ruimtevaart heeft een paar moeilijke jaren achter de rug, maar is nog steeds een schitterende portefeuille van embedded computingproducten.'

'Maar Consumentenelektronica dan?'

'Dat is natuurlijk onze kerncompetentie. Daarom ben ik daar gaan werken. Ik bedoel, onze beste dvd-spelers zijn stukken beter dan die van Sony. Het gaat goed met onze draadloze telefoons; dat is altijd al zo geweest. Onze mobiele telefoons zijn moorddadig goed – we beheersen de markt. Wij hebben de naam – we kunnen dertig procent meer voor onze producten vragen, alleen omdat er Trion op het etiket staat. Maar er zijn gewoon veel te veel zwakke plekken.'

'Zoals?'

'Nou, het is absurd dat we niets hebben dat tegen de Blackberry op kan. Draadloze communicatieapparatuur zou ons speelterrein moeten zijn. In plaats daarvan lijkt het wel of we RIM en Handspring en Palm vrij spel geven. We hebben behoefte aan steengoeie hippe draadloze apparaten.'

'Daar werken we aan. We hebben een erg interessant product op stapel staan.'

'Ik ben blij dat te horen,' zei ik. 'Ik heb echt het gevoel dat we de boot missen als het aankomt op de technologie en producten voor het overdragen van digitale muziek en video via het internet. We zouden ons op onderzoek en ontwikkeling in die richting moeten concentreren, eventueel in samenwerking met andere bedrijven. Daar liggen enorme mogelijkheden.'

'Ik denk dat je gelijk hebt.'

'En neemt u me niet kwalijk dat ik het zeg, maar ik vind het nogal pathetisch dat we geen serieuze productlijn hebben die op kinderen is gericht. Kijk maar naar Sony – hun PlayStation kan al enkele jaren verschil maken tussen rode inkt en zwarte inkt. De vraag naar computers en home-elektronica zakt elke paar jaar even in. We vechten tegen elektronicafabrikanten in Zuid-Korea en Taiwan, we voeren prijzenoorlogen met LCD-monitors en digitale videodecks en mobiele telefoons – dat is nu eenmaal een gegeven. En dus zouden we aan kinderen moeten verkopen – want kinderen trekken zich niets van de recessie aan. Sony heeft zijn PlayStation, Microsoft heeft zijn Xbox, Nintendo de GameCube, maar wat hebben wij op het gebied van videospelen? Nul komma nul. Dat is een gróte zwakte in een productlijn die op consumenten is gericht.'

Het was me opgevallen dat hij weer rechtop zat, en hij had nu een cryptische glimlach op zijn gerimpelde gezicht. 'Zou je er iets voor voelen om de vernieuwing van de Maestro in gang te zetten?'

'Dat is Nora's terrein. Eerlijk gezegd zou ik me daar niet prettig bij voelen.'

'Je zou aan haar rapporteren.'

'Ik weet niet of ze dat leuk zou vinden.'

Zijn grijns werd schever. 'Ze komt er wel overheen. Nora weet waar haar brood met beleg vandaan komt.'

'Natuurlijk zal ik u niet tegenspreken, maar ik denk dat het misschien slecht is voor het moreel.'

'Nou, zou je er dan iets voor voelen om voor mij te komen werken?'

'Dat doe ik toch al?'

'Ik bedoel hier, op de zesde verdieping. Speciaal assistent van de president-directeur, belast met de strategie voor nieuwe producten. Ook verantwoordelijk voor de eenheid Geavanceerde Technologie. Ik geef je een kantoor hier op de gang. Maar niet groter dan het mijne, begrijp me goed. Geïnteresseerd?'

Ik kon mijn oren bijna niet geloven. Het leek wel of ik van opwinding en zenuwen uit elkaar barstte.

'Ja. Ik zou rechtstreeks aan u rapporteren?'

'Ja. Nou, zijn we het eens?'

Ik keek hem met een vaag glimlachje aan. Wie A zegt... dacht ik. 'Ik denk dat meer verantwoordelijkheid ook een hoger salaris met zich meebrengt, vindt u ook niet?'

Hij lachte. 'O, ja?'

'Ik zou graag de extra vijftigduizend dollar willen hebben waarom ik had moeten vragen toen ik hier begon. En daarbovenop zou ik veertigduizend dollar in opties willen hebben.'

Hij lachte weer, een robuuste lach die wilde zeggen: ho-ho. 'Jij hebt lef, jongeman.'

'Dank u.'

'Ik zal je wat vertellen. Ik doe er geen vijftigduizend bij. Ik geloof niet in geleidelijke verhogingen. Ik ga je salaris verdúbbelen. Plús voor veertigduizend aan opties. Op die manier voel je je gedwongen om je voor mij uit de naad te werken.'

Ik beet op mijn lip om te voorkomen dat mijn mond openviel. Jezus!

'Waar woon je?' vroeg hij.

Ik vertelde het hem.

Hij schudde zijn hoofd. 'Niet geschikt voor iemand van jouw niveau. Bovendien ga je lange uren maken, en ik wil niet dat je 's morgens drie kwartier in de auto zit en 's avonds opnieuw. Je zult 's avonds laat doorwerken, dus ik wil dat je hier in de buurt komt wonen. Waarom neem je niet een van die appartementen in de Harbor Suites? Dat kun je je nu permitteren. We hebben iemand in de Executive-staf van Trion die zich in huisvesting van managers specialiseert. Ze vindt wel iets leuks voor je.'

Ik slikte. 'Dat klinkt goed,' zei ik. Ik had moeite om een nerveus grinniklachje te onderdrukken.

'Zeg, je zei dat je geen autogek bent, maar die Audi... Het zal heus wel een mooie auto zijn, maar waarom neem je niet iets leuks? Ik vind dat een man van zijn auto moet houden. Wil je het niet eens proberen? Ik bedoel, je moet niet overdrijven, maar iets léúks. Flo kan het wel voor je regelen.'

Bedoelde hij dat hij me een áúto gaf? Grote goden.

Hij stond op. 'Nou, doe je mee?' Hij stak zijn hand uit.

Ik schudde die hand. 'Ik ben niet achterlijk,' zei ik opgewekt.

'Nee, dat is duidelijk. Nou, welkom in het team, Adam. Ik verheug me op onze samenwerking.'

Ik strompelde zijn kantoor uit en ging naar de liften, met mijn hoofd in de wolken. Ik kon bijna niet rechtop lopen.

En toen riep ik mezelf tot de orde. Ik herinnerde mezelf eraan waarom ik daar was, wat mijn werkelijke baan was – hoe ik daar was gekomen, in Goddards kantoor. Ik was ver, ver boven mijn capaciteiten gepromoveerd.

Niet dat ik ook nog maar enigszins wist wat mijn capaciteiten waren.

36

Ik hoefde niemand het nieuws te vertellen: het wonder van de e-mail en de instant messaging had die taak van me overgenomen. Toen ik in mijn kamer terug was, wist de hele afdeling er al van. Blijkbaar was Goddard iemand die onmiddellijk de daad bij het woord voegde.

Zodra ik met hoge nood in de herentoiletten was aangekomen, kwam Chad binnenstormen en trok hij zijn rits los in het urinoir naast me. 'Hé, zijn die geruchten waar?'

Ik keek geërgerd naar de tegelwand. Ik moest echt dringend pissen. 'Welke geruchten?'

'Ik neem aan dat gelukwensen op hun plaats zijn.'

'O, dat. Nee, het is nog wat te vroeg voor gelukwensen. Maar evengoed bedankt.' Ik keek naar het kleine automatische doorspoeling dat aan het American Standard-urinoir was bevestigd. Ik vroeg me af wie dat had uitgevonden, en of die er rijk van was geworden en of ze in zijn familie grappen maakten over het familiefortuin dat dankzij de plee tot stand was gekomen. Ik wou dat Chad eens wegging.

'Ik heb je onderschat,' zei hij, terwijl hij een krachtige stroom loosde. Intussen bedreigde mijn eigen inwendige Colorado River de Hoover Dam.

'O, ja?'

'Ja. Ik wist wel dat je goed was, maar niet hoe goed. Ik heb je te kort gedaan.'

'Ik heb geluk,' zei ik. 'Of misschien heb ik alleen maar een grote mond en stelt Goddard dat om de een of andere reden op prijs.'

'Nee, dat denk ik niet. Je hebt een verdomd goed contact met de ouwe. Je weet precies op welke knoppen je moet drukken. Ik wed dat jullie twee niet eens hoeven te praten. Zo goed ben je. Ik ben onder de indruk, jongen. Ik weet niet hoe je het hebt klaargespeeld, maar ik ben erg onder de indruk.'

Hij trok zijn rits dicht en sloeg me op de schouder.

'Mag ik je geheim eens horen?' zei hij, maar hij wachtte niet op een antwoord.

Toen ik in mijn kamer terug was, stond Noah Mordden daar naar de boeken op de archiefkast te kijken. Hij had iets in geschenkverpakking bij zich. Zo te zien was het een boek.

'Cassidy,' zei hij. 'Ons eigen studentje Widmerpool.'

'Sorry?' Die kerel ook, met zijn eeuwige cryptische verwijzingen.

'Ik wil je dit geven,' zei hij.

Ik bedankte hem en maakte het pakje open. Het was een boek, een oud exemplaar dat naar schimmel rook. Op het stofomslag stond in reliëfletters *Sun Tzu over De Kunst van de Oorlogvoering*.

'Het is de vertaling van Lionel Giles uit 1910,' zei hij. 'De beste, denk ik. Geen eerste druk, die zijn bijna niet meer te krijgen, maar wel een vroege uitgave.'

Ik was ontroerd. 'Wanneer had je de tijd om dit te kopen?'

'Vorige week, on line. Ik was niet van plan het als afscheidscadeau te geven, maar dat is het toch geworden. In elk geval heb je nu geen excuus.'

'Dank je,' zei ik. 'Ik zal het lezen.'

'Doe dat. Ik denk dat je er nu meer dan ooit behoefte aan hebt. Denk maar eens aan de Japanse *kotowaza*: "De spijker die naar boven steekt wordt neergehamerd." Je mag blij zijn dat je uit Nora's invloedssfeer verdwijnt, maar als je in een organisatie te snel stijgt, brengt dat gevaren met zich mee. Arenden kunnen hoog vliegen, maar eekhoorns worden niet in straalmotoren gezogen.'

Ik knikte. 'Daar zal ik aan denken,' zei ik.

'Ambitie is een nuttige eigenschap, maar je moet je altijd indekken,' zei hij.

Het was duidelijk dat hij op iets zinspeelde – hij móést me wel uit Nora's kantoor hebben zien komen – en dat maakte me doodsbang. Hij speelde een sadistisch spel met me, als een kat met een muis.

Nora ontbood me per e-mail in haar kantoor en ik zette me schrap voor een tirade. 'Adam,' riep ze toen ik eraan kwam. 'Ik heb net het nieuws gehoord.'

Ze glimlachte. 'Ga zitten, ga zitten. Ik ben zó blij voor je. En misschien moet ik je dit niet vertellen, maar ik vind het ook geweldig dat ze mijn enthousiasme voor jou serieus hebben genomen. Want weet je, soms luisteren ze niet.'

'Dat weet ik.'

'Maar ik heb ze verzekerd: als jullie dit doen, krijgen jullie daar geen spijt van. Adam heeft het in zich, zei ik tegen ze, hij gaat net iets verder dan een ander. Ik geef jullie mijn woord. Ik kén hem.'

Ja, dacht ik, jij denkt dat je me kent. Je hebt geen idee.

'Ik merkte dat je niet veel voor die overplaatsing voelde, en dus heb ik een paar telefoontjes gepleegd,' zei ze. 'Ik ben zo blij dat het goed gekomen is.'

Ik zei daar niets op. Ik vroeg me af wat Wyatt zou zeggen als hij het hoorde.

37

'Godskelere,' zei Nicholas Wyatt.

Gedurende een fractie van een seconde was zijn gladde, zelfverzekerde, diep gebruinde pantser van arrogantie opengebarsten. Hij keek me aan met een blik die op de rand van respect balanceerde. Bijna. In ieder geval had ik Wyatt nog niet zo gezien, en ik keek er met plezier naar.

'Je neemt me in de zeik.' Hij bleef me aankijken. 'Ik hoop voor jou dat dit geen grap is.' Ten slotte wendde hij zijn ogen af, en dat was een hele opluchting. 'Dit is gewoon niet te geloven.'

We zaten in zijn privévliegtuig, maar het ging nergens heen. We wachtten tot zijn nieuwste vriendinnetje kwam opdagen, dan konden ze samen naar Hawaï vertrekken, waar hij een huis in Hualahai had. We zaten daar met zijn drieën: Wyatt, Arnold Meacham en ik. Ik had nog nooit in een privévliegtuig gezeten, en dit was een erg mooi toestel, een Gulfstream G-IV met een cabine van vier meter breed en zo'n twintig meter lang. Ik had nog nooit zoveel lege ruimte in een vliegtuig gezien. Je kon hier zowat voetballen. Er waren niet meer dan tien zitplaatsen, en verder waren er een afzonderlijke vergaderkamer en twee grote badkamers met douches.

Geloof me, ik ging niet mee naar Hawaï. Ik mocht alleen maar even rondkijken. Meacham en ik zouden uitstappen voordat het vliegtuig opsteeg. Wyatt droeg een zwart zijden overhemd. Ik hoopte dat hij huidkanker kreeg.

Meacham glimlachte naar Wyatt en zei rustig: 'Briljant idee, Nick.'

'Alle eer aan Judith,' zei Wyatt. 'Zij kwam in eerste instantie met het idee.' Hij schudde langzaam met zijn hoofd. 'Maar zelfs zij heeft dit vast niet zien aankomen.' Hij pakte zijn mobieltje en drukte op twee toetsen.

'Judith,' zei hij. 'Onze jongen werkt nu rechtstreeks voor de grote baas. Speciaal assistent van de president-directeur.' Hij zweeg even en glimlachte naar Meacham. 'Ik neem je niet in de maling.' Weer een korte stilte. 'Judith, liefje, ik wil dat je onze jongeman hier een spoedcursus geeft.' Stilte. 'Ja, nou, natuurlijk heeft dit de hoogste prioriteit. Ik wil dat Adam die kerel vanbinnen en vanbuiten leert kennen. Ik wil dat hij de beste speciale assistent is die Goddard ooit heeft gehad. Ja.' En met een pieptoon kwam er een eind aan het telefoongesprek. Toen keek hij mij weer aan en zei: 'Jij hebt zojuist je hachje gered, vriend. Arnie?'

Meacham keek alsof hij op dit moment had gewacht. 'We hebben alle AURORA-namen nagetrokken die je ons hebt gegeven,' zei hij somber. 'Niet één van die namen leverde iets op.'

'Wat bedoel je?' vroeg ik. God, wat had ik de pest aan die kerel.

'Geen sofinummers, niets. Neem ons niet in de maling, jongen.'

'Waar heb je het over? Ik heb ze rechtstreeks uit de Trion-directory op de interne website gedownload.'

'Ja, nou, het zijn geen echte namen, lul. De namen van administratieve medewerkers zijn echt, maar de namen van de onderzoeksdivisie zijn blijkbaar valse namen. Zo diep zitten ze begraven; ze zetten niet eens hun echte naam op de website. Ik heb nog nooit van zoiets gehoord.'

'Dat klinkt niet goed,' zei ik hoofdschuddend.

'Ben je wel eerlijk tegen ons?' zei Meacham. 'Want als je dat niet bent, zullen we je vermorzelen.' Hij keek Wyatt aan. 'Hij heeft dat met die personeelsgegevens totaal verknoeid. Dat heeft helemaal niks opgeleverd.'

'Die gegevens zijn wég, Arnold,' wierp ik tegen. 'Verwijderd. Ze zijn uiterst voorzichtig.'

'Wat heb je over die meid ontdekt?' vroeg Wyatt.

Ik glimlachte. 'Ik ontmoet die "meid" volgende week.'

'Je gaat met haar uit?'

Ik haalde mijn schouders op. 'Die vrouw is in me geïnteresseerd. Ze werkte aan AURORA. Ze vormt een directe schakel met het skunkwerk.'

Tot mijn verbazing knikte Wyatt alleen maar. 'Mooi.'

Meacham scheen aan te voelen uit welke hoek de wind waaide. Hij had zich erin vastgebeten dat ik de HR-operatie had verknoeid, en dat de AURORA-namen op de interne website van Trion om de een of andere reden vals waren. Zijn baas concentreerde zich echter op de dingen die goed waren gegaan, op de verbazingwekkende nieuwe ontwikkeling, en Meacham wilde niet uit de pas lopen. 'Je krijgt nu toegang tot Goddards kantoor,' zei hij. 'Daar kun je allerlei apparaatjes aanbrengen.'

'Dit is zo verdomd ongelooflijk,' zei Wyatt.

'Ik vind niet dat we hem zijn oude Wyatt-salaris hoeven te betalen,' zei Meacham. 'Niet met wat hij nu bij Trion verdient. Jezus, die verrekte vlieger verdient meer dan ík.'

Wyatt keek geamuseerd. 'Nee, we hebben een afspraak gemaakt.'

'Hoe noemde je mij?' vroeg ik aan Meacham.

'We lopen een veiligheidsrisico als we geld van de onderneming naar een rekening van die jongen overmaken, ook als het met een omweg gebeurt,' zei Meacham tegen Wyatt.

'Je noemde me een "vlieger",' drong ik aan. 'Wat betekent dat nou weer?'

'Ik dacht dat het niet na te trekken was,' zei Wyatt tegen Meacham.

'Wat is een "vlieger"?' zei ik. Ik was een hond met een bot; ik liet dit niet los, of Meacham zich daar nu aan ergerde of niet.

Meacham luisterde niet eens, maar Wyatt keek me aan en mompelde: 'Dat is een term uit de bedrijfsspionage. Een vlieger is een "speciale adviseur" die de inlichtingen verzamelt op alle manieren die noodzakelijk zijn, degene die er zelf op afgaat.'

'Vlieger?' zei ik.

'Je laat een vlieger opstijgen, en als hij in een boom blijft steken, knip je gewoon het touw door,' zei Wyatt. 'Geloofwaardige ontkenbaarheid – heb je daar ooit van gehoord?'

'Het touw doorknippen,' herhaalde ik met doffe stem. In zekere zin zou ik dat helemaal niet erg vinden, want dat touw hield me in feite gevangen. Maar ik wist dat ze me in zo'n geval niet hoog en droog in de boom zouden laten zitten.

'Als het misgaat,' zei Wyatt. 'Als je zorgt dat de dingen niet misgaan, hoeft niemand het touw door te knippen. Zeg, waar is dat kreng? Als ze er niet over twee minuten is, stijg ik zonder haar op.'

38

En toen deed ik iets wat volslagen krankzinnig was, maar het gaf me wel een geweldig goed gevoel. Ik ging op pad en kocht een Porsche van negentigduizend dollar.

Er was een tijd geweest waarop ik zulk geweldig nieuws zou hebben gevierd door me te bezatten. Ik zou me te buiten zijn gegaan aan champagne of aan een paar cd's. Maar ik speelde nu in een heel andere divisie. Ik vond het wel een prettig idee om mijn banden met Wyatt door te knippen door de Audi voor een Porsche in te wisselen, met de lease-complimenten van Trion.

Ooit bij een Porsche-dealer geweest? Het is wel even wat anders dan een Honda Accord kopen, hè? Je kunt niet zomaar naar binnen lopen en om een testrit vragen. Je moet eerst een heel ritueel afwerken. Je moet een formulier invullen, ze willen praten over de redenen van je komst, wat voor werk je doet, wat je waard bent.

En er zijn ook zoveel opties dat het je duizelt. Je wilt bi-xenon-koplampen? Een instrumentenpaneel van Arctic Silver? Je wilt gewoon leer of soepel leer? Je wilt Sport Design-wielen, of Sport Classic-wielen? Of Turbo-Look 1-wielen?

Ik wilde een Porsche, en ik wilde niet vier tot zes maanden wachten tot ze er in Stuttgart-Zuffenhausen speciaal voor mij eentje hadden gebouwd. Ik wilde er zo mee wegrijden. Ik wilde hem nú hebben. Ze hadden maar twee 911 Carrera coupés op het terrein staan, eentje in Guards Red en eentje in metallic Basalt Black. Het kwam aan op de stiksels van het leer. De rode auto had zwart leer dat als skai aanvoelde, en tot overmaat van ramp ook nog rode stiksels, en dat vond ik nogal ordinair en cowboyachtig. Daarentegen had het Basalt Black-model een geweldig interieur van soepel Natural Brown-leer, met een leren versnellingspook en een dito stuur. Meteen toen ik van de testrit terug was, zei ik dat ik hem nam. Misschien had de verkoper me ingeschat als het type dat alleen maar kwam kijken of uiteindelijk de trekker niet zou kunnen overhalen, maar ik nam hem, en de man verzekerde me dat het een verstandige beslissing was. Hij bood me zelfs aan om iemand de geleasde Audi naar de Audi-dealer terug te laten brengen – volkomen naadloos.

Het was of ik een straaljager bestuurde. Als je op het gas trapte, klónk het zelfs als een 767. Driehonderdtwintig pk, van nul tot honderd in vijf komma nul seconden, een ongelooflijke power. Hij brulde het uit. Ik stak mijn nieuwste favoriete gebrande cd in de speler en liet de Clash, Pearl Jam en Guns 'N Roses uit de speakers dreunen, terwijl ik naar mijn werk vloog. Dat alles gaf me het gevoel dat alles zo goed ging als het maar kon.

Al voordat ik in mijn nieuwe kantoor trok, wilde Goddard dat ik nieuwe woonruimte zocht, dichter bij het Trion-gebouw. Ik had geen zin om hem tegen te spreken; ik had allang naar iets anders moeten omzien.

Zijn mensen maakten het me gemakkelijk om het krot waar ik zo lang had gewoond achter te laten en te verhuizen naar een nieuw appartement op de achtentwintigste verdieping van de zuidelijke toren van de Harbor Suites. Beide torens bevatten zo'n honderdvijftig appartementen, variërend van studio's tot vierkamerflats. De torens stonden boven op het duurste hotel uit de omgeving, waarvan het restaurant de hoogste klassering kreeg in *Zagat's*.

Het appartement had zo in een fotoreportage in *In Style* kunnen staan. Het was ongeveer tweehonderd vierkante meter groot, met een plafond van drieëneenhalve meter hoog, en vloeren van natuursteen en hardhouten parket. Er waren een 'master-slaapkamer' en een 'bibliotheek', die ook als slaapkamer kon fungeren, een formele eetkamer en een gigantische huiskamer.

Er waren ramen van vloer tot plafond, en die boden het schitterendste uitzicht dat ik ooit had gezien. De huiskamer zelf keek in de ene richting uit over de stad, die beneden uitgespreid lag, en in de andere richting over het water.

De eetkeuken leek net een showroomopstelling van een duur keukenontwerpbedrijf, met alle welluidende merken: een Sub-Zero-koelkast, een Miele-vaatwasmachine, een Viking-fornuis, zowel op gas als op elektriciteit, kastjes van Poggenpohl, granieten werkbladen en zelfs een ingebouwde 'wijngrot'.

Niet dat ik die keuken ooit nodig zou hebben. Als je voor 'binnenshuis dineren' koos, hoefde je alleen maar de wandtelefoon in de keuken op te pakken en op een knop te drukken. Je kon dan een room-service-maaltijd van het hotel laten komen. Het was zelfs mogelijk om een kok van het hotelrestaurant naar boven te laten komen, zodat hij het eten kon klaarmaken voor jou en je gasten.

Er was een immens, geavanceerd fitnesscentrum van tienduizend vierkante meter, waar veel rijke mensen die hier niet woonden gingen trainen of squashen of aan taoïstische yoga deden, gevolgd door een sauna en ijsdrankjes in het cafetaria.

Je hoefde niet eens zelf je auto te parkeren. Je reed naar de voorkant van het gebouw en een personeelslid zette hem ergens voor je neer. Als je hem terug wilde hebben, belde je even naar beneden.

De liften vlogen met zo'n supersonische snelheid op en neer dat je oren ervan plopten. Ze hadden mahoniehouten wanden en een marmeren vloer en waren ongeveer zo groot als mijn vroegere woning.

De beveiliging was hier ook veel beter. Wyatts gangsters zouden hier niet zo gemakkelijk kunnen inbreken om mijn spullen te doorzoeken. Dat vond ik wel een prettig idee.

Er was geen Harbor Suites-appartement van minder dan een miljoen dollar, en dat van mij kostte meer dan twee miljoen, maar ik kreeg het voor niets, met de complimenten van Trion Systems, inclusief meubilair.

De verhuizing was een pijnloze aangelegenheid, want ik behield bijna niets uit mijn vorige woning. Het Leger des Heils kwam de lelijke oude geruite bank ophalen, en ook de formica keukentafel, het bed en matras, alle overige troep, zelfs het lelijke oude bureau. Er viel rotzooi uit de bank toen ze hem wegsjouwden – vloeitjes, hasjpeuken, allerlei toebehoren van softdrugsgebruik. Ik behield mijn computer, mijn kleren en de zwarte gietijzeren braadpan van mijn moeder (om sentimentele redenen, want ik gebruikte hem nooit). Ik zette al mijn spullen in de Porsche. Daaruit blijkt hoe weinig het was, want de Porsche had bijna geen bagageruimte. Al het meubilair bestelde ik (op aanraden van de makelaar) bij die dure meubelzaak Domicile: grote, gecapitonneerde banken die je helemaal konden opslokken, bijpassende fauteuils, een eettafel en stoelen die eruitzagen alsof ze uit Versailles kwamen, een kolossaal bed met ijzeren stangen, Perzische kleedjes. Een superduur Dux-matras. Alles. Het kostte een kapitaal, maar ach – ik hoefde het niet zelf te betalen.

Domicile was net bezig al het meubilair af te leveren toen de portier, Carlos, naar boven belde met de mededeling dat er beneden een bezoeker voor me was, de heer Seth Marcus. Ik zei tegen hem dat hij Seth naar boven kon sturen.

De voordeur stond al open voor de meubelbezorgers, maar Seth belde toch aan en bleef in de hal staan. Hij droeg een T-shirt van Sonic Youth en een gescheurde Diesel-spijkerbroek. Zijn anders zo levendige, bijna maniakale, bruine ogen, staarden nu dof voor zich uit. Hij was met stomheid geslagen: ik kon niet zien of hij geïmponeerd was, of jaloers, of kwaad omdat ik van zijn radarscherm was verdwenen, of dat alles tegelijk.

'Hé, man,' zei hij. 'Ik heb je opgespoord.'

'Hé, man,' zei ik, en ik sloeg mijn armen om hem heen. 'Welkom in mijn nederige stulp.' Ik wist niet wat ik anders kon zeggen. Om de een of andere reden schaamde ik me. Ik wilde niet dat hij zag hoe ik nu woonde.

Hij bleef in de hal staan. 'Je hebt me niet even laten weten dat je verhuisd bent?'

'Het gebeurde nogal plotseling,' zei ik. 'Ik wilde je bellen.'

Hij haalde een fles goedkope New York State-champagne uit zijn canvas fietskoeriertas en gaf hem aan mij. 'Ik kom het vieren. Ik dacht dat je nu wel te goed zou zijn voor een krat bier.'

'Schitterend!' zei ik. Ik pakte de fles aan en negeerde de stekelige opmerking. 'Kom binnen.'

'Rotzak. Dit is geweldig,' zei hij met een doffe, bepaald niet enthousiaste stem. 'Gigantisch, hè?'

'Tweehonderd vierkante meter. Kom maar kijken.' Ik gaf hem een rondleiding. Hij maakte stekelige opmerkingen als 'Als dat een bibliotheek is, moet je dan geen boeken hebben?' en 'Het enige dat nog in je slaapkamer ontbreekt, is een lekker stuk'. Hij zei dat mijn appartement 'ziek' en 'rot' was, en dat was zijn pseudo-gangstermanier om te zeggen dat het hem wel aanstond.

Hij hielp me de plastic verpakking van een van de enorme banken te halen, zodat we erop konden zitten. De bank was midden in de huiskamer gezet, en het leek nu net of hij daar in de ruimte zweefde, met de voorkant naar de oceaan toe.

'Mooi,' zei hij, terwijl hij zich liet zakken. Zo te zien had hij zin om zijn voeten ergens op te leggen, maar ze hadden de salontafel nog niet binnengebracht. Dat was maar goed ook, want ik wilde niet dat hij zijn modderige Doc Martens daarop legde.

'Ga je nu ook naar een manicure?' vroeg hij argwanend.

'Nu en dan,' gaf ik met een klein stemmetje toe. Ik kon bijna niet geloven dat hij op zo'n klein detail als mijn nagels lette. Jezus. 'Ik moet er als een manager uitzien, weet je.'

'En je kapsel? Serieus.'

'Wat is daarmee?'

'Vind je het niet, ik weet het niet, een beetje nichterig?'

'Nichterig?'

'Zo overdreven. Doe je troep in je haar, gel of mousse of zoiets?'

'Een beetje gel,' zei ik voorzichtig. 'Wat is daarmee?'

Hij kneep zijn ogen halfdicht en schudde zijn hoofd. 'Je hebt parfum op?'

Ik wilde van onderwerp veranderen. 'Ik dacht dat je vanavond moest werken,' zei ik.

'O, je bedoelt achter de bar staan? Nee, daar ben ik mee gestopt. Het bleek pure zwendel te zijn.'

'Het leek me niet gek.'

'Niet als je daar werkt, man. Ze behandelen je als een bárkeeper!'

Ik barstte bijna in lachen uit.

'Ik heb nu een veel beter baantje,' zei hij. 'Ik zit in het "mobiele energieteam" van Red Bull. Ze geven je een coole wagen om in rond te rijden en verder moet je monsters uitdelen en met mensen praten en zo. Je mag zelf weten wanneer je werkt. Ik kan dat doen als mijn dag op het advocatenkantoor erop zit.'

'Lijkt me perfect.'

'Ja. Zo hou ik genoeg tijd over om aan mijn ondernemingslied te werken.'

'Ondernemingslied?'

'Elke grote onderneming heeft er een: tweederangs rock of rap of zoiets.' Hij zong met slechte stem: '*Trion – Een andere wereld!* Zoiets. Als Trion nog niet zo'n lied heeft, kun jij misschien een goed woordje voor me doen. Elke keer dat jullie het op een bedrijfspicknick of weet ik veel zingen, krijg ik royalty's.'

'Ik zal het onderzoeken,' zei ik. 'Hé, ik heb geen glazen. Ik verwacht een zending, maar die is er nog niet. Ze zeggen dat het glas met de mond geblazen is in Italië. Misschien kun je de knoflook nog ruiken.'

'Geeft niks. Die champagne is waarschijnlijk toch bocht.'

'Je werkt ook nog op het advocatenkantoor?'

Hij keek beschaamd. 'Dat is mijn enige vaste inkomen.'

'Hé, dat is belangrijk.'

'Geloof me, man, ik doe zo min mogelijk. Ik doe net genoeg om geen last met Shapiro te krijgen – faxen, kopieën, zoekopdrachten, dat soort dingen – en dan hou ik nog genoeg tijd over om op het web te surfen.'

'Cool.'

'Ik krijg zo'n twintig dollar per uur om spelletjes op internet te spelen en muziek-cd's te branden en te doen alsof ik werk.'

'Fantastisch,' zei ik. 'Je hebt ze flink tuk, hè?' Eigenlijk was het zielig.

'Reken maar.'

En zonder dat ik wist waarom, zei ik toen opeens: 'Wie denk je nou eigenlijk dat je het meest bedriegt, hen of jezelf?'

Seth keek me vragend aan. 'Waar heb je het over?'

'Ik bedoel, je klungelt wat op je werk, je beunt er wat bij, je doet zo min mogelijk; vraag je je weleens af waar je het voor doet? Wat de zin van dat alles is?'

Seth kneep vijandig zijn ogen samen. 'Wat is er met jou aan de hand?'

'Op een gegeven moment moet je je voor iets inzetten, weet je.'

Hij dacht even na. 'Misschien. Zeg, zullen we hier weggaan, ergens heen gaan? Dit is een beetje te volwassen voor me. Ik krijg er de kriebels van.'

'Goed.' Ik had me afgevraagd of ik het hotel moest vragen een kok naar boven te sturen om eten voor ons klaar te maken, want ik had gedacht dat Seth wel onder de indruk zou zijn, maar nu kwam ik bij mijn positieven. Het zou geen goed idee zijn geweest. Seth zou uit zijn vel zijn gesprongen. Opgelucht belde ik naar de hotelbediende en vroeg hem mijn auto voor te rijden.

Toen we beneden kwamen, stond de Porsche op ons te wachten.

'Is die van jóú?' riep hij uit. 'Dat kan toch niet?'

'Toch wel,' zei ik.

Van zijn cynische, afstandelijke houding was opeens niets meer over. 'Die kar moet wel honderdduizend dollar hebben gekost!'

'Minder,' zei ik. 'Veel minder. Trouwens, het is een lease-auto van de zaak.'

Hij liep langzaam en vol ontzag naar de Porsche toe, zoals de apen in *2001: A Space Odyssey* naar de monoliet toe liepen. Hij streelde de glanzende Basalt Black-deur.

'Nou, jongen,' zei hij toen. 'Wat is je truc? Ik wil hier ook wat van hebben.'

'Geen truc,' zei ik onbehaaglijk, terwijl we instapten. 'Ik rolde er min of meer in.'

'O, kom nou, man. Je hebt het tegen míj – Seth. Weet je nog wel? Verkoop je drugs of zoiets? Want als je dat doet, wil ik meedoen.'

Ik liet een hol lachje horen. Toen we brullend wegreden, zag ik een idiote auto geparkeerd staan die van hem moest zijn. Een klein wagentje met een gigantisch, blauw-zilverig-rood blik Red Bull op het dak. Een grap.

'Is die van jou?'

'Ja. Cool, hè?' Hij klonk niet zo enthousiast.

'Mooi,' zei ik. Het was een belachelijk ding.

'Weet je wat hij me heeft gekost? Noppes. Ik hoef er alleen maar in rond te rijden.'

'Prima regeling.'

Hij leunde in de stoel van soepel leer achterover. 'Rijdt lekker,' zei hij. Hij snoof de geur van nieuwe auto op. 'Man, dit is hartstikke goed. Ik denk dat ik jouw leven wil. Wil je ruilen?'

39

Er kon natuurlijk geen sprake van zijn dat ik Judith Bolton weer op het hoofdkantoor van Wyatt zou ontmoeten, want dan zag iemand me misschien komen of gaan. Aan de andere kant mocht ik nu bij de grote jongens aanschuiven en had ik dringend behoefte aan een diepgaande trainingssessie. Wyatt stond daarop, en ik sprak hem niet tegen.

Daarom ontmoette ik haar die zaterdag in een Marriott Hotel, in een vergaderruimte. Ze hadden me per e-mail het nummer van de kamer doorgegeven. Ze was er al toen ik daar aankwam, en had haar laptop met een videomonitor verbonden. Het was gek, maar ik voelde me nog steeds niet bij haar op mijn gemak. Op weg naar het hotel had ik me nog even voor honderd dollar laten knippen, en ik droeg nette kleren, niet mijn gebruikelijke weekend-outfit.

Ik was vergeten hoe intens ze was – die ijsblauwe ogen, dat koperrode haar, die glanzende rode lippen en die rode nagellak – en hoe hard ze overkwam. Ik gaf haar een stevige handdruk.

'Je bent precies op tijd,' zei ze glimlachend.

Ik haalde mijn schouders op en glimlachte vaag terug om duidelijk te maken dat ik het begreep, maar het niet grappig vond.

'Je ziet er patent uit. Het succes staat je goed.'

We gingen aan een dure vergadertafel zitten die eruitzag alsof hij in iemands eetkamer zou moeten staan – misschien de mijne – en ze vroeg me hoe het ging. Ik stelde haar op de hoogte, vertelde haar over de goede en minder goede ontwikkelingen, ook over Chad en Nora.

'Je krijgt vijanden,' zei ze. 'Dat is te verwachten. Maar er liggen gevaren op de loer. Je hebt een sigarettenpeuk in het bos laten smeulen, en als je hem niet uitdrukt, vliegt misschien het hele bos in brand.'

'Hoe druk ik hem uit?'

'Daar zullen we het nog over hebben. Maar eerst wil ik me op Jock Goddard concentreren. En al is dit het enige dat je van vandaag opsteekt, ik wil dat je het goed onthoudt: hij is ziekelijk eerlijk.'

Ik moest daar onwillekeurig om lachen. Dit werd me verteld door de belangrijkste *consigliere* van Nick Wyatt, een man die zo oneerlijk was dat hij zelfs bij een prostaatonderzoek zou valsspelen.

Haar ogen flikkerden van ergernis, en ze boog zich naar me toe. 'Ik maak geen grapje. Hij heeft je niet alleen uitgekozen omdat hij iets in je geest, je ideeën ziet – die natuurlijk helemaal niet jouw ideeën zijn – maar ook omdat hij je eerlijkheid verfrissend vindt. Je komt voor je mening uit. Daar houdt hij van.'

'En dat is "ziekelijk"?'

'Eerlijkheid is bijna een soort fetisj voor hem. Hoe botter je bent, hoe minder berekenend je overkomt, des temeer val je bij hem in de smaak.' Ik vroeg me even af of Judith de ironie inzag van wat ze deed: Ze adviseerde mij hoe ik Jock Goddard zand in de ogen moest strooien door te doen alsof ik eerlijk was. Honderd procent synthetische eerlijkheid, geen natuurvezels. 'Als hij iets onoprechts of kruiperigs of berekenends in je houding bespeurt – als hij denkt dat je bij hem in het gevlei probeert te komen – is hij snel op je uitgekeken. En als je zijn vertrouwen eenmaal kwijt bent, krijg je het misschien nooit meer terug.'

'Ik begrijp het,' zei ik geërgerd. 'Dus voortaan nemen we die kerel niet meer in de maling.'

'Schatje, op welke planeet leef jij?' vroeg ze. 'Natúúrlijk nemen we die ouwe kerel in de maling. Dat is les nummer twee van de cursus "opklimmen in het bedrijfsleven". Je maakt hem van alles wijs, maar je moet dat wel handig aanpakken. Het mag er niet te dik op liggen, want dan heeft hij je door. Zoals honden angst ruiken, zo ruikt Goddard leugen. Je moet dus goudeerlijk op hem overkomen. Je vertelt hem het slechte nieuws dat anderen proberen te verbloemen. Je laat hem een plan zien dat bij hem in de smaak valt. Maar meteen daarna ben jij degene die hem op de gebreken wijst. Integriteit is een schaars goed in onze wereld. Als je eenmaal weet hoe je integriteit moet simuleren, zit je geramd.'

'En dat wil ik zitten,' merkte ik droogjes op.

Ze had geen behoefte aan mijn sarcasme. 'Je hoort mensen wel altijd zeggen dat ze niet van jaknikkers houden, maar in werkelijkheid is de overgrote meerderheid van de hogere managers gék op jaknikkers, zelfs wanneer ze weten dat het jaknikkers zijn. Het geeft ze het gevoel dat ze machtig zijn. Het stelt ze gerust en versterkt hun kwetsbare ego. Jock Goddard daarentegen heeft er een hekel aan. Geloof me, hij heeft al een hoge dunk van zichzelf. Hij wordt niet verblind door verlangens, door ijdelheid. Hij is geen Mussolini die altijd mensen om zich heen wil hebben die hem bewonderen.' Zoals iemand die wij kennen? wilde ik zeggen. 'Kijk maar eens naar de mensen met wie hij zich omringt: intelligente, scherpzinnige mensen die soms geen blad voor de mond nemen en zelfs grof worden.'

Ik knikte. 'Je bedoelt dat hij niet van vleierij houdt.'

'Nee, dat bedoel ik niet. Iedereen houdt van vleierij. Maar het moet voor hem wel echt aanvoelen. Een anekdote als voorbeeld: Napoleon ging een keer op jacht in het Bois de Boulogne met Talleyrand, die erg graag indruk op de grote generaal wilde maken. In die bossen krioelde het van de konijnen, en Napoleon was blij toen hij er vijftig had gedood. Maar toen hij later ontdekte dat het geen wilde konijnen waren geweest – dat Talleyrand een van zijn bedienden naar de markt had gestuurd om tientallen konijnen te kopen en ze in de bossen los te laten – nou, toen was Napoleon woedend. Daarna heeft hij Talleyrand nooit meer vertrouwd.'

'Ik zal daaraan denken als Goddard me weer voor de konijnenjacht uitnodigt.'

'Waar het om gaat,' snauwde ze, 'is dat je wel mag vleien maar dat je het indirect moet doen.'

'Nou, ik heb niet met konijnen te maken, Judith. Eerder met wolven.'

'Kijk eens aan. Weet je veel van wolven?'

Ik zuchtte. 'Kom maar op.'

'Het is allemaal heel duidelijk. Er is natuurlijk altijd een leider van de roedel, maar wat je vooral niet mag vergeten, is dat de hiërarchie steeds weer op de proef wordt gesteld. Een hiërarchie is altijd heel instabiel. Bij wolven legt de leider soms een vers stuk vlees voor de andere wolven op de grond, en daarna gaat hij daar een paar meter vandaan en kijkt hij alleen maar toe. Hij tárt de anderen om er zelfs maar aan te snuffelen.'

'En als ze dat doen, gaan ze eraan.'

'Mis. De leider van de roedel hoeft meestal alleen maar kwaad te kijken. Of misschien stelt hij zich in postuur. Hij steekt zijn staart en oren omhoog, grauwt wat, zorgt dat hij groot en agressief lijkt. En als er dan een gevecht uitbreekt, valt de leider de minst kwetsbare lichaamsdelen van de overtreder aan. Het is niet zijn bedoeling om een lid van zijn eigen troep te verminken, laat staan te doden. Want de leider van de roedel heeft de anderen nódig. Wolven zijn kleine dieren, en één individuele wolf krijgt zonder hulp van de rest van de troep geen eland of hert of rendier te pakken. Maar ze zijn altijd bezig elkaar uit te testen.'

'Je bedoelt dat ik voortdurend word getest.' Ja, ik had geen MBA nodig om voor Goddard te werken. Ik had diergeneeskunde moeten studeren.

Ze wierp me een zijdelingse blik toe. 'Waar het om gaat, Adam, is dat het uittesten altijd subtiel in zijn werk gaat. Maar tegelijk wil de leider van een wolventroep dat zijn team sterk is. Daarom is het soms acceptabel om agressie te tonen; die agressie geeft blijk van het uithoudingsvermogen, de kracht, de vitaliteit van de hele troep. Dat is het belang van eerlijkheid, van strategische oprechtheid. Als je vleit, doe je dat subtiel en indirect. Goddard moet denken dat hij altijd de onverbloemde waarheid van je te horen krijgt. Jock Goddard besefte iets wat veel andere topmannen niet beseffen – dat hij er nooit achter kan komen wat er in zijn onderneming gebeurt als zijn naaste medewerkers niet eerlijk zijn. Want als hij niet meer weet wat er werkelijk gebeurt, is het met hem gedaan. En ik zal je nog iets anders vertellen wat je moet weten. In elke mannenrelatie tussen een mentor en een protégé zit een vader-zoon-element, maar ik vermoed dat het in dit geval nog meer van toepassing is. Je doet hem waarschijnlijk denken aan zijn zoon, Elijah.'

Goddard had me een paar keer per abuis bij die naam genoemd, herinnerde ik me. 'Van mijn leeftijd?'

'Dat zou hij zijn geweest. Hij is een paar jaar geleden gestorven. Hij was toen eenentwintig. Sommige mensen geloven dat Goddard na die tragedie nooit meer dezelfde is geweest, dat hij een beetje te zacht is geworden. Zoals jij Goddard misschien idealiseert als de vader die je graag had willen hebben...' Ze glimlachte. Op de een of andere manier wíst ze van mijn vader. '... zo doe jij hem misschien denken aan de zoon van wie hij zou willen dat hij hem nog had. Het zou goed zijn als je je daarvan bewust was, want het is iets waar je misschien gebruik van kunt maken. Maar je moet ook extra op je hoede zijn: soms geeft hij je buitensporig veel speelruimte, maar op andere momenten kan hij onredelijk veeleisend zijn.'

Ze tikte iets in op haar laptop. 'En nu wil ik je volledige aandacht. We gaan naar een paar televisie-interviews kijken die Goddard in de loop van de jaren heeft gegeven: eentje van lang geleden uit *Wall Street Week met Louis Rukeyser*, een paar van CNBC, en een interview van Katie Couric in *The Today Show*.'

Op het scherm verscheen een verstild videobeeld van een veel jongere Jock Goddard, die er ook toen al als een schelmachtige kabouter uitzag. Plotseling draaide Judith zich met haar stoel naar me toe. 'Adam, je hebt een buitengewone kans gekregen. Aan de andere kant is jouw situatie bij Trion nog nooit zo gevaarlijk geweest als nu, want je zult veel minder bewegingsruimte hebben. Het wordt moeilijker voor je om je onopgemerkt door het gebouw te bewegen of gewoon "rond te hangen" met gewone mensen en met hen te netwerken. Paradoxaal genoeg is je inlichtingentaak opeens veel moeilijker geworden. Je zult alle munitie nodig hebben die je kunt verzamelen. Voordat we vandaag ophouden, moet je die kerel vanbinnen en vanbuiten kennen. Kun je me volgen?'

'Ik kan je volgen.'

'Goed,' zei ze, en ze keek me met dat angstaanjagende glimlachje van haar aan. 'Dat wéét ik.' Toen dempte ze haar stem; ze fluisterde bijna. 'Luister, Adam, ik moet je – in je eigen belang – vertellen dat Nick ongeduldig begint te worden. Je bent nu al – hoeveel weken? – bij Trion, en hij weet nog steeds niet wat dat skunkwerk inhoudt.'

'Er zijn grenzen,' begon ik, 'aan de...'

'Adam,' zei ze zachtjes, maar met een onmiskenbare dreigende ondertoon. 'Nick is níét iemand om aan het lijntje te houden.'

40

Alana Jennings woonde in een maisonnette in een oud huis, niet ver van het Trion-hoofdkantoor vandaan. Ik herkende het meteen van de foto.

Je weet hoe het is als je net met een meisje omgaat. Je let op alles, waar ze woont en hoe ze zich kleedt, welk parfum ze gebruikt, en alles lijkt je anders en nieuw. Nou, in dit geval wist ik heel veel van haar af, meer dan sommige echtgenoten van hun vrouw weten, en toch had ik nog geen twee uur met haar doorgebracht.

Ik stopte met mijn Porsche voor het huis – dat is toch een van de redenen waarom je een Porsche hebt, dat je indruk kunt maken op meiden? – ging de trap op en belde aan. Haar stem tjilpte door de luidspreker. Ze zei dat ze naar beneden kwam.

Ze droeg een wijde witte boerenblouse met borduurwerk, en zwarte leggings, en ze had haar haar opgestoken. Die angstaanjagende zwarte bril had ze niet op. Ik vond dat ze er spectaculair mooi uitzag. Ze rook heerlijk, heel anders dan de meeste meisjes die ik kende. Een bloemengeur die Fleurissimo heette; ik meende te hebben gelezen dat ze dat parfum kocht in een winkel die House of Creed heette, als ze in Parijs was.

'Hé,' zei ik.

'Hallo, Adam.' Ze had glanzende rode lipstick op en droeg een minuscuul vierkant zwart handtasje aan haar schouder.

'Mijn auto staat hier,' zei ik subtiel over de gloednieuwe glanzende zwarte Porsche die stationair stond te draaien. Ze wierp er een waarderende blik op, maar zei niets. Waarschijnlijk combineerde ze het in haar gedachten met mijn jasje, broek en zwarte overhemd van Zegna, en misschien ook met het Italiaanse marinehorloge van vijfduizend dollar. En misschien dacht ze dat ik een patser was of te erg mijn best deed. Zij droeg een boerenblouse; ik droeg Ermenegildo Zegna. Perfect. Zij deed alsof ze arm was en ik probeerde er rijk uit te zien en overdreef waarschijnlijk.

Ik maakte de deur aan de passagierskant voor haar open. Voordat ik daarheen ging, had ik de stoel naar achteren geschoven, zodat er genoeg beenruimte was. Binnen hing de geur van nieuw leer. Er zat een Trion-parkeersticker op de linker achterkant van de auto, en die had ze nog niet opgemerkt. Ze zou hem ook niet zien zolang ze in de auto zat, maar wel als we uitstapten bij het restaurant, en dat was maar goed ook. Ze zou hoe dan ook toch gauw genoeg ontdekken dat ik ook bij Trion werkte, en dat ik korte tijd haar vroegere baan had gehad. Het zou wel een beetje vreemd zijn, dat toeval, want we hadden elkaar niet op het werk ontmoet, en hoe eerder het aan de orde kwam, hoe beter het was. Ik had al een paar domme uitspraken paraat. Bijvoorbeeld: 'Dat meen je niet? Echt waar? Wat toevallig!'

Er volgden enkele ogenblikken van pijnlijke stilte waarin ik naar haar favoriete Thaise restaurant reed. Ze keek naar de snelheidsmeter en toen weer naar de weg. 'Ik zou hier maar uitkijken,' zei ze. 'Dit is een snelheidsval. De politie wacht tot je boven de tachtig rijdt en dan maken ze gehakt van je.'

Ik glimlachte, knikte en herinnerde me een riedeltje uit een van haar favoriete films, *Double Indemnity*, die ik de vorige avond had gehuurd. 'Hoe snel ging ik, agent?' zei ik met die typische film-noir-stem van Fred MacMurray.

Ze begreep het meteen. Slimme meid. Ze grijnsde. 'Ik denk ongeveer honderdvijftig.' Ze kon die vampstem van Barbara Stanwyck perfect imiteren.

'Als u nu eens van uw motor kwam en me een bon gaf.'

'Als ik u deze keer nu eens met een waarschuwing liet wegkomen,' zei ze. Ze speelde het spelletje helemaal mee. Haar ogen schitterden van ondeugd.

Ik aarzelde maar even, en toen schoot de tekst me weer te binnen. 'Als ik dat nu eens niet wil?'

'Als ik u nu eens op uw vingers moet tikken?'

Ik glimlachte. Ze kon dat goed. 'Als ik nu eens in huilen uitbarstte en mijn hoofd op uw schouders legde?'

'Als u nu eens probeerde het op de schouder van mijn man te leggen?'

'Dat is het,' zei ik. Einde scène. Opname compleet.

Ze lachte opgetogen. 'Hoe wéét je dat?'

'Ik heb te veel tijd verspild met kijken naar oude zwart-witfilms.'

'Ik ook. En *Double Indemnity* is waarschijnlijk mijn favoriete film.'

'In dezelfde orde van grootte als *Sunset Boulevard*.' Ook een van haar favoriete films.

'Precies! "Ik bén groot. De films zijn klein."'

Ik wilde ermee stoppen zolang het nog goed ging, want ik had mijn voorraad uit het hoofd geleerde citaten uit *films noirs* wel zo'n beetje uitgeput. Daarom bracht ik het gesprek op tennis, een veilig onderwerp. Ik stopte voor het restaurant, en haar ogen straalden weer. 'Je kent dit restaurant? Het is het beste!'

'Als het op Thais eten aankomt, is dit voor mij het enige restaurant.' Een personeelslid parkeerde de auto; ik kon moeilijk wennen aan de gedachte dat ik de sleutels van mijn gloednieuwe Porsche aan een jongen van achttien gaf, die er waarschijnlijk mee ging joyriden als er niet veel bezoekers meer arriveerden. De Trion-sticker kreeg ze dus niet te zien.

Een tijdlang klikte het helemaal tussen ons. Dat gedoe van *Double Indemnity* had haar blijkbaar op haar gemak gesteld. Ze dacht dat ze met een verwante geest te maken had. Bovendien hield ik van Ani Di-Franco – wat kon ze nog meer verlangen? Misschien een beetje diepgang – vrouwen hielden altijd van diepgang bij een man, of tenminste nu en dan een moment van zelfbespiegeling, maar daar had ik geen behoefte meer aan.

We bestelden groene papayasalade en vegetarische loempia's. Ik dacht erover tegen haar te zeggen dat ik vegetariër was, net als zij, maar dat leek me wat te ver gaan, en trouwens, ik wist niet of ik die list langer dan één maaltijd zou kunnen volhouden. Daarom bestelde ik Masaman curry chicken en zij bestelde een vegetarische curry zonder kokosnootmelk – ik had gelezen dat ze allergisch was voor garnalen – en we dronken allebei Thais bier.

Het gesprek kwam van tennis op de Tennis and Racquet Club, maar ik manoeuvreerde me snel uit die gevaarlijke wateren vandaan, bang dat ze zou vragen hoe het kwam dat ik daar die dag was. We kwamen over golf te spreken, en toen over zomervakanties. Ze gebruikte het werkwoord 'zomeren'. Ze was er al vrij gauw achter dat we daar nogal verschillende gedachten bij hadden, maar dat vond ze niet erg. Ze zou niet met me trouwen of me aan haar vader voorstellen, en ik had geen zin om ook nog mijn familieachtergronden te verzinnen, want dat zou wel erg veel werk zijn. Trouwens, het leek me niet nodig – ze scheen toch wel op me te vallen. Ik vertelde haar verhalen over het werk op de tennisclub, en over mijn avondbaan op een benzinestation. Ze zal zich wel een beetje voor haar rijke komaf hebben geschaamd, want ze vertelde een leugentje over haar ouders die haar hadden gedwongen een deel van haar zomervakantie vuil werk te doen 'in het bedrijf waar mijn vader werkt', waarbij ze onvermeld liet dat haar vader de president-directeur was. Bovendien wist ik toevallig dat ze nooit in het bedrijf van haar vader had gewerkt. Haar zomers had Alana doorgebracht op een vakantieboerderij in Wyoming, op safari in Tanzania, met een paar andere meisjes in een door haar vader betaald appartement in het zesde arrondissement van Parijs, als stagiaire in het Peggy Guggenheim aan het Grand Canal in Venetië. Ze was niet aan het opscheppen.

Toen ze het over het bedrijf had waar haar vader 'werkte', zette ik me schrap voor de onvermijdelijke vragen: wat doe jij, waar werk jij? Maar die vragen kwamen pas veel later. Het verbaasde me dat Alana het onderwerp op een vreemde manier ter sprake bracht en er een soort spelletje van maakte. Ze zuchtte. 'Nou, dan moeten we het nu maar eens over onze banen hebben, hè?'

'Nou...'

'Dan kunnen we eindeloos praten over wat we overdag doen, nietwaar? Ik zit in de hightechsector. En jij... Wacht, niet zeggen.'

Mijn maag trok zich samen.

'Jij bent kippenboer.'

Ik lachte. 'Hoe heb je dat geraden?'

'Ja. Een kippenboer die Porsche rijdt en Fendi draagt.'

'Het is Zegna.'

'Wat dan ook. Sorry, je bent een man, dus waarschijnlijk wil je alleen maar over je werk praten.'

'Eigenlijk niet.' Ik sprak met bescheiden oprechtheid. 'Ik leef liever in het heden. Ik ben me graag bewust van het moment zelf. Je weet wel, er is een Vietnamese boeddhistische monnik die in Frankrijk woont. Hij heet Thich Nhat Nanh en hij zegt...'

'O mijn god,' zei ze. 'Dit is zo griezelig! Ik kan niet geloven dat je Thich Nhat Nanh kent!'

Ik had nooit iets gelezen van wat die monnik had geschreven, maar omdat ik had gezien dat ze veel boeken van hem bij Amazon had besteld, had ik iets over hem opgezocht op een paar boeddhistische websites.

'Ja,' zei ik, alsof iedereen de verzamelde werken van Thich Nhat Nanh had gelezen. 'Lopen op water is niet het wonder, maar lopen op de groene aarde.' Ik was er vrij zeker van dat ik het goed had onthouden, maar op dat moment trilde mijn mobieltje in mijn binnenzak. 'Sorry,' zei ik. Ik haalde het apparaatje te voorschijn en keek naar de nummerherkenning.

'Een ogenblik,' verontschuldigde ik me, en ik nam op.

'Adam,' zei Antwoine met zijn diepe stem. 'Je moet hierheen komen. Het is je vader.'

41

We hadden ons eten amper half op. Ik reed Alana naar huis en putte me uit in verontschuldigingen. Ze was een en al medegevoel en bood zelfs aan met me naar het ziekenhuis te gaan, maar ik kon haar niet blootstellen aan mijn vader, niet in dit vroege stadium; dat zou te schokkend zijn.

Zodra ik haar had afgezet, reed ik honderddertig kilometer per uur met de Porsche en was ik in een kwartier bij het ziekenhuis – gelukkig zonder te zijn aangehouden. Ik rende naar de spoedgevallenafdeling, hyperalert, doodsbang, op maar één ding gericht. Ik wilde naar pa voordat hij doodging. Elke seconde dat ik voor de balie van de spoedgevallenafdeling moest wachten, kon het moment zijn waarop pa stierf, en dan zou ik nooit meer de kans krijgen om afscheid te nemen. Bijna schreeuwend gaf ik zijn naam op aan de zuster, en toen ze me vertelde waar hij was, rende ik er meteen naartoe. Als hij dood was, dacht ik, zou ze dat wel hebben gezegd, en dus moest hij nog in leven zijn.

Ik zag Antwoine. Hij stond voor de groene gordijnen. Om de een of andere reden zat zijn gezicht onder de schrammen en het bloed, en hij keek angstig.

'Wat is er?' riep ik. 'Waar is hij?'

Antwoine wees naar de groene gordijnen, waarachter ik stemmen kon horen. 'Plotseling kreeg hij geen lucht meer. En toen werd zijn gezicht donker. Het liep blauw aan. Zijn vingers werden ook blauw. Toen belde ik de ambulance.' Hij klonk verdedigend.

'Is hij...'

'Hij is in leven. Man, voor zo'n oude invalide had hij nog heel wat vechtlust in zich.'

'Heeft hij je dat aangedaan?' vroeg ik, terwijl ik naar zijn gezicht wees.

Antwoine knikte en glimlachte schaapachtig. 'Hij wilde niet in de ambulance. Hij zei dat hem niks mankeerde. Ik heb wel een halfuur met hem gevochten, terwijl ik hem had moeten oppakken en in de auto had moeten zetten. Ik hoop dat ik niet te lang met het bellen van de ambulance heb gewacht.'

Een kleine jongeman in een groen ziekenhuispak kwam naar me toe. 'Bent u zijn zoon?'

'Ja?' zei ik.

'Ik ben dokter Patel,' zei de man. Hij was ongeveer van mijn leeftijd, een assistent of zoiets.

'O. Hallo.' Ik zweeg even. 'Eh, haalt hij het?'

'Daar ziet het naar uit. Uw vader is verkouden, dat is alles. Maar zijn luchtwegen hebben geen reserve meer. Dus een lichte verkoudheid is voor hem al levensbedreigend.'

'Mag ik bij hem?'

'Natuurlijk,' zei hij. Hij liep naar het gordijn en trok het opzij. Een zuster was bezig een infuuszakje met pa's arm te verbinden. Hij had een doorzichtig plastic masker over zijn mond en neus, en hij keek me aan. Ik vond dat hij er ongeveer uitzag als altijd, alleen kleiner en ook wat bleker. Hij lag aan allerlei monitoren.

Hij trok het masker van zijn gezicht. 'Wat een drukte,' zei hij. Zijn stem klonk zwak.

'Hoe gaat het met u, meneer Cassidy?' vroeg dokter Patel.

'Fantastisch,' zei pa met dik opgelegd sarcasme. 'Kunt u dat niet zien?'

'Ik denk dat u er beter uitziet dan uw verzorger.'

Antwoine kwam ook even achter het gordijn kijken. Pa keek plotseling schuldig. 'O, dat. Sorry van je gezicht, Antwoine.'

Antwoine, die moet hebben beseft dat dit zo ongeveer de enige verontschuldiging was die hij ooit van mijn vader te horen zou krijgen, keek opgelucht. 'Ik heb mijn les geleerd. De volgende keer vecht ik harder terug.'

Pa grijnsde als een bokskampioen in het zwaargewicht.

'Deze man heeft uw leven gered,' zei dokter Patel.

'O, ja?' zei pa.

'Echt waar.'

Pa draaide zijn hoofd een beetje opzij om Antwoine aan te kijken. 'Waarom heb je dat nou gedaan?' vroeg hij.

'Ik wilde niet zo gauw alweer naar een andere baan zoeken,' zei Antwoine zonder aarzeling.

Dokter Patel sprak zachtjes tegen me. 'De röntgenfoto van zijn borst was normaal, tenminste voor hem, en uit het bloedonderzoek is ook niets bijzonders gekomen. Er waren indicaties dat zijn ademhaling het zou laten afweten, maar hij lijkt nu weer stabiel. We geven hem anti-biotica, wat zuurstof en steroïden.'

'Waar is dat masker voor?' vroeg ik. 'Zuurstof?'

'Het is een verstuiver. Albuteral en Atrovent. Dat zijn middelen die de bronchiën verwijden.' Hij boog zich over mijn vader heen en legde het masker op zijn plaats. 'U bent een echte vechter, meneer Cassidy.'

Pa knipperde alleen maar met zijn ogen.

'Dát is erg zacht uitgedrukt,' zei Antwoine met een schor lachje.

'Neemt u ons niet kwalijk.' Dokter Patel trok het gordijn opzij en ging een paar stappen terug. Ik volgde hem, terwijl Antwoine bij pa bleef.

'Rookt hij nog?' vroeg dokter Patel op scherpe toon.

Ik haalde mijn schouders op.

'Er zitten nicotinevlekken op zijn vingers. Dat is volslagen krank-zinnig, weet u.'

'Ik weet het.'

'Hij maakt zichzelf dood.'

'Dood gaat hij toch.'

'Nou, hij verhaast het proces.'

'Misschien wil hij dat,' zei ik.

42

Toen ik aan mijn eerste officiële dag als stafmedewerker van Jock God-dard begon, was ik de hele nacht op geweest.

Ik was om ongeveer vier uur 's nachts van het ziekenhuis naar mijn nieuwe appartement gegaan. Eerst had ik een uurtje slaap willen ne-men, maar ik had dat niet gedaan, want ik was bang dat ik me zou ver-slapen. Dat zou niet de beste manier zijn om bij Goddard te beginnen. Daarom nam ik een douche, schoor ik me en keek ik een tijdje op in-ternet om wat over Trions concurrenten te lezen. Ik riep News-com en Slashdot op en verdiepte me in het laatste technologische nieuws. Ten slotte kleedde ik me aan. Ik koos voor een lichtgewicht zwarte pullover (die kwam het dichtst bij Jock Goddards eeuwige zwarte coltruien), een kaki broek en een bruin pied-de-poule-jasje, een van de weinige 'informele' kledingstukken die Wyatts exotische assistente voor me had gekocht. Nu zag ik eruit als een lid van Goddards eigen team. Toen belde ik naar de hotelbediende en vroeg hem mijn Porsche voor te rijden.

De portier die er blijkbaar meestal 's morgens vroeg en 's avonds was, de tijden waarop ik kwam en ging, was een latino van midden veertig. Hij heette Carlos Avila. Hij had een vreemde, gesmoorde stem, alsof hij een scherp voorwerp had ingeslikt en geen kans zag het helemaal naar beneden te krijgen. Hij mocht me graag. Waarschijnlijk kwam dat vooral doordat ik hem niet negeerde, zoals alle anderen die hier woonden.

'Hard aan het werk, Carlos?' zei ik in het voorbijgaan. Dat zei hij altijd tegen mij, als ik belachelijk laat en doodmoe thuiskwam.

'Bijna niets te doen, meneer Cassidy,' zei hij grijnzend, en hij keek weer naar het televisiejournaal.

Ik reed een paar blokken naar de Starbucks, die net openging, en kocht een triple grande latte, en terwijl ik wachtte tot de jongen van het grunge-type, met zijn vele piercings, een liter tweeprocentsmelk aan het stomen had gebracht, pakte ik een *Wall Street Journal* op, en meteen trok mijn maag zich samen.

Op de voorpagina stond een artikel over Trion. Of, zoals werd gesteld, 'Trions rampspoed'. Er was een gestippelde tekening van Goddard, net een gravure, waarop hij overdreven opgewekt keek, alsof hij ze niet meer allemaal op een rijtje had. Een van de kleinere koppen luidde: 'Zijn Oprichter Goddards Dagen Geteld?' Ik moest het twee keer lezen. Mijn hersenen functioneerden niet op topcapaciteit, en ik had dringend behoefte aan mijn triple grande latte, waar de grungejongen nog mee worstelde. Het artikel was een kernachtige, intelligente reportage van de *Journal*-verslaggever William Bulkeley, die blijkbaar goede contacten bij Trion had. Het kwam erop neer dat de aandelenprijs van Trion daalde, dat de producten van Trion achterliepen, dat de onderneming ('algemeen beschouwd als de marktleider op het gebied van de consumentenelektronica die op telecommunicatie is gebaseerd') in moeilijkheden verkeerde, en dat Jock Goddard, de oprichter van Trion, geen oog meer had voor de realiteit. Hij was zijn enthousiasme kwijt. Er volgde nog een heel verhaal over de 'lange traditie' van oprichters van hightechbedrijven die vervangen werden als hun onderneming een bepaalde grootte bereikte. De krant vroeg zich af of Goddard de juiste persoon was om leiding te geven aan het bedrijf in de periode van stabiliteit die op de periode van explosieve groei was gevolgd. Er stond ook veel te lezen over Goddards filantropie, zijn goede doelen, en over zijn hobby, het verzamelen en herstellen van klassieke Amerikaanse auto's. Verteld werd hoe hij zijn kostbare 1949 Buick Roadmaster convertible helemaal had gerestaureerd. Goddard, zei het artikel, scheen op weg te zijn naar zijn val.

Geweldig, dacht ik. Driemaal raden wie er met Goddard mee valt.

Toen dacht ik: wacht eens even, Goddard is niet mijn echte werkgever. Hij is het doelwit. Mijn echte werkgever is Nick Wyatt. In de opwinding van die eerste dag zou ik gemakkelijk vergeten in welk kamp ik werkelijk thuishoorde.

Eindelijk was mijn latte klaar. Ik roerde er een paar zakjes Turbinado-suiker doorheen, nam een grote slok, die het achterste van mijn keel schroeide, en drukte het plastic dekseltje er weer op. Toen ging ik aan een tafel zitten om de rest van het artikel te lezen. De journalist scheen alles over Goddard te weten. Er waren Trion-mensen die met hem hadden gepraat. De messen waren geslepen.

Onderweg naar kantoor probeerde ik naar een cd van Ani DiFranco te luisteren die ik in het kader van mijn Alana-researchproject bij Tower had gekocht, maar na een paar stukjes liet ik de cassette er weer uit springen. Ik hield het niet uit. Een paar songs waren helemaal geen songs, maar ingesproken stukken. Als ik dat wilde horen, kon ik net zo goed naar Jay-Z of Eminem luisteren. Nee, dank je.

Ik dacht aan het stuk in de *Journal* en probeerde iets te bedenken voor het geval iemand me ernaar vroeg. Moest ik zeggen dat het klinkklare onzin was, in omloop gebracht door een van onze concurrenten om ons te ondermijnen? Moest ik zeggen dat het echte verhaal (wat dat ook mocht zijn) de verslaggever was ontgaan? Of dat hij een paar interessante dingen had opgeworpen waar we iets aan moesten doen? Ik koos voor een aangepaste versie van dat laatste: dat het er uiteindelijk, of de beweringen nu waar waren of niet, om ging wat onze aandeelhouders dachten, en die lazen bijna allemaal de *Wall Street Journal*. We moesten het stuk dus in ieder geval serieus nemen.

Intussen vroeg ik me af welke vijanden van Goddard onrust aan het stoken waren – en of Jock Goddard echt in moeilijkheden verkeerde en ik op een zinkend schip was gestapt. Of om precies te zijn: of Nick Wyatt me op een zinkend schip had gezét. Die kerel moest wel erg omhoog zitten, dacht ik – anders had hij mij toch niet in dienst genomen?

Toen ik een slokje koffie nam, zat het deksel er niet goed op zodat de warme, melkachtige vloeistof op mijn schoot terechtkwam. Het leek

net of ik een 'ongelukje' had gehad. Wat een manier om aan een nieuwe baan te beginnen! Ik had dat als een waarschuwing moeten opvatten.

43

Op weg naar de herentoiletten, waar ik mijn best deed om de koffie-
vlek weg te werken en daardoor nattigheid en kreukels in mijn broek
wreef, kwam ik langs de kleine kiosk in de hal van vleugel A, het hoofd-
gebouw. Ze hadden daar de plaatselijke kranten, en ook USA Today, de
New York Times, de zalmroze *Financial Times* en de *Journal*. De anders
zo hoge stapel *Wall Street Journal*'s was al half weg, en dat terwijl het
nog maar zeven uur in de morgen was. Blijkbaar wilde iedereen bij
Trion dat artikel lezen. Ik nam aan dat er zo langzamerhand kopieën
van het artikel in ieders e-mail zaten. Ik groette de receptioniste en nam
de lift naar de zesde verdieping.

Goddards voornaamste secretaresse, Flo, had me al per e-mail over
mijn nieuwe kantoor ingelicht. Dit was geen hokje, maar een echt kantoor, even groot als dat van Jock Goddard (en dus ook even groot als
dat van Nora en Tom Lundgren). Ik werkte aan dezelfde gang waar
Goddards kantoor zich bevond, dat donker was, zoals alle andere kantoren aan de directiegang. Maar in dat van mij brandde licht.

Aan haar bureau voor mijn kantoor zat mijn nieuwe secretaresse,
Jocelyn Chang, een streng kijkende Chinees-Amerikaanse vrouw van
in de veertig. Ze droeg een onberispelijk blauw pakje en had volmaakt
gewelfde wenkbrauwen, kort zwart haar en een kleine, welgevormde
mond met nat lijkende, perzikkleurige lipstick. Ze deed een etiket op
een map voor correspondentie. Toen ik eraan kwam, keek ze op. Ze
drukte haar lippen even op elkaar en stak haar hand uit. 'U moet meneer Cassidy zijn.'

'Adam,' zei ik. Was dat mijn eerste fout? Moest ik afstand bewaren,
formeel blijven? Dat leek me belachelijk en overbodig. Per slot van rekening scheen iedereen hier de president-directeur 'Jock' te noemen.
En ik was ongeveer half zo oud als zij.

'Ik ben Jocelyn,' zei ze. Ze had een nasaal Boston-accent, en dat had
ik niet verwacht. 'Leuk je te ontmoeten.'

'Insgelijks. Flo zei dat je hier al een eeuwigheid werkt, en ik was blij dat te horen.' Oei. Vrouwen horen zoiets niet graag.

'Vijftien jaar,' zei ze behoedzaam. 'De laatste drie voor Michael Gilmore, je onmiddellijke voorganger. Die is een paar weken geleden overgeplaatst.'

'Vijftien jaar. Uitstekend. Ik zal alle hulp nodig hebben die ik kan krijgen.'

Ze knikte, geen glimlach, niets. Toen zag ze blijkbaar de *Journal* onder mijn arm. 'Je gaat dat toch niet aan meneer Goddard voorleggen?'

'Nou, ik wilde je net vragen het te laten inlijsten als cadeau voor hem. Voor zijn kantoor.'

Ze keek me verschrikt aan. Toen verscheen er langzaam een glimlach op haar gezicht. 'Dat is een grapje,' zei ze. 'Ja toch?'

'Ja.'

'Sorry. Meneer Gilmore stond niet bekend om zijn gevoel voor humor.'

'Dat geeft niet. Ik ook niet.'

Ze knikte. Blijkbaar wist ze niet goed hoe ze moest reageren. 'Ja.' Ze keek op haar horloge. 'U hebt een afspraak om halfacht met meneer Goddard.'

'Hij is er nog niet.'

Ze keek weer op haar horloge. 'Hij zal er zijn. Ik wed dat hij net is binnengekomen. Hij is erg stipt. O, wacht even.' Ze gaf me een erg luxe uitziend document van minstens honderd pagina's, gebonden in een soort blauw kunstleer. Op de voorkant stond BAIN & COMPANY. 'Flo zei dat meneer Goddard wil dat je dit voor de bespreking leest.'

'Die bespreking... over tweeënhalve minuut.'

Ze haalde haar schouders op.

Was dit mijn eerste test? Ik kon in die korte tijd met geen mogelijkheid zelfs maar een bladzijde lezen van de onbegrijpelijke wartaal, en ik wilde echt niet te laat op de bespreking komen. Bain & Company was een duur adviesbureau dat mensen van mijn leeftijd aannam, mensen die nog minder wisten dan ik, en vervolgens schaafde het net zolang aan hen tot het kwijlende idioten waren die ondernemingen bezochten, rapporten schreven en honderdduizenden dollars voor hun zogenaamde wijsheid in rekening brachten. Op de map stonden de woorden TRION VERTROUWELIJK. Ik keek hem vlug door, en alle clichés en trefwoorden sprongen me tegemoet: 'gestroomlijnd kennismanagement', 'concurrentievoordeel', 'excellente operaties', 'kosteninefficiency's', 'schaalnadelen', 'minimalisering van niet-waardetoevoegend werk', bla bla bla, en ik wist dat ik het ding niet hoefde te lezen om te weten wat er speelde.

Ontslagen. Koppensnellen op de kantoorverdiepingen.

Te gek, dacht ik. Welkom aan de top.

44

Toen Flo me naar binnen leidde, zat Goddard al aan een ronde tafel in zijn achterkantoor, samen met Paul Camilletti en een andere man. Die derde man was achter in de vijftig, kaal met een grijs randje, en hij droeg een onmodieus grijs geruit pak, een overhemd en een das die uit een herenkledingzaak in het winkelcentrum kwam. Aan zijn rechterhand droeg hij een grote schoolring. Ik herkende hem: Jim Colvin, de directeur Operaties van Trion.

De kamer was ongeveer zo groot als Goddards voorkantoor, drie bij drie meter, en hoewel we met maar vier man om die ronde tafel zaten, was er niet veel ruimte over. Ik vroeg me af waarom we niet in een vergaderkamer zaten, een wat grotere ruimte die geschikter was voor zulke belangrijke directieleden. Ik zei hallo, glimlachte nerveus, ging in een stoel bij Goddard zitten, legde mijn Bain-map neer en zette de Trion-kop koffie die Flo me had gegeven ernaast. Ik haalde een geel schrijfblok en een pen te voorschijn en was nu klaar om aantekeningen te maken. Goddard en Camilletti zaten in hun overhemd, zonder jasje – en zonder zwarte coltrui. Goddard leek nog ouder en vermoeider dan de vorige keer dat ik hem had gezien. Hij droeg een zwarte bril met halve glazen aan een koordje om zijn hals. Voor hem op de tafel lagen exemplaren van het artikel in de *Wall Street Journal*. In een van die exemplaren waren strepen gezet met een gele en groene marker.

Camilletti keek me nors aan. 'Wie is dat?' zei hij. Het klonk niet bepaald joviaal.

'Je kunt je meneer Cassidy toch wel herinneren?'

'Nee.'

'Van de Maestro-bijeenkomst? Die militaire versie?'

'Je nieuwe assistent,' zei hij zonder enthousiasme. 'Ja. Welkom in de commissie rampenbestrijding, Cassidy.'

'Jim, dit is Adam Cassidy,' zei Goddard. 'Adam, Jim Colvin, onze directeur Operaties.'

Colvin knikte. 'Adam.'

'We hadden het net over dat vervloekte stuk in de *Journal*,' zei Goddard. 'En wat we daaraan gaan doen.'

'Nou,' zei ik in al mijn wijsheid. 'Het is maar één artikel. Het waait vast wel over.'

'Onzin,' snauwde Camilletti, en hij keek me zo dreigend aan dat ik dacht dat ik in steen zou veranderen. 'Het is de *Journal*. De voorpagina. Iedereen leest die krant. Topmanagers, institutionele beleggers, analisten, iedereen. Dit is geen treinongeluk, verdomme.'

'Het is niet gunstig,' beaamde ik. Ik zei tegen mezelf dat ik van nu af mijn mond moest houden.

Goddard ademde luidruchtig uit.

'Het ergste dat we kunnen doen, is over-roteren,' zei Colvin. 'We moeten geen rooksignalen gaan uitzenden.' Ik vond dat "over-roteren" wel goed gevonden. Jim Colvin was blijkbaar een golfer.

'Ik wil Beleggersbetrekkingen erbij halen, en Public Relations, en een reactie opstellen, een ingezonden brief,' zei Camilletti.

'Vergeet de *Journal* maar,' zei Goddard. 'Ik zou wel een exclusief interview aan de *New York Times* willen geven. Een gelegenheid om punten aan te snijden die van belang zijn voor de bedrijfstak als geheel, zal ik zeggen. Ze willen vast wel.'

'Dat zou kunnen,' zei Camilletti. 'Hoe dan ook, laten we niet te luid protesteren. We moeten de *Journal* niet dwingen om met een follow-up te komen, want dan worden we opnieuw door het slijk gehaald.'

'Het lijkt erop dat die *Journal*-verslaggever met mensen van Trion zelf heeft gepraat,' zei ik. Ik was alweer vergeten dat ik mijn mond wilde houden. 'Hebben we enig idee wie er kan hebben gelekt?'

'Ik heb een paar dagen geleden een voicemail van die verslaggever gekregen, maar toen was ik in het buitenland,' zei Goddard. 'Ik ben dus "niet beschikbaar voor commentaar".'

'Misschien heeft die man mij ook gebeld – ik weet het niet, ik kan naar mijn voicemail kijken – maar in ieder geval heb ik zijn telefoontje niet beantwoord,' zei Camilletti.

'Ik kan me niet voorstellen dat iemand bij Trion hier opzettelijk aan heeft meegewerkt,' zei Goddard.

'Een van onze concurrenten dan,' zei Camilletti. 'Bijvoorbeeld Wyatt.'

Niemand keek mij aan. Misschien wisten die twee anderen niet waar ik vandaan kwam.

Camilletti ging verder. 'In het artikel worden sommige wederverkopers van ons geciteerd: British Telecom, Vodafone, DoCoMo. Die zeggen dat de nieuwe mobiele telefoons niet verkopen. De honden eten het hondenvoer niet. Hoe komt een verslaggever in New York zelfs maar op het idee om DoCoMo in Japan te bellen? Hij moet een tip van Motorola of Wyatt of Nokia hebben gehad.'

'Nou ja,' zei Goddard, 'daar is niets meer aan te doen. Het is niet mijn taak om leiding te geven aan de media, maar aan het bedrijf. En dit stompzinnige stuk, hoe foutief en onredelijk het ook is – nou, zeg maar gerust verschrikkelijk – staat er afgezien van die onheilspellende kop eigenlijk wel iets nieuws in? Onze kwartaalcijfers waren altijd helemaal in orde. We zaten altijd goed, misschien zelfs een paar dollar beter dan was verwacht. We waren de lieveling van Wall Street. Zeker, er zit geen groei meer in de inkomsten. Maar allemachtig, de hele bedrijfstak heeft het moeilijk! Ik zie duidelijk een beetje leedvermaak in dit stuk. De grote Homerus heeft geknikt.'

'Homerus?' zei Colvin verbaasd.

'Maar al die onzin dat we misschien ons eerste kwartaalverlies in vijftien jaar gaan boeken,' zei Goddard. 'Dat zijn pure verzinsels...'

Camilletti schudde zijn hoofd. 'Nee,' zei hij rustig. 'Het zijn geen verzinsels. Het is nog erger.'

'Waar heb je het over?' zei Goddard. 'Ik kom net van onze verkoopbijeenkomst in Japan, en daar was alles prima in orde!'

'Toen ik gisteravond een e-mail kreeg waarin ik voor dit artikel werd gewaarschuwd,' zei Camilletti, 'heb ik e-mails gestuurd naar de directeur Financiën voor Europa en die voor Azië/Pacific. Ik zei tegen ze dat ik met ingang van deze week alle inkomstencijfers wil zien, en de QTD-verkoopcijfers per klant.'

'En?' drong Goddard aan.

'Covington in Brussel belde me een uur geleden terug, Brody in Singapore midden in de nacht, en al die cijfers zien er beroerd uit. De inkoop was goed, maar de doorverkoop was verschrikkelijk. In Azië/Pacific en Europa/Midden-Oosten/Afrika behalen we zestig procent van onze inkomsten, en het holt achteruit. Weet je, Jock, dit kwartaal gaat verloren, totaal verloren. Het is een regelrechte ramp.'

Goddard keek mij aan. 'Jij beschikt nu over geheime informatie, Adam. Laat duidelijk zijn dat geen woord...'

'Natuurlijk.'

'We hebben,' begon Goddard. Hij haperde even en zei toen: 'We hebben gelukkig AURORA nog...'

'De inkomsten uit AURORA laten nog een paar kwartalen op zich wachten,' zei Camilletti. 'We moeten nú iets doen. Voor de operaties die nu plaatsvinden. En laat me jullie dit vertellen: als deze cijfers in de openbaarheid komen, krijgt het aandeel een gigantische dreun,' ging Camilletti verder. Hij sprak met gedempte stem. 'Onze inkomsten in het vierde kwartaal zullen vijfentwintig procent lager liggen. We zullen een hoge prijs moeten betalen voor de te grote voorraden.'

Camilletti zweeg even en keek Goddard veelbetekenend aan. 'Ik schat dat het bruto verlies tegen de half miljard dollar loopt.'

Goddard huiverde. 'Mijn god.'

Camilletti ging verder. 'Ik weet toevallig dat CS First Boston al op het punt staat ons een lagere klassering te geven. Ze gaan van "aankopen" naar "vasthouden". En dat is vóórdat er iets van dit alles naar buiten komt.'

'Grote goden,' zei Goddard. Hij kreunde en schudde zijn hoofd. 'Het is zo absurd, omdat we wéten wat er op stapel staat.'

'Daarom moeten we hier nog eens naar kijken,' zei Camilletti. Hij wees naar zijn exemplaar van de blauwe Bain-map.

Goddards vingers trommelden op zijn eigen map. Hij had dikke vingers, zag ik, en levervlekken op de rug van zijn handen. 'En het is ook nog een heel mooi vormgegeven rapport,' zei hij. 'Je hebt me nooit verteld wat het ons kost.'

'Dat wil je niet weten,' zei Camilletti.

'O, nee?' Goddard trok een grimas, alsof hij duidelijk had gemaakt wat hij bedoelde. 'Paul, ik heb gezworen dat ik dat nooit zou doen. Ik heb mijn woord gegeven.'

'Jezus, Jock, als het om je ego gaat, je ijdelheid...'

'Het gaat erom dat ik mijn woord houd. Het gaat ook om mijn geloofwaardigheid.'

'Nou, je had zo'n belofte nooit moeten doen. Je moet nooit nooit zeggen. Hoe dan ook, je zei dat in een tijd van een andere economie; prehistorische tijden. Het Mesozoïcum. De raket Trion, met een noodgang de ruimte in. We zijn een van de weinige hightechbedrijven die nog níét tot ontslagen zijn overgegaan.'

'Adam,' zei Goddard. Hij keek me over zijn brillenglazen aan. 'Heb je al gelegenheid gehad om door dat jargon heen te ploegen?'

Ik schudde mijn hoofd. 'Ik kreeg het pas een paar minuten geleden. Ik heb het doorgebladerd.'

'Ik wil dat je goed naar de projecties voor consumentenelektronica kijkt. Pagina tachtig en nog wat. Je moet je daarmee vertrouwd maken.'

'Nu meteen?' vroeg ik.

'Nu meteen. En vertel me dan of het je realistisch lijkt.'

'Jock,' zei Jim Colvin. 'Het is bijna onmogelijk om eerlijke projecties van de divisieleiders te krijgen. Ze beschermen allemaal hun eigen mensen, hun eigen territorium.'

'Daarom is Adam hier,' antwoordde Goddard. 'Hij heeft geen territorium te beschermen.'

Ik bladerde koortsachtig in het Bain-rapport en probeerde de indruk te wekken dat ik wist wat ik deed.

'Paul,' zei Goddard. 'We hebben dit allemaal al eerder besproken. Je gaat me nu vertellen dat we achtduizend banen moeten schrappen om de concurrentiestrijd aan te kunnen.'

'Nee, Jock, om te kunnen blijven bestáán. En het zijn nu eerder tienduizend banen.'

'Ja. Geef me hier dan eens antwoord op. Er staat nergens in dit verrekte rapport dat een bedrijf dat aan downsizing of rightsizing of weet ik veel doet op de lange termijn beter af is. Dit gaat alleen maar over de korte termijn.' Camilletti wilde antwoord geven, maar Goddard ging door. 'O, ik weet het. Iedereen doet het. Het is een reflex. Staan de zaken er slecht voor? Stuur een stel mensen weg. Gooi de ballast overboord. Maar leiden ontslagen werkelijk tot een dúúrzame verhoging van de aandelenprijs, of een duurzame vergroting van het marktaandeel? Paul, jij weet net zo goed als ik dat we de meeste mensen uiteindelijk terugnemen, zodra de lucht weer wat opklaart. Is het echt al die opschudding waard?'

'Jock,' zei Jim Colvin. 'Ze noemen dit de Tachtig-Twintig-regel: twintig procent van de mensen doet tachtig procent van het werk. We snijden alleen het overtollige vet weg.'

'Dat "vet" bestaat uit toegewijde Trion-medewerkers,' wierp Goddard tegen. 'De mensen die we onze cultuurbadges geven, waarop sprake is van loyaliteit en toewijding. Nou, het is tweerichtingsverkeer, nietwaar? Wij verwachten van hen dat ze loyaal zijn, maar ze krijgen die loyaliteit niet van ons terug? Volgens mij raken we op die manier niet alleen een aantal mensen kwijt. We zouden ook een fundamenteel vertrouwen kwijtraken. Als onze werknemers zich van hun kant van het contract houden, moeten wij dat van onze kant toch ook doen? Het is regelrechte vertrouwensbreuk.'

'Jock,' zei Colvin. 'Het is een feit dat je in de afgelopen tien jaar veel Trion-werknemers erg rijk hebt gemaakt.'

Intussen nam ik bliksemsnel de grafieken van geprojecteerde inkomsten door en probeerde ik ze te vergelijken met de cijfers die ik de afgelopen weken had gezien.

'Dit is geen tijd om principieel te zijn, Jock,' zei Camilletti. 'Die luxe kunnen we ons niet permitteren.'

'O, maar ik ben niet principieel,' zei Goddard, die weer met zijn vingertoppen op het tafelblad trommelde. 'Ik ben alleen maar vreselijk praktisch. Ik vind het geen probleem om de lijntrekkers, de nietsnutten, de lanterfanters eruit te gooien. Die kunnen verrekken. Maar als we zoveel mensen ontslaan, leidt dat alleen maar tot meer verzuim. Mensen melden zich ziek of staan bij de watercooler over de laatste geruchten te praten. Het zou tot verlamming leiden. Om woorden te gebruiken die jij kunt begrijpen, Paul: een afname van de productie.'

'Jock...' begon Colvin.

'Ik zal jullie een tachtig-twintig-regel geven,' zei Goddard. 'Als we dit doen, zal tachtig procent van mijn overgebleven werknemers niet meer dan ongeveer twintig procent van hun geestelijke vermogens voor het werk gebruiken. Adam, wat vind je van die prognoses?'

'Meneer Goddard...'

'De vorige die dat zei, heb ik ontslagen.'

Ik glimlachte. 'Jock. Nou, ik zal er niet omheen draaien. Ik heb geen inzicht in de meeste van die cijfers, en ik wil niet zomaar wat zeggen. Niet als het om zoiets belangrijks gaat. Maar ik ga nu even uit van de Maestro-cijfers. Die ken ik, en eerlijk gezegd zien die er te optimistisch uit. Zolang we nog niet aan het Pentagon leveren – vooropgesteld dat we dat contract in de wacht slepen – zijn die cijfers veel te hoog.'

'Je bedoelt dat het nog erger zou kunnen zijn dan onze consultants van honderdduizend dollar ons vertellen.'

'Ja. Tenminste, als de Maestro-cijfers enige indicatie zijn.'

Hij knikte.

'Jock,' zei Camilletti, 'laat me het eens in menselijke termen formuleren. Mijn vader was schoolmeester, ja? Hij liet zes kinderen studeren van een schoolmeesterssalaris. Vraag me niet hoe, maar hij deed het. Tegenwoordig leven hij en mijn moeder van zijn schamele spaargeld, waarvan het meeste vastzit in aandelen Trion, omdat ik tegen hem heb gezegd dat het een geweldig bedrijf is. Voor onze begrippen is het niet veel geld, maar hij heeft al zesentwintig procent van zijn spaargeld verloren en staat op het punt nog veel meer te verliezen. Denk nou even niet aan de grote institutionele beleggers, aan Fidelity en TIAA-CREF. De overgrote meerderheid van onze aandeelhouders bestaat uit mensen als Tony Camilletti, en wat moeten we tegen hén zeggen?'

Ik had het vage gevoel dat Camilletti dit verzon en dat zijn vader bankier was geweest en nu ergens in een bewaakt villapark in Boca woonde en veel golf speelde, maar ik meende te zien dat Goddards ogen begonnen te glinsteren.

'Adam,' zei Goddard. 'Jíj begrijpt toch wel wat ik bedoel?'

Een ogenblik voelde ik me net een hert dat verstijfd in het schijnsel van koplampen bleef staan. Het was duidelijk wat Goddard van me wilde horen. Maar na enkele seconden schudde ik mijn hoofd. Langzaam zei ik: 'Ik heb het gevoel dat als je het nu niet doet, je over een jaar waarschijnlijk nog meer mensen zult moeten ontslaan. Daarom moet ik zeggen dat ik het eens ben met de heer... met Paul.'

Camilletti stak zijn hand uit en klopte me op de schouder. Ik deinsde een beetje terug. Ik wilde niet de indruk wekken dat ik partij koos – tegen mijn baas. Dat was geen goede manier om aan een nieuwe baan te beginnen.

'Wat voor condities stel je voor?' zei Goddard met een zucht.

Camilletti glimlachte. 'Vier weken loon.'

'Ongeacht het aantal jaren dat ze al bij ons werken? Nee. Twee weken loon voor elk jaar dat ze bij ons hebben gewerkt, plus nog eens twee weken voor elk jaar boven de tien jaar.'

'Dat is krankzinnig, Jock! Dan moeten we in sommige gevallen meer dan een jaarsalaris betalen, misschien nog meer.'

'Dat is geen ontslagpremie,' mompelde Jim Colvin. 'Dat is liefdadigheid.'

Goddard haalde zijn schouders op. 'We ontslaan ze op die condities, of we ontslaan ze niet.' Hij keek me bedroefd aan. 'Adam, als je ooit met Paul uiteten gaat, laat hem dan niet de wijn uitkiezen.' Toen wendde hij zich weer tot zijn directeur Financiën. 'Je wilt de ontslagen op 1 juni laten ingaan, nietwaar?'

Camilletti knikte voorzichtig.

'Ergens in mijn achterhoofd,' zei Goddard, 'meen ik me vaag te herinneren dat we een ontslagcontract van één jaar hebben getekend met de divisie van CableSign die we vorig jaar hebben overgenomen. En dat contract loopt op 31 mei af. De dag voor 1 juni.'

Camilletti haalde zijn schouders op.

'Nou, Paul, dat zijn dus bijna duizend medewerkers die een maandsalaris krijgen, plus een maandsalaris voor elk dienstjaar bij CableSign – als we ze een dag eerder ontslaan. Een fatsoenlijke ontslagpremie. Die ene dag maakt ontzaglijk veel verschil voor die mensen. Nu krijgen ze maar twee weken.'

'1 juni is het begin van het kwartaal...'

'Ik doe dat niet. Sorry. Maak er 30 mei van. En de werknemers met aandelenopties die niets meer waard zijn, geven we twaalf maanden de tijd om ze uit te oefenen. En ik neem zelf ook een vrijwillige salarisverlaging – tot één dollar. En jij, Paul?'

Camilletti glimlachte nerveus. 'Jij hebt veel meer opties dan ik.'

'We doen dit maar één keer,' zei Goddard. 'We doen het één keer en we doen het goed. Ik pieker er niet over om twee keer mensen te ontslaan.'

'Begrepen,' zei Camilletti.

'Goed,' zei Goddard met een zucht. 'Zoals ik altijd tegen jullie zeg, moet je soms gewoon in de auto stappen en verder gaan. Maar eerst wil ik dit aan het hele managementteam voorleggen. Ik wil een telefonische vergadering met zoveel van hen als we bij elkaar kunnen krijgen. Ik wil ook met onze bankiers bellen. Als het doorgaat – en ik ben bang van wel – spreek ik een *webcast*-bericht in voor de hele onderneming,' zei Goddard, 'en dan geven we dat morgen vrij, na het sluiten van de beurs. En we brengen het tegelijk in de openbaarheid. Ik wil niet dat er daarvoor iets van uitlekt. Dat is demoraliserend.'

'Ik wil de bekendmaking ook wel doen,' zei Camilletti. 'Dan hou jij schone handen.'

Goddard keek Camilletti fel aan. 'Ik zadel jou hier niet mee op. Dat vertik ik. Dit is mijn beslissing. Ik krijg de eer, de glorie, de tijdschriftomslagen, en ik krijg ook de schuld. Dat is alleen maar rechtvaardig.'

'Ik zeg dit alleen omdat je in het verleden zoveel uitspraken hebt gedaan. Ze maken je af...'

Goddard haalde zijn schouders op, maar hij keek doodongelukkig. 'Ze zullen me wel Kettingzaag Goddard gaan noemen, of zoiets.'

'Ik denk dat "Neutronenjock" beter klinkt,' zei ik, en voor het eerst moest Goddard zowaar glimlachen.

45

Toen ik Goddards kantoor verliet, voelde ik me tegelijk opgelucht en bezwaard.

Ik had mijn eerste bespreking met de man overleefd en me niet al te belachelijk gemaakt. Maar ik kende nu ook een belangrijk bedrijfsgeheim, echte inside-informatie die de levens van veel mensen zou veranderen.

Want weet je: ik had besloten deze informatie niet aan Wyatt en zijn mensen door te geven. Dit hoorde niet bij mijn taak, zat niet in mijn functieomschrijving. Dit had niets met het skunkwerk te maken, en daarom hoefde ik het niet aan mijn opdrachtgevers te vertellen. Trouwens, ze wisten niet dat ik het wist. Ze moesten maar tegelijk met alle andere mensen over de ontslagen bij Trion horen.

In gedachten ging ik op de tweede verdieping van vleugel A de lift uit om een late lunch te nemen in de kantine. Opeens zag ik iemand met een bekend gezicht op me afkomen. Een lange, magere jongeman, eind twintig, met een slecht kapsel, riep naar me: 'Hé, Adam,' terwijl hij in de lift stapte.

Zelfs in die fractie van een seconde voordat ik dat gezicht met een naam in verband kon brengen, trok mijn maag zich samen. Mijn dierlijke instincten voelden het gevaar al aan voordat mijn brein zich daarvan bewust was.

Ik knikte en liep door. Mijn gezicht voelde aan alsof het brandde.

Hij heette Kevin Griffin en hij was een vriendelijke jongen, al zag hij er geschift uit. Hij was ook een goede basketballer. Ik gooide altijd oefenworpen met hem toen ik bij Wyatt Telecommunications werkte. Hij werkte op de verkoopafdeling van de divisie Ondernemingen en hield zich bezig met routers. Ik herinnerde me hem als iemand die achter dat nonchalante uiterlijk bijzonder scherpzinnig en erg ambitieus was. Hij brak steeds weer zijn eigen records, en hij maakte vaak allerlei luchtige grappen tegen me over mijn lusteloze werkhouding.

Met andere woorden, hij wist wie ik werkelijk was.

'Adam!' drong hij aan. 'Adam Cassidy! Hé, wat doe jíj hier?'

Omdat ik hem nu niet meer kon negeren, draaide ik me om. Hij hield zijn hand tussen de liftdeuren om te voorkomen dat ze dichtgingen.

'Hé, Kevin,' zei ik. 'Werk je tegenwoordig hier?'

'Ja, op Verkoop.' Hij scheen dit prachtig te vinden, alsof we op een schoolreünie waren. Hij dempte zijn stem. 'Hebben ze je er bij Wyatt uit gegooid vanwege dat feest?' Hij grinnikte een beetje, niet gemeen of zo, alleen als samenzweerders onder elkaar.

'Nee,' zei ik. Ik aarzelde even en probeerde toen luchtig en geamuseerd verder te gaan. 'Dat was allemaal een groot misverstand.'

'Ja,' zei hij twijfelachtig. 'Wat voor werk doe je hier?'

'Hetzelfde als altijd,' zei ik. 'Hé, blij dat ik je zie, jongen. Sorry, ik moet nu weg.'

Terwijl de liftdeuren dichtgingen, keek hij me nieuwsgierig aan.

Dit zag er niet best uit.

DEEL VIJF

DOORGEBRAND

Doorgebrand: Ontmaskering van personen, installaties (zoals een geheim adres) of andere elementen van een clandestiene activiteit of organisatie. Een doorgebrande agent is iemand van wie de identiteit bij de tegenpartij bekend is.

– *Spy Book: The Encyclopedia of Espionage*

46

Ik was verloren.

Kevin Griffin wist dat ik bij Wyatt niet aan het Lucid-project had gewerkt en dat ik geen aanstormend talent was geweest. Hij kende het echte verhaal. Waarschijnlijk zocht hij op dit moment in zijn kamer naar mijn naam op het intranet van Trion en zag hij tot zijn verbijstering dat ik assistent van de president-directeur was. Hoe lang zou het duren voordat hij ging praten, verhalen ging vertellen, vragen ging stellen? Vijf minuten? Vijf secónden?

Hoe had dit na al die zorgvuldige planning nou kunnen gebeuren, na alle voorbereidingen die door Wyatts mensen getroffen waren? Hoe hadden ze ooit kunnen toestaan dat Trion iemand in dienst nam die het hele plan kon saboteren?

Ik keek verdoofd naar de gerechten in de kantine. Plotseling had ik geen trek meer. Ik nam toch maar een broodje ham en kaas, want ik had de eiwitten nodig, en een Pepsi light, en daarna ging ik naar mijn nieuwe kantoor terug.

Jock Goddard stond op de gang bij mijn kantoor met een ander managertype te praten. Hij keek me aan en stak zijn vinger op om me te laten weten dat hij me wilde spreken. Ik bleef onbeholpen op een afstand staan wachten tot hij klaar was met zijn gesprek.

Na een paar minuten legde Jock zijn hand op de schouder van de andere man. Hij keek me ernstig aan en ging mijn kantoor in.

'Jij,' zei hij, terwijl hij in de stoel voor bezoekers ging zitten. De enige andere plaats waar ik kon zitten, was achter mijn bureau, en dat voelde helemaal verkeerd aan: hij was de president-directeur! Maar ik had geen keus. Ik ging zitten en glimlachte aarzelend naar hem. Ik wist niet wat ik kon verwachten.

'Ik zou zeggen dat je met vlag en wimpel bent geslaagd,' zei Goddard. 'Gefeliciteerd.'

'O, ja? Ik dacht dat ik het had verknoeid,' zei ik. 'Ik vond het niet prettig om partij voor iemand anders te kiezen.'

'Daarom heb ik je in dienst genomen. Nee, niet om partij tegen mij te kiezen. Maar om de waarheid niet voor me verborgen te houden.'

'Het was geen waarheid,' zei ik. 'Het was alleen maar iemands mening.' Misschien ging ik nu een beetje te ver.

Goddard wreef met zijn dikke hand over zijn ogen. 'Het gemakke-lijkste – en ook het gevaarlijkste – dat een president-directeur kan doen, is zich buiten de realiteit stellen. Niemand wil mij ooit de onver-bloemde waarheid vertellen. Ze willen me manipuleren. Ze hebben al-lemaal hun eigen doelstellingen. Hou je van geschiedenis?'

Ik had geschiedenis nooit gezien als iets waar je van kon houden. Ik haalde mijn schouders op. 'Een deel.'

'In de Tweede Wereldoorlog riep Winston Churchill een speciale dienst in het leven die de taak had hem de eerlijke, onverhulde waar-heid te vertellen. Hij noemde dat de Statistische Dienst of zoiets. Hoe dan ook: niemand wilde hem graag slecht nieuws vertellen, maar hij wist dat hij dat nieuws moest horen, anders kon hij zijn werk niet doen.'

Ik knikte.

'Je zet een onderneming op, de fortuin lacht je een paar keer toe, en je wordt bijna een cultfiguur bij mensen die niet beter weten,' ging God-dard verder. 'Maar ik heb er geen behoefte aan dat ze mijn, eh, ring kussen. Ik heb behoefte aan eerlijkheid. Nu meer dan ooit. Er is in dit vak een axioma: technologie groeit altijd boven haar uitvinders uit. Dat is Rod Canion van Compaq overkomen. En Al Shugart van Seagate. Vergeet niet dat Steve Jobs er door Apple Computer uit was gegooid, totdat hij op zijn witte paard kwam terugrijden en het bedrijf redde. Wat ik wil zeggen, is dat niemand eeuwig kan doorgaan. Mijn directie heeft altijd ontzaglijk veel vertrouwen in me gehad, maar dat vertrou-wen begint te tanen, denk ik.'

'Waarom zegt u dat?'

'Je moet eens ophouden met "u" tegen me te zeggen,' snauwde God-dard. 'Dat stuk in de *Journal* was een schot voor de boeg. Het zou me niet verbazen als het afkomstig was van ontevreden directieleden. Som-migen van hen vinden het tijd worden dat ik opstap, dat ik me in mijn landhuis terugtrek en fulltime aan mijn auto's ga sleutelen.'

'Maar dat wil je niet?'

Hij trok een kwaad gezicht. 'Ik zal doen wat het beste voor Trion is. Dit verrekte bedrijf is mijn hele leven. Trouwens, auto's zijn maar een hobby – als je fulltime met een hobby bezig bent, is het niet leuk meer.'

Hij gaf me een dikke bruine map. 'Dit zit ook in Adobe PDF-formaat in je e-mail. Het is ons strategisch plan voor de komende anderhalf jaar – nieuwe producten, upgrades, noem maar op. Ik wil dat je me je onomwonden, onverbloemde mening geeft – een presentatie, hoe je het maar wilt noemen, een helikoptervisie.'

'Wanneer wil je dat hebben?'

'Zo snel als het enigszins kan. En als er een bepaald project is waarbij je graag betrokken zou willen zijn, als mijn persoonlijke afgezant, dan ga je je gang maar. Je zult zien dat er allerlei interessante dingen op stapel staan. Sommige daarvan houden we graag stil. Allemachtig, er zit één ding bij, codenaam project AURORA, dat onze toekomst totaal zou kunnen veranderen.'

'AURORA?' Ik slikte. 'Dat bracht je in de bespreking ook al ter sprake, geloof ik?'

'Ik heb Paul de leiding daarvan gegeven. Het is een verbijsterend project. Er zitten nog wat foutjes in het prototype die we moeten oplossen, maar dat duurt niet lang meer, en dan kunnen we het onthullen.'

'Klinkt erg interessant,' zei ik nonchalant. 'Ik zou daar graag bij willen helpen.'

'O, dat zul je, geen twijfel mogelijk. Maar alles op zijn tijd. Ik wil niet dat je op dit moment te veel wordt afgeleid van die andere problemen, want als je eenmaal bij AURORA betrokken bent.... Nou, ik wil je niet in te veel richtingen tegelijk sturen, want dan kun je je nergens echt in verdiepen.' Hij stond op en vouwde zijn handen samen. 'Nu moet ik naar de studio om de webcast op te nemen, en ik verzeker je dat ik me daar echt niet op verheug.'

Ik glimlachte begrijpend.

'Sorry dat ik je zo aan het werk zet,' zei Goddard, 'maar ik heb het gevoel dat je het heel goed gaat doen.'

47

Ik kwam tegelijk met Meacham bij Wyatts huis aan, en hij maakte een grap over mijn Porsche. We werden naar Wyatts grote fitnessruimte gebracht. Die bevond zich officieel in het souterrain, maar vanwege de tuinarchitectuur met veel hoogteverschillen lag de ruimte niet geheel en al onder de grond. Wyatt lag op een bank en drukte gewichten op – zeventig kilo. Hij droeg alleen een nietig gymbroekje, geen shirt, en leek gespierder dan ooit. Die kerel zag eruit als Superman in eigen persoon.

Hij maakte zijn oefeningen af zonder een woord te zeggen. Toen richtte hij zich op en droogde zich af.

'Dus je bent al ontslagen?' zei hij.

'Nog niet.'

'Nee, Goddard heeft andere dingen aan zijn hoofd. Bijvoorbeeld het feit dat zijn hele onderneming uit elkaar valt.' Hij keek Meacham aan, en ze grinnikten allebei. 'Wat had de heilige Augustine daarover te zeggen?'

Die vraag was niet onverwacht, maar ik werd er toch door overvallen. Ik was er niet goed op voorbereid. 'Niet zoveel,' zei ik.

'Onzin,' zei Wyatt. Hij kwam dichter naar me toe en keek me scherp aan. Hij probeerde me met zijn fysieke overwicht te intimideren. Er steeg hete, vochtige lucht van zijn lichaam op en hij rook onaangenaam naar ammoniak: de geur van gewichtheffers die te veel proteïne verwerken.

'Niet zoveel waar ik bij was,' verbeterde ik mezelf. 'Ik denk dat het artikel ze de stuipen op het lijf heeft gejaagd; ze waren in alle staten. De drukte was nog erger dan normaal.'

'Wat weet jij van "normaal"?' zei Meacham. 'Dit was je eerste dag op de zesde verdieping.'

'Het was maar een indruk van me,' zei ik zwakjes.

'Hoeveel van het artikel is waar?' vroeg Wyatt.

'Je bedoelt dat jij er niet achter zit?' zei ik.

Wyatt keek me vreemd aan. 'Wordt het een slecht kwartaal of niet?'

'Ik heb geen idee,' loog ik. 'Het is nou ook weer niet zo dat ik de hele dag bij Goddard op kantoor zit.' Ik weet niet waarom ik zo koppig weigerde de desastreuze kwartaalcijfers door te geven, of het nieuws over de dreigende ontslagen. Misschien had ik het gevoel dat Goddard me een geheim had toevertrouwd en dat het verkeerd zou zijn om dat vertrouwen te schenden. Jezus, ik was een mol, een spion. Waar haalde ik die hoogverheven gedachten vandaan? Waarom stelde ik plotseling grenzen: dit wil ik je nog wel vertellen, maar dat niet? Als de volgende dag bekend werd dat ze bij Trion mensen gingen ontslaan, zou Wyatt razend op me zijn omdat ik dat had achtergehouden. Hij zou niet geloven dat ik het niet had gehoord. Daarom draaide ik eromheen.

'Maar er is wel iets aan de hand,' zei ik. 'Iets belangrijks. Er is een be-kendmaking op komst.'

Ik gaf Wyatt een map met een kopie van het strategisch plan dat Goddard aan me had voorgelegd.

'Wat is dit?' vroeg Wyatt. Hij legde het op de gewichthefbank, trok een sporthemd over zijn hoofd en bladerde in het document.

'Het strategisch plan van Trion voor de komende anderhalf jaar. In-clusief gedetailleerde beschrijvingen van alle nieuwe producten die ze op stapel hebben staan.'

'Inclusief AURORA?'

Ik schudde mijn hoofd. 'Maar Goddard heeft dat wel genoemd.'

'Hoe?'

'Hij zei alleen dat er een groot project met de codenaam AURORA was en dat het voor een grote ommekeer zou zorgen. Hij zei dat hij de leiding aan Camilletti had gegeven.'

'Huh. Camilletti heeft de leiding van alle acquisities, en mijn bron-nen zeggen dat project AURORA is samengesteld uit een verzameling bedrijven die Trion de afgelopen jaren in het geheim heeft opgekocht. Heeft Goddard gezegd wat het was?'

'Nee.'

'Je hebt dat niet gevráágd?'

'Natuurlijk wel. Ik zei tegen hem dat ik graag aan zoiets belangrijks zou meewerken.'

Wyatt bladerde zwijgend in het strategisch plan. Hij keek de blad-zijden snel en opgewonden door.

Intussen gaf ik Meacham een papiertje. 'Jocks persoonlijke mobiele nummer.'

'Jóck?' zei Meacham vol walging.

'Iedereen noemt hem zo. Het wil niet zeggen dat we billenmaatjes zijn. Hoe dan ook, hiermee kunnen jullie veel van zijn belangrijkste te-lefoontjes achterhalen.'

Meacham nam het aan zonder me te bedanken.

'Nog één ding,' zei ik tegen Meacham. Wyatt was nog steeds gefasci-neerd aan het lezen. 'Er doet zich een probleem voor.'

Meacham keek me aan. 'Neem ons niet in de maling.'

'Er is een nieuwkomer bij Trion, een zekere Kevin Griffin op Ver-koop. Tot voor kort werkte hij hier – bij Wyatt.'

'Nou, en?'

'We waren min of meer vrienden.'

'Vriénden?'

'Min of meer. We hebben met elkaar gebasketbald.'

'Hij kende je bij Wyatt?'

'Ja.'

'Shit,' zei Meacham. 'Dat is inderdaad een probleem.'

Wyatt keek op van het document. 'Torpedeer hem,' zei hij.

Meacham knikte.

'Wat betekent dat?' zei ik.

'Het betekent dat we iets aan hem doen,' zei Meacham.

'Dit is waardevolle informatie,' zei Wyatt ten slotte. 'Erg, erg nuttig. Wat wil Goddard dat je hiermee doet?'

'Hij wil mijn algehele mening over de portefeuille van de onderneming. Wat veelbelovend is, wat niet, wat in moeilijkheden zou kunnen komen. Alles.'

'Dat is niet erg specifiek.'

'Hij zei dat hij een helikoptervisie wilde.'

'Met achter het stuur Adam Cassidy, het marketinggenie,' zei Wyatt geamuseerd. 'Nou, neem een blocnote en een pen en maak aantekeningen. Ik ga een ster van je maken.'

48

Ik was het grootste deel van de nacht op. Jammer genoeg begon ik daaraan gewend te raken.

De verfoeide Nick Wyatt was meer dan een uur bezig geweest me zijn visie op de productenlijn van Trion te geven, inclusief allerlei inside-informatie, dingen die maar heel weinig mensen zouden weten. Het was of ik Rommels visie op Montgomery te horen kreeg. Natuurlijk was hij goed op de hoogte van de markt, want hij was een van de belangrijkste concurrenten van Trion en beschikte over allerlei waardevolle informatie. Die wilde hij nu prijsgeven: alleen om ervoor te zorgen dat Goddard onder de indruk van mij was. Voor Wyatt zou strategisch verlies op de korte termijn tot strategische winst op de lange termijn leiden.

Tegen middernacht reed ik in volle vaart naar Harbor Suites terug en ging aan het werk met PowerPoint. Ik stelde de slides samen voor

de presentatie die ik aan Goddard zou geven. Eerlijk gezegd was ik nogal gespannen. Ik wist dat ik niet kon freewheelen; ik moest op topniveau presteren. Zolang ik over de inside-informatie van Wyatt beschikte, zou ik indruk op Goddard maken, maar wat zou er gebeuren
als ik het zonder die informatie moest stellen? Als hij me nu eens mijn
mening over iets vroeg en als dan zou blijken hoe weinig ik in feite
wist? Wat dan?

Toen ik niet meer aan de presentatie kon werken, nam ik een korte
pauze en keek ik naar mijn persoonlijke e-mail op Yahoo en Hotmail en
Hushmail. Er was de gebruikelijke spam: 'Viagra on line KOOP HET HIER
VIAGRA ZONDER RECEPT' en 'BESTE XXX SITE! en 'De voordeligste hypo-
theken!' Niets meer van 'Arthur'. Toen logde ik in op de website van Trion.

Één e-mailbericht viel meteen op. Het was van KGriffin@trionsys-
tems.com. Ik klikte erop.

BETR: jij
VAN: KGriffin
AAN: ACassidy

Hallo! Goed dat ik je weer zag! Blij dat je er zo chic uitziet & het zo
goed met je gaat – bravo! Erg onder de indruk van je carrière hier. Zit
het in het water? Geef míj ook wat!

Ik leg contacten met mensen hier in Trion & zou je graag op een
lunch of zo trakteren. Laat het me weten!

Kev

Ik beantwoordde het mailtje niet. Ik wist nog niet hoe ik dit ging aanpakken. De man had me blijkbaar opgezocht, gezien welke functie ik
had, en begreep er niets van. Of hij me nu uit nieuwsgierigheid wilde
ontmoeten, of om bij me in het gevlei te komen, het was in ieder geval een groot probleem. Meacham en Wyatt hadden gezegd dat ze hem
zouden 'torpederen', wat dat ook betekende, maar zolang ze nog niet
hadden gedaan wat ze van plan waren, zou ik extra voorzichtig moeten zijn. Kevin Griffin was te vergelijken met een geladen pistool dat
ergens rondslingerde en ieder moment kon afgaan. Ik wilde daar niet
bij in de buurt komen.

Ik logde uit en logde weer in met Nora's user-ID en wachtwoord. Het
was twee uur 's nachts en ik nam aan dat ze niet meer on line was. Dit

was een goede gelegenheid om te proberen in haar gearchiveerde e-mail te komen en alles te downloaden wat iets met AURORA te maken had, als dat er was.

Het enige dat ik kreeg, was ONGELDIG WACHTWOORD, HERHALEN A.U.B.

Ik voerde haar wachtwoord opnieuw in, ditmaal zorgvuldiger, en kreeg opnieuw ONGELDIG WACHTWOORD. Deze keer wist ik zeker dat ik me niet had vergist.

Haar wachtwoord was veranderd.

Waarom?

Toen ik eindelijk naar bed ging, dacht ik koortsachtig na, op zoek naar redenen waarom Nora haar wachtwoord kon hebben veranderd. Misschien was Luther, de bewaker, op een avond langsgekomen toen Nora toevallig wat langer bleef doorwerken dan gewoonlijk en had hij een praatje met me willen maken over Mustangs of weet ik veel, en had hij in plaats van mij Nora aangetroffen. Misschien had hij zich afgevraagd wat ze daar in dat kantoor deed, en misschien had hij haar daar zelfs naar gevraagd. Zo onwaarschijnlijk was dat niet. En toen had hij haar een signalement gegeven en had ze het begrepen; daar zou ze niet zoveel tijd voor nodig hebben gehad.

Maar als dat gebeurd was, zou ze toch niet alleen haar wachtwoord hebben veranderd? Dan zou ze veel meer maatregelen hebben genomen. Dan had ze willen weten wat ik in haar kantoor deed, want ze had me nooit toestemming gegeven om daar te zijn. Ik wilde er niet aan denken waartoe dat kon leiden...

Of misschien was het allemaal onschuldig. Misschien had ze uit gewoonte haar wachtwoord veranderd, zoals iedere Trion-werknemer elke zestig dagen geacht werd te doen.

Waarschijnlijk was dat alles.

Ik sliep niet goed, en na een paar uur van woelen en draaien besloot ik op te staan, een douche te nemen, me aan te kleden en naar mijn werk te gaan. Mijn werk voor Goddard zat erop; met mijn werk voor Wyatt, mijn spionagewerk, lag ik achter. Als ik vroeg genoeg naar kantoor ging, kon ik misschien iets over AURORA aan de weet komen.

Toen ik wegging, keek ik in de spiegel. Ik zag er weer belabberd uit.

'Bent u al op?' zei Carlos de portier toen mijn Porsche kwam voorrijden. 'U kunt niet zulke uren aanhouden, meneer Cassidy. Daar wordt u ziek·van.'

'Nee,' zei ik. 'Het houdt me eerlijk.'

49

Kort na vijf uur in de morgen was de parkeergarage van Trion bijna leeg. Het was een vreemd gevoel om daar in die verlaten ruimte te zijn. De tl-verlichting zoemde en liet alles in een groenig schijnsel baden, en het rook naar benzine en motorolie en wat er nog meer uit auto's drupte: remvloeistof en koelvloeistof en waarschijnlijk ook gemorste frisdrank. Mijn voetstappen galmden.

Ik nam de achterlift naar de zesde verdieping, die ook verlaten was, en liep door de donkere directiegang naar mijn kantoor, langs dat van Colvin en dat van Camilletti, en langs andere kantoren van mensen die ik nog niet had ontmoet, totdat ik bij mijn eigen kantoor kwam. Alle kantoren waren donker en gesloten; er was nog niemand.

Mijn kantoor was als een onbeschreven blad: niet veel meer dan een leeg bureau en stoelen en een computer, een muismat met het Trion-logo, een archiefkast waar niets in zat, een kastje met een paar boeken. Het zag eruit als het kantoor van een reiziger, een zwerver, iemand die midden in de nacht weg kon gaan. Het ontbrak aan persoonlijkheid: foto's, verzamelobjecten, iets grappigs, iets ernstigs en inspirerends. Er was geen stempel op gedrukt. Misschien zou ik daar eens iets aan doen, als ik mijn slaapachterstand had ingehaald.

Ik typte mijn wachtwoord, logde in en keek weer naar mijn e-mail. In de afgelopen nachtelijke uren was er op een gegeven moment een e-mail naar alle Trion-medewerkers gegaan waarin hun werd verzocht om later die dag, om vijf uur Eastern Standard Time, naar de website van de onderneming te kijken voor 'een belangrijke bekendmaking van president-directeur Augustine Goddard'. Dat zou de geruchtenmolen in gang zetten. De e-mails zouden wild door het hele bedrijf vliegen. Ik vroeg me af hoeveel mensen aan de top – waartoe ik bizar genoeg nu ook zelf behoorde – de waarheid kenden. Niet veel, dacht ik.

Goddard had gezegd dat AURORA, het verbijsterende project waarover hij niet wilde praten, onder leiding van Paul Camilletti stond. Ik vroeg me af of er iets in Camilletti's persoonlijke gegevens stond wat enig licht op AURORA zou werpen, en dus typte ik zijn naam in.

Daar had je zijn foto, streng en onverbiddelijk en toch aantrekkelijker dan in het echt. Het was een kleine biografie: geboren in Geneseo, New York, leerling van openbare scholen in de staat New York. Dat betekende dat hij waarschijnlijk niet uit een rijk gezin kwam. Vervolgens

Swarthmore, Harvard Business School, een bliksemcarrière bij een be-drijf dat consumentenelektronica maakte, een bedrijf dat ooit een gro-te concurrent van Trion was maar later door Trion werd overgenomen. Hij zat nog geen jaar in de directie van Trion toen hij al tot directeur Financiën werd benoemd. Deze man zat niet stil. Ik klikte op de hy-perlinks van zijn rapportageketen, en er verscheen een klein overzicht met alle divisies en eenheden die onder hem stonden.

Een van die eenheden was Onderzoek Disruptieve Technologie, die rechtstreeks aan hem rapporteerde. Alana Jennings was daar marke-tingdirecteur.

Paul Camilletti hield rechtstreeks toezicht op het AURORA-project. Plotseling was hij erg, erg belangrijk.

Ik liep met bonkend hart langs zijn kantoor en zag hem daar natuur-lijk niet. Niet om kwart over vijf in de morgen. Ik constateerde ook dat de schoonmaakploeg al was geweest; er zat een nieuwe vuilniszak in de afvalbak van zijn secretaresse, je kon de stofzuigerstrepen nog op de vloerbedekking zien en het rook er nog naar schoonmaakvloeistof.

En er was niemand op de gang, en waarschijnlijk niemand op de he-le verdieping.

Ik stond op het punt om over een streep te gaan en iets te doen dat nog heel wat riskanter was dan wat ik tot dusver had gedaan.

Ik was niet eens zo bang dat er een bewaker voorbijkwam. Ik zou zeggen dat ik Camilletti's nieuwe assistent was – wisten zij veel?

Maar als Camilletti's secretaresse nu eens vroeg op kantoor kwam om alvast wat werk te verzetten? Of, wat nog waarschijnlijker was, als Camilletti zélf nu eens extra vroeg wilde beginnen? Het was best mo-gelijk dat hij vanwege de belangrijke bekendmaking eerder naar kan-toor kwam om wat telefoontjes te plegen, e-mails te schrijven, faxen naar de Europese kantoren van Trion te sturen, waar ze zes of zeven uur verder in de tijd waren. Als het hier halfzes in de morgen was, liep het in Europa tegen de middag. Zeker, hij kon ook vanuit zijn huis e-mailen, maar het leek me net wat voor hem om op deze dag extra vroeg naar kantoor te komen.

Het was dus waanzinnig riskant om uitgerekend op deze dag in zijn kantoor in te breken.

Maar om de een of andere reden besloot ik het toch te doen.

50

Maar de sleutel van Camilletti's kantoor was nergens te vinden.

Ik keek op alle gebruikelijke plaatsen – elke la in het bureau van zijn secretaresse, in de plantenbakken, in het bakje voor de paperclips, zelfs in de archiefkasten. Haar bureau was goed zichtbaar vanaf de gang en het zat me niet lekker dat ik aan het rondsnuffelen was op een plaats waar ik duidelijk niet behoorde te zijn. Ik keek achter de telefoon. Onder het toetsenbord, onder haar computer. Zat hij op de onderkant van de bureauladen verborgen? Nee. Onder het bureau? Ook niet. Er was een kleine wachtruimte naast haar bureau – eigenlijk alleen maar een bank, een salontafel en een paar stoelen. Ik zocht daar ook, maar ik vond niets. Er was geen sleutel.

Nou, misschien lag het ook wel een beetje voor de hand dat de financieel directeur van de onderneming een paar voorzorgsmaatregelen nam en het moeilijk maakte om in zijn kantoor in te breken. Daar kon je toch alleen maar respect voor hebben?

Na een zenuwslopende tien minuten waarin ik overal zocht, kwam ik tot de conclusie dat het niet zou lukken. Toen herinnerde ik me opeens een vreemd klein detail van mijn eigen nieuwe kantoor. Zoals alle kantoren op de directieverdieping was het voorzien van een bewegingsdetector, die niet zo hightech was als je zou denken. Het was een veel voorkomende veiligheidsmaatregel in de kantoren van hogere managers; zo werd ervoor gezorgd dat niemand ooit in zijn eigen kantoor opgesloten kwam te zitten. Zolang er beweging in een kantoor was, gingen de deuren niet op slot. (Weer een bewijs dat de kantoren op de zesde verdieping een beetje 'gelijker' waren dan de andere.)

Als ik snel was, kon ik daar gebruik van maken...

De deur naar Camilletti's kantoor was van massief mahoniehout, glanzend en zwaar. Er zat geen opening tussen de deur en de hoogpolige vloerbedekking; ik kon er niet eens een stuk papier onderdoor schuiven. Dat maakte alles veel ingewikkelder – maar niet onmogelijk.

Ik had een stoel nodig om op te staan, niet de stoel van zijn secretaresse; die had wieltjes en zou niet op zijn plaats blijven. Ik vond in het zitgedeelte een gewone stoel en zette hem naast de glazen wand van Camilletti's kantoor. Toen ging ik naar het zitgedeelte terug. Op de salontafel lagen de gebruikelijke tijdschriften en kranten: *Financial Times*,

Institutional Investor, CFO, *Forbes, Fortune, Business 2.0, Barron's...*

Barron's... Ja. Dat was geschikt. Het blad had de grootte, de vorm en het gewicht van een boulevardkrant. Ik pakte het op, maar keek eerst nog eens om me heen om er zeker van te zijn dat ik niet betrapt werd op iets wat ik met geen mogelijkheid zou kunnen verklaren. Toen klom ik op de stoel en duwde een van de vierkante akoestische plafondpanelen omhoog.

Ik stak mijn hand in de lege ruimte boven het verlaagde plafond, in die donkere stoffige plaats vol draden en kabels en dat soort dingen, en tastte naar het volgende plafondpaneel, recht boven Camilletti's kantoor. Dat paneel trok ik omhoog, en ik legde het op het metalen raster.

Toen nam ik de *Barron's*, reikte ermee naar de andere paneelopening, liet het tijdschrift langzaam zakken en bewoog het heen en weer. Ik liet het zo ver zakken als ik kon reiken en bewoog er nog wat meer mee, maar er gebeurde niets. Misschien gingen de bewegingsdetectors niet zo hoog. Ten slotte ging ik op mijn tenen staan, kromde mijn elleboog zo ver als ik kon en slaagde erin het tijdschrift nog een centimeter of twintig lager te krijgen. Ik zwaaide er wild mee heen en weer, tot mijn spieren er pijn van deden.

En ik hoorde een klik.

Een zachte, onmiskenbare klik.

Ik trok de *Barron's* terug en legde de plafondpanelen weer op hun plaats. Toen stapte ik van de stoel af en bracht hem naar het zitgedeelte terug.

En ik probeerde de deurknop van Camilletti's kantoor.

De deur ging open.

In mijn werktas had ik wat gereedschap meegebracht, waaronder een Mag-Lite zaklantaarn. Ik trok meteen de zonwering dicht, sloot de deur en zette de krachtige lichtstraal aan.

Camilletti's kantoor was even onpersoonlijk als alle andere kantoren: de bekende verzameling familiefoto's, plaquettes en diploma's, dezelfde rij managementboeken die ze allemaal beweerden te lezen. Eigenlijk was dit kantoor nogal teleurstellend. Het was geen hoekkantoor en het had geen ramen van vloer tot plafond, zoals ze bij Wyatt Telecommunications hadden. Er was helemaal geen uitzicht. Ik vroeg me af of Camilletti het niet vervelend vond om belangrijke gasten in zo'n nederig kantoor te ontvangen. Dit mocht dan Goddards stijl zijn, het paste vast niet bij Camilletti. Hoe gierig hij ook was, hij maakte toch de indruk dat hij van luxe hield. Ik had gehoord dat er een stijlvolle bezoekersruimte was in het penthouse van het directiegebouw, vleugel A, maar niemand die ik kende, was daar ooit geweest. Misschien ontving Camilletti daar zijn belangrijke gasten.

Zijn computer stond aan, maar toen ik op de spatiebalk van het modernistische zwarte toetsenbord drukte en het beeldscherm oplichtte, zag ik de woorden GEEF WACHTWOORD, met een knipperende cursor. Zonder zijn wachtwoord kon ik natuurlijk niet in zijn computerbestanden komen.

Misschien had hij zijn wachtwoord ergens opgeschreven, maar ik kon het nergens vinden. Ik zocht in laden en onder het toetsenbord en keek of het op de achterkant van het grote platte beeldscherm geplakt zat. Nergens. Voor de lol voerde ik zijn gebruikersnaam in (PCamilletti@trionsystems.com), en daarna dezelfde naam als wachtwoord, PCamilletti.

Niets. Zo voorzichtig was hij wel. Na enkele pogingen gaf ik het op. Ik zou op de ouderwetse manier achter zijn wachtwoord moeten komen: in het geniep. Waarschijnlijk zou hij het niet merken als ik de kabel tussen zijn toetsenbord en computer door een Keyghost verving. En dat deed ik dus.

Ik geef toe dat ik daar in Camilletti's kantoor meer last van mijn zenuwen had dan toen ik in Nora's kantoor was. Je zou denken dat ik inmiddels wel ervaren was in het inbrekersvak, maar dat gevoel had ik niet. Bovendien was er iets aan Camilletti's kantoor wat me doodsbang maakte. De man zelf was angstaanjagend, en ik moest er niet aan denken wat er zou gebeuren als ik werd betrapt. Bovendien moest ik aannemen dat de beveiligingsmaatregelen in de kantoren van de topmanagers uitgebreider waren dan in de rest van het gebouw van Trion. Dat móést wel. Zeker, ik was erin getraind om de meeste beveiligingsmaatregelen te omzeilen. Maar er waren altijd onzichtbare detectiesystemen die geen hoorbaar of zichtbaar alarm lieten overgaan. Vooral die mogelijkheid maakte me erg bang.

Ik keek om me heen, wanhopig op zoek naar inspiratie. Op de een of andere manier leek het kantoor me netter, ruimer dan andere kantoren die ik bij Trion had gezien. Toen besefte ik dat hier geen archiefkasten stonden. Dáárom was het zo netjes. Nou, waar waren al zijn archiefkasten dan?

Toen ik er eindelijk achter was waar ze moesten zijn, voelde ik me een idioot. Natuurlijk. Ze waren hier niet, want er was geen ruimte, en ze stonden niet bij zijn secretaresse, want daar kon iedereen te gemakkelijk komen.

Ze moesten in de achterkamer staan. Net als Goddard had elke topmanager van Trion een dubbel kantoor. Achter het eigenlijke kantoor bevond zich een even grote achterkamer die voor vergaderingen werd gebruikt. Op die manier loste Trion het probleem van iedereen-even-veel-kantoorruimte op. Ieders kantoor was even groot, maar de topmensen kregen er gewoon twee.

De deur naar de vergaderkamer zat niet op slot. Ik scheen met de Mag-Lite door de kamer, zag een klein kopieerapparaat en constateerde dat er mahoniehouten archiefkasten langs alle muren stonden. In het midden stond een ronde tafel, net als die van Goddard maar dan kleiner. Elke la had een zorgvuldig beschreven etiket. De meeste bevatten financiële gegevens. Daar zou waarschijnlijk veel interessants te vinden zijn, als ik maar wist waar ik moest zoeken.

Maar toen ik de laden met TRION CORPORATE DEVELOPMENT zag, verloor ik mijn belangstelling voor al het andere. 'Corporate development' – dat waren fusies en acquisities. Trion stond erom bekend dat het startende of kleine en middelgrote ondernemingen opslokte. Dat was vooral in de wilde jaren negentig gebeurd, maar toch kochten ze nog verscheidene ondernemingen per jaar op. Ik nam aan dat de dossiers in deze kamer waren opgeborgen omdat Camilletti de leiding had van acquisities. Hij richtte zich vooral op het kostenplaatje: hoe goed een investering was.

En als Wyatt gelijk had en project AURORA samengesteld was uit een stel ondernemingen die Trion in het geheim had overgenomen, moest de oplossing van het AURORA-mysterie hier te vinden zijn.

Die kasten zaten ook niet op slot, en dat was opnieuw een geluk. Ze zullen wel hebben gedacht dat als je niet in Camilletti's achterkantoor kon komen je ook bij de archiefkasten kon komen en het dus geen zin had om die kasten op slot te doen.

Er zaten dossiers over ondernemingen in die kasten. Trion had ze óf helemaal overgenomen óf ze gedeeltelijk opgekocht óf ze bestudeerd en besloten zich erbuiten te houden. Sommige van de namen van die ondernemingen kende ik, maar de meeste niet. Ik keek in het dossier van elke onderneming om na te gaan wat daar werd gedaan. Op die manier schoot het niet erg op, en ik wist eigenlijk ook niet waar ik naar zocht. Hoe kon ik nou weten of een klein startersbedrijfje deel uitmaakte van AURORA, als ik niet eens wist wat AURORA was? Het leek volslagen onmogelijk.

Maar toen waren mijn problemen opgelost.

Een van de CORPORATE DEVELOPMENT-laden had het opschrift PROJECT AURORA.

En daar had ik het. Zo simpel was het.

51

Ondiep ademhalend trok ik de la open. Ik verwachtte min of meer dat de la leeg zou zijn, net als de AURORA-dossiers bij HR. Maar dat was niet zo. De la zat propvol mappen, allemaal in codekleuren die ik niet begreep en allemaal met het stempel TRION VERTROUWELIJK. Dit was duidelijk wat ik zocht.

Voor zover ik kon nagaan, hadden deze dossiers betrekking op kleine startersbedrijven – twee in Silicon Valley, Californië, en ook twee in Cambridge, Massachusetts – die kortgeleden onder strikte geheimhouding door Trion waren overgenomen. 'In de *stealth mode*', stond er in de dossiers.

Ik wist dat dit iets groots, iets belangrijks was, en nu bonkte mijn hart pas goed. Op elke pagina was GEHEIM of VERTROUWELIJK gestempeld. Zelfs in deze uiterst geheime dossiers, die in het afgesloten kantoor van de financieel directeur werden bewaard, was het taalgebruik obscuur en versluierd. Er stonden zinnen en frasen in als 'Acquisitie zo spoedig mogelijk aanbevolen' en 'Moet van het radarscherm vandaan blijven'.

Dus hier was het geheim van AURORA te vinden. Een van de overgenomen ondernemingen scheen een manier te hebben ontwikkeld om elektronische en optische componenten in één geïntegreerd circuit te combineren. Op een briefje stond dat de onderneming het probleem van 'het geringe rendement van de wafels' had opgelost.

Een andere onderneming had een manier bedacht om fotonische circuits in massaproductie te nemen. Ja, maar wat betékende dat? Een paar andere bedrijven waren softwarefirma's, en ik had geen idee wat ze deden.

Een onderneming die Delphos Inc. heette – dit leek me erg interessant – had een proces uitgevonden om een chemische verbinding die indiumfosfide heette te verfijnen en produceren, die bestond uit 'binaire kristallen van metallieke en niet-metallieke elementen', wat dat ook mocht betekenen. Dat spul had 'unieke eigenschappen ten aanzien van optische absorptie en transmissie', stond in de toelichting. Blijkbaar werd het gebruikt om een bepaald soort laser te bouwen. Voor zover ik begreep, had Delphos Inc. de markt van indiumfosfide min of meer in handen. Ongetwijfeld konden knappere lieden dan ik wel nagaan waar grote hoeveelheden indiumfosfide goed voor waren. Ik bedoel, hoeveel lasers kon iemand nodig hebben?

Maar wat nóg interessanter was: dat Delphos-dossier droeg het stempel ACQUISITIE AANSTAAND. Dus Trion voerde onderhandelingen om dat bedrijf te kopen. Het dossier stond vol met financiële gegevens, waar ik niets van begreep. Er was een document van tien of twaalf pagina's, waarin de condities voor de overname van Delphos door Trion werden uiteengezet. Het kwam erop neer dat Trion *vijfhonderd miljoen dollar* voor de onderneming bood. Blijkbaar waren de directeuren van Delphos, een stel wetenschappers uit Palo Alto, met de condities akkoord gegaan, evenals een investeringsmaatschappij in Londen die het grootste deel van de onderneming bezat. Ja, als er een half miljard op tafel komt, is iedereen erg inschikkelijk. Ze waren alleen nog bezig de puntjes op de i te zetten. Er waren plannen om over een week een bekendmaking te doen.

Maar hoe kon ik die dossiers kopiëren? Dat zou een eeuwigheid duren – uren waarin ik bij een kopieerapparaat moest staan. Het was nu zes uur in de morgen, en als Jock Goddard om halfacht op zijn werk kwam, zat het er dik in dat Paul Camilletti er al eerder was. Daarom moest ik maken dat ik hier wegkwam. Ik had geen tijd om kopieën te maken.

Ik kon niets anders bedenken dan dat ik ze meenam. Misschien kon ik ergens anders wat dossiers weghalen om de lege ruimte op te vullen, en dan...

En dan verkeerde het hele bedrijf in staat van alarm, zodra Camilletti of zijn assistente in de AURORA-dossiers wilde kijken.

Nee. Slecht idee.

In plaats daarvan nam ik een of twee essentiële pagina's uit elk van de acht bedrijfsdossiers, zette het kopieerapparaat aan en fotokopieerde ze. Binnen vijf minuten had ik de pagina's in de mappen teruggelegd en de kopieën in mijn tas gedaan.

Ik was klaar, en het werd tijd dat ik ervandoor ging. Ik lichtte een latje van de jaloezieën tussen deze kamer en Camilletti's kantoor op en tuurde naar buiten om zeker te weten dat er niemand aankwam.

Om kwart over zes was ik in mijn eigen kantoor terug. De rest van de dag zou ik die topgeheime AURORA-papieren met me mee dragen, maar dat was beter dan dat ik ze in een bureaula liet liggen en het risico liep dat Jocelyn ze ontdekte. Ik weet dat het paranoïde lijkt, maar ik moest ervan uitgaan dat ze mijn bureauladen zou doorzoeken. Ze mocht dan 'mijn' secretaresse zijn, haar salaris kwam van Trion Systems, niet van mij.

Precies om zeven uur arriveerde Jocelyn. Ze stak haar hoofd in mijn kantoor, met opgetrokken wenkbrauwen, en zei: 'Goedemorgen. Ze klonk nogal verbaasd.

'Goeiemorgen, Jocelyn.'

'Je bent vroeg.'

'Ja,' kreunde ik.

Toen keek ze me met halfdichte ogen aan. 'Je... Je bent hier al een tijdje?'

Ik blies mijn adem uit. 'Dat wil je niet weten,' zei ik.

Mijn grote presentatie voor Goddard werd steeds maar weer uitgesteld. Het zou om halfnegen gebeuren, maar tien minuten daarvoor kreeg ik een Instamail-bericht van Flo, waarin ze me vertelde dat Jocks directiebespreking uitliep en de presentatie tot negen uur werd uitgesteld. Toen kwam er weer een bericht van Flo: de bespreking is voorlopig nog niet afgelopen, laten we de presentatie tot halftien uitstellen.

Ik nam aan dat alle topmanagers erover aan het bakkeleien waren wie het meest zou moeten bezuinigen. Ze waren waarschijnlijk allemaal voor ontslagen in het algemeen, maar niet in hun eigen divisie. Wat dat betrof, verschilde Trion niet van andere ondernemingen; hoe meer mensen je onder je had, des te meer macht had je. Niemand wilde manschappen verliezen.

Ik was uitgehongerd en at vlug een mueslireep. Ik was ook doodmoe, maar te gespannen om iets anders te doen dan nog maar wat aan mijn PowerPoint-presentatie te werken. Ik maakte hem nog een beetje gelikter. Omwille van het komisch effect voegde ik die tekening toe van dat lucifermannetje dat over zijn hoofd krabt, met dat vraagteken boven zijn hoofd. Ik bleef aan de tekst schaven. Ik had ergens over de Regel van Zeven gelezen: niet meer dan zeven woorden per regel en zeven regels, of 'bullets', per pagina. Of was het de Regel van Vijf? Dat hoorde je ook wel. Ik verwachtte niet dat Jock veel geduld zou hebben, niet nu hij zo in de problemen zat, en dus maakte ik de presentatie steeds korter en kernachtiger.

Hoe meer ik wachtte, des te nerveuzer werd ik, en des te minimalistischer werden mijn PowerPoint-slides. Maar de animaties werden steeds beter. Ik had een manier gevonden om de staafgrafieken te laten slinken en groeien. Goddard zou onder de indruk zijn.

Eindelijk, om halftwaalf, kreeg ik bericht van Flo dat ik naar het briefingcentrum van de directie kon gaan, want Jocks bespreking was net afgelopen.

Toen ik daar aankwam, gingen er mensen weg. Sommigen herkende ik: Jim Colvin, de directeur Operaties; Tom Lundgren; Jim Sperling, de directeur HR; een paar vrouwen die er belangrijk uitzagen. Ze keken geen van allen erg blij. Goddard werd omringd door een groep mensen die allemaal langer waren dan hij. Het was nog niet eerder goed tot me doorgedrongen hoe klein de man was. Hij zag er ook belabberd uit – roodomrande, bloeddoorlopen ogen, en onder die ogen wallen die nog donkerder leken dan anders. Camilletti stond naast hem, en zo te zien waren ze het oneens. Ik hoorde alleen flarden.

'... We moeten het moreel verhogen,' hoorde ik Camilletti zeggen.

'... allerlei vormen van verzet, demoralisatie,' mompelde Goddard.

'Verzet is het best te bestrijden met een bebloede bijl,' zei Camilletti.

'Ik geef meestal de voorkeur aan ouderwetse overtuigingskracht,' zei Goddard vermoeid. De anderen stonden in een kring om hem heen en luisterden aandachtig.

'Het is zoals Al Capone zei: je krijgt meer gedaan met een vriendelijk woord en een pistool dan met een vriendelijk woord alleen,' zei Camilletti. Hij glimlachte.

'Straks ga je me nog vertellen dat je geen omelet kunt maken zonder eieren te breken.'

'Je bent me altijd een stap voor,' zei Camilletti. Hij klopte Goddard op de rug en liep weg.

Intussen verbond ik mijn laptop met de projector die in de vergadertafel was ingebouwd. Ik drukte op de knop die de zonwering elektrisch liet zakken.

Inmiddels waren Goddard en ik in de verduisterde kamer alleen. 'Wat krijgen we nou: een matineevoorstelling?'

'Sorry, alleen maar wat dia's,' zei ik.

'Ik weet niet of het zo'n goed idee is om de lichten uit te doen. Straks val ik nog in slaap,' zei Goddard. 'Ik heb het grootste deel van de nacht wakker gelegen, liggen piekeren over al die toestanden. Ik beschouw die ontslagen als een persoonlijk falen.'

'Dat is niet zo,' zei ik, en toen kromp ik inwendig ineen. Wie was ik dat ik kon proberen de president-directeur gerust te stellen? 'In ieder geval,' voegde ik er vlug aan toe, 'zal ik het kort houden.'

Ik begon met een mooie animatie van de Trion Maestro. Alle onderdelen kwamen van buiten het scherm naar binnen vliegen en pasten perfect aan elkaar. Dit werd gevolgd door het lucifermannetje dat zich over zijn hoofd krabde met dat vraagteken boven zijn hoofd.

'Er is momenteel maar één ding gevaarlijker dan op de markt van consumentenelektronica opereren, en dat is helemaal niet op de markt opereren.' Nu zaten we in een Formule 1-wagen die ontzaglijk snel ging. 'Want als je niet achter het stuur van de auto zit, word je waarschijnlijk overreden.' Toen kwam er een slide met TRION CONSUMENTENE-LEKTRONICA – GOEDE EN SLECHTE TIJDEN.

'Adam.'

Ik draaide me om. 'Ja?'

'Wat is dit?'

Het zweet stond op mijn nek. 'Dat was alleen maar de inleiding,' zei ik. Die had blijkbaar te lang geduurd. 'We komen nu ter zake.'

'Heb je tegen Flo gezegd dat je dit van plan was, hoe heet het ook weer, Power... PowerPoint?'

'Nee...'

Hij stond op, liep naar de lichtschakelaar en deed het licht aan. 'Ze zou je hebben verteld dat ik de pest heb aan die onzin.'

Mijn gezicht brandde. 'Sorry, dat heeft niemand me verteld.'

'Grote goden, Adam, je bent een intelligente, creatieve, origineel denkende jongeman. Dacht je dat ik je tijd wilde verspillen, dat ik je wilde laten nadenken over lettertype Arial, achttienpunts, of Times Roman, vierentwintigpunts? Als je me nou eens gewoon vertelde wat je denkt? Ik ben geen kind. Je hoeft me de pap niet lepel voor lepel te voeren.'

'Het spijt me...' begon ik weer.

'Nee, ik moet me verontschuldigen. Ik had niet tegen je moeten snauwen. Misschien komt het door een lage bloedsuikerspiegel. Het is lunchtijd, en ik ben uitgehongerd.'

'Ik kan wat broodjes voor ons halen.'

'Ik heb een beter idee,' zei Goddard.

53

Goddards auto was een perfect gerestaureerde Buick Roadmaster convertible, ivoorwit, prachtig gestroomlijnd, met een chromen grille die eruitzag als een krokodillenbek. Hij had whitewall-banden en een schitterend rood interieur, en hij glansde als iets in een film. Voordat we de garage uit reden, het zonlicht in, liet Goddard de kap naar beneden komen.

'Wat rijdt dit ding goed,' zei ik verrast, toen we de grote weg opreden en accelereerden.

'Tweeduizend cc, acht cilinders,' zei Goddard.

'Man, wat een juweel.'

'Ik noem het mijn Schip van Theseus.'

'Huh,' zei ik, grinnikend alsof ik wist waar hij het over had.

'Je had hem moeten zien toen ik hem kocht. Allemachtig, hij was een wrak. Mijn vrouw dacht dat ik mijn verstand had verloren. Zo'n vijf jaar lang heb ik mijn weekends en avonden aan dit ding besteed. Ik heb het helemaal weer opgebouwd. Ik bedoel, ik heb alles vervangen. Hij is natuurlijk volkomen authentiek, maar ik denk niet dat er ook maar één onderdeel van de oorspronkelijke auto over is.'

Ik glimlachte en leunde achterover. Het leer van de auto was boterzacht en rook lekker oud. De zon scheen op mijn gezicht en de wind gleed over mijn huid. Ik zat in een prachtige oude convertible met de president-directeur van het bedrijf dat ik aan het bespioneren was. Ik zou moeilijk kunnen zeggen of het geweldig aanvoelde, alsof ik een bergtop had bereikt, of griezelig en achterbaks en oneerlijk. Waarschijnlijk beide.

Goddard was geen rijke verzamelaar als Wyatt, met zijn vliegtuigen en boten en Bentley's. Of als Nora, met haar Mustang, of al die andere managers bij Trion die Goddard zo graag wilden imiteren en op een veiling een klassieke auto hadden gekocht. Hij was een echte, ouderwetse sleutelaar die echte motorolie op zijn vingers had gekregen.

'Heb je ooit de *Levens* van Plutarchus gelezen?'

'Ik geloof dat ik *To Kill a Mockingbird* nooit heb afgemaakt,' gaf ik toe.

'Jij weet helemaal niet waar ik het over heb als ik dit mijn Schip van Theseus noem, hè?'

'Nee.'

'Nou, er is een beroemd vraagstuk waar de oude Grieken steeds weer over discussieerden. Het duikt voor het eerst op bij Plutarchus. Misschien ken je de naam Theseus, de grote held die de minotaurus versloeg in het labyrint.'

'Ja.' Ik herinnerde me iets over een labyrint.

'De Atheners besloten Theseus' schip als monument te bewaren. In de loop van de jaren raakte het natuurlijk in verval, en ze vervingen elke rottende plank door een nieuwe, en opnieuw, en opnieuw. Totdat elke afzonderlijke plank van het schip vervangen was. En de vraag die de Grieken stelden – het was een soort filosofenraadsel – was: is dit nog werkelijk het Schip van Theseus?'

'Of een upgrade,' zei ik.

Maar Goddard had geen zin in grapjes. Hij was blijkbaar in een serieuze stemming. 'Ik wed dat je mensen kent die net als dat schip zijn, Adam.' Hij keek me even aan en richtte zijn blik toen weer op de weg. 'Mensen die in het leven vooruitkomen en alles aan zichzelf veranderen tot je hun oorspronkelijke persoonlijkheid niet meer kunt herkennen.'

Mijn ingewanden trokken zich samen. Jezus. We hadden het niet meer over Buicks.

'Je weet wel. Eerst draag je spijkerbroeken en gympen, en dan pakken en dure schoenen. Je wordt beschaafder, aangepaster, je krijgt betere manieren. Je verandert je manier van praten. Je krijgt nieuwe vrienden. Vroeger dronk je Budweiser-bier, maar nu neem je slokjes van een voortreffelijke Pauillac premier cru. Vroeger kocht je Big Macs bij de McDrive, en nu bestel je... zeebaars met zoutkorst. De manier waarop je tegen de dingen aankijkt, is veranderd, zelfs je manier van dénken.' Hij sprak met een angstaanjagende intensiteit, met zijn blik op de weg, en als hij zich van tijd tot tijd even naar me omdraaide, flikkerden zijn ogen. 'En op een gegeven moment, Adam, moet je je afvragen: ben ik

221

nog dezelfde of niet? Je kleding is veranderd, je attributen zijn veranderd, je rijdt in een dure auto, je woont in een groot duur huis, je gaat naar dure feesten, je hebt dure vrienden. Maar als je ook maar enige integriteit bezit, weet je diep in je hart dat je hetzelfde schip bent dat je altijd bent geweest.'

Mijn maag trok zich samen. Hij had het over míj. Ik kreeg meteen een misselijkmakend schaamtegevoel, alsof ik betrapt was op iets pijnlijks. Hij keek dwars door me heen. Of niet? Hoeveel zag hij? Hoeveel wist hij?

'Je moet altijd respect hebben voor degene die je bent geweest. Je mag geen gevangene van je verleden zijn, maar je mag het ook niet van de hand wijzen. Het is een deel van je.'

Ik vroeg me nog af wat ik daarop moest zeggen, toen hij opgewekt aankondigde: 'We zijn er.'

Het eethuis was een ouderwetse, gestroomlijnde, roestvrij stalen restauratiewagon van een passagierstrein, met een blauw neonbord waarop THE BLUE SPOON stond. Daaronder stond in rode neonletters AIRCONDITIONING. Op andere rode neonborden stond OPEN en HELE DAG ONTBIJT.

Hij parkeerde de auto en we stapten uit.

'Je bent hier nooit eerder geweest?'

'Nee.'

'O, je zult het geweldig vinden. Dit is echt. Niet een van die nagemaakte oude dingen.' De deur viel met een bevredigende klap dicht. 'Er is hier sinds 1952 niets veranderd.'

We zaten in een nis die met rode skai was bekleed. Het tafelblad was van grijze, imitatiemarmeren formica met een roestvrij stalen rand, en er stond een kleine jukebox op de tafel. Er was een lange bar met krukken die aan de vloer geschroefd waren, en met cake en pasteitjes in glazen stolpen. Gelukkig waren er geen souvenirs uit de jaren vijftig; er kwam geen Sha-Na-Na uit de jukeboxen. Er was een sigarettenautomamaat, zo eentje waar je aan de handgrepen moest trekken om het pakje naar beneden te laten vallen. Ze serveerden de hele dag ontbijt (Country Breakfast – twee eieren, gebakken aardappelen, worst of bacon of ham, en warme koeken, voor vier dollar vijfentachtig), maar Goddard bestelde een broodje gehakt bij een serveerster die hem kende en hem Jock noemde. Ik bestelde een cheeseburger met frites en een cola light.

Het eten was een beetje vettig, maar niet slecht. Hoewel ik weleens iets beters had gehad, maakte ik de gepaste extatische geluiden. Naast me op de skai-zitting stond mijn werktas met de dossiers die ik had geplunderd uit Paul Camilletti's kantoor. Alleen al het feit dat ze daar waren, maakte me nerveus, alsof ze gammastralen uitzonden door het leer.

'Nu, laat me eens horen hoe je erover denkt,' zei Goddard me zijn mond vol. 'Ga me niet vertellen dat je niet zonder een computer en overheadprojector kunt denken.'

Ik glimlachte en nam een slokje cola. 'Nou, om te beginnen denk ik dat we veel te weinig van die grote flatscreentelevisies verkopen,' zei ik.

'Te wéínig? In deze economie?'

'Een vriend van me werkt bij Sony, en hij zegt dat ze daar grote problemen hebben. Het komt erop neer dat NEC, die de plasma display panels voor Sony maakt, wat moeilijkheden met de productie heeft. We hebben een vrij grote voorsprong op hen. Minstens zes tot acht maanden.'

Hij legde zijn broodje neer en schonk me zijn volledige aandacht. 'Je hebt vertrouwen in die vriend van je?'

'Absoluut.'

'Ik neem geen belangrijke productiebeslissing op grond van een gerucht.'

'Dat kan ik me voorstellen,' zei ik. 'Al komt het nieuws over een week of zo in de openbaarheid. Maar misschien zou het goed zijn als we een contract met een andere producent af zouden sluiten voordat de prijs van die plasma display panels omhoogvliegt. En dat zal vast en zeker gebeuren.'

Zijn wenkbrauwen kwamen meteen omhoog.

'En verder,' zei ik, 'zie ik veel in Guru.'

Hij schudde zijn hoofd en richtte zijn aandacht weer op zijn broodje. 'Ach, wij zijn niet de enigen die met een totaal nieuwe communicator komen. Nokia is van plan de vloer met ons aan te vegen.'

'Vergeet Nokia maar,' zei ik. 'Dat zijn alleen maar rookgordijnen. Hun apparaat is helemaal verstrikt geraakt in territoriumoorlogen. Het duurt nog zeker anderhalf jaar voordat we iets nieuws van hen te zien krijgen, als ze geluk hebben.'

'En je weet dat... van diezelfde vriend van je? Of van een andere vriend?' Hij keek sceptisch.

'Competitieve inlichtingen,' loog ik. Nick Wyatt, van wie anders?

Maar hij had me dekking gegeven: 'Ik kan je het rapport laten zien, als je dat wilt.'

'Nu niet. Je moet weten dat Guru op zo'n groot productieprobleem is gestuit dat we het ding misschien niet eens op de markt kunnen brengen.'

'Wat voor een probleem?'

Hij zuchtte. 'Dat is te ingewikkeld om er nu op in te gaan. Al zou je eens naar een paar teambesprekingen over Guru kunnen gaan. Misschien kun je ze helpen.'

'Goed.' Ik dacht erover om me weer voor AURORA aan te bieden, maar zag daarvan af. Het zou te verdacht zijn.

'O, en luister. Zaterdag is er mijn jaarlijkse barbecue in het huis bij het meer. Natuurlijk komt niet het hele bedrijf – vijfenzeventig, honderd mensen op zijn hoogst. Vroeger nodigden we iedereen uit, maar daar kunnen we niet meer aan beginnen. Daarom beperken we ons tot een stel oudgedienden, en de hoogste managers en hun partners. Denk je dat je wat tijd vrij kunt nemen van je competitieve inlichtingen?'

'Graag.' Ik probeerde me blasé voor te doen, maar dit was heel bijzonder. Op Goddards barbecue werden echt alleen zijn naaste medewerkers uitgenodigd. Omdat er zo weinig mensen werden uitgenodigd, gaf Goddards feest bij het meer aanleiding tot veel gekonkel en opschepperij in de onderneming. Ik had iemand horen zeggen: 'Goh, Fred, sorry, ik kan zaterdag niet, ik heb een... soort barbecue die dag. Je weet wel.'

'Geen zeebaars of Pauillac, helaas,' zei Goddard. 'Hamburgers, hotdogs, pastasalade – niets bijzonders. Neem je zwembroek mee. En laten we het nu over belangrijker zaken hebben. Ze hebben hier de beste rozijnentaart die je ooit hebt geproefd. De appeltaart is ook goed. Het is allemaal zelfgemaakt. Al is de chocolademoussetaart mijn favoriet.' Hij keek de serveerster aan, die dichtbij had gestaan. 'Debby,' zei hij, 'breng de jongeman een plak van de appeltaart, en ik neem hetzelfde als altijd.'

Hij keek mij aan. 'Wil je je vrienden niet over dit adres vertellen? Het blijft ons geheim.' Hij trok zijn wenkbrauwen op. 'Je kunt toch een geheim bewaren?'

54

Ik kwam in een uitbundige stemming bij Trion terug, opgewonden van mijn lunch met Goddard, en dat kwam niet door het middelmatige voedsel. En ook niet door mijn geweldige ideeënstroom. Nee, het kwam gewoon door het feit dat ik de onverdeelde aandacht van de grote baas had, en misschien zelfs zijn bewondering. Nou ja, dat was misschien een beetje overdreven. Hij nam me serieus. Nick Wyatt daarentegen kon alleen maar groet minachting voor mij opbrengen. Hij gaf me het gevoel dat ik een rat was. Bij Goddard had ik het gevoel dat hij me misschien wel terecht tot zijn persoonlijke assistent had benoemd, en daardoor voelde ik me gestimuleerd om me voor die kerel uit de naad te werken. Het was vreemd.

Camilletti was in zijn kantoor. Zijn deur was dicht en hij sprak met iemand die er belangrijk uitzag. Ik ving een glimp van hem op door de ruit. Hij zat er gespannen bij, voorovergebogen. Ik vroeg me af of hij na het vertrek van zijn bezoekers aantekeningen over het gesprek zou intypen. Wat het ook was dat hij in zijn computer zou intypen, ik zou het binnenkort in handen krijgen, met wachtwoorden en al. Inclusief alles over project AURORA.

En toen voelde ik voor het eerst een steek van – van wat? Misschien van schuldgevoel. De legendarische Jock Goddard, een fatsoenlijk mens, had me zojuist uiteten genomen in dat eettentje van hem en had echt naar mijn ideeën geluisterd (het waren niet meer Wyatts ideeën, niet voor mijn gevoel), en intussen sloop ik door zijn directiekantoren en installeerde spionageapparaatjes ten behoeve van die klootzak van een Nick Wyatt.

Er klopte iets niet aan dat beeld.

Jocelyn keek op van wat ze aan het doen was. 'Goede lunch gehad?' vroeg ze. Ze wist natuurlijk al via het roddelcircuit van secretaresses dat ik zojuist met de president-directeur had geluncht.

Ik knikte. 'Dank je. En jij?'

'Alleen een broodje aan mijn bureau. Ik had veel te doen.'

Ik was al op weg naar mijn kantoor, toen ze zei: 'O, ja, er was iemand die je wilde spreken.'

'Weet je de naam?'

'Nee. Hij zei dat hij een vriend van je was. Of eigenlijk zei hij dat hij een "maat" van je was. Blond haar, leuk om te zien?'

'Ik denk dat ik wel weet over wie je het hebt.' Wat zou Chad voor bedoelingen hebben gehad?

'Hij zei dat je iets voor hem op je bureau had achtergelaten, maar ik wilde hem niet in je kantoor laten – je had daar niets over gezegd. Ik hoop dat ik daar goed aan heb gedaan. Hij leek een beetje beledigd.'

'Dat is erg goed, Jocelyn. Dank je.' Het was ongetwijfeld Chad geweest, maar waarom probeerde hij in mijn kantoor rond te snuffelen?

Ik ging achter mijn computer zitten, logde in en haalde mijn e-mail op. Eén bericht viel me meteen op – een mededeling van Beveiliging aan 'Trion C-niveau en personeel':

WAARSCHUWING

Eind vorige week is na een brand op de afdeling Human Resources van Trion een routineonderzoek ingesteld en daarbij kwam de aanwezigheid van een illegaal aangebracht surveillanceapparaat aan het licht.

Een dergelijke inbreuk op de beveiliging op een gevoelig terrein is natuurlijk een bron van grote zorg voor ons allen bij Trion. Daarom zal de afdeling Beveiliging overgaan tot een preventief onderzoek in alle gevoelige delen van de onderneming, inclusief kantoren en workstations. Gezocht zal worden naar tekenen van indringing of het aanbrengen van apparatuur. Er zal binnenkort contact met u worden opgenomen. We stellen uw medewerking aan deze essentiële beveiligingsactie op prijs.

Het zweet stond meteen op mijn voorhoofd en onder mijn armen.

Ze hadden het apparaatje gevonden dat ik, stommeling die ik was, had aangebracht toen ik bij HR aan het inbreken was.

Jezus christus. Nu zou Beveiliging de kantoren en computers in alle 'gevoelige' delen van de onderneming doorzoeken, natuurlijk ook op de zesde verdieping.

En hoe lang zou het duren voordat ze het ding vonden dat ik aan Camilletti's computer had bevestigd?

Erger nog – als er nu eens bewakingscamera's in de gang buiten Camilletti's kantoor waren aangebracht die mijn inbraak hadden geregistreerd?

Toch klopte er iets niet. Hoe kon Beveiliging de toetslogger hebben gevonden?

Een 'routineonderzoek' zou dat apparaatje nooit aan het licht hebben gebracht. Er werd een feit verzwegen; de informatie was, met opzet, onvolledig gehouden.

Ik ging mijn kantoor uit en zei tegen Jocelyn: 'Hé, heb je die e-mail van Beveiliging gezien?'

'Mmm?' Ze keek op van haar computer.

'Moeten we voortaan alles op slot doen? Ik bedoel, is dat de bedoeling van dat mailtje?'

Ze schudde haar hoofd. Blijkbaar interesseerde het haar niet erg.

'Ik dacht je misschien iemand bij Beveiliging zou kennen. Nee?'

'Jongen,' zei ze. 'Ik ken iemand in zo ongeveer elke afdeling van dit bedrijf.'

'Hmpf,' zei ik. Ik haalde mijn schouders op en ging naar de toiletten.

Toen ik terugkwam, praatte ze in haar telefoon-headset. Ze keek me aan, glimlachte en knikte alsof ze me iets wilde vertellen. 'Nu is het tijd dat Greg dag-dag zegt,' zei ze in de telefoon. 'Schat, ik moet nu gaan. Het was leuk om even met je te praten.'

Ze keek me aan. 'Typische onzin van Beveiliging,' zei ze met een cynisch lachje. 'Als het kon, zouden ze zeggen dat de zon en de regen aan hen te danken zijn. Het is net wat ik dacht – ze eisen de eer op voor een beetje stom geluk. Een van de computers van HR deed het na de brand niet goed meer, en dus belden ze de technische dienst, en een van de monteurs zag dat er iets vreemds aan het toetsenbord vastzat, wat extra bedrading of zoiets, ik weet het niet. Geloof me, die kerels van Beveiliging hebben het buskruit niet uitgevonden.'

'Dus die "inbreuk op de beveiliging" is onzin?'

'Nou, mijn vriendin Caitlin zegt dat ze inderdaad een of ander spionagedingetje hebben gevonden, maar het is niet zo dat die Sherlock Holmesen van Beveiliging het ooit zouden hebben gevonden als ze geen geluk hadden gehad.'

Ik liet een kort lachje horen en ging mijn kantoor weer in. Mijn ingewanden waren zojuist in ijs veranderd. In ieder geval bleken mijn vermoedens juist te zijn: Beveiliging had 'geluk' gehad. Maar het betekende wel dat ze de Keyghost hadden ontdekt. Ik moest zo gauw mogelijk naar Camilletti's kantoor terug om het Keyghost-kabeltje terug te halen voordat het werd ontdekt.

Terwijl ik weg was, was op mijn computerscherm een instant-message-kadertje verschenen.

Het was of ik van alle kanten werd ingesloten. De beveiligingsdienst van Trion doorzocht het gebouw, en dan was Chad er ook nog.

Chads toon was duidelijk dreigend, alsof hij precies datgene te horen had gekregen waarvan ik niet wilde dat hij het hoorde. Dat 'erg interessante' was ongunstig, evenals dat 'oude kennis', maar het ergst was dat slotzinnetje: 'Wil je me even bellen?', dat leek te betekenen: ik heb je te pakken, klootzak. Hij ging mij niet bellen; nee, hij wilde dat ik zweette en grote angsten uitstond, dat ik hem in paniek belde... en toch, hoe kon ik iets anders doen dan hem bellen? Zou het niet vanzelfsprekend zijn dat ik hem belde, gewoon omdat ik nieuwsgierig was naar die 'oude kennis'? Ik moest bellen.

Maar inmiddels moest ik wat lichaamsbeweging krijgen. Eigenlijk had ik daar geen tijd voor, maar ik had een helder hoofd nodig om de nieuwste ontwikkelingen aan te kunnen. Toen ik mijn kantoor uit liep, zei Jocelyn: 'Ik moest je herinneren aan de webcast van Goddard om vijf uur.'

'O, ja. Dank je.' Ik keek op mijn horloge. Dat was over twintig minuten. Ik wilde die uitzending niet missen, maar ik kon ernaar kijken terwijl ik aan het trainen was, want er zaten kleine monitoren op de cardio-apparatuur. Twee vliegen in één klap.

Toen herinnerde ik me mijn werktas en de levensgevaarlijke inhoud daarvan. Die tas stond gewoon naast mijn bureau op de vloer van mijn kantoor, niet eens op slot. Iedereen kon hem openmaken en de gegevens zien die ik uit Camilletti's kantoor had gestolen. Wat nu? Moest ik ze in een van mijn bureauladen leggen en die la op slot doen? Maar Jocelyn had een sleutel van mijn bureau. Er was trouwens geen enkele plaats die ik kon afsluiten zonder dat zij erbij kon.

Ik liep vlug naar mijn kantoor terug, ging aan mijn bureau zitten, pakte de dossiers van Camilletti uit mijn tas, deed ze in een bruine map en nam ze mee naar het fitnesscentrum. Ik zou die verrekte papieren met me mee moeten dragen tot ik thuiskwam en ik ze via een veilige verbinding kon faxen, waarna ik ze kon vernietigen. Ik zei niet tegen

Jocelyn wat ik ging doen, en omdat ze toegang had tot mijn Meeting-Maker, wist ze dat ik geen afspraak had.

Maar ze was te beleefd om te vragen waar ik heen ging.

55

Om een paar minuten voor vijf was het nog niet druk in het fitness-centrum van de onderneming. Ik nam een elliptische trainer en sloot de koptelefoon aan. Terwijl ik aan mijn warming-up bezig was, zapte ik langs de kabelkanalen – MSNBC, CSPAN, CNN, CNBC – voor de slot-koersen. Zowel de NASDAQ als de Dow Jones stond in de min; weer een slechte dag. Om vijf uur precies schakelde ik over naar het Trion-ka-naal, dat meestal saaie dingen uitzond, zoals presentaties, Trion-recla-me, enzovoort.

Het Trion-logo verscheen, gevolgd door een stilstaand beeld van Goddard in de Trion-studio. Hij droeg een donkerblauw overhemd met open hals, en de anders zo slordige rand van zijn witte haar was netjes gekamd. De achtergrond was zwart met blauwe stippen en leek wel wat op Larry Kings decor bij CNN, alleen was het Trion-logo dui-delijk zichtbaar boven Goddards rechterschouder. Ik merkte dat ik een beetje nerveus werd, maar waarom? Dit was niet live, hij had het de vorige dag opgenomen en ik wist precies wat hij ging zeggen. Maar ik wilde dat hij het goed deed. Ik wilde dat hij de noodzaak van de ont-slagen goed duidelijk maakte, want ik wist dat veel mensen in de on-derneming kwaad zouden zijn.

Ik had me geen zorgen hoeven maken. Hij was niet zomaar goed, hij was fenomenaal. In de hele toespraak van vijf minuten zat niet één valse toon. Hij begon heel eenvoudig: 'Hallo, ik ben Augustine God-dard, president-directeur van Trion Systems, en vandaag heb ik de on-aangename taak om slecht nieuws te brengen.' Hij praatte over de be-drijfstak, over de problemen die Trion de laatste tijd had. Hij zei: 'Ik zal er niet omheen draaien. Ik zal deze ontslagen niet "onvrijwillige afvloeiing" of "vrijwillige uittreding" noemen.' Hij zei: 'In onze bran-che vindt niemand het prettig om toe te geven dat het niet goed gaat, dat de leiding van een onderneming de dingen verkeerd heeft beoor-deeld of fouten heeft gemaakt. Nou, ik ga u nu vertellen dat we hebben geblunderd. We hebben fouten gemaakt. Als president-directeur van deze onderneming heb ik fouten gemaakt.' Hij zei: 'Ik beschouw het verlies van waardevolle medewerkers, leden van onze familie, als een teken van een rampzalig falen.' Hij zei: 'Ontslagen zijn te vergelijken met een vreselijke vleeswond – ze doen het hele lichaam pijn.' Je kreeg de behoefte om je armen om die kerel heen te slaan en tegen hem te zeggen dat het wel goed kwam, het was niet zijn schuld, we vergaven hem. Hij zei: 'Ik wil jullie verzekeren dat ik de volledige verantwoordelijkheid voor deze achteruitgang op me neem en dat ik alles op alles zal zetten om deze onderneming er weer bovenop te helpen.' Hij zei dat hij de onderneming soms als een grote slee zag, getrokken door honden, en dan was hij alleen maar de voorste hond, niet de man die met een zweep aan het eind stond. Hij zei dat hij zich jarenlang tegen ontslagen had verzet, zoals iedereen wist, maar ja, soms moest je een harde beslissing nemen, gewoon om te kunnen doorgaan. Hij beloofde dat zijn managementteam goed zou zorgen voor iedereen die werd ontslagen; hij zei te geloven dat de ontslagpakketten die ze aanboden de beste in de hele bedrijfstak waren, en het allerminste dat ze konden doen om trouwe werknemers te helpen. Tot slot vertelde hij hoe Trion was opgericht, en dat veteranen uit de bedrijfstak keer op keer hadden voorspeld dat de onderneming zou ondergaan, maar dat ze sterker dan ooit uit elke crisis te voorschijn waren gekomen. Toen hij klaar was, had ik tranen in mijn ogen en was ik helemaal vergeten mijn voeten te bewegen. Ik stond daar op die elliptische trainer en keek als een zombie naar het kleine scherm. Ik hoorde luide stemmen dichtbij, keek om en zag groepjes geschokte mensen opgewonden praten. Toen trok ik de headset van mijn hoofd en ik ging verder met trainen. Intussen kwamen er steeds meer mensen naar het fitnesscentrum.

Een paar minuten later stapte iemand op de machine naast de mijne, een vrouw in een Lycrapakje en met een geweldig achterste. Ze sloot haar headset op de monitor aan, speelde er een tijdje mee en tikte me toen op mijn schouder. 'Heb jij geluid op jouw apparaat?' vroeg ze. Ik herkende de stem al voordat ik Alana's gezicht zag. Haar ogen gingen wijd open. 'Wat doe jij hier?' zei ze, tegelijk geschokt en beschuldigend.

'O, mijn god,' zei ik. Ik was echt geschrokken; ik hoefde niet te doen alsof. 'Ik werk hier.'

'O, ja? Ik ook. Dit is zo bijzonder!'

'Goh.'

'Je hebt me niet verteld dat je... Nou ja, ik heb er ook niet naar gevraagd, hè'

'Dit is ongelooflijk,' zei ik. Nu simuleerde ik wel, en misschien deed ik dat niet enthousiast genoeg. Ze had me volkomen verrast, al had ik geweten dat dit zou kunnen gebeuren, en ironisch genoeg was ik te diep geschokt om echt verrast over te komen.

'Wat een toeval,' zei ze. 'Ongelooflijk.'

56

'Hoe lang... Hoe lang werk je hier al?' zei ze, terwijl ze van de machine stapte. Ik kon niet veel van haar gezicht aflezen. Zo te zien vond ze het wel grappig.

'Ik ben hier net begonnen. Een paar weken geleden. En jij?'

'Jaren – vijf jaar. Waar werk je?'

Ik geloof niet dat mijn maag nog dieper kon zakken, maar dat gebeurde toch. 'Eh, ik ben aangenomen door de divisie Consumentenproducten; Marketing Nieuwe Producten.'

'Dat méén je niet.' Ze keek me stomverbaasd aan.

'Ga me niet vertellen dat je in dezelfde divisie werkt als ik. Dat zou ik wéten. Ik heb je daar nooit gezien.'

'Ik werkte daar vroeger.'

'Vroeger...? Waar werk je nu?'

'Ik doe marketing voor iets dat Disruptieve Technologieën heet,' zei ze behoedzaam.

'O, ja? Wat goed. Wat is dat dan?'

'Het is saai,' zei ze, maar ze klonk niet overtuigend. 'Gecompliceerd, nogal speculatief materiaal.'

'Hmm.' Ik wilde niet al te geïnteresseerd overkomen. 'Heb je Goddards toespraak gehoord?'

Ze knikte. 'Dat was niet mis. Ik had geen idee dat we er zo slecht aan toe waren. Ik bedoel, ontslagen. Je verwacht zoiets in alle andere bedrijven, maar niet bij Trion.'

'Hoe vind je dat hij het deed?' Ik wilde haar voorbereiden op het onvermijdelijke moment waarop ze me op het intranet opzocht en ontdekte wat ik nu werkelijk deed. In ieder geval zou ik later kunnen zeggen dat ik niet echt iets achterhield; ik was min of meer een opiniepeiling aan het houden voor mijn baas, alsof ik iets met Goddards toespraak te maken had.

'Ik was natuurlijk geschokt. Maar zoals hij het presenteerde, was het een logische stap. Natuurlijk heb ik makkelijk praten, want mijn baan loopt waarschijnlijk geen gevaar. Jij daarentegen werkt hier nog maar kort...'

'Ik denk dat ik wel goed zit, maar wie weet?' Ik wilde liever niet praten over wat ik precies deed. 'Hij draaide er niet omheen.'

'Dat is zijn manier van doen. Die man is geweldig.'

'Hij is een natuurtalent.' Ik zweeg even. 'Hé, het spijt me dat er laatst zo abrupt een eind aan ons etentje kwam.'

'Daar kon je niets aan doen.' Haar stem werd milder. 'Hoe gaat het met hem, je vader?' Ik had die ochtend een voicemail voor haar ingesproken om te zeggen dat pa het had gehaald.

'Hij houdt vol. In het ziekenhuis heeft hij allemaal nieuwe mensen die hij kan afblaffen en uitschelden. Dus hij heeft een nieuwe reden om te leven.'

Ze glimlachte beleefd, want ze wilde niet lachen om een man die stervende was.

'Maar als je het aankunt, zou ik graag een tweede kans willen hebben.'

'Dat zou ik leuk vinden.' Ze ging weer op de machine zitten en bewoog haar voeten terwijl ze cijfers intoetste op haar paneeltje. 'Je hebt mijn nummer nog?' Toen glimlachte ze oprecht, en haar gezicht veranderde. Ze was mooi. Bloedmooi. 'Wat zeg ik nou? Je kunt me opzoeken op de website van Trion.'

Ook na zeven uur zat Camilletti nog in zijn kantoor. Het waren natuurlijk drukke tijden, maar ik wilde dat die kerel naar huis ging, dan kon ik naar zijn kantoor gaan voordat Beveiliging daar ging zoeken. Ik wilde ook naar huis gaan en wat slapen, want ik was doodop.

Ik was net aan het proberen Camilletti zonder zijn toestemming op mijn 'vriendenlijst' te krijgen, zodat ik wist wanneer hij on line was en wanneer hij had uitgelogd. Toen verscheen er plotseling een instantmessage van Chad op mijn computerscherm.

ChadP: Je belt nooit, je schrijft nooit. ☹ Ga me niet vertellen dat je nu te belangrijk bent voor je oude vriend.

Ik schreef: Sorry, Chad, het zijn krankzinnige tijden.

Na een halve minuut antwoordde hij:

Jij wist waarschijnlijk al van tevoren van die ontslagen, hè? Gelukkig voor jou ben jij immuun.

Ik wist niet goed wat ik moest antwoorden, en daarom deed ik dat een minuut of twee niet, maar toen ging de telefoon. Omdat Jocelyn naar huis was gegaan, gingen alle telefoontjes rechtstreeks naar mij. Er verscheen een naam op het schermpje van mijn nummerherkenning, maar ik kende die naam niet. Ik nam op. 'Cassidy.'

'Dat wéét ik,' zei Chads stem met dik opgelegd sarcasme. 'Ik wist alleen niet of je thuis was of op kantoor. Maar natuurlijk had ik kunnen weten dat een ambitieuze jongen als jij vroeg begint en laat ophoudt, precies zoals in al die zelfhulpboeken staat.'

'Hoe gaat het met je, Chad?'

'Ik ben een en al bewondering, Adam. Voor jou. Meer dan ooit.'

'Dat is mooi.'

'Vooral na mijn lunch met je oude vriend Kevin Griffin.'

'Ik ken hem eigenlijk nauwelijks.'

'Hij zei wat anders. Weet je, het is interessant. Hij was helemaal niet zo onder de indruk van je staat van dienst bij Wyatt. Hij zei dat je er met de pet naar gooide.'

'Toen ik jong en onverantwoordelijk was, was ik jong en onverantwoordelijk,' zei ik met de stem van George Bush junior.

'Hij kon zich ook niet herinneren dat je aan de Lucid werkte.'

'Hij werkt op... op Verkoop, nietwaar?' zei ik. Als ik wilde suggereren dat Kevin nergens van wist, moest ik dat subtiel aanpakken.

'Daar wérkte hij. Vandaag voor het laatst. Voor het geval je het nog niet hebt gehoord.'

'Ging het niet goed?' Mijn stem trilde een beetje, maar dat camoufleerde ik door mijn keel te schrapen en te hoesten.

'Drie hele dagen bij Trion. Toen kreeg Beveiliging een telefoontje van iemand van Wyatt die zei dat die arme Kevin de vervelende gewoonte had om met zijn onkostendeclaraties te knoeien. Ze hadden daar bewijzen voor en die hebben ze meteen gefaxt. Ze vonden dat Trion het moest weten. Natuurlijk liet Trion hem meteen vallen. Hij ontkende in alle toonaarden, maar je weet hoe die dingen gaan. Het is niet bepaald een rechtbank, hè?'

'Jezus,' zei ik. 'Ongelooflijk. Ik had geen idee.'

'Geen idee dat ze dat telefoontje zouden plegen?'

'Geen idee van Kevin. Ik bedoel, zoals ik al zei, kende ik hem amper, maar hij leek me wel sympathiek. Man. Nou ja, zulke dingen moet je gewoon niet te vaak doen. Op een gegeven moment hebben ze je door.'

Hij lachte zo hard dat ik mijn oor van de telefoon vandaan moest houden. 'O, dat is een goeie. Jij bent erg grappig, jongen.' Hij lachte nog wat harder, een uitbundige lach, alsof ik de beste komiek was die hij ooit had meegemaakt. 'Je hebt helemaal gelijk. Zulke dingen kun je niet te vaak doen, want op een gegeven moment hebben ze je door.' Toen hing hij op.

Vijf minuten eerder had ik in mijn stoel achterover willen leunen om een dutje te doen, maar nu was ik daar veel te opgewonden voor. Omdat ik een droge mond had, ging ik naar de pauzekamer om een flesje Aquafina te halen. Ik maakte een omweg langs Camilletti's kantoor. Hij was weg, het was donker in zijn kantoor, maar zijn secretaresse was er nog wel. Toen ik een halfuur later opnieuw voorbijkwam, was zij ook weg.

Het was net acht uur geweest. Ik ging Camilletti's kantoor in. Deze keer was dat gemakkelijk, want ik had de techniek onder de knie. Zo te zien was er niemand in de buurt. Ik trok de jaloezieën dicht, haalde het Keyghost-kabeltje weg en trok een van de latjes omhoog. Ik zag niemand, al denk ik dat ik niet zo zorgvuldig was als ik had moeten zijn. Ik trok de jaloezieën omhoog en maakte toen langzaam de deur open. Ik keek eerst naar rechts en toen naar links.

Tegen de muur van Camilletti's receptieruimte stond met zijn armen over elkaar een kleine, gedrongen man met een hawaïshirt en een bril met hoornen montuur.

Noah Mordden.

Hij keek me met een vreemd glimlachje aan. 'Cassidy,' zei hij. 'Onze eigen Phineas Finn.'

'O, hallo, Noah,' zei ik. De paniek verspreidde zich door mijn hele lichaam, maar ik bleef blasé kijken. Ik had geen idee waar hij het over had, al begreep ik dat het een of andere literaire verwijzing moest zijn. 'Wat doe je daar?'

'Ik zou jou hetzelfde kunnen vragen.'

'Kom je op bezoek?'

'Ik ben zeker naar het verkeerde kantoor gegaan. Ik ging naar het kantoor met het opschrift "Adam Cassidy". Dom van me.'

'Ze laten me hier voor iedereen werken,' zei ik. Dat was het beste dat ik kon verzinnen, en het was niks. Dacht ik nou echt dat hij zou geloven dat ik een geldige reden had om in Camilletti's kantoor te zijn? Om acht uur 's avonds? Daar was Mordden te intelligent en te achterdochtig voor.

'Jij dient veel heren,' zei hij. 'Zo langzamerhand weet je misschien niet meer voor wie je echt werkt.'

Mijn glimlach verstrakte. Inwendig ging ik dood. Hij wist het. Hij had me in Nora's kantoor gezien, en nu in Camilletti's kantoor, en hij wist het.

Het was uit. Mordden had me betrapt. Wat nu? Wie zou hij het vertellen? Zodra Camilletti hoorde dat ik in zijn kantoor was geweest, zou hij me op staande voet ontslaan, en dan zou Goddard hem niet tegenhouden.

'Noah,' zei ik. Ik haalde diep adem, maar er wilde me niets te binnen schieten.

'Ik was van plan je met je kleding te complimenteren,' zei hij. 'Je ziet er tegenwoordig echt uit als iemand die op weg is naar de top.'

'Dank je.'

'Dat zwarte overhemd en dat tweedjasje – erg Goddard. Je lijkt meer en meer op onze onbevreesde leider. Een snellere, gladdere bètaversie. Met veel nieuwe features die nog niet goed werken.' Hij glimlachte. 'Ik zag dat je een nieuwe Porsche hebt.'

'Ja.'

'Er valt hier moeilijk aan de autocultuur te ontkomen, hè? Maar nu je in volle vaart over de snelweg van het leven rijdt, Adam, zou je misschien ook eens de tijd moeten nemen om na te denken. Wanneer alles op je afkomt, zit je misschien op de verkeerde rijbaan.'

'Daar zal ik aan denken.'

'Interessant nieuws, dat van die ontslagen.'

'Nou, jij loopt geen gevaar.'

'Is dat een vraag of een voorstel?' Blijkbaar vond hij me wel amusant. 'Laat maar. Ik heb kryptoniet.'

'Wat betekent dat?'

'Laat ik volstaan met te zeggen dat ik niet alleen vanwege mijn eminente carrière tot Eminent Ingenieur ben benoemd.'

'Wat is dat voor kryptoniet waar we het over hebben? Groen? Rood? Goudkleurig?'

'Eindelijk een onderwerp waar je iets van weet. Maar als ik het je liet zien, Cassidy, zou het zijn kracht verliezen, nietwaar?'

'O, ja?'

'Als je maar voorzichtig bent, Cassidy,' zei hij, en hij verdween over de gang.

DEEL ZES

DEAD DROP

Dead drop: geheime plaats. Vaktaal voor een verborgen fysieke lokatie die als uitwisselplaats fungeert tussen een informant en een koerier of een agent in een inlichtingennetwerk.
– *The International Dictionary of Intelligence*

57

Vroeg naar bed – ik kwam om halftien thuis, helemaal op van de zenuwen. Eigenlijk zou ik drie dagen ononderbroken moeten slapen.
Toen ik van Trion wegreed, speelde zich in mijn hoofd steeds weer die
scène met Mordden af. Ik begreep er niets meer van en vroeg me af of
hij van plan was het aan iemand te vertellen, dus mij aan te geven. En
zo niet, waarom niet? Zou hij het boven mijn hoofd laten bungelen?
Ik wist niet wat ik moest doen; dat was nog het ergste.

Intussen fantaseerde ik ook over mijn grote nieuwe bed met het Dux-
matras, en hoe ik daarin weg zou zakken zodra ik thuiskwam. Wat was
er van mijn leven geworden? Ik fantaseerde over slaap. Zielig.

Trouwens, ik kon niet meteen gaan slapen, want ik had nog werk te
doen. Ik moest die Camilletti-dossiers zien kwijt te raken; ik moest ze
aan Meacham en Wyatt overdragen. Ik wilde die papieren geen minuut
langer houden dan absoluut nodig was.

Daarom gebruikte ik de scanner die Meacham me had gegeven. Ik
maakte PDF-documenten van de papieren, versleutelde ze en verzond
ze per beveiligde e-mail via de anonymizer.

Zodra ik dat had gedaan, haalde ik de Keyghost te voorschijn, kop-
pelde hem aan mijn computer en begon te downloaden. Toen ik het
eerste document opende, schrok ik van het resultaat: er kwam alleen
maar gebrabbel in beeld. Blijkbaar had ik het niet goed gedaan. Ik keek
er nog eens wat beter naar en zag dat er een patroon in zat; misschien
had ik het toch niet verknoeid. Ik kon Camilletti's naam onderscheiden, een serie cijfers en letters, en toen hele zinnen.

Pagina's en pagina's tekst. Alles wat die kerel op die dag had ingetypt, en dat was een heleboel.

Bij het begin beginnen: ik had zijn wachtwoord. Zes cijfers, eindi-
gend op 82. Misschien was het de geboortedatum van een van zijn kinderen. Of zijn huwelijksdag. Zoiets.

Maar veel interessanter waren alle e-mails. Het waren er een heleboel, en ze bevatten veel vertrouwelijke informatie over de onderneming, over de acquisitie van een onderneming waar hij aan werkte. Die onderneming, Delphos, was ik in zijn dossiers tegengekomen. Het bedrijf waarvoor ze allemachtig veel geld en aandelen wilden neertellen.

Er waren veel e-mails met het opschrift TRION VERTROUWELIJK over een geheime nieuwe methode van voorraadbeheer die ze een paar maanden eerder hadden ingevoerd om vervalsing en piraterij te voorkomen, met name in Azië. Een onderdeel van elk Trion-apparaat, of het nu een telefoon of een handheld of een medische scanner was, was met behulp van lasertechniek voorzien van het Trion-logo en een serienummer. Die minuscule herkenningstekens waren alleen onder een microscoop te zien: ze konden niet worden vervalst en ze bewezen dat het ding echt door Trion was gemaakt.

Er was veel informatie over chipproducenten in Singapore die door Trion waren overgenomen of waarin Trion veel had geïnvesteerd. Dat was interessant: Trion ging in de chipproductie of nam daar in elk geval een stevig belang in.

Ik vond het vreemd om al die dingen te lezen. Het was of ik iemands dagboek doornam. Ik voelde me ook erg schuldig – natuurlijk niet vanwege mijn loyaliteit ten opzichte van Camilletti, maar vanwege Goddard. Het was of Goddards dwergachtige hoofd boven me in de lucht zweefde en afkeurend naar me keek terwijl ik Camilletti's e-mails en correspondentie en aantekeningen doornam. Misschien kwam het doordat ik zo moe was, maar het zat me helemaal niet lekker wat ik aan het doen was. Het klinkt vreemd, dat weet ik. Ik had er geen probleem mee om gegevens van het AURORA-project te stelen en aan Wyatt door te geven, maar als ik gegevens verstrekte die buiten mijn eigenlijke opdracht vielen, had ik het gevoel dat ik mijn nieuwe werkgevers verried.

De letters WSJ vielen me op. Dat zou wel een afkorting zijn van de *Wall Street Journal*. Ik wilde zien wat zijn reactie op het stuk in de *Journal* was en zoomde op de serie woorden in, en toen viel ik bijna van mijn stoel.

Voor zover ik kon nagaan, maakte Camilletti gebruik van een aantal verschillende e-mail-accounts buiten Trion: Hotmail, Yahoo en een plaatselijke internetprovider. Die andere accounts scheen hij voor persoonlijke dingen te gebruiken, bijvoorbeeld voor contacten met zijn effectenmakelaar, mailtjes voor zijn broer en zus en vader, dat soort dingen.

Maar het waren de Hotmail-mailtjes die mijn aandacht trokken. Een daarvan was geadresseerd aan BulkeleyW@WSJ.com. Er stond:

Bill,
We krijgen hier de poppen aan het dansen. Er zal veel druk op je worden uitgeoefend om je bron te noemen. Hou vol. Bel me vanavond thuis om 9:30.
Paul

Dus daar stond het. Paul Camilletti was het lek: dat moest wel. Hij was degene die de ongunstige informatie over Trion en Goddard aan de *Journal* had toegespeeld.

Nu begon ik het opeens te begrijpen. Camilletti hielp de *Wall Street Journal* om Jock Goddard grote schade toe te brengen en de oude man te portretteren als iemand die het allemaal niet meer kon bijhouden. Goddard moest weg. Alle topmensen van Trion, net als alle analisten en investeringsbankiers in het land, zouden dat op de pagina's van de *Journal* te lezen krijgen. En wie zou tot opvolger van Goddard worden benoemd?

Dat lag toch voor de hand?

Hoe moe ik ook was, ik lag nog een hele tijd te draaien en te woelen voordat ik eindelijk in slaap viel. En ik sliep onrustig en onregelmatig. Ik moest steeds weer aan die kleine oude Augustine Goddard denken, zoals hij daar had zitten eten in die restauratiewagon, en hoe verslagen en afgetobd hij eruit had gezien toen die andere directieleden de vergaderkamer uit liepen. Ik droomde van Wyatt en Meacham, die tegen me schreeuwden, die me bedreigden met al hun gepraat over gevangenisstraf. In mijn dromen ging ik de confrontatie met ze aan, zette ik ze op hun nummer, ging ik ze te lijf, ging ik helemaal door het lint. Ik droomde ervan dat ik in Camilletti's kantoor inbrak en betrapt werd door Chad en Nora samen.

En toen mijn wekker de volgende morgen om zes uur afging en ik mijn pijnlijke hoofd van het kussen verhief, wist ik dat ik Goddard over Camilletti moest vertellen.

En toen besefte ik dat ik in het nauw zat. Hoe kon ik Goddard over Camilletti vertellen, als ik mijn bewijs had verkregen door in Camilletti's kantoor in te breken?

Wat nu?

58

Het feit dat Camilletti de Beul – de klootzak deed alsof hij zich vreselijk opwond over dat stuk in de *Wall Street Journal* – erachter zat, vrat
aan me. De man was meer dan een klootzak; hij bedroog Goddard.

Misschien was het een opluchting om iemand moreel te kunnen ver-
oordelen, nadat ik me wekenlang zelf als een walgelijke, achterbakse
schobbejak had gedragen. Misschien dacht ik nu positiever over mezelf omdat ik het gevoel had dat ik Goddard moest beschermen. Misschien kon ik aan mijn eigen ontrouw voorbijgaan door me kwaad te
maken op Camilletti's ontrouw. Of misschien was ik Goddard alleen
maar dankbaar omdat hij mij had uitgekozen, omdat hij inzag dat ik
bijzonder was, beter dan alle anderen. Het was moeilijk na te gaan in
hoeverre het niet egoïstisch van me was dat ik me kwaad maakte op
Camilletti. Soms had ik het vreselijke gevoel dat ik eigenlijk geen haar
beter was dan hij. Ik bedoel, ik was bij Trion binnengekomen als een
bedrieger die deed alsof hij op water kon lopen, en ik brak in kantoren in, stal papieren en probeerde het hart uit Jock Goddards onderneming te rukken, terwijl hij me in zijn antieke Buick mee uitrijden
nam...

Het was allemaal te veel. Dat woelen en draaien om vier uur in de
morgen putte me helemaal uit. Het was slecht voor mijn geestelijke ge-
zondheid. Ik kon beter helemaal niet nadenken en op de automatische
piloot vliegen.

Misschien had ik echt het geweten van een boa constrictor, maar
evengoed wilde ik die schoft van een Paul Camilletti te grazen nemen.

In ieder geval had ík geen keus gehad. Ik was gedwongen. Terwijl
Camilletti's verraad een heel ander karakter had. Hij was actief tegen
Goddard aan het complotteren, tegen de man die hem in de onderneming had gehaald, die zijn vertrouwen in hem had gesteld. En wie wist
wat Camilletti nog meer deed?

Goddard moest het weten. Maar ik moest iets bedenken, een geloofwaardige manier waarop ik het kon hebben ontdekt zonder dat ik
in Camilletti's kantoor had ingebroken.

Onderweg naar kantoor zocht ik, terwijl ik genoot van het motor-
vermogen en het geluid van de Porsche, naar een oplossing van dit probleem, en toen ik bij Trion aankwam, had ik een goed idee.

Als stafmedewerker van de president-directeur had ik vrij veel macht. Als ik iemand belde en me alleen als Adam Cassidy bekend-maakte, was de kans groot dat er niet werd teruggebeld. Maar Adam Cassidy, 'bellend vanuit het kantoor van de president-directeur' of 'Jock Goddards kantoor', – alsof ik naast de oude man in het kantoor zat en niet dertig meter van hem vandaan – werd altijd teruggebeld, en nog snel ook.

Dus toen ik naar de afdeling Informatietechnologie van Trion bel-de en zei dat 'we' kopieën wilden hebben van alle in de afgelopen der-tig dagen gearchiveerde e-mails van en naar het kantoor van de finan-cieel directeur, kreeg ik meteen alle medewerking. Omdat ik niet met een beschuldigende vinger naar Camilletti wilde wijzen, deed ik het voorkomen alsof Goddard zich zorgen maakte om lekken vanuit het kantóór van de financieel directeur.

Een van de interessante dingen die ik had ontdekt, was dat Camil-letti de gewoonte had om gevoelige e-mails te wissen, of hij ze nu had verstuurd of ontvangen. Blijkbaar wilde hij niet dat die e-mails op zijn computer werden opgeslagen. Hij moet hebben geweten – slim als hij was – dat er ergens in de databanken van de ondernemingen kopieën van alle e-mails werden opgeslagen. Daarom gebruikte hij externe e-mail voor correspondentie die hij geheim wilde houden, inclusief die met de *Wall Street Journal*. Ik vroeg me af of hij wist dat de computers van Trion álle e-mail bewaarden die door de vezeloptiekkabels van de onderneming ging, ook als het om Yahoo ging of Hotmail of nog wat anders.

Mijn nieuwe vriend op IT, die scheen te denken dat hij Goddard zelf een persoonlijke dienst bewees, gaf me ook de gegevens van alle tele-foongesprekken van en naar het kantoor van de financieel directeur. Geen probleem, zei hij. Blijkbaar maakte Trion geen opnamen van de gesprekken, maar natuurlijk hielden ze wel alle telefoonnummers bij waarmee gebeld werd; dat was gebruikelijk in zulke grote onderne-mingen. Hij kon me zelfs aan kopieën van voicemails helpen, zei hij, maar dat zou wat tijd kunnen kosten.

Ik kreeg de resultaten binnen een uur. Het was er allemaal. Camil-letti had in de afgelopen tien dagen een aantal telefoontjes van die *Jour-nal*-verslaggever gekregen. Maar wat nog veel belastender was: hij had die man zelf ook een aantal keren gebeld. Een of twee van die ge-sprekken zou hij kunnen verklaren door te zeggen dat hij de telefoon-tjes van de verslaggever probeerde te beantwoorden, al had hij gezegd dat hij nooit met de man had gepraat.

Maar twaalf telefoontjes, waarvan sommige vijf, zeven minuten duurden? Dat zag er niet goed uit.

En toen kwamen de kopieën van zijn e-mails. 'Bel me voortaan alleen thuis,' schreef Camilletti. 'Bel me niet, ik herhaal, bel me NIET meer bij Trion. E-mails moeten alleen naar dit Hotmail-adres worden gestuurd.'

Geef daar maar eens een verklaring voor, Camilletti.

Man, ik kon bijna niet wachten tot ik mijn kleine dossier aan Goddard liet zien, maar hij had van het midden van de ochtend tot het eind van de middag de ene na de andere vergadering, en ik besefte dat hij mij daar niet voor had uitgenodigd.

Pas toen ik Camilletti uit Goddards kantoor zag komen, kreeg ik mijn kans.

59

Camilletti zag me toen hij wegliep, maar blijkbaar merkte hij me niet op; ik had voor hetzelfde geld een kantoormeubel kunnen zijn. Goddard keek me aan en trok vragend zijn wenkbrauwen op. Flo praatte tegen hem en ik bewoog mijn wijsvinger door de lucht, zoals Goddard zelf altijd deed, om te kennen te geven dat ik maar een minuutje van zijn tijd nodig had. Hij gaf Flo een teken en liet me binnenkomen.

'Hoe deed ik het?' vroeg hij.

'Sorry?'

'Mijn toespraakje voor de onderneming.'

Hij vond het echt belangrijk wat ík daarvan dacht? 'Je was geweldig,' zei ik.

Hij glimlachte en keek opgelucht. 'Ik geef altijd alle eer aan mijn leraar drama uit mijn studietijd. Daar heb ik in mijn hele carrière veel aan gehad, met interviews, toespraken, noem maar op. Heb je ooit toneel gespeeld, Adam?'

Mijn gezicht voelde meteen verhit aan. *Ja, elke dag.* Jezus, waar zinspeelde hij op? 'Nee.'

'Het brengt je echt tot rust. Nee, niet dat ik Cicero ben, of zoiets, maar... Nou, wat had je op je lever?'

'Het gaat over dat artikel in de *Wall Street Journal*,' zei ik.

'Ja...?' zei hij verbaasd.

'Ik heb ontdekt wie die informatie heeft laten uitlekken.'

Hij keek me aan alsof hij het niet begreep en ik ging verder: 'Weet je nog, we dachten dat het iemand binnen de onderneming moest zijn die informatie liet uitlekken naar die verslagge...'

'Ja, ja,' zei hij ongeduldig.

'Het is... Nou, het is Paul. Camilletti.'

'Waar heb je het over?'

'Ik weet dat het moeilijk te geloven is. Maar het staat hier allemaal in. Dit is het onomstotelijk bewijs.' Ik schoof de uitdraaien over zijn bureau. 'Kijk eens naar de e-mails die bovenop liggen.'

Hij haalde zijn leesbril van de ketting om zijn hals en zette hem op. Met een nors gezicht bekeek hij de papieren. Toen hij opkeek, deed hij dat met een duister gezicht. 'Waar komt dit vandaan?'

Ik glimlachte. 'Van IT.' Ik sjoemelde een beetje: 'Ik vroeg IT om de gegevens van alle telefoontjes van iemand bij Trion met de *Wall Street Journal*. En toen ik zag dat al die gesprekken met Pauls telefoon waren gevoerd, dacht ik dat het een secretaresse of zoiets kon zijn geweest, en dus vroeg ik om kopieën van zijn e-mails.'

Goddard keek niet erg blij, en dat was ook wel begrijpelijk. Hij keek zelfs nogal geschokt, en dus voegde ik eraan toe: 'Sorry. Ik weet dat dit een schok voor je is.' Het cliché kwam vanzelf over mijn lippen. 'Ik begrijp het zelf ook niet helemaal.'

'Nou, ik hoop dat je blij met jezelf bent,' zei Goddard.

Ik schudde mijn hoofd. 'Blij? Nee, ik wilde alleen uitzoeken...'

'Want ik vind het walgelijk,' zei hij. Zijn stem trilde. 'Wat denk je dat je aan het doen bent? Wat denk je dat dit is, het Witte Huis ten tijde van Richard Nixon?' Hij schreeuwde nu bijna, en het speeksel vloog van zijn mond.

De hele kamer zakte weg: het was nu alleen hij en ik, met een meter bureau tussen ons in. Het bloed gonsde in mijn oren. Ik was te verbaasd om iets te kunnen uitbrengen.

'De privacy van mensen schenden, in andermans vuile was woelen, privételefoongegevens en privé-e-mails opvragen, en weet ik veel, misschien zelfs enveloppen openstomen! Ik vind dat achterbakse methoden, en ik wil dat je dat nooit meer doet. En maak nu dat je wegkomt.'

Ik stond wankelend, duizelig, geschokt op. In de deuropening bleef ik staan en draaide me om. 'Ik wil me verontschuldigen,' zei ik met hese stem. 'Ik dacht dat ik je hielp. Ik... Ik zal mijn spullen uit mijn kantoor halen.'

'O, in godsnaam, ga weer zitten.' De storm was blijkbaar overgewaaid. 'Je hebt geen tijd om je spullen uit je kantoor te halen. Ik heb veel te veel voor je te doen.' Zijn stem werd vriendelijker. 'Ik begrijp dat je me probeerde te beschermen. Ik stel dat op prijs, Adam. En ik zal niet ontkennen dat het me enorm verbaast van Paul. Maar er is een goede manier en een verkeerde manier om dingen te doen, en ik geef de voorkeur aan de goede manier. Als je eenmaal e-mails en telefoongegevens aftapt, duurt het niet lang of je luistert telefoons af, en voor je het weet heb je geen bedrijf meer, maar een politiestaat. En op die manier kan een bedrijf niet functioneren. Ik weet niet hoe ze de dingen bij Wyatt deden, maar hier doen we het niet op die manier.'

Ik knikte. 'Dat begrijp ik. Het spijt me.'

Hij bracht zijn handpalmen omhoog. 'Het is niet gebeurd. Vergeet het maar. En ik zal je nog wat anders vertellen. Als het erop aankomt, is nog nooit een onderneming te gronde gegaan doordat een van de topmanagers iets liet uitlekken naar de pers. Om welke ondoorgrondelijke reden dan ook. Ik bedenk wel iets om dit aan te pakken. Op mijn eigen manier.'

Hij drukte zijn handpalmen tegen elkaar alsof hij te kennen wilde geven dat het gesprek voorbij was. 'Ik heb op dit moment geen enkele behoefte aan dat soort vervelende zaken. We hebben veel belangrijker dingen aan ons hoofd. Ik wil dat je je met een uiterst geheime zaak bezig gaat houden.' Hij ging achter zijn bureau zitten, zette zijn leesbril op en haalde zijn versleten zwart lederen adressenboekje te voorschijn. Toen keek hij me streng over zijn leesbril aan. 'Vertel nooit aan iemand dat de oprichter en president-directeur van Trion Systems zijn eigen computerwachtwoorden niet kan onthouden. En vertel zéker niemand iets over het specifieke opslagmedium dat ik gebruik om die wachtwoorden te bewaren.' Hij keek nog eens goed in het zwarte boekje en toetste iets in.

Even later kwam de printer zoemend tot leven en spuwde enkele pagina's uit. Hij haalde ze weg en gaf ze aan mij. 'We zitten in het laatste stadium van een uiterst belangrijke acquisitie,' zei hij. 'Waarschijnlijk de kostbaarste acquisitie uit de geschiedenis van Trion. Maar het wordt waarschijnlijk ook de beste investering die we ooit hebben gedaan. Ik kan je de bijzonderheden nog niet geven, maar wanneer Pauls onderhandelingen succesvol verlopen, kunnen we eind volgende week een overname bekendmaken.'

Ik knikte.

'Ik wil dat alles volkomen soepel verloopt. Dit zijn de elementaire gegevens van de nieuwe onderneming: aantal werknemers, ruimtelijke vereisten, enzovoort. Het bedrijf zal onmiddellijk in Trion worden geïntegreerd, en het zal hier in dit gebouw worden gevestigd. Dat betekent natuurlijk dat er hier iets weg moet. Een bestaande divisie zal uit het hoofdkantoor naar onze vestiging in Yarmouth of naar Research Triangle worden verplaatst. Jij moet voor me uitzoeken welke divisie – of divisies – met de minste problemen kan worden overgeplaatst om ruimte te maken voor... voor de nieuwe acquisitie. Goed? Kijk eens naar deze gegevens, en als je klaar bent, stop je ze in de shredder. En laat me zo gauw mogelijk weten hoe je erover denkt.'

'Goed.'

'Adam, ik weet dat ik je met veel werk opzadel, maar daar is niets aan te doen. Je moet me vertellen hoe je ertegenaan kijkt. Ik reken op je strategisch inzicht.' Hij stak zijn hand uit en gaf me een geruststellend kneepje in mijn schouder. 'En op je eerlijkheid.'

60

Gelukkig nam Jocelyn meer koffie- en toiletpauzes naarmate ze langer voor me werkte. De volgende keer dat ze haar bureau verliet, nam ik de papieren over Delphos die Goddard me had gegeven. Ik wist dat het Delphos moest zijn, al stond de naam van de onderneming nergens in de papieren. Vervolgens maakte ik vlug fotokopieën op het apparaat achter haar bureau. Toen stopte ik de kopieën in een bruine envelop.

Ik stuurde een e-mail aan 'Arthur' om hem in codetaal te vertellen dat ik hem iets nieuws door te geven had – ik wilde de 'kleding' 'retourneren' die ik on line had gekocht.

Ik wist dat het riskant was om een e-mail vanaf kantoor te versturen: zelfs wanneer ik gebruik maakte van Hushmail, die het bericht versleutelde. Maar ik had niet veel tijd. Ik wilde niet wachten tot ik thuis was, omdat ik dan misschien nog weer naar buiten zou moeten gaan...

Meachams antwoord kwam bijna meteen. Hij zei dat ik het artikel niet naar de postbus moest sturen, maar naar het woonadres. Vertaling: hij wilde niet dat ik de documenten scande en e-mailde, hij wilde de papieren zelf zien, al zei hij niet waarom. Wilde hij er zeker van zijn dat het originelen waren? Vertrouwde hij me soms niet?

Hij wilde ze ook onmiddellijk hebben, en om de een of andere reden wilde hij me niet persoonlijk ontmoeten. Waarom niet? vroeg ik me af. Was hij bang dat ik werd geschaduwd? Hoe dan ook, hij wilde dat ik de papieren voor hem achterliet op een van de dead drops die we weken geleden hadden afgesproken.

Kort na zes uur verliet ik het kantoor en reed ik naar een McDonald's op ongeveer drie kilometer afstand van Trion. Het herentoilet was klein, voor één man tegelijk, en je kon de deur op slot doen. Toen ik dat had gedaan, vond ik de automaat van de papieren handdoekjes en maakte hem open. Ik stopte de opgerolde bruine envelop erin en deed de automaat weer dicht. Zolang de rol van de handdoekjes niet vervangen hoefde te worden, zou niemand in die automaat kijken – behalve Meacham.

Op weg naar buiten kocht ik een Quarter Pounder – niet dat ik er een wilde, maar om niet op te vallen, zoals me geleerd was. Ongeveer een kilometer verderop bevond zich een 7-Eleven met een laag betonnen muurtje rond het parkeerterrein aan de voorkant. Toen ik op dat terrein geparkeerd had, ging ik naar binnen en nam een Pepsi light, waarna ik er zoveel van dronk als ik kon. De rest goot ik in een putje op het parkeerterrein. Ik pakte een visloodje uit mijn dashboardkastje, stopte het in het blikje en zette het lege blikje op de betonnen muur.

Dat Pepsi-blikje was een teken voor Meacham, die regelmatig langs deze 7-Eleven reed, dat ik iets in dead drop nummer 3, de McDonald's, had achtergelaten. Deze eenvoudige spionagetechniek zou Meacham in staat stellen de papieren op te halen zonder dat hij met mij werd gezien.

Voor zover ik kon nagaan, verliep de overdracht soepel. Ik had geen reden om iets anders te denken.

Zeker, het zat me niet lekker wat ik deed. Maar tegelijk was ik toch ook een beetje trots; ik kreeg het spionagewerk nog aardig onder de knie.

61

Toen ik thuiskwam, zat er een bericht van 'Arthur' in mijn Hushmail. Meacham wilde dat ik naar een afgelegen restaurant reed, meer dan een halfuur rijden, en wel onmiddellijk. Blijkbaar vonden ze dit dringend.

Het bleek een duur restaurant te zijn, eentje voor fijnproevers; het heette de Auberge. Aan de wanden in de hal hingen artikelen over het restaurant uit *Gourmet* en dat soort bladen.

Ik kon zien waarom Wyatt hier met me wilde afspreken – niet alleen vanwege het eten. Het restaurant had maximale discretie te bieden – voor privégesprekken, voor buitenechtelijke verhoudingen, wat dan ook. Behalve de grote zaal waren er kleine, aparte kamertjes voor privédiners. Je kon daar rechtstreeks vanaf het parkeerterrein komen zonder dat je door de zaal van het restaurant hoefde te lopen. Het deed me aan een eersteklas motel denken.

Wyatt zat aan een tafel in zo'n kamertje met Judith Bolton. Judith was hartelijk, en zelfs Wyatt leek een beetje minder vijandig dan gewoonlijk. Misschien werd hij vriendelijker omdat het me zo goed lukte hem aan de gegevens te helpen die hij wilde hebben. Misschien was hij aan zijn tweede glas wijn bezig, of misschien kwam het door Judith, die een mysterieuze invloed op hem uitoefende. Ik was er vrij zeker van dat er niets tussen Judith en Wyatt was, tenminste niet voor zover uit hun lichaamstaal viel af te leiden. Maar ze hadden duidelijk een nauwe band met elkaar, en hij behandelde haar met een respect dat hij aan niemand anders verleende.

Een ober bracht me een glas sauvignon blanc. Wyatt zei tegen hem dat hij weg moest gaan en over een kwartier terug moest komen om de bestelling op te nemen. En toen waren we daar alleen: Wyatt, Judith Bolton en ik.

'Adam,' zei Wyatt, terwijl hij op een stuk *focaccia* kauwde. 'Die dossiers die je uit het kantoor van de financieel directeur hebt gehaald – daar hebben we veel aan gehad.'

'Goed,' zei ik. Was het nu ineens Adam? En nog een compliment ook? Ik kreeg er de kriebels van.

'Vooral die papieren over die firma Delphos,' ging hij verder. 'Dat is duidelijk een hoeksteen, een essentiële overname voor Trion. Geen wonder dat ze voor vijfhonderd miljoen dollar aan aandelen voor dat bedrijf willen geven. Hoe dan ook, het raadsel is nu eindelijk opgelost. Het was het laatste stukje van de puzzel. We weten nu wat AURORA is.'

Ik keek hem nietszeggend aan, alsof het me niet echt iets kon schelen, en knikte toen.

'Dit alles was het waard. Het was elke cent waard,' zei hij. 'De enorme moeite die we moesten doen om jou in Trion te krijgen, de training, de beveiligingsmaatregelen. De kosten, de gigantische risico's – het was het allemaal waard.' Hij hield zijn wijnglas naar Judith, die trots glimlachte. 'Ik ben je enorm veel dank verschuldigd,' zei hij tegen haar.

Ik dacht: en wat ben ik, een portie gehakt?

'Zo, en nu moet je goed naar me luisteren,' zei Wyatt. 'Want er staat erg veel op het spel, en ik wil je duidelijk maken dat de tijd dringt. Blijkbaar heeft Trion Systems de belangrijkste technologische doorbraak ontwikkeld sinds het geïntegreerde circuit. Ze hebben een probleem opgelost waar velen van ons al tientallen jaren aan werken. Ze hebben zojuist de geschiedenis veranderd.'

'Mag ik dat eigenlijk wel weten?'

'O, ik wil zelfs dat je aantekeningen maakt. Je bent een slimme jongen. Let goed op. Het tijdperk van de siliconchip is voorbij. Op de een of andere manier is het Trion gelukt een optische chip te ontwikkelen.'

'Nou, en?'

Hij keek me met grenzeloze minachting aan. Judith zei ernstig, en vlug, om mijn blunder glad te strijken: 'Intel heeft miljarden uitgegeven om dit probleem op te lossen, maar zonder succes. Het Pentagon werkt er al meer dan tien jaar aan. Ze weten dat het de navigatiesystemen van hun vliegtuigen en raketten radicaal zal veranderen, en daarom zullen ze bijna alles willen betalen om een werkende optische chip in handen te krijgen.'

'De opto-chip,' zei Wyatt, 'werkt met optische signalen, dus met licht in plaats van elektronische signalen. Hij gebruikt daarvoor een stof die indiumfosfide heet.'

Ik herinnerde me dat ik iets over indiumfosfide had gelezen in Camilletti's dossiers. 'Dat is het spul dat ze gebruiken om lasers te bouwen.'

'Trion heeft de markt van dat spul in handen. Zo kwamen we erachter. Ze hebben indiumfosfide nodig voor de halfgeleider in de chip; die kan een veel snellere data-overdracht aan dan galliumarsenide.'

'Nu kan ik het niet meer volgen,' zei ik. 'Wat is er zo bijzonder aan?'

'De opto-chip heeft een modulator die signalen in een tempo van honderd gigabyte per seconde kan omzetten.'

Ik knipperde met mijn ogen. Voor mij was het allemaal Swahili. Judith keek gefascineerd naar hem. Ik vroeg me af of zij het kon volgen.

'Het is verdomme de Heilige Graal! Laat me het in eenvoudige bewoordingen aan je uitleggen. Een enkel deeltje van een opto-chip, met een doorsnee van een hónderdste van een menselijke haar, kan voortaan alle telefoon-, computer-, satelliet- en televisieverkeer van een onderneming tegelijk verwerken. Of misschien kun je dit volgen: met die optische chip kun je een film van twee uur in digitaal formaat downloaden in een twintigste van een seconde. Dit is een gigantische sprong vooruit. Het is te gebruiken voor alle verbindingen: computers, telefoons, satellieten, kabeltelevisie, noem maar op. De opto-chip kan dit soort dingen' – hij hield zijn Wyatt Lucid omhoog – 'in staat stellen om televisiebeelden zonder flikkeringen te ontvangen. Het is zo enorm veel beter dan alle bestaande technologie. Het is in staat tot hogere snelheden, vereist een lager voltage, heeft minder signaalverlies, minder warmteniveaus... Het is verbijsterend. Het is het helemaal.'

'Prachtig,' zei ik rustig. De betekenis van wat ik had gedaan, drong nu tot me door, en ik had meteen het gevoel dat ik Trion op een schandalige manier had verraden. Ik was Jock Goddards eigen Judas. Ik had die weerzinwekkende Nick Wyatt zojuist de waardevolste, revolutionairste technologie in handen gegeven sinds de uitvinding van de kleurentelevisie of weet ik veel. 'Ik ben blij dat ik van dienst kon zijn.'

'Ik wil alle gegevens,' zei Wyatt. 'Ik wil hun prototype. Ik wil de patentaanvragen, de laboratoriumgegevens, alles wat ze hebben.'

'Ik weet niet hoeveel ik nog te pakken kan krijgen,' zei ik. 'Ik bedoel, tenzij ik op de vierde verdieping ga inbreken...'

'O, dat ook, jongen. Dat ook. Je zit daar gebeiteld. Je werkt rechtstreeks voor Goddard, je bent een van zijn belangrijkste luitenants, je hebt toegang tot zo ongeveer alles wat je wilt hebben.'

'Zo simpel ligt het natuurlijk niet.'

'Je bevindt je in een unieke vertrouwenspositie, Adam,' merkte Judith op. 'Je kunt toegang krijgen tot een heleboel projecten.'

Wyatt onderbrak haar. 'Ik wil niet dat je ook maar iets achterhoudt.'

'Ik houd niets achter...'

'Die ontslagen kwamen als een verrassing voor jou, hè?'

'Ik heb gezegd dat er een of andere bekendmaking op komst was. Op dat moment was dat echt het enige dat ik wist.'

'"Op dat moment", herhaalde hij venijnig. 'Jij wist eerder van die ontslagen dan CNN, lul. Waar was die informatie? Ik moest naar CNBC kijken om van de ontslagen bij Trion te horen, terwijl ik een mol in het kantoor van de president-directeur heb zitten?'

'Ik wist niet...'

'Je hebt een opnamekabeltje in het kantoor van de financieel directeur aangebracht? Hoe is het daarmee?' Zijn overdreven gebruinde gezicht was nog donkerder dan gewoonlijk, en zijn ogen waren bloeddoorlopen. Ik voelde zijn druppeltjes speeksel.

'Ik moest het weghalen.'

'Wéghalen?' zei hij ongelovig. 'Waarom?'

'De beveiligingsdienst vond het ding dat ik op HR had geplant, en omdat ze overal zochten, moest ik voorzichtig zijn. Het had alles in gevaar kunnen brengen.'

'Hoe lang zat dat apparaatje in het kantoor van de financieel directeur voordat je het weghaalde?' vroeg hij.

'Niet veel langer dan een dag.'

'Een dag moet je een heleboel informatie opleveren.'

'Nee, het... Nou, het ding heeft waarschijnlijk niet goed gewerkt,' loog ik. 'Ik weet niet wat er gebeurd is.'

Eerlijk gezegd wist ik niet waarom ik informatie achterhield. Het apparaatje had inderdaad aan het licht had gebracht dat Camilletti degene was die naar de *Wall Street Journal* had gelekt. Waarschijnlijk wilde ik niet dat Wyatt alles over Goddards privézaken te weten kwam. Ik had daar niet goed over nagedacht.

'Het werkte niet goed? Weet je, dat wil er bij mij niet in. Ik wil dat Arnie Meacham dat apparaatje morgenavond in handen krijgt, dan kunnen zijn technici het onderzoeken. En geloof me, die kerels kunnen meteen zien of jij ermee hebt geknoeid. En ze zien het ook als je het nooit in het kantoor van de financieel directeur hebt aangebracht. En als je tegen me liegt, lul, ben je dóód.'

'Adam,' zei Judith. 'Het is van cruciaal belang dat we volkomen eerlijk tegen elkaar zijn. Je mag niets achterhouden. Er zijn veel te veel dingen die mis kunnen gaan. Jij ziet het totaalbeeld niet.'

Ik schudde mijn hoofd. 'Ik héb het niet. Ik moest het wegdoen.'

'Het wégdoen?' zei Wyatt.

'Ik... Ik zat in de problemen. Die beveiligingsjongens waren kantoren aan het doorzoeken, en het leek me beter het ding meteen in een vuilcontainer te gooien, een paar blokken van het kantoor vandaan. Ik wilde de hele operatie niet door één apparaatje de mist in laten gaan.'

Hij keek me enkele ogenblikken aan. 'Jij houdt nooit iets voor ons achter, begrepen? En nu luisteren. We hebben erg goede bronnen die ons vertellen dat Goddards mensen over veertien dagen een grote persconferentie in het hoofdkantoor van Trion gaan geven. Een belangrijke persconferentie met groot nieuws. Het e-mailverkeer dat je me gaf, wijst erop dat ze op het punt staan die optische chip in de openbaarheid te brengen.'

'Ze gaan dat niet bekendmaken als ze niet alle patenten voor elkaar hebben, hè?' zei ik. Op de late avonden had ik zelf ook wat internetresearch gedaan. 'Jullie hebben vast wel mannetjes die alle patentaanvragen van Trion uitpluizen.'

'Ben je in je vrije tijd rechten aan het studeren?' zei Wyatt met een vaag glimlachje. 'Eikel, het zit zo. Je dient je patentaanvragen op het allerlaatste moment in, lul, om te voorkomen dat de gegevens te vroeg in de openbaarheid komen of dat iemand anders er inbreuk op maakt. Ze dienen de aanvragen pas vlak voor de bekendmaking in. Tot dan toe wordt het intellectuele eigendom geheim gehouden. Dat betekent dat de jacht op de gegevens helemaal vrij is, totdat die gegevens worden ingediend – en dat kan op ieder moment in de komende twee weken gebeuren. De tijd dringt. Ik wil niet dat je slaapt, ik wil niet dat je ook maar een minuut rust neemt tot je alle details van die optische chips in handen hebt. Is dat duidelijk?'

Ik knikte gelaten.

'Zo, en als je ons nu wilt excuseren: we willen ons diner bestellen.' Ik stond van de tafel op en ging naar de herentoiletten voordat ik wegreed. Toen ik het privékamertje verliet, keek een man die voorbijliep me even aan.

Ik raakte in paniek.

Ik draaide me met een ruk om en ging door de privékamer naar het parkeerterrein terug.

Ik was er op dat moment niet voor honderd procent zeker van, maar de man op de gang leek sterk op Paul Camilletti.

62

Er waren mensen in mijn kantoor.

Toen ik de volgende morgen op mijn werk kwam, zag ik ze vanuit de verte – twee mannen, een jonge en een oudere – en ik verstijfde meteen. Het was halfacht in de morgen, en om de een of andere reden zat Jocelyn niet aan haar bureau. Bliksemsnel nam ik in gedachten de verschillende mogelijkheden door, de ene nog verontrustender dan de andere: de beveiligingsdienst had op de een of andere manier iets in mijn kantoor gevonden. Of ik was ontslagen en ze haalden mijn bureau leeg. Of ik werd gearresteerd.

Toen ik naar mijn kantoor toe liep, probeerde ik mijn nervositeit te verbergen. Joviaal, alsof het vrienden van me waren die me een bezoekje kwamen brengen, zei ik: 'Wat is hier aan de hand?'

De oudste van de twee maakte aantekeningen op een klembord, en de jongste stond nu over mijn computer gebogen. De oudste, met grijs haar, een walrussnor en een bril, zei: 'Wij zijn van Beveiliging, meneer. Uw secretaresse, mevrouw Chang, heeft ons binnengelaten.'

'Wat is er aan de hand?'

'We doen een inspectie van alle kantoren op de zesde verdieping, meneer. Ik weet niet of u het bericht hebt ontvangen over het spionageapparaatje op Human Resources.'

Was dat alles? Ik was opgelucht. Maar die opluchting was van korte duur. Als ze nu eens iets in mijn bureau vonden? Had ik spionagehulpmiddelen in een van de laden van mijn bureau of een archiefkast laten liggen? Ik maakte er een gewoonte van om daar nooit iets achter te laten. Maar als ik nu eens slordig was geweest? Ik was zo gespannen dat ik daar gemakkelijk iets per ongeluk kon hebben achtergelaten.

'Geweldig,' zei ik. 'Ik ben blij dat u er bent. U hebt nog niets gevonden?'

Het was even stil. De jongste keek van mijn computer op en gaf geen antwoord. De oudste zei: 'Nog niet, meneer, nee.'

'Ik had niet gedacht dat ík ook een doelwit zou zijn,' voegde ik eraan toe. 'Goh, zo belangrijk ben ik niet. Ik bedoelde iets op deze verdieping, in de kantoren van de grote jongens?'

'We mogen daar eigenlijk niet over praten, maar nee, meneer, we hebben niets gevonden. Maar misschien vinden we nog iets.'

'Is mijn computer in orde?' Ik vroeg dat aan de jongste man.

'Tot nu toe hebben we geen apparaatjes of zoiets gevonden,' antwoordde hij. 'Maar we laten er een diagnostische test op los. Kunt u voor ons inloggen?'

'Ja.' Ik had toch geen belastende e-mails vanuit deze computer verstuurd?

Eigenlijk wel. Ik had Meacham een berichtje via mijn Hushmail-account gestuurd. Maar zelfs wanneer dat bericht niet versleuteld was geweest, zouden ze er niets aan hebben gehad. Ik wist zeker dat ik geen computerbestanden had opgeslagen die ik niet mocht hebben. Daar was ik zeker van. Ik ging achter mijn bureau zitten en typte mijn wachtwoord in. De twee beveiligingsmannen keken tactvol een andere kant op tot ik was ingelogd.

'Wie heeft er toegang tot uw kantoor?' vroeg de oudste van de twee.

'Alleen ik. En Jocelyn.'

'En de schoonmakers,' merkte hij op.

'Ja, dat zal wel, maar die zie ik nooit.'

'U hebt ze nooit gezien?' herhaalde hij sceptisch. 'Maar u werkt 's avonds toch laat door?'

'Zij werken nog later.'

'En de interne post? Komen hier interne bezorgers als u er niet bent?'

Ik schudde mijn hoofd. 'Al die dingen gaan naar Jocelyn. Ze leveren nooit rechtstreeks iets bij mij af.'

'Heeft iemand van IT ooit onderhoud verricht aan uw computer of telefoon?'

'Niet dat ik weet.'

De jongste van de twee vroeg: 'Nog vreemde e-mailtjes ontvangen?'

'Vreemde...?'

'Van mensen die u niet kent, met attachments.'

'Niet dat ik me kan herinneren.'

'Maar u gebruikt ook andere e-maildiensten, nietwaar? Ik bedoel, andere dan die van Trion.'

'Ja.'

'Hebt u ooit vanuit deze computer met die diensten gewerkt?'

'Ja, dat wel.'

'En hebt u op een van die e-mailaccounts ooit vreemde berichten ontvangen?'

'Nou, ik krijg voortdurend spam, net als iedereen. U weet wel, Viagra en "vijf centimeter langer" of die over boerenmeisjes.' Blijkbaar hadden ze geen van tweeën gevoel voor humor. 'Maar die wis ik allemaal.'

'Dit duurt maar vijf of tien minuten, meneer,' zei de jongste, en hij stak een schijf in mijn cd-rom-drive. 'Misschien kunt u ergens een kop koffie gaan drinken.'

Omdat ik een afspraak had, liet ik de beveiligingsmannen in mijn kantoor achter, al zat dat me niet lekker. Ik ging naar Plymouth, een van de kleinere vergaderkamers.

Ik vond het niet prettig dat ze me naar mijn externe e-mailaccounts hadden gevraagd. Dat was niet gunstig. Sterker nog, het maakte me doodsbang. Als ze nu eens besloten al mijn e-mailberichten op te vragen? Ik had gemerkt hoe gemakkelijk dat was. Als ze er nu eens achter kwamen dat ik kopieën van Camilletti's e-mailverkeer had besteld? Zou dat mij op de een of andere manier tot een verdachte maken?

Toen ik langs Goddards kantoor kwam, zag ik dat Flo en hij er geen van beiden waren. Jock was naar de vergadering, wist ik. Toen kwam ik Jocelyn tegen. Ze had een kop koffie bij zich met het opschrift BUITEN ZINNEN – OVER VIJF MINUTEN TERUG.

'Zitten die beveiligingskerels nog achter mijn bureau?' vroeg ze.

'Ze zijn nu in mijn kantoor,' zei ik, en ik liep door.

Ze woof even naar me.

63

Goddard en Camilletti zaten aan een kleine ronde tafel. Bij hen waren de directeur Operaties, Jim Colvin, en nog een Jim, de directeur Human Resources, Jim Sperling, plus een paar vrouwen die ik niet kende. Sperling, een zwarte man met een kort baardje en een grote metalen bril, sprak over 'opportune targets'. Daarmee bedoelde hij vermoedelijk personeel dat ze eruit konden schoppen. Jim Sperling had niet zo'n coltrui aan als Jock Goddard, al scheelde het niet veel – hij droeg een colbertje en een donker poloshirt. Jim Colvin was de enige die een conventioneel pak met das droeg.

Sperlings jonge blonde assistente schoof me wat papieren toe waarop lijsten stonden van afdelingen en individuele stakkers die kandidaat stonden voor de guillotine. Ik keek die lijsten even door en zag dat het

Maestro-team er niet op voorkwam. Ik had dus toch nog hun banen gered.

Toen zag ik een aantal namen van Marketing Nieuwe Producten, waaronder die van Phil Bohjalian. De oude man zou de zak krijgen. Chad en Nora stonden niet op de lijst, maar Phil wel. Dat zou wel Nora's werk zijn. Elk directielid was gevraagd een lijst van hun ondergeschikten te maken en minstens één op de tien te schrappen. Nora had blijkbaar Phil aangewezen voor executie.

Er werd niet meer echt gediscussieerd. Sperling presenteerde de lijst, voerde 'argumenten' aan voor de 'posities' die hij wilde elimineren, en er werd even over gepraat. Goddard keek somber; Camilletti zag er gespannen uit, zelfs een beetje opgewonden.

Toen Sperling over Marketing Nieuwe Producten kwam te spreken, keek Goddard mij aan. Stilzwijgend vroeg hij mij om mijn mening. 'Mag ik iets zeggen?' zei ik.

'Eh ja,' zei Sperling.

'Er staat daar een naam, Phil Bohjalian. Hij werkt al minstens twintig jaar voor Trion.'

'Hij heeft ook de minst goede beoordelingen,' zei Camilletti. Ik vroeg me af of Goddard hem iets over het lekken naar de *Wall Street Journal* had gezegd. Ik kon het niet aan Camilletti's houding merken, want hij gedroeg zich niet meer of minder kwetsend tegenover mij dan gewoonlijk. 'En juist omdat hij hier al zo lang werkt, kosten zijn secundaire voorzieningen ons een kapitaal.'

'Nou, ik zou zijn beoordeling in twijfel willen trekken,' zei ik. 'Ik ken zijn werk, en ik denk dat zijn cijfers meer een kwestie van intermenselijke stijl zijn.'

'Stijl,' zei Camilletti.

'Nora Sommers mag hem niet.' Zeker, Phil was ook niet bepaald een vriend van mij, maar hij kon me geen kwaad doen en ik had met hem te doen.

'Nou, als dit alleen maar een botsing van persoonlijkheden is, wordt er misbruik gemaakt van het beoordelingssysteem,' zei Jim Sperling. 'Wil je zeggen dat Nora Sommers misbruik maakt van het systeem?'

Ik zag heel goed waartoe dit kon leiden. Ik kon Phil Bohjalians baan redden en tegelijk Nora eruit gooien. Het was erg verleidelijk om Nora's keel door te snijden. Niemand in deze kamer zou zich daar iets aan gelegen laten liggen. Het nieuws zou doordringen tot Tom Lundgren, maar die zou waarschijnlijk ook niet veel doen om haar te redden. En als Goddard mij niet uit Nora's klauwen had geplukt, zou nu vast en zeker mijn naam op die lijst staan, niet die van Phil.

Goddard keek me strak aan, en Sperling deed dat ook. De anderen aan de tafel maakten aantekeningen.

'Nee,' zei ik ten slotte. 'Ik denk niet dat ze misbruik maakt van het systeem. Het is alleen een kwestie van antipathie. Ik denk dat ze allebei goed werk doen.'

'Goed,' zei Sperling. 'Kunnen we verder gaan?'

'Zeg,' zei Camilletti. 'We ontslaan vierduizend werknemers. We kunnen ze niet een voor een bespreken.'

Ik knikte. 'Natuurlijk.'

'Adam,' zei Goddard. 'Wil je wat voor me doen? Ik heb Flo vanmorgen vrij gegeven. Zou je het erg vinden om mijn, eh, opslagmedium uit mijn kantoor te halen? Ik geloof dat ik het ben vergeten.' Zijn ogen twinkelden. Hij bedoelde zijn kleine zwarte notitieboekje, en ik denk dat het grapje alleen voor mij bestemd was.

'Ja,' zei ik, en ik slikte even. 'Ik ben zo terug.'

De deur van Goddards kantoor was dicht, maar zat niet op slot. Het zwarte boekje lag op zijn keurig opgeruimde bureau, naast zijn computer.

Ik ging op zijn bureaustoel zitten en keek naar zijn spullen, de ingelijste foto's van zijn witharige, oma-achtige vrouw Margaret, een foto van zijn huis aan het meer. Geen foto's van zijn zoon Elijah, zag ik; waarschijnlijk was die herinnering te pijnlijk.

Ik was alleen in Jock Goddards kantoor, en Flo had deze ochtend vrij. Hoe lang kon ik hier blijven zonder dat Goddard argwaan kreeg? Had ik tijd om te proberen in zijn computer te komen? Als Flo nu eens kwam opdagen terwijl ik daar was...?

Nee. Het was veel te riskant. Dit was het kantoor van de presidentdirecteur, en er kwamen hier waarschijnlijk voortdurend mensen. En ik kon het niet wagen om langer dan twee of drie minuten over deze boodschap te doen: Goddard zou zich afvragen waar ik was geweest. Misschien had ik een korte pispauze genomen voordat ik zijn boekje ging halen: dat zou vijf minuten kunnen verklaren, maar niet meer dan dat.

Maar waarschijnlijk zou ik deze kans nooit meer krijgen.

Ik sloeg het versleten boekje vlug open en zag telefoonnummers, potloodnotities van afspraken... en op de pagina binnen het achteromslag stond in keurige blokletters 'GODDARD' geschreven, en daaronder '62858'.

Dat moest zijn wachtwoord zijn.

Boven die vijf cijfers was 'JUN2858' doorgestreept. Ik keek naar de twee series cijfers en nam aan dat het in beide gevallen een datum was, en wel dezelfde datum: 28 juni 1958. Dat was blijkbaar een belangrijke datum geweest voor Goddard. Ik wist niet wat er toen was gebeurd. Misschien was het zijn trouwdag. En beide varianten waren waarschijnlijk een wachtwoord.

Ik pakte een pen en een stuk papier en noteerde de gebruikersnaam en het wachtwoord.

Maar waarom zou ik niet het hele boekje kopiëren? Er stond vast nog wel meer belangrijke informatie in.

Ik deed de deur van Goddards kantoor achter me dicht en ging naar het kopieerapparaat achter Flo's bureau.

'Probeer je mijn werk te doen, Adam?' vroeg Flo's stem.

Ik draaide me met een ruk om en zag Flo met een draagtas van Saks Fifth Avenue in de deuropening staan. Ze keek me nogal fel aan.

'Morgen, Flo,' zei ik nonchalant. 'Nee, wees maar niet bang. Ik moet alleen iets ophalen voor Jock.'

'Dat is goed. Want ik ben hier langer dan jij en ik zou het niet leuk vinden als ik op mijn strepen moest staan.' Haar blik werd milder en ze lachte me nu vriendelijk toe.

64

Toen de vergadering voorbij was, kwam Goddard naast me lopen en sloeg hij zijn arm om mijn schouder. 'Ik vond het goed wat je hier deed,' zei hij met gedempte stem.

'Wat bedoel je?'

We liepen door de gang naar zijn kantoor. 'Ik bedoel dat je je terughoudend opstelde wat Nora Sommers betrof. Ik weet hoe je over haar denkt. Ik weet hoe ze over jóu denkt. Het zou een koud kunstje voor je zijn geweest om je van haar te ontdoen. En eerlijk gezegd zou ik me daar niet erg tegen hebben verzet.'

Ik had het een beetje moeilijk met Goddards genegenheid, maar ik glimlachte en boog mijn hoofd. 'Het leek me de juiste handelwijze,' zei ik.

'"Zij die macht hebben om te grieven en zulks niet doen,"' zei Goddard, '"zij zullen waarlijk het koninkrijk der hemelen beërven."' Shakespeare. In moderne taal: als je de macht hebt om mensen kwaad te doen en je doet het niet. Nou, dan laat je zien wie je werkelijk bent.'

'Misschien.'

'En wie is die oudere man wiens baan je hebt gered?'

'Gewoon iemand van marketing.'

'Een vriend van je?'

'Nee. Hij moet ook niet veel van mij hebben, denk ik. Ik vind hem gewoon een trouwe medewerker.'

'Goed zo.' Goddard kneep hard in mijn schouder. Hij leidde me naar zijn kantoor en bleef een ogenblik voor Flo's bureau staan. 'Goeiemorgen, schat,' zei hij. 'Laat me de communiejurk eens zien.'

Flo straalde. Toen maakte ze de Saks-tas open, haalde er een wit zijden meisjesjurkje uit en hield het trots omhoog.

'Fantastisch,' zei hij. 'Gewoon fantastisch.'

Toen gingen we zijn kantoor in en deed hij de deur dicht.

'Ik heb nog geen woord tegen Paul gezegd,' zei Goddard, terwijl hij achter zijn bureau ging zitten. 'En ik weet nog niet of ik dat ga doen. Jij hebt het toch ook tegen niemand gezegd? Dat van de *Journal*?'

'Nee.'

'Houen zo. Paul en ik zijn het niet over alles eens, en misschien was dit zijn manier om een vuurtje onder me te stoken. Misschien dacht hij dat hij de onderneming hielp. Ik weet het niet.' Een diepe zucht. 'Als ik hem erover aanspreek... Nou, ik wil niet dat het bekend raakt. Ik wil geen onaangenaamheden. We hebben tegenwoordig veel, veel belangrijker zaken aan ons hoofd.'

'Goed.'

Hij wierp me een zijdelingse blik toe. 'Ik ben nooit in de Auberge geweest, maar ik hoor dat hij geweldig goed is. Wat denk jij?'

Mijn maag maakte een sprongetje. Mijn gezicht gloeide. Het móést de vorige avond Camilletti zijn geweest. Wat een pech.

'Ik... Ik heb daar eigenlijk alleen een glas wijn gedronken.'

'Je raadt nooit wie daar dezelfde avond toevallig zat te eten,' zei Goddard. Zijn gezicht was ondoorgrondelijk. 'Nicholas Wyatt.'

Camilletti had blijkbaar wat rondgevraagd. Het zou zelfmoord zijn als ik zelfs maar probeerde te ontkennen dat ik daar met Wyatt was geweest. 'O, dat,' zei ik met een vermoeide stem. 'Vanaf het moment dat ik die baan bij Trion aannam, zit Wyatt achter me aan om...'

'O, ja?' onderbrak Goddard me. 'Dus je kon natuurlijk niets anders doen dan zijn uitnodiging voor een diner aanvaarden?'

'Nee, zo was het niet.' Ik slikte.

'Dat je van baan verandert, wil nog niet zeggen dat je je oude vrienden opgeeft,' zei hij.

Ik schudde mijn hoofd en fronste mijn wenkbrauwen. Mijn gezicht voelde aan alsof het zo rood werd als dat van Nora. 'Het is eigenlijk niet een kwestie van vriendschap...'

'O, ik weet hoe het gaat,' zei Goddard. 'De ander praat je een schuldgevoel aan om je over te halen met hem te dineren, gewoon omwille van de goeie ouwe tijd, en je wilt niet grof tegen hem zijn, en dan komt hij met een interessant voorstel...'

'Je weet dat ik niet van plan was om...'

'Natuurlijk niet, natuurlijk niet,' mompelde Goddard. 'Zo iemand ben jij niet. Kom nou. Ik kén mensen. Ik mag dat graag als een van mijn sterke punten zien.'

Toen ik in mijn kantoor terug was, ging ik geschokt aan mijn bureau zitten.

Het feit dat Camilletti aan Goddard had gemeld dat hij me tegelijk met Wyatt in de Auberge had gezien, betekende dat Camilletti op zijn minst aan mijn motieven twijfelde. Hij moet hebben gedacht dat ik me op zijn minst het hof liet maken door mijn vroegere baas. Maar een man als Camilletti dacht waarschijnlijk aan ergere dingen.

Dit was een regelrechte ramp. Ik vroeg me ook af of Goddard werkelijk dacht dat het allemaal onschuldig was. 'Ik kén mensen,' had hij gezegd. Was hij zo naïef? Ik wist niet wat ik moest denken. Maar het was duidelijk dat ik voortaan heel goed op mijn tellen moest passen.

Ik haalde diep adem en drukte mijn vingertoppen hard tegen mijn gesloten ogen. Wat er ook gebeurde, ik moest stug doorgaan.

Na een paar minuten zocht ik vlug op de Trion-website en vond ik de naam van de man die de leiding had van de afdeling Intellectuele Eigendom van de divisie Juridische Zaken. Dat was Bob Frankenheimer, vierenvijftig jaar oud, acht jaar werkzaam voor Trion. Daarvoor was hij juridisch adviseur bij Oracle geweest, en daar weer voor had hij voor Wilson, Sonsini gewerkt, een groot advocatenkantoor in Silicon Valley. Op zijn foto leek hij veel te dik, met donker krullend haar, een stoppelbaard en dikke brillenglazen. De typische nerd.

Ik belde hem vanaf mijn bureau, want ik wilde dat hij op zijn nummerherkenning zag dat ik vanuit het kantoor van de president-directeur belde. Hij nam op met een verrassend milde stem, als een dj laat op de avond op een soft-rock-station.

'Meneer Frankenheimer, met Adam Cassidy van de staf van de president-directeur.'

'Wat kan ik voor u doen?' zei hij. Hij klonk oprecht behulpzaam.

'We zouden graag alle patentaanvragen voor afdeling 322 willen bekijken.'

Het was brutaal, en beslist ook riskant. Als hij het nu eens aan Goddard vertelde? Ik zou het nooit kunnen uitleggen.

Een lange stilte. 'Het AURORA-project.'

'Ja,' zei ik nonchalant. 'Ik weet dat we geacht worden alle exemplaren hier in de kast te hebben, maar ik ben net twee uur aan het zoeken geweest en ik kan ze gewoon niet vinden, en Jock is helemaal over zijn toeren.' Ik dempte mijn stem. 'Ik ben hier nieuw – ik ben net begonnen – en ik wil dit niet verknoeien.'

Weer een stilte. Plotseling klonk Frankenheimers stem killer, minder behulpzaam. Blijkbaar had ik op de verkeerde knop gedrukt. 'Waarom belt u mij?'

Ik wist niet wat hij bedoelde, maar het was duidelijk dat ik de plank mis had geslagen. 'Omdat ik dacht dat u de enige bent die mijn baan kan redden,' zei ik met een scherp grinniklachje.

'U denkt dat ik hier exemplaren heb liggen?' zei hij snauwend.

'Nou, weet u waar de aanvragen dan wel zijn?'

'Meneer Cassidy, ik heb hier een team van zes eersteklas juristen, gespecialiseerd in intellectuele eigendom. Die kunnen zo ongeveer alles aan wat aan ze wordt voorgelegd. Maar de AURORA-gegevens? O, nee. Die moeten door externe juristen worden afgehandeld.' Zijn stem werd steeds luider. Zo te horen maakte hij zich erg kwaad. 'Om veiligheidsredenen, zeggen ze. Ze gaan er dus vanuit dat externe juristen meer veiligheid te bieden hebben dan de eigen mensen van Trion. Nu vraag ik u: wat voor signaal zendt zoiets uit?' Hij klonk helemaal niet vriendelijk meer.

'Geen goed signaal,' zei ik. 'Nou, wie gaat er dan over de aanvragen?'

Frankenheimer blies zijn adem uit. Hij was een verbitterde, woedende man, een eersteklas kandidaat voor een hartaanval. 'Ik wou dat ik het u kon vertellen. Maar blijkbaar willen ze ons die informatie ook niet toevertrouwen. Hoe staat het ook weer op onze cultuurbadges: "Open communicatie"? Prachtig vind ik dat. Ik denk dat ik het op onze T-shirts laat afdrukken op de bedrijfsspelen.'

Toen ik had opgehangen, kwam ik op weg naar de herentoiletten langs Camilletti's kantoor, en daar hield ik van schrik de pas in.

In Paul Camilletti's kantoor zat met een ernstig gezicht mijn oude maatje.

Chad Pierson.

Ik versnelde mijn pas, want ik wilde niet dat een van hen mij door de glazen wanden van Camilletti's kantoor zou zien. Al had ik geen idee waarom ik niet gezien wilde worden. Ik liet me nu helemaal door mijn instinct leiden.

Jezus, Chad kénde Camilletti? Dat had hij me nooit verteld, en het zou net wat voor Chad zijn geweest om daar tegen mij over te pochen. Ik kon geen legitieme – of zelfs onschuldige – reden bedenken waarom die twee met elkaar praatten. En het was heus niet voor de gezelligheid: Camilletti zou zijn tijd niet verspillen aan een miezerig mannetje als Chad.

De enige plausibele verklaring was de ergste: dat Chad mij van iets verdacht en dat hij daar helemaal mee naar de top was gegaan, of tenminste zo dicht bij de top als hij kon komen. Maar waarom Camilletti?

Chad had het ongetwijfeld op mij voorzien, en toen hij had gehoord er iemand van Wyatt Telecom in dienst was genomen, had hij waarschijnlijk Kevin Griffin opgespoord om te kijken of die iets negatiefs te zeggen had. En hij had geluk gehad.

Maar was dat echt zo?

Ik bedoel, hoeveel wist Kevin Griffin nu echt van mij? Hij had geruchten gehoord, en misschien beweerde hij iets over mijn voorgeschiedenis bij Wyatt te weten. Maar we hadden het dan wel over iemand die zelf een dubieuze reputatie had. Wat het ook was dat de beveiligingsmensen van Wyatt aan Trion hadden verteld, het was duidelijk dat de mensen van Trion het geloofden. Anders zouden ze hem niet zo snel hebben ontslagen.

Zou Camilletti werkelijk geloof hechten aan beschuldigingen uit de tweede hand, afkomstig van Kevin Griffin, een dubieuze bron, een mogelijke fraudeur?

Aan de andere kant... Nu hij me met Wyatt in dat restaurant had gezien, en nog wel in zo'n discreet kamertje van dat restaurant, zou hij het misschien geloven.

Mijn maag deed pijn. Ik vroeg me af of ik een maagzweer kreeg. Ook als dat zo was, zou dat nog lang niet mijn grootste probleem zijn.

65

De volgende dag, zaterdag, hield Goddard zijn barbecue. Het kostte me anderhalf uur om Goddards huis aan het meer te vinden, en een groot deel van die tijd reed ik over kleine weggetjes. Onderweg belde ik pa met mijn mobiele telefoon, en dat had ik niet moeten doen. Ik praatte even met Antwoine, en toen kwam pa aan de lijn, hijgend en puffend, charmant als altijd. Hij stond erop dat ik meteen zou komen.

'Dat kan niet, pa,' zei ik. 'Ik heb iets voor mijn werk te doen.' Ik wilde hem niet vertellen dat ik naar een barbecue in het landhuis van de president-directeur ging. Er gingen allerlei mogelijke reacties van pa door mijn hoofd, en ik hield mijn mond. Zo kende ik zijn tirade over de corrupte topmanagers, zijn tirade over Adam de zielige hielenlikker, de tirade van jij-weet-niet-wie-je-bent, die van rijke-mensen-wrijven-je-met-je-neus-door-hun-rijkdom, die van wat-heb-jij-toch-wilje-niet-bij-je-stervende-vader-zijn...

'Heb je iets nodig?' vroeg ik, al zou hij nooit toegeven dat hij iets nodig had.

'Ik heb niks nodig,' zei hij prikkelbaar. 'Niet als je het te druk hebt.'

'Zal ik dan morgenvroeg komen?'

Pa zweeg om me te laten weten dat ik hem kwaad had gemaakt, en toen gaf hij de telefoon aan Antwoine. De oude man gedroeg zich weer zo rottig als altijd.

Ik beëindigde het telefoongesprek toen ik bij het huis aankwam. Dat stond aangegeven met een eenvoudig houten bord op een paal, alleen GODDARD en een nummer. Ik volgde een lang pad met veel kuilen door een dicht bos. Plotseling verbreedde dat pad zich tot een grote rondgaande oprijlaan, die knerpte van de geplette schelpen. Een jongen met een groen overhemd fungeerde als autobeheerder. Met tegenzin gaf ik hem de sleutels van de Porsche.

Het was een groot huis met een dak van grijze shingles en het zag er sfeervol uit. Zo te zien was het aan het eind van de negentiende eeuw gebouwd. Het stond op een rots met uitzicht over het meer en had vier dikke natuurstenen schoorstenen, omringd door de klimop die zich over het dak had verspreid. Voor het huis strekte zich een enorm glooiend gazon uit dat rook alsof het pas was gemaaid, en hier en daar verhieven zich reusachtige oude eiken en knoestige sparren.

Twintig of dertig mensen stonden in shorts en t-shirt op het gazon, met een glas in hun hand. Kinderen renden heen en weer; ze schreeuwden en gooiden met ballen, speelden spelletjes. Een aantrekkelijk blond meisje zat aan een tafel voor de veranda. Ze glimlachte, vond mijn naamplaatje en gaf het aan me.

De meeste mensen waren blijkbaar aan de andere kant van het huis, het achtergazon dat geleidelijk afhelde naar een houten steiger op het water. Het was daar veel drukker. Ik zocht naar een bekend gezicht, maar zag niemand. Een gezette vrouw van een jaar of vijftig, gehuld in een bourgognerode kaftan en met een erg gerimpeld gezicht en sneeuwwit haar, kwam naar me toe.

'Je staat er wat verloren bij,' zei ze vriendelijk. Haar stem was diep en schor, en haar gezicht was net zo verweerd en schilderachtig als het huis.

Ik wist meteen dat ze Goddards vrouw moest zijn. Ze was precies zo alledaags als iedereen zei. Mordden had gelijk: ze leek op een *shar-pei-puppy.*

'Ik ben Margaret Goddard. En jij moet Adam zijn.'

Ik stak mijn hand uit, gevleid omdat ze me op de een of andere manier had herkend, tot ik me herinnerde dat de naam op mijn overhemd stond. 'Aangenaam kennis te maken, mevrouw Goddard,' zei ik.

Ze verbeterde me niet, zei niet tegen me dat ik haar Margaret moest noemen. 'Jock heeft me veel over je verteld.' Ze hield mijn hand een hele tijd vast en knikte, terwijl haar kleine bruine ogen groter werden. Zo te zien was ze onder de indruk, of misschien verbeeldde ik me dat maar. Ze kwam dichter naar me toe. 'Mijn man is een cynische oude vent, en hij is niet gauw onder de indruk. Dus móét je wel goed zijn.'

Aan de achterkant van het huis was een afgeschermde veranda. Ik kwam langs een paar grote zwarte cajun-grills met rookpluimen die uit de gloeiende houtskool opstegen. Een paar meisjes in wit uniform bereidden sissende hamburgers en steaks en kip. Er was daar ook een lange bar neergezet, bedekt met wit linnen, waar een paar jongens van studentenleeftijd mixdrankjes en frisdrank en bier in doorzichtige plastic bekers schonken. Aan een andere tafel stond iemand oesters te openen; hij legde ze op een bed van ijs.

Toen ik naar de veranda toe liep, herkende ik mensen. De meesten van hen waren Trion-managers met vrouw en kinderen. Nancy Schwartz, directielid en verantwoordelijk voor de eenheid Zakelijke Oplossingen, een kleine, donkerharige, zorgelijk kijkende vrouw in een Day-Glo-oranje Trion-t-shirt van de bedrijfsspelen van vorig jaar, speelde croquet met Rick Durant, de directeur Marketing, lang, slank en gebruind en met geföhnd zwart haar. Ze keken allebei ernstig. Goddards secretaresse, Flo, droeg een zijden Hawaïaanse *muumuu*, bloemrijk en dramatisch, en flaneerde alsof zij de echte gastvrouw was.

Toen zag ik Alana, met gebruinde lange benen onder witte shorts. Ze zag mij tegelijk en het leek wel of haar ogen meteen straalden. Ze keek verrast. Ze woof en glimlachte even naar me en wendde zich toen af. Ik had geen idee wat dat betekende, als het al iets betekende. Misschien wilde ze onze relatie geheimhouden, het bekende verhaal dat je niet in de vijver van de zaak mocht vissen.

Ik kwam langs mijn vroegere baas, Tom Lundgren, die een van die afzichtelijke golfshirts met grijze en knalroze strepen droeg. Hij had een fles water in zijn hand en trok het etiket er nerveus in een lang lint vanaf, terwijl hij met een gespannen grijns naar een aantrekkelijke zwarte vrouw luisterde die waarschijnlijk Audrey Bethune was, directielid en hoofd van het Guru-team. Enigszins achter hem stond een vrouw van wie ik aannam dat ze zijn vrouw was; ze droeg een identieke golf-outfit en haar gezicht was bijna net zo rood en rauw als het zijne. Een mager jongetje pakte haar elleboog vast en zeurde met een piepstem om het een of ander.

Zo'n vijftien meter van me vandaan stond Goddard plezier te maken met een stel mensen die me bekend voorkwamen. Hij dronk uit een bierflesje en droeg een blauw button-downoverhemd met opgerolde mouwen, een netjes gestreken kakibroek met omslagen, een marineblauwe stoffen riem met walvissen erop, en versleten bruine mocassins. De ultieme landheer. Er rende een klein meisje op hem af, en hij boog zich naar haar toe en haalde als een goochelaar een muntje uit haar oor. Ze gierde het uit van verbazing. Hij gaf haar het muntje, en ze rende weg, gillend van opwinding.

Hij zei weer iets, en zijn publiek lachte alsof hij de ster was in zijn eigen show. Aan zijn ene kant stond Paul Camilletti in een netjes gestreken, gebleekte spijkerbroek en een wit button-downoverhemd, ook met de mouwen opgerold. Hij had blijkbaar het memo met het kledingadvies gekregen, en ik niet – ik droeg kaki shorts en een poloshirt.

Tegenover hem stond Jim Colvin, de directeur Operaties, met deegachtig witte ooievaarsbenen onder effen grijze bermudashorts. Dit was een regelrechte modeshow. Goddard keek op. Toen hij me zag, wenkte hij me naar zich toe.

Toen ik naar hem toe liep, dook iemand uit het niets op en pakte mijn arm vast. Nora Sommers, in een roze gehaakt shirt met opstaande kraag en oversized kaki shorts. Zo te zien vond ze het geweldig me te zien. 'Adam!' riep ze uit. 'Wat goed dat ik je hier tegenkom! Is het hier niet gewéldig?'

Ik knikte en glimlachte beleefd. 'Is je dochter er ook?'

Ze keek plotseling onbehaaglijk. 'Megan maakt een moeilijke fase door, het arme ding. Ze wil nooit bij me zijn.' Gek is dat, dacht ik, ik maak precies dezelfde fase door. 'Ze gaat liever paardrijden met haar vader dan dat ze een middag aan haar moeder en de saaie collega's van haar moeder verspilt.'

Ik knikte. 'Neem me niet kwalijk...'

'Heb je al de kans gehad om Jocks autoverzameling te bekijken? Die staat in de garage daar.' Ze wees naar een schuurachtig gebouw aan de andere kant van het gazon, een meter of honderd van ons vandaan. 'Je móét de auto's bekijken. Ze zijn schítterend!'

'Dat zal ik doen,' zei ik, en ik deed weer een stap naar Goddards groepje.

Nora verstrakte haar greep op mijn arm. 'Adam, ik wilde je al een hele tijd zeggen dat ik zó blij ben met je succes. Het zegt echt iets over Jock dat hij dat risico met jou wilde nemen, nietwaar? Dat hij zijn vertrouwen in je stelde? Ik ben zo blíj voor jou!' Ik bedankte haar hartelijk en ontworstelde mijn arm uit haar klauw.

Ik kwam bij Goddard aan en bleef beleefd op de achtergrond, tot hij me zag en naar zich toe wenkte. Hij stelde me voor aan Stuart Lurie, de directeur die de leiding had van de divisie Zakelijke Oplossingen. 'Hoe gaat het, jongen?' zei Lurie, en hij gaf me een stevige handdruk. Hij was een erg goed uitziende man van rond de veertig, voortijdig kaal en kort geschoren aan de zijkanten, zodat hij doelbewust en cool overkwam.

'Adam is de toekomst van Trion,' zei Goddard.

'Nou, hé, aangenaam kennis te maken met de toekomst,' zei Lurie met net genoeg sarcasme. 'Je gaat toch geen muntje uit zíjn oor trekken, Jock?'

'Dat hoef ik niet,' zei Jock. 'Adam trekt altijd konijnen uit hoeden, nietwaar, Adam?' Goddard legde zijn arm om mijn schouder, een stuntelig gebaar omdat ik zoveel groter was dan hij. 'Kom mee,' zei hij zachtjes.

Hij leidde me naar de dichte veranda. 'Straks doe ik mijn traditionele kleine ceremonie,' zei hij toen we het houten trapje beklommen. Ik hield de verandadeur voor hem open. 'Ik deel cadeautjes uit, grappige kleine dingetjes – eigenlijk een soort feestartikelen.' Ik glimlachte en vroeg me af waarom hij me dat vertelde.

We liepen over de veranda met zijn oude rieten meubelen en kwamen via een bijkeuken in het eigenlijke huis. De vloeren waren van oude brede grenen planken, en ze kraakten toen we eroverheen liepen. De wanden waren allemaal roomwit geverfd, en alles leek licht en fleurig en gezellig. Er hing die onbeschrijfelijke geur van oude huizen. Alles zag er comfortabel, doorleefd en echt uit. Dit was het huis van een rijke man zonder pretenties, dacht ik. We liepen door een brede gang langs een zitkamer met een grote natuurstenen haard, en gingen toen een hoek om naar een smalle gang met een tegelvloer. Op planken aan weerskanten van de gang stonden trofeeën en andere voorwerpen. Toen kwamen we in een kleine kamer met wanden vol boeken en een langgerekte bibliotheektafel in het midden. Op die tafel stonden een computer met printer en een stuk of wat grote kartonnen dozen. Dit was blijkbaar Goddards studeerkamer.

'Ik heb weer last van mijn bursitis,' verontschuldigde hij zich. Hij wees naar de grote dozen op de bibliotheektafel. Zo te zien zaten ze vol met geschenken in cadeauverpakking. 'Jij bent een sterke jongeman. Zou je deze dozen naar het podium bij de bar willen dragen...'

'Natuurlijk.' Ik was teleurgesteld, maar liet het niet blijken. Ik tilde een van de enorme dozen op, die niet alleen zwaar maar ook onhandelbaar was. Het gewicht was ongelijk verdeeld en de doos was zo groot dat ik onder het lopen nauwelijks voor me kon kijken.

'Ik leid je hier wel uit,' zei Goddard. Ik volgde hem de smalle gang in. De doos schuurde langs de planken aan weerskanten, en ik moest hem op zijn kant houden om hem ertussendoor te manoeuvreren. Ik voelde dat de doos tegen iets aan stootte. Er volgde een harde klap, en het geluid van glas dat kapotviel.

'O shit,' riep ik uit.

Ik draaide de doos zo dat ik kon zien wat er gebeurd was. Ik keek: blijkbaar had ik een van de trofeeën van de plank gestoten. Hij lag in duizend goudkleurige scherven op de tegelvloer. Het was het soort trofee dat massief goud leek maar in feite bestond uit een soort met goudverf beschilderd glas of zoiets.

'O god, wat spijt me dit,' zei ik. Ik zette de doos op de vloer en hurkte neer om de scherven op te rapen. Ik was erg voorzichtig met de doos geweest, maar op de een of andere manier moest ik hem ertegenaan hebben gestoten, ik wist niet hoe.

Goddard keek om zich heen en werd lijkbleek. 'Het is niet erg,' zei hij met een gesmoorde stem.

Ik verzamelde zoveel van de scherven als ik kon. Het was een goudkleurig beeldje van een rennende footballspeler – of beter gezegd, dat was het geweest. Ik vond een fragment van een helm, een vuist, een kleine football. Het voetstuk was van hout, met een koperen plaatje: 1995 KAMPIOEN – LAKEWOOD SCHOOL – ELIJAH GODDARD – QUARTER-BACK.

Elijah Goddard was Goddards dode zoon, had Judith Bolton me verteld.

'Jock,' zei ik. 'Ik vind dit zo erg.' Een van de scherven sneed pijnlijk in mijn handpalm.

'Ik zei al, het is niet erg,' zei Goddard met een ijzige stem. 'Vergeet het maar. En kom mee, laten we gaan.'

Ik wist niet wat ik moest doen. Ik vond het zo verschrikkelijk dat ik dat souvenir van zijn dode zoon had kapotgemaakt. Ik wilde de scherven opruimen, maar ik wilde hem ook niet nog kwader maken dan hij al was. Daar ging dan alle goodwill die ik bij de oude baas had opgebouwd. Er kwam nu bloed uit de snee in mijn handpalm.

'Mevrouw Walsh ruimt het wel op,' zei hij met een harde ondertoon in zijn stem. 'Kom mee, breng die cadeaus naar buiten.' Hij liep door de gang en verdween ergens. Intussen pakte ik de doos op en droeg hem met uiterste voorzichtigheid door de smalle gang en naar buiten. Ik liet een bloederige handafdruk op het karton achter.

Toen ik de tweede doos kwam halen, zat Goddard in een stoel in de hoek van zijn studeerkamer. Hij zat voorovergebogen, zijn hoofd in de schaduw, en hij hield het houten voetstuk van de trofee in zijn beide handen. Ik aarzelde, want ik wist niet wat ik moest doen: weggaan, hem alleen laten, verder gaan met het versjouwen van de dozen en doen alsof ik hem niet zag.

'Hij was een aardige jongen,' zei Goddard plotseling, zo zachtjes dat ik eerst dacht dat ik het me verbeeldde. Ik bleef staan. Zijn stem was diep en schor en zacht, niet veel harder dan fluisteren. 'Een echte sportman, lang en met een brede borst, net als jij. En hij had een... talent voor geluk. Als hij een kamer binnenkwam, kon je merken dat de stemming beter werd. Hij gaf mensen een goed gevoel. Hij zag er goed uit, en hij was aardig, en hij had die... die fonkeling in zijn ogen.' Hij bracht langzaam zijn hoofd omhoog en staarde voor zich uit. 'Zelfs toen hij nog heel klein was, huilde hij nooit en...'

Goddards stem stierf weg, en ik stond verstijfd in het midden van de kamer, kon alleen maar luisteren. Ik had een servet in mijn hand samengepropt om het bloed op te vangen, en ik voelde dat het nat werd. 'Jij zou hem sympathiek hebben gevonden,' zei Goddard. Hij keek in mijn richting, maar op de een of andere manier keek hij me niet aan, alsof hij zijn zoon zag op de plaats waar ik stond. 'Dat is waar. Jullie zouden vrienden zijn geweest.'

'Ik vind het jammer dat ik hem nooit heb ontmoet.'

'Iedereen hield van hem. Hij was een jongen die op de wereld was gezet om iedereen gelukkig te maken. Er sprongen vonken van hem over, hij had de beste gl...' Zijn stem sloeg over. 'De beste... glimlach...' Goddard liet zijn hoofd zakken, en zijn schouders schokten. Na een tijdje zei hij: 'Op een dag belde Margaret me op kantoor. Ze gilde... Ze had hem in zijn slaapkamer gevonden. Ik reed naar huis, ik kon niet helder denken... Elijah was in zijn derde jaar van Haverford weggegaan. Nou ja, ze schopten hem eruit, zijn cijfers leken nergens meer naar, hij ging niet meer naar college. Maar hij wilde er niet over praten. Ik vermoedde natuurlijk dat hij aan de drugs was, en ik probeerde met hem te praten, maar je kon net zo goed tegen een muur praten. Hij kwam weer thuis wonen, zat meestal op zijn kamer of ging uit met vrienden die ik niet kende. Later hoorde ik van een van zijn vrienden dat hij in het begin van zijn derde jaar aan de heroïne was geraakt. Maar hij was geen jeugddelinquent. Hij was een begaafde, aardige jongen, een goede jongen... Maar op een gegeven moment begon hij... hoe zeggen ze dat, te spuiten? En dat veranderde hem. Het licht in zijn ogen was weg. Hij loog voortdurend. Het was of hij alles wat hij was probeerde uit te wissen. Weet je wat ik bedoel?' Goddard keek weer op. De tranen liepen nu over zijn gezicht.

Ik knikte.

Een paar langzame seconden tikten voorbij, en toen ging hij verder.

'Hij zocht naar iets, denk ik. Hij had iets nodig wat de wereld hem niet kon geven. Of misschien trok hij zich de dingen te veel aan en besloot hij dat deel van hem te doden.' Zijn stem klonk weer gesmoord. 'En toen de rest van hem.'

'Jock,' begon ik. Ik wilde dat hij ophield.

'De patholoog-anatoom verklaarde dat het een overdosis was. Volgens hem leed het geen twijfel dat er opzet in het spel was, dat Elijah wist wat hij deed.' Hij hield zijn dikke hand over zijn ogen. 'Je vraagt je af wat je anders had moeten doen. Hoe heb ik hem verknoeid? Ik heb zelfs een keer gedreigd hem te laten arresteren. We probeerden hem in een afkickcentrum te krijgen. Ik stond al op het punt hem daarheen te sturen, hem te dwingen daarheen te gaan, maar ik kreeg de kans niet. En ik vroeg me steeds weer af: ben ik te hard voor hem geweest, te streng? Of niet hard genoeg? Ging ik te veel op in mijn eigen werk? Ik denk van wel. Ik was in die tijd veel te gedreven. Ik was altijd bezig Trion op te bouwen en kwam er niet aan toe om een echte vader voor hem te zijn.'

Nu keek hij me recht aan, en ik zag het verdriet in zijn ogen. Het was of er een dolk door me heen ging. Mijn eigen ogen werden ook vochtig.

'Je gaat naar je werk en je bouwt je kleine koninkrijk op,' zei hij, 'en de dingen waar het echt om gaat, verlies je uit het oog.' Hij knipperde met zijn ogen. 'Dat mag jou niet overkomen, Adam. Nooit.'

Goddard leek kleiner, en verschrompeld, honderd jaar oud. 'Hij lag op zijn bed, bedekt met kwijl en pis, als een klein kind, en ik wiegde hem in mijn armen alsof hij een baby was. Weet je wat het is om je kind in een doodkist te zien?' fluisterde hij. Ik kreeg kippenvel en kon hem niet meer aankijken. 'Ik dacht dat ik nooit meer aan het werk zou gaan. Ik dacht dat ik er nooit overheen zou komen. Margaret zegt dat ik er echt nooit overheen ben gekomen. Bijna twee maanden bleef ik thuis. Ik wist niet meer waarvoor ik leefde. Als zoiets je overkomt, trek je de waarde van alles in twijfel.'

Hij scheen zich te herinneren dat hij een zakdoek had, en hij haalde hem te voorschijn en veegde ermee over zijn gezicht. 'Moet je mij toch eens zien,' zei hij met een diepe zucht, en onverwachts grinnikte hij. 'Moet je die oude idioot toch eens zien. Toen ik zo oud was als jij, dacht ik dat ik de zin van het leven zou hebben ontdekt als ik zo oud zou zijn als ik nu ben.' Hij glimlachte triest. 'En nu weet ik het nog net zo min. O, ik weet wel waar het níét om gaat. Dat is een eliminatieproces. Ik moest een zoon verliezen om daarachter te komen. Je krijgt je grote huis en je dure auto, en misschien zetten ze je op het omslag van *Fortune*, en je denkt dat je het allemaal weet, hè? Totdat God je een telegram stuurt: "O, dat was ik nog vergeten te zeggen: al die dingen stellen niets voor. En de mensen op deze aarde van wie je houdt – je hebt ze alleen maar te leen, weet je. En je moet van ze houden zolang het nog kan." ' Een traan rolde langzaam over zijn wang. 'Tot op de dag van vandaag vraag ik me af of ik Elijah ooit echt heb gekend. Misschien niet. Ik dacht van wel. Ik weet in ieder geval dat ik van hem hield, meer dan ik ooit had gedacht dat ik van iemand zou kunnen houden. Maar heb ik mijn jongen echt gekend? Dat zou ik je niet kunnen vertellen.' Hij schudde langzaam zijn hoofd, en ik zag dat hij zichzelf weer onder controle kreeg. 'Je vader mag zich verdomd gelukkig prijzen, wie hij ook is, zo verdomd gelukkig, en hij zal het nooit weten. Hij heeft een zoon als jij, een zoon die nog bij hem is. Hij zal vast wel trots op je zijn.'

'Daar ben ik niet zo zeker van,' zei ik zachtjes.

'O, ik wel,' zei Goddard. 'Want ík zou trots zijn.'

DEEL ZEVEN

CONTROLE

Controle: macht die op een agent of dubbelagent wordt uitgeoefend om te voorkomen dat hij overloopt of nogmaals dubbelt (en een 'triple-agent' wordt).
– *The International Dictionary of Intelligence*

66

De volgende morgen keek ik thuis in mijn e-mail en vond een bericht van 'Arthur':

Baas erg onder de indruk van je presentatie & wil onmiddellijk meer.

Ik keek er even naar en besloot geen antwoord te geven.

Een tijdje later verscheen ik onaangekondigd in de woning van mijn vader, met een doos Krispy Kerme-donuts. Ik parkeerde vlak voor zijn huis. Ik wist dat pa de hele dag uit het raam zat te kijken, tenminste, als hij geen tv keek. Er ontging hem niets van wat zich buiten afspeelde.

Ik was net van de autowasserij gekomen, en de Porsche was een glanzend stuk lavaglas, een lust voor het oog. Ik was in de wolken. Pa had hem nog niet gezien. Zijn zoon, de 'verliezer', was geen verliezer meer en arriveerde in stijl – in een strijdwagen van 450 pk.

Mijn vader zat op zijn gebruikelijke plek voor de tv en keek naar een of ander goedkoop programma over schandalen in grote ondernemingen. Antwoine zat naast hem in de minder comfortabele stoel en las een van die supermarktbladen die allemaal hetzelfde lijken; ik geloof dat het de *Star* was.

Pa keek op. Toen hij de donutdoos zag die ik hem voorhield, schudde hij zijn hoofd. 'Nee,' zei hij.

'Ik weet vrij zeker dat er chocolade in zit. Je favoriete donut.'

'Ik mag die troep niet meer eten. Sambo hier houdt een pistool tegen mijn hoofd. Bied hem er maar een aan.'

Antwoine schudde ook zijn hoofd. 'Nee, dank je, ik probeer een paar kilo af te vallen. Je brengt me in verleiding.'

'Wat is dit, het hoofdkwartier van de afslankclub?' Ik zette de doos donuts op de salontafel van esdoornfineer naast Antwoine. Pa had nog niets over de auto gezegd, maar waarschijnlijk was hij te veel in beslag genomen door het televisieprogramma. Daar kwam nog bij dat zijn ogen niet zo goed meer waren.

'Zodra jij weg bent, knalt die kerel met zijn zweep en laat hij me rondjes door de kamer rennen,' zei pa.

'Hij weet van geen ophouden, hè?' zei ik tegen pa.

Pa keek eerder geamuseerd dan kwaad. 'Ieder zijn hobby,' zei hij. 'Al windt hij zich nergens zo over op als dat ik van de sigaretten afblijf.'

De spanning tussen de twee mannen leek tot een soort patstelling te zijn afgezakt. 'Hé, je ziet er veel beter uit, pa,' loog ik.

'Lul niet,' zei hij. Hij hield zijn blik strak op de televisie gericht. 'Werk je nog voor dat nieuwe bedrijf?'

'Ja,' zei ik. Ik glimlachte verlegen. Ik vond het tijd worden om hem het grote nieuws te vertellen. 'Eigenlijk...'

'Laat me je wat vertellen.' Hij nam zijn blik nu eindelijk van de televisie weg en keek me met zijn vochtige ogen aan. Hij wees weer naar de televisie zonder ernaar te kijken. 'Als je die schoften hun gang laat gaan, bestelen ze je tot op je laatste stuiver.'

'Wie, de grote ondernemingen?'

'De ondernemingen, de directeuren, met hun aandelenopties en hun vette pensioenen en hun gouden handdrukken. Ze denken alleen maar aan zichzelf, allemaal. Als je dat maar nooit vergeet.'

Ik sloeg mijn ogen neer. 'Nou,' zei ik rustig, 'niet allemaal.'

'O, maak jezelf toch niks wijs.'

'Luister naar je vader,' zei Antwoine zonder op te kijken van de *Star*. Er klonk bijna een beetje genegenheid in zijn stem door. 'De man is een bron van wijsheid.'

'Nou, pa, ik weet toevallig een beetje over directeuren. Ik heb net een geweldige promotie gemaakt. Ik ben benoemd tot assistent van de president-directeur van Trion.'

Er volgde alleen stilte. Ik dacht dat hij niet had geluisterd. Hij staarde naar de televisie. Ik dacht dat het misschien arrogant had geklonken en daarom verzachtte ik het een beetje: 'Het is echt een geweldige promotie, pa.'

Nog meer stilte.

Ik wilde het net herhalen, toen hij zei: 'Assistent? Wat is dat, een soort secretaresse?'

'Nee, nee. Het is een baan op hoog niveau. Brainstorming en zo.'

'Wat doe je dan precies de hele dag?'

De man had emfyseem, maar het lukte hem toch steeds weer om me de loef af te steken. 'Laat maar, pa,' zei ik. 'Sorry dat ik het ter sprake bracht.' Ik had daar echt spijt van. Wat kon het mij nou schelen wat hij dacht?

'Nee, echt. Ik wil graag weten wat je hebt gedaan om die dure kar daar buiten te krijgen.'

Dus hij had hem toch gezien. Ik glimlachte. 'Niet gek, hè?'

'Hoeveel kost die wagen je?'

'Nou...'

'Per maand, bedoel ik.' Hij nam een grote teug zuurstof.

'Niets.'

'Niets,' herhaalde hij, alsof hij het niet begreep.

'Nee, niets. Trion betaalt alle leasekosten. Hij hoort bij mijn nieuwe baan.'

Hij ademde weer in. 'Hij hoort bij je baan.'

'Net als mijn nieuwe flat.'

'Je bent verhuisd?'

'Had ik je dat nog niet verteld? Tweehonderd vierkante meter in dat nieuwe Harbor Suites-gebouw. En Trion betaalt ervoor.'

Weer een keer ademhalen. 'Je bent trots?' zei hij.

Ik was stomverbaasd. Ik had hem dat woord nooit eerder horen gebruiken, dacht ik. 'Ja,' zei ik, en ik kreeg een kleur.

'Trots op het feit dat je nu hun eigendom bent?'

Ik had het scheermesje moeten zien dat in de appel zat verstopt. 'Ik ben niemands eigendom, pa,' zei ik kortaf. 'Ik geloof dat ze dan zeggen dat je "het hebt gemaakt". Zoek het maar op. Je vindt het in het woordenboek bij "het leven aan de top", "directiekantoor" en "personen met topsalarissen".' Ik kon niet geloven dat die woorden uit mijn mond kwamen. En al die tijd had ik me er druk om gemaakt dat ik een marionet was. En nu schepte ik erover op! *Zie je wat je me laat doen?*

Antwoine legde zijn krant neer en excuseerde zich tactvol. Hij deed alsof hij iets in de keuken te doen had.

Pa lachte schor en keek me toen aan. 'Even voor alle duidelijkheid.' Hij nam weer een teug zuurstof. 'Die auto is niet van jou, en die flat ook niet, hè?' Ademhalen. 'Ik zal je vertellen wat dat betekent. Alles wat ze je geven, kunnen ze je ook weer afpakken, en dat zullen ze doen ook. Je rijdt in een auto van de zaak, woont in een flat van de zaak, draagt een uniform van de zaak, en niets daarvan is van jou. Je hele leven is niet van jou.'

Ik beet op mijn lip. Het zou verkeerd uitpakken als ik me liet gaan. De oude man was stervende, zei ik voor de miljoenste keer tegen mezelf. Hij leefde op steroïden. Hij was een ongelukkige, venijnige kerel. Maar het kwam er vanzelf uit: 'Weet je, pa, sommige vaders zouden trots zijn op het succes van hun zoon.'

Hij ademde in. Zijn kleine oogjes glinsterden. 'Succes, noem je dat, hè? Adam, je doet me steeds meer aan je moeder denken.'

'O, ja?' Ik zei tegen mezelf: hou je in, hou je woede in bedwang, verlies je zelfbeheersing niet, want dan heeft hij gewonnen.

'Ja. Je lijkt op haar. Je hebt dezelfde sociaal ingestelde persoonlijkheid; iedereen vond haar aardig, ze paste zich keurig aan, ze had een rijkere kerel kunnen trouwen, ze had het veel beter kunnen doen. En reken maar dat ze me dat heeft laten voelen. Al die ouderavonden op het Bartholomew Browning papte ze aan met die rijke stinkerds. Ze tutte zich helemaal op en duwde haar tieten zowat in hun gezicht. Dacht je dat ik dat niet had gemerkt?'

'O, dat is een goeie, pa. Dat is een hele goeie. Jammer dat ik niet wat meer van jou heb, hè?'

Hij keek me alleen maar aan.

'Je weet wel – verbitterd, gemeen. Kwaad op de wereld. Je wilt dat ik net zo word als jij – is dat het?'

Hij pufte, en zijn gezicht werd nog roder.

Ik ging door. Mijn hart maakte honderd slagen per minuut, mijn stem werd harder en harder, en ik schreeuwde bijna. 'Toen ik blut was en de hele tijd aan het feestvieren was, vond je me een mislukkeling. Nu ben ik volgens zo ongeveer ieders definitie een succes, en nu kun je nog steeds alleen maar minachting voor me opbrengen. Misschien is er een reden waarom je niet trots op me kunt zijn, wat ik ook doe, pa.'

Hij keek me fel aan, pufte en zei: 'O, ja?'

'Kijk eens naar jezelf. Kijk eens naar je leven.' Het was of er een op hol geslagen goederentrein in me zat, niet meer te stoppen, voortdenderend. 'Je zegt altijd dat de wereld verdeeld is in winnaars en verliezers. Laat me je wat vragen, pa. Wat ben jij, pa? Wat ben jij?'

Hij zoog zuurstof in. Zijn ogen waren bloeddoorlopen en zagen eruit alsof ze ieder moment uit zijn hoofd konden ploppen. Hij mompelde in zichzelf. Ik hoorde 'verdomme' en 'verrek' en 'shit'.

'Ja, pa,' zei ik, en ik wendde me van hem af. 'Ik wil net zo zijn als jij.' Nog helemaal in de ban van mijn eigen opgekropte woede, liep ik naar de deur. De woorden waren eruit en konden niet meer ongezegd gemaakt worden, en ik voelde me ellendiger dan ooit. Ik ging zijn woning uit voordat ik nog meer schade kon aanrichten. Het laatste dat ik zag, mijn afscheidsbeeld van de man, was zijn grote rode gezicht, puffend en mompelend, en zijn ogen die glazig voor zich uit staarden: verbaasd of woedend of verdrietig – dat kon ik niet zien.

67

'Dus je werkt echt voor Jock Goddard zelf, hè?' zei Alana. 'God, ik hoop dat ik nooit iets negatiefs over Goddard tegen je heb gezegd. Dat heb ik toch niet?'

We namen de lift naar mijn flat. Ze was na het werk even naar haar eigen huis gegaan om zich te verkleden, en ze zag er fantastisch uit – zwart truitje met boothals, zwarte leggings, grove zwarte schoenen. Ze had ook dezelfde heerlijke geur op als op ons vorige afspraakje. Haar zwarte haar was lang en glanzend en constrasteerde mooi met haar stralende blauwe ogen.

'Ja, je hebt hem uitgemaakt voor alles wat lelijk is, en dat heb ik meteen gerapporteerd.'

Ze glimlachte; ik zag haar volmaakte tanden glinsteren. 'Deze lift is ongeveer zo groot als mijn hele woning.'

Ik wist dat het niet waar was, maar ik lachte toch. 'Deze lift is echt groter dan mijn vorige woning,' zei ik. Toen ik had gezegd dat ik net naar de Harbor Suites was verhuisd, zei ze dat ze van die flats had gehoord. Omdat ze blijkbaar nieuwsgierig was, nodigde ik haar uit om te komen kijken. We konden beneden in het restaurant van het hotel dineren. Ik had zelf nog niet de gelegenheid gehad om daar te eten.

'Goh, wat een uitzicht,' zei ze zodra ze het appartement binnenkwam. Een cd van Alanis Morissette speelde zacht. 'Dit is schitterend.' Ze keek om zich heen, zag het plastic dat nog om een van de banken zat en een stoel zitten en zei schalks: 'Wanneer ga je hier wonen?'

'Zodra ik een uur of twee de tijd heb. Wil je iets drinken?'

'Hmm. Ja, dat zou lekker zijn.'

'Een cosmopolitan? Ik kan ook een erg goeie gin-tonic mixen.'

'Een gin-tonic is geweldig, dank je. Dus je werkt nog maar kort voor hem?'

Ze had natuurlijk mijn gegevens opgezocht. Ik ging naar de pas gevulde drankkast in de nis naast de keuken en pakte een fles Tanqueray Malacca-gin.

'Deze week pas.' Ze volgde me naar de keuken. Ik pakte een handvol limoenen uit de bijna lege koelkast en sneed ze in tweeën.

'Maar je werkt ongeveer een maand voor Trion.' Ze hield haar hoofd schuin, alsof ze mijn plotselinge promotie niet goed begreep. 'Mooie keuken. Kook je?'

'De apparaten zijn er alleen voor de show,' zei ik. Ik drukte de limoenhelften in de sapmachine. 'Hoe dan ook, ik ben in dienst genomen bij Marketing Nieuwe Producten, maar toen raakte Goddard betrokken bij een project waaraan ik werkte, en ik denk dat hij wel wat zag in mijn aanpak, mijn ideeën, weet ik veel.'

'Had jij even geluk,' zei ze. Ze sprak met stemverheffing om boven het elektrisch gejengel van de sapmachine uit te komen.

Ik haalde mijn schouders op. 'We zullen zien of het geluk is.' Ik vulde twee glazen in Franse bistrostijl met ijs, een scheut gin, een fikse plens koude tonic uit de koelkast en een gezonde dosis limoensap. Ik gaf haar een van de glazen.

'Dus Tom Lundgren moet je voor Nora Sommers' team hebben aangenomen. Hé, dit is heerlijk. Al dat limoensap maakt het lekkerder.'

'Dank je. Zo is het, Tom Lundgren heeft me aangenomen,' zei ik. Ik deed alsof ik verbaasd was omdat ze dat wist.

'Weet je dat je bent aangenomen om mijn positie over te nemen?'

'Wat bedoel je?'

'De positie die vrijkwam toen ik naar AURORA werd overgeplaatst?'

'O, ja?' Ik keek verbaasd.

Ze knikte. 'Ongelooflijk.'

'Goh, wat is de wereld toch klein. Maar wat is "Aurora"?'

'O, ik dacht dat je dat wist.' Ze keek me over de rand van haar glas aan, met een blik die me net een beetje te nonchalant leek.

Ik schudde in alle onschuld mijn hoofd. 'Nee...?'

'Ik dacht dat je mij ook had opgezocht. Ik doe marketingwerk voor de Disruptieve Technologieën-groep.'

'Dat heet AURORA?'

'Nee, AURORA is het specifieke project waar ik aan werk.' Ze aarzelde even. 'Ik dacht dat je overal van wist, omdat je voor Goddard werkt.'

Een tactische fout van mijn kant. Ik wilde haar laten denken dat we vrijelijk konden praten over alles wat ze deed. 'In theorie heb ik toegang tot alles. Maar ik weet nog steeds niet waar het kopieerapparaat staat.'

Ze knikte. 'Mag je Goddard graag?'

Wat dacht ze dat ik zou zeggen – nee? 'Het is een indrukwekkende man.'

'Op zijn barbecue leek het of jullie een nauwe band met elkaar hadden. Ik zag dat hij je aan zijn vrienden voorstelde, en je droeg dingen voor hem, en zo.'

'Ja, een heel nauwe band,' zei ik sarcastisch. 'Ik ben zijn knechtje. Ik ben zijn sjouwer. Heb je je geamuseerd op de barbecue?'

'Het was een beetje vreemd om daar tussen al die bobo's te staan, maar na een paar biertjes werd het gemakkelijker. Het was de eerste keer dat ik daar was.' Omdat ze naar zijn lievelingsproject, AURORA, was overgeplaatst, dacht ik. Maar ik wilde het subtiel aanpakken, en dus begon ik daar niet meteen weer over. 'Ik bel even naar het restaurant, dan kunnen ze onze tafel dekken.'

'Weet je, ik dacht dat Trion geen mensen vanbuiten meer aannam,' zei ze, terwijl ze het menu bekeek. 'Ze wilden je blijkbaar erg graag hebben, anders hadden ze hun eigen regel niet overtreden.'

'Ze zullen wel hebben gedacht dat ze me wegkaapten. Ik was niets bijzonders.' We waren van gin-tonic overgestapt op Sancerre, die ik had besteld omdat ik op haar drankrekeningen had gezien dat het haar favoriete wijn was. Ze keek aangenaam verrast toen ik erom vroeg. Dat was een reactie waaraan ik zo langzamerhand gewend was.

'Dat betwijfel ik' zei ze. 'Wat deed je bij Wyatt?'

Ik gaf haar de sollicitatieversie die ik uit mijn hoofd had geleerd, maar dat vond ze niet genoeg. Ze wilde details van het Lucid-project horen. 'Ik mag eigenlijk niet praten over wat ik bij Wyatt heb gedaan,' zei ik. Ik probeerde me niet al te pedant op te stellen.

Ze keek beschaamd. 'O, natuurlijk, dat begrijp ik volkomen,' zei ze.

De ober kwam. 'Wilt u bestellen?'

'Jij eerst maar,' zei Alana, en ze keek nog even in het menu, terwijl ik paella bestelde.

'Ik dacht erover om dat ook te nemen,' zei ze. O, dus ze was geen vegetariër.

'We moeten hetzelfde nemen, weet je,' zei ik.

'Ik neem ook de paella,' zei ze tegen de ober. 'Maar als er vlees in zit, bijvoorbeeld worst, kunt u dat er dan uit laten?'

'Natuurlijk.' De ober maakte een aantekening.

'Ik ben gek op paella,' zei ze. 'Ik heb thuis bijna nooit vis of zee-vruchten gegeten. Dit is een traktatie.'

'Zullen we bij de Sancerre blijven?' vroeg ik.

'Goed.'

Toen de ober aanstalten maakte om weg te gaan, herinnerde ik me plotseling dat Alana allergisch was voor garnalen. Ik zei: 'Wacht even. Zitten er garnalen in de paella?'

'Eh, ja,' zei de ober.

'Dat zou een probleem kunnen zijn,' zei ik.

Alana keek me aan. 'Hoe wist jij...?' begon ze, en ze kneep haar ogen halfdicht.

Er volgde een lang, lang moment van folterende spanning, waarin ik koortsachtig naar een antwoord zocht. Ik kon bijna niet geloven dat ik zo'n grote fout had gemaakt. Ik slikte, en het bloed trok uit mijn ge-zicht weg. Ten slotte zei ik: 'Je bedoelt dat jij er ook allergisch voor bent?'

Een korte stilte. 'Ja. Sorry. Wat grappig.' Haar argwaan was blijkbaar weggenomen. We veranderden allebei onze bestelling in jacobsmosse-len.

'Genoeg over mij gepraat,' zei ik. 'Ik wil over AURORA horen.'

'Nou, eigenlijk moet dat geheim blijven,' zei ze verontschuldigend. Ik grijnsde naar haar.

'Nee, niet dat ik je wil terugpakken,' protesteerde ze. 'Echt niet!'

'Goed,' zei ik sceptisch. 'Maar nu heb je mijn nieuwsgierigheid ge-wekt. Wil je echt dat ik zelf ga rondsnuffelen om erachter te komen?'

'Zó interessant is het nu ook weer niet.'

'Dat geloof ik niet. Kùn je dan tenminste een tipje van de sluier op-lichten?'

Ze sloeg haar ogen ten hemel en slaakte een zucht. 'Nou, het zit zo. Heb je ooit van de Haloid Company gehoord?'

'Nee,' zei ik langzaam.

'Natuurlijk niet. Er is geen enkele reden waarom je daarvan gehoord zou moeten hebben. Maar de Haloid Company was een klein bedrijf dat fotopapier maakte. Eind jaren veertig kochten ze de rechten op een nieuwe technologie die was afgewezen door alle grote ondernemingen – IBM, RCA, GE. De uitvinding was iets wat xerografie werd genoemd. Nou, in tien, vijftien jaar werd de Haloid Company de Xerox Corpo-ration. Het familiebedrijf werd een gigantisch concern. En dat alleen omdat ze een risico namen met een technologie waarin niemand anders geïnteresseerd was.'

'Goed.'

'Of bijvoorbeeld de Galvin Manufacturing Corporation in Chicago, die Motorola-automerkradio's maakte en uiteindelijk op halfgeleiders en mobiele telefoons overstapte. Of neem bijvoorbeeld een klein olie-exploratiebedrijf, Geophysical Service, dat zich uitbreidde en in transistors en later ook in geïntegreerde circuits stapte en Texas Instruments werd. Begrijp je wat ik bedoel? De geschiedenis van de technologie zit vol met voorbeelden van bedrijven die groot werden doordat ze op het juiste moment de juiste technologie wisten toe te passen. Die bedrijven lieten hun concurrenten ver achter zich. En dat gaat Jock Goddard ook proberen met AURORA. Hij denkt dat AURORA het Amerikaanse bedrijfsleven en de wereld in het algemeen zal veranderen, zoals transistors en halfgeleiders en de fotokopieertechnologie dat vroeger deden.'

'Disruptieve technologie.'

'Precies.'

'Maar de Wall Street Journal schijnt te denken dat Jock aan de grond zit.'

'Wij weten allebei wel beter. Hij ligt mijlenver op de anderen voor. Denk maar eens aan hoe het in het verleden met het bedrijf gegaan is. Drie of vier keer dacht iedereen dat Trion er geweest was, op de rand van het bankroet balanceerde, en plotseling verraste het bedrijf iedereen door sterker terug te komen dan ooit.'

'Je denkt dat dit ook een van die keerpunten is?'

'Wanneer AURORA er klaar voor is om bekendgemaakt te worden, zal Goddard dat doen. En dan zullen we eens zien wat de Wall Street Journal zegt. Het AURORA-project maakt al die problemen van de laatste tijd volstrekt irrelevant.'

'Verbijsterend.' Ik tuurde in mijn wijnglas en vroeg o zo terloops: 'En wat is die technologie?'

Ze glimlachte en schudde haar hoofd. 'Ik heb je waarschijnlijk al te veel verteld.' Ze hield haar hoofd schuin en zei speels: 'Ben je aan het uittesten of ik me aan de geheimhoudingsregels houd?'

68

Vanaf het moment dat ze zei dat ze in het restaurant van de Harbor Suites wilde eten, wist ik dat we die avond met elkaar zouden slapen. Ik had afspraakjes met vrouwen gehad waarbij de erotische spanning voortkwam uit 'doet ze het of doet ze het niet?'. Dit was natuurlijk anders, maar de spanning was nog groter. Hij was er de hele tijd geweest, de lijn die we konden oversteken om van vriendschap naar iets intiemers over te gaan; de vraag was wanneer en hoe we die lijn zouden oversteken, wie de eerste stap zou zetten, hoe het zou aanvoelen om de oversteek te maken. Na het diner gingen we naar mijn appartement terug, allebei een beetje wankel van te veel wijn en gin-tonics. Ik had mijn arm om haar smalle taille. Ik wilde de zachte huid van haar buik voelen, de huid onder haar borsten, van haar billen. Ik wilde haar intieme plekken zien. Ik wilde getuige zijn van het moment waarop de harde schaal rond Alana, die onmogelijk mooie, geraffineerde vrouw, zou barsten; als ze huiverde, toegaf, als die stralende blauwe ogen wegzakten in genot.

We wankelden min of meer door het appartement, genietend van het uitzicht over het water, en ik mixte martini's voor ons beiden, al hadden we daar duidelijk geen behoefte aan. Ze zei: 'Ik kan bijna niet geloven dat ik morgenvroeg naar Palo Alto moet.'

'Wat is er in Palo Alto?'.

Ze schudde haar hoofd. 'Niets interessants.' Ze had haar arm ook om mijn middel, maar ze liet hem toevallig/opzettelijk naar mijn achterste afzakken en kneep daar ritmisch in, en ze vroeg voor de grap of ik het bed al had uitgepakt.

Even later had ik mijn lippen op de hare en streken mijn tastende vingers zacht over haar borsten. Ze liet een warme hand naar mijn kruis afzakken. We waren allebei snel opgewonden en strompelden naar de bank waar het plastic niet meer omheen zat. We kusten elkaar en drukten onze heupen tegen elkaar. Ze kreunde. Ze viste me gretig uit mijn broek. Ze droeg een witte zijden teddy onder haar zwarte shirt. Haar borsten waren royaal, rond, volmaakt.

Ze kwam luidruchtig, en verrassend uitbundig.

Ik gooide mijn martiniglas om. We liepen door de lange gang naar mijn slaapkamer en deden het opnieuw, ditmaal langzamer.

'Alana,' zei ik, toen we ons tegen elkaar aan drukten.

'Hmm?'

'Alana,' herhaalde ik. 'Dat betekent "mooi" in het Gaelic of zoiets, nietwaar?'

'In het Keltisch, geloof ik.' Ze krabde over mijn borst. Ik streelde een van haar borsten.

'Alana, ik moet iets bekennen.'

Ze kreunde. 'Je bent getrouwd.'

'Nee...'

Ze keek me met een flikkering van ergernis in haar ogen aan. 'Je hebt iemand.'

'Nee, beslist niet. Ik moet bekennen... dat ik een hekel aan Ani Di-Franco heb.'

'Maar heb je niet.... Je citeerde haar...' Ze keek verbaasd.

'Ik heb een vriendin gehad die veel naar haar luisterde, en nu roept die muziek verkeerde associaties bij me op.'

'Waarom heb je dan een van haar cd's?'

Ze had dat verrekte ding naast de cd-speler zien liggen. 'Ik probeerde mezelf te dwingen haar leuk te vinden.'

'Waarom?'

'Voor jou.'

Ze dacht even na. Er kwamen rimpels in haar gebruinde voorhoofd. 'Je hoeft niet alles leuk te vinden wat ik leuk vind. Ik houd niet van Porsches.'

'O, nee?' Ik keek haar verrast aan.

'Het zijn pikken op wielen.'

'Dat is waar.'

'Misschien hebben sommige mannen daar behoefte aan, maar jij niet.'

'Niemand heeft een Porsche "nodig". Ik vond hem gewoon cool.'

'Het verbaast me dat je geen rode hebt genomen.'

'Nee. Een rode werkt als lokaas op agenten. Als agenten een rode Porsche zien, zetten ze hun radar aan.'

'Had je vader een Porsche? Mijn vader wel.' Ze rolde met haar ogen. 'Belachelijk. Hij had die auto in zijn midlifecrisis, zijn penopauze.'

'Weet je, het grootste deel van mijn kinderjaren hadden we helemaal geen auto.'

'Jullie hadden geen áúto?'

'We gingen met het openbaar vervoer.'

'O.' Daar had ze toch wel moeite mee. Even later zei ze: 'Dan moet dit alles wel erg opwindend zijn.' Ze wees om zich heen naar het appartement en alles.

'Ja.'

'Hmm.'

Er ging weer wat tijd voorbij. 'Mag ik je een keer op je werk opzoeken?' zei ik.

'Dat mag niet. De vierde verdieping is niet vrij toegankelijk. Trouwens, ik denk dat het beter is als de mensen op het werk het niet weten. Vind je ook niet?'

'Ja, je hebt gelijk.'

Het verbaasde me dat ze zich tegen me aan drukte en in slaap viel: ik had gedacht dat ze meteen weg zou gaan, naar huis, om wakker te worden in haar eigen bed, maar blijkbaar wilde ze de nacht bij me doorbrengen.

De wekker gaf drie uur vijfendertig aan, toen ik opstond. Alana bleef slapen en maakte een zacht neuriegeluid. Ik liep over de vloerbedekking en deed de slaapkamerdeur geruisloos achter me dicht.

Ik keek in mijn e-mail en zag de gebruikelijke verzameling spam, werkdingen die me niet dringend leken, en een Hushmail-bericht van 'Arthur' met als onderwerp 're: consumentenapparaten'. Meacham leek verschrikkelijk kwaad:

Baas uiterst teleurgesteld omdat je geen antwoord hebt gegeven. Wil extra presentatiemateriaal morgen om achttien uur of regeling komt in gevaar.

Ik klikte op 'beantwoorden' en typte: 'Kan geen extra materiaal vinden, sorry'. Ik tekende met 'Donnie'. Toen las ik het door en wiste mijn bericht. Nee. Ik zou helemaal niet antwoorden. Dat was eenvoudiger. Ik had genoeg voor hen gedaan.

Ik zag dat Alana's vierkante zwarte handtasje nog op de granieten bar stond, waar ze hem had neergezet. Ze had haar computer of haar werktas niet meegenomen, omdat ze nog even thuis was geweest om zich te verkleden.

In haar handtas zaten haar badge, een lipstick, wat pepermuntjes, een sleutelring en haar Trion Maestro. De sleutels waren waarschijnlijk van haar appartement en auto en misschien ook van haar brievenbus en dergelijke. De Maestro bevatte waarschijnlijk telefoonnummers en adressen, maar ook haar agenda. Daar zouden Wyatt en Meacham veel aan kunnen hebben.

Maar werkte ik nog voor hen?

Misschien niet.

Wat zou er gebeuren als ik er gewoon mee ophield? Ik had me aan mijn kant van de afspraak gehouden en hen aan bijna alles geholpen wat ze over AURORA wilden weten – nou ja, het meeste. De kans was groot dat ze het niet de moeite waard vonden om me nog lastig te vallen. Het was niet in hun belang dat ik werd ontmaskerd, niet zolang ik misschien nog van nut kon zijn voor hen. En ze zouden ook geen anonieme tip aan de FBI geven, want dan zouden ze de autoriteiten zelf ook op hun dak krijgen.

Wat konden ze me maken?

Toen besefte ik dat ik al niet meer voor hen werkte. Die beslissing had ik 's middags in de studeerkamer van Jock Goddards huis aan het meer genomen. Ik zou die man niet langer bedriegen. Meacham en Wyatt konden de boom in.

Op dat moment zou het heel gemakkelijk voor me zijn geweest om Alana's Maestro in de lader te schuiven die met mijn desktopcomputer was verbonden en een verbinding tot stand te brengen. Zeker, er was het risico dat ze opstond, want ze lag in een vreemd bed en als ze merkte dat ik weg was, ging ze misschien door het appartement lopen om te kijken waar ik heen was. In dat geval zou ze misschien zien dat ik de inhoud van haar Maestro naar mijn computer kopieerde. Misschien zou ze het niet merken. Maar ze was intelligent en scherpzinnig, en ze zou waarschijnlijk meteen begrijpen wat er aan de hand was.

Hoe snel ik ook nadacht, hoe handig ik het ook aanpakte, ze zou weten wat ik in mijn schild voerde. En ik zou betrapt worden, en onze relatie zou voorbij zijn, en plotseling was dat erg belangrijk voor mij. Ik was verliefd op Alana, al waren we maar een paar keer met elkaar uitgegaan en hadden we nog maar één nacht met elkaar doorgebracht. Ik begon nog maar net haar aardse, expansieve wilde kant te ontdekken. Ik hield van haar uitbundige lach, van haar onstuimigheid, haar droge gevoel voor humor. Ik wilde haar niet verliezen doordat die walgelijke Nick Wyatt me voor zijn karretje spande.

Ik had Wyatt al allerlei waardevolle informatie over het AURORA-project verstrekt. Ik had mijn werk gedaan. Ik was klaar met die klootzakken.

En ik zag steeds weer voor me hoe Jock Goddard in die donkere hoek van zijn studeerkamer gebogen zat, met bevende schouders. Dat moment van openbaring. Het vertrouwen dat hij in me had gesteld. En zou ik dat vertrouwen schenden voor die verrekte Nick Wyatt?'

Nee, echt niet. Niet meer.

En dus legde ik Alana's Maestro weer in haar handtasje. Ik schonk me een glas koud water in uit de waterdispenser in de Sub Zero-deur, dronk het leeg en stapte weer bij Alana in het warme bed. Ze mompelde iets in haar slaap, en toen ik dicht tegen haar aan kroop, was ik voor het eerst in weken tevreden over mezelf.

69

Goddard liep vlug door de gang naar het briefingcentrum van de directie, en ik moest moeite doen om hem bij te houden zonder op een drafje te lopen. Man, wat kon die ouwe hard lopen. Hij leek wel een schildpad die aan de amfetaminen was. 'Die verrekte vergadering wordt een circus,' mompelde hij. 'ik heb het Guru-team voor een status-update opgeroepen zodra ik hoorde dat ze hun streefdatum voor de kerstdagen niet halen. Ze weten dat ik woedend ben, en ze zullen pirouetteren als een stel Russische ballerina's die de "Dans van de suikerfee" doen. Je krijgt straks een kant van me te zien die niet zo fraai is.'

Ik zei niets – wat kon ik zeggen? Ik had gezien dat hij in woede kon uitbarsten, maar dat was niet te vergelijken geweest met wat ik had meegemaakt van andere topmanagers die ik ooit had ontmoet. Vergeleken met Nick Wyatt was hij de gemoedelijkheid zelve. En ik was nog steeds geschokt, ontroerd door die vertrouwelijke scène in zijn studeerkamer. Ik had nog nooit meegemaakt dat een ander mens zijn ziel zo voor me blootlegde. Tot aan dat moment had ik het vreemd gevonden dat Goddard mij had uitgekozen en zo vriendschappelijk met me omging. Nu begreep ik het, en het bracht mijn wereld aan het wankelen. Ik wilde niet meer alleen indruk maken op de oude man, ik wilde ook zijn goedkeuring en misschien nog iets diepers.

Waarom, vroeg ik me in mijn ellende af, moest Goddard het allemaal verknoeien door zo'n fatsoenlijke kerel te zijn? Zonder die extra complicatie was het al onaangenaam genoeg om voor Nick Wyatt te werken. Nu werkte ik tegen de vader die ik nooit had gehad, en dat kostte me de grootste moeite.

'De leiding van Guru is in handen van een heel intelligente jonge vrouw, Audrey Bethune, een echt talent,' mompelde Goddard. 'Maar deze ramp zou haar carrière op een zijspoor kunnen zetten. Dit soort geklungel pik ik niet.' Toen we de kamer naderden, ging hij langzamer lopen. 'Nou, als je ideeën hebt, kun je ze gerust uitspreken. Maar wees gewaarschuwd: dit is een groep buitengewoon deskundige en erg eigenzinnige mensen, en ze zullen je heus niet ontzien omdat je met mij bent meegekomen.'

Het Guru-team zat nerveus rond de grote vergadertafel te wachten. Ze keken op toen we binnenkwamen. Sommigen glimlachten en zeiden 'Hallo, Jock' of 'Hallo, meneer Goddard'. Ze leken net bange konijnen. Ik herinnerde me dat ik nog niet zo lang geleden ook aan die tafel had gezeten. Er werden een paar verbaasde blikken op mij geworpen, en hier en daar werd gefluisterd. Goddard ging aan het hoofd van de tafel zitten. Naast hem zat een zwarte vrouw van achter in de dertig, dezelfde vrouw die ik op de barbecue met Tom Lundgren en diens vrouw had zien praten. Hij klopte op de tafel om mij te kennen te geven dat ik naast hem moest komen zitten. Omdat mijn mobieltje de afgelopen tien minuten in mijn zak had getrild, haalde ik het heimelijk te voorschijn en keek ik naar het schermpje. Er was een aantal telefoontjes binnengekomen van een nummer dat ik niet kende. Ik zette het toestel uit.

'Goedemiddag,' zei Goddard. 'Dit is mijn assistent Adam Cassidy.' Beleefde glimlachjes, en toen merkte ik tussen de gezichten dat van mijn oude vriendin Nora Sommers op. Shit, werkte zij ook mee aan Guru? Ze droeg een zwart-wit gestreept pakje en had zich nogal fel opgemaakt. Toen we elkaar aankeken, straalde ze alsof ze na jaren een dierbare speelkameraad uit haar kinderjaren terugzag. Ik glimlachte beleefd terug en genoot van dat moment.

Audrey Bethune, de Guru-manager, was schitterend gekleed. Ze droeg een marineblauw pakje met een witte blouse en gouden oorknopjes. Ze had een donkere huid en haar opgestoken haar was perfect gekapt en in de glans gezet. Ik had in de gauwigheid wat research naar haar gedaan en wist dat ze uit een welgestelde familie kwam. Haar vader was arts, evenals haar grootvader, en ze had alle zomers in het huis van de familie in Oak Bluffs op Martha's Vineyard doorgebracht. Ze glimlachte naar me en ik zag een spleetje tussen haar voortanden. Ze reikte achter Jocks rug langs om mijn hand te schudden. Haar hand was droog en koel. Ik was onder de indruk. Haar carrière stond op het spel.

Guru – het project had de codenaam TSUNAMI – was een uitgebreide handheld digital assistant. Het was een staaltje geavanceerde technologie en Trions enige apparaat met convergentie. Het was een PDA, een communicator, een mobiele telefoon. Het had het vermogen van een laptop in een pakketje van tweeëneenhalf ons. Het deed e-mail, instant messages, spreadsheets, had een volledige HTML-internetbrowser en een geweldig TFT active-matrix kleurenscherm.

Goddard schraapte zijn keel. 'Ik begrijp dat zich wat problemen voordoen,' zei hij.

'Zo kun je het wel stellen, Jock,' zei Audrey soepel. 'Gisteren kregen we de resultaten van de interne controle binnen, en daaruit bleek dat we een component hebben die niet goed werkt. De LCD is morsdood.'

'Zo zo,' zei Goddard met, wist ik, geforceerde kalmte. 'Een slechte LCD?'

Audrey schudde haar hoofd. 'Blijkbaar is de LCD-driver niet goed.'

'In elk apparaat?' vroeg Goddard.

'Ja.'

'Een kwart miljoen apparaatjes hebben een slechte LCD-driver,' zei Goddard. 'Aha. Het product moet over – wanneer? – drie weken de deur uit. Hmm. Als ik het me goed herinner – en als ik me vergis, moet je het zeggen – waren jullie van plan die apparaatjes voor het eind van het kwartaal te verzenden. Op die manier zouden de inkomsten voor het derde kwartaal omhooggaan en zouden we alle dertien weken van het kerstkwartaal hebben om wat broodnodige omzet te behalen.'

Ze knikte.

'Audrey, ik geloof dat we het erover eens waren dat de Guru het paradepaardje van de divisie is. En zoals we allemaal weten, heeft Trion wat moeilijkheden op de markt. Dat maakt het des te belangrijker dat Guru op tijd de deur uit gaat.' Het viel me op dat Goddard overdreven nadrukkelijk sprak, en ik wist dat hij zijn best deed om zijn grote ergernis te bedwingen.

De marketingleider, de glad uitziende Rick Durant, merkte somber op: 'Dit brengt ons in grote verlegenheid. We hebben al een gigantische teaser-campagne in gang gezet, met overal reclame. "De digital assistant voor de volgende generatie."' Hij rolde met zijn ogen.

'Ja,' mompelde Goddard. 'En nu lijkt het erop dat we het product pas gaan verzénden als de volgende generatie er is.' Hij wendde zich tot de belangrijkste ingenieur, Eddie Cabral, een getaande man met een rond gezicht en ouderwets gemillimeterd haar. 'Is het een probleem met het masker?'

'Was dat maar waar,' antwoordde Cabral. 'Nee, die hele chip moet worden vervangen.'

'De producent daarvan zit in Maleisië?' zei Goddard.

'We hebben altijd geluk met ze gehad,' zei Cabral. 'De tolerantie en kwaliteit zijn altijd vrij goed geweest. Maar dit is een gecompliceerde ASIC. Hij moet ons eigen, gepatenteerde Trion LCD-scherm aandrijven, en dat wil nog niet erg lukken...'

'En als we de LCD vervangen?' onderbrak Goddard hem.

'Nee,' zei Cabral. 'Dan zouden we de hele *casing* moeten *retoolen*, en daar gaat maar zo zes maanden in zitten.'

Ik ging plotseling rechtop zitten. De trefwoorden sprongen me tegemoet. ASIC... gepatenteerde Trion LCD...

'Dat heb je met ASIC's,' zei Goddard. 'Er zijn er altijd een paar die niet goed zijn. Hoeveel zijn er goed, veertig, vijftig procent?'

Cabral keek doodongelukkig. 'Nul procent. Een of andere fout in de assemblagelijn.'

Goddard kneep zijn lippen op elkaar. Zo te zien stond hij op het punt om uit zijn vel te springen. 'Hoe lang duurt het om de ASIC opnieuw te maken?'

Cabral aarzelde. 'Drie maanden. Als we geluk hebben.'

'Als we gelúk hebben,' herhaalde Goddard. 'Ja, als we gelúk hebben.' Zijn stem werd steeds harder. 'Drie maanden – dat betekent dat ze in december worden verzonden. Dat ziet er bepaald slecht uit, hè?'

'Nee,' zei Cabral.

Ik tikte Goddard op zijn arm, maar hij negeerde me. 'Mexico kan dit niet vlugger voor ons maken?'

Het hoofd van de productie, een vrouw die Kathy Gornick heette, zei: 'Misschien een week of twee sneller, maar daar schieten we niet veel mee op. En dan is de kwaliteit op zijn best matig.'

'Dit is een verdomde puinhoop,' zei Goddard. Ik had hem nooit echt horen vloeken.

Ik pakte een papier met productgegevens op en tikte weer op Goddards arm. 'Wil je me even excuseren?' zei ik.

Ik liep vlug de kamer uit, ging naar de grote hal en klapte mijn telefoon open.

Omdat Noah Mordden niet aan zijn bureau zat, probeerde ik zijn mobiele telefoon, en hij nam meteen op: 'Wat?'

'Ik ben het. Adam.'

'Ik heb de telefoon toch opgenomen?'

'Zeg, die lelijke pop in je kantoor? Die pop die zegt "Steek hem in je reet, Goddard?"'

'Love Me Lucille. Die krijg je niet. Koop er zelf maar een.'

'Heeft ze geen LCD-scherm op haar buik?'

'Waar ben je mee bezig, Cassidy?'

'Zeg, ik moet je iets over die LCD-driver vragen. De ASIC.'

Toen ik een paar minuten later in de vergaderkamer terugkwam, waren het hoofd technologie en het hoofd productie in een verhitte discussie verwikkeld over de vraag of er een ander LCD-schermpje in het minuscule omhulsel van de Guru kon worden geperst. Ik ging rustig zitten en wachtte tot het even stil was. Eindelijk kreeg ik mijn kans.

'Neem me niet kwalijk,' zei ik, maar niemand schonk me enige aandacht.

'Weet je,' zei Eddie Cabral, 'dat is precies waarom we de lancering moeten uitstellen.'

'Nou, dat kunnen we ons niet veroorloven,' wierp Goddard tegen.

Ik schraapte mijn keel. 'Mag ik even?'

'Adam,' zei Goddard.

'Ik weet dat dit krankzinnig klinkt,' zei ik, 'maar kunnen jullie je die robotpop Love me Lucille herinneren?'

'Is dit een spelletje?' mopperde Rick Durant. 'Wie kent de meeste floppen? Herinner me niet aan dat ding. We hebben een half miljoen van die rotpoppen verzonden en we hebben ze allemaal teruggekregen.'

'Ja,' zei ik. 'Daarom hebben we driehonderdduizend ASIC's, speciaal gefabriceerd voor de gepatenteerde Trion LCD, in een pakhuis in Van Nuys liggen.'

Er werd gegrinnikt, zelfs hardop gelachen. Een van de ingenieurs zei tegen een ander, zo luid dat iedereen het kon horen: 'Weet hij van connectors?'

Iemand anders zei: 'Dat is bespottelijk.'

Nora keek me aan, huiverend van gespeeld medegevoel, en haalde haar schouders op.

Eddie Cabral zei: 'Ik wou dat het zo gemakkelijk was, eh, Adam. Maar

ASIC's zijn niet onderling verwisselbaar. Ze moeten pin-compatible zijn.'

Ik knikte. 'Lucilles ASIC is een SOLC-68 pin array. Is dat niet dezelfde pin lay-out als in de Guru?'

Goddard keek me aan

Het werd weer even stil. Ik hoorde papieren ritselen.

'SOLC-68 pin,' zei een van de ingenieurs. 'Ja, dat zou kunnen.'

Goddard keek de tafel rond en sloeg toen op de tafel. 'Goed,' zei hij. 'Waar wachten we op?'

Nora keek me stralend aan en stak haar duimen even omhoog.

Op weg naar mijn kantoor haalde ik mijn mobiele telefoon weer te voorschijn. Vijf boodschappen, allemaal van hetzelfde nummer, en een met de aanduiding 'privé'. Ik vroeg mijn voicemail op en hoorde Meachams onmiskenbare zalvende stem. 'Met Arthur. Ik heb in meer dan drie dagen niets van je gehoord. Dat is onaanvaardbaar. E-mail me voor de middag, of de gevolgen zijn voor jouw rekening.'

Er ging een schok door me heen. Het feit dat hij me had gebéld, wat ondanks alle voorzorgsmaatregelen een groot risico met zich meebracht, maakte duidelijk dat het hem menens was.

Hij had gelijk: ik had geen contact meer opgenomen. Maar ik was ook niet van plan om dat nog te doen. Sorry, jongen.

De volgende was Antwoine, met een hoge, gespannen stem. 'Adam, je moet naar het ziekenhuis gaan,' zei hij in zijn eerste boodschap. De tweede, de derde, de vierde, de vijfde boodschap – allemaal Antwoine. Zijn stem klonk steeds wanhopiger. 'Adam, waar zit je nou? Kom óp, man. Kom nú hierheen.'

Ik ging even naar Goddards kantoor – hij was nog met een stel Guru-teamleden aan het praten – en zei tegen Flo: 'Wil je tegen Jock zeggen dat ik dringend weg moet? Het is mijn vader.'

70

Natuurlijk wist ik al wat er aan de hand was voordat ik daar aankwam, maar toch reed ik als een krankzinnige. Elk stoplicht, elke auto die links afsloeg, elk bord van dertig-kilometer-per-uur-tijdens-schooltijden – alles spande samen om me te vertragen, om te voorkomen dat ik in het ziekenhuis kwam voordat mijn vader doodging.

Ik parkeerde illegaal, want ik had geen tijd om in de parkeergarage van het ziekenhuis naar een vrije plek te zoeken. Toen rende ik door de ingang van de spoedgevallenafdeling, waarbij ik de klapdeuren opengooide zoals ambulancebroeders doen wanneer ze met een brancard naar binnen stormen, en rende naar de balie. Het norse personeelslid dat daar zat, was aan het telefoneren. Ze praatte en lachte; blijkbaar was het een privégesprek.

'Frank Cassidy?' zei ik.

Ze keek me even aan en babbelde door.

'Francis Cassidy?' riep ik. 'Waar ligt hij?'

Met tegenzin legde ze de telefoon neer en keek op haar computerscherm. 'Kamer drie.'

Ik rende door de wachtruimte, trok een zware dubbele deur open om op de afdeling te komen en zag Antwoine op een stoel naast een groen gordijn zitten. Toen hij me zag, keek hij me alleen maar zwijgend aan, en ik zag dat hij bloeddoorlopen ogen had. Toen schudde hij langzaam met zijn hoofd en zei: 'Ik vind dit heel erg, Adam.'

Ik rukte het gordijn open, en daar zat mijn vader rechtop in het bed, zijn ogen open, en ik dacht, *Hé, je vergist je, Antwoine, hij is nog bij ons, de rotzak,* totdat ik besefte dat de huid van zijn gezicht de verkeerde kleur had, een soort gele wasklear, en dat zijn mond openhing; dat was nog het ergste. Om de een of andere reden kon ik mijn blik daar niet van wegnemen; zijn mond hing open zoals nooit het geval is wanneer je nog leeft, verstijfd en gekweld, een laatste wanhopige ademtocht, woedend, bijna grauwend.

'O, nee,' kreunde ik.

Antwoine stond achter me en legde zijn hand op mijn schouder. 'Ze hebben hem tien minuten geleden dood verklaard.'

Ik raakte pa's gezicht aan, zijn wasbleke wang, en die was koel. Niet koud, niet warm. Een paar graden kouder dan zou moeten, een temperatuur die je bij levenden nooit voelt. Zijn huid voelde aan als boetseerklei, levenloos.

De lucht stroomde uit me weg. Ik kon niet ademhalen; het was of ik in een vacuüm verkeerde. De lichten leken te flikkeren. Plotseling riep ik: 'Pa. Nee.'

Ik keek door een waas van tranen naar mijn vader, raakte zijn voorhoofd aan, zijn wang, de ruwe rode huid van zijn neus, met zwarte haartjes die uit de poriën kwamen, en ik boog me naar hem toe en kuste zijn woedende gezicht. Jarenlang had ik pa's voorhoofd gekust, of de zijkant van zijn gezicht, en hij had nauwelijks gereageerd, maar ik had altijd gedacht dat ik een kleine glinstering van heimelijk genoegen in zijn ogen kon zien. Nu reageerde hij natuurlijk echt niet, en dat maakte me verdoofd.

'Ik wilde dat je de kans kreeg afscheid van hem te nemen,' zei Antwoine. Ik hoorde zijn stem, voelde de trillingen, maar ik kon me niet omdraaien om hem aan te kijken. 'Hij kreeg weer ademhalingsmoeilijkheden en deze keer heb ik geen tijd verspild aan discussies met hem. Ik belde gewoon de ambulance. Hij kreeg bijna geen lucht meer. Ze zeiden dat hij longontsteking had. Dat had hij waarschijnlijk al een tijdje, zeiden ze. Ze waren er nog over aan het bakkeleien of ze het slangetje in hem zouden steken, maar daar kregen ze de kans niet meer voor. Ik belde en belde.'

'Dat weet ik,' zei ik.

'Er was nog wat tijd... Ik wilde dat je afscheid van hem nam.'

'Dat weet ik. Laat maar.' Ik slikte. Ik wilde Antwoine niet aankijken, wilde zijn gezicht niet zien, want ik hoorde aan zijn stem dat hij huilde en daar kon ik niet tegen. En ik wilde ook niet dat hij mij zag huilen, hoe stom dat ook was. Ik bedoel, als je niet huilt wanneer je vader doodgaat, is er iets mis met je. 'Heeft hij... iets gezegd?'

'Hij vloekte vooral.'

'Ik bedoel, heeft hij...'

'Nee,' zei Antwoine heel langzaam. 'Hij heeft niet naar jou gevraagd. Maar weet je, hij zei eigenlijk helemaal niets, hij...'

'Ik weet het.' Ik wilde dat hij ophield.

'Hij vloekte vooral op de dokters, en op mij...'

'Ja,' zei ik, terwijl ik naar het gezicht van mijn vader keek. 'Dat verbaast me niet.' Zijn voorhoofd was een en al rimpels, voor altijd. Ik raakte die rimpels aan, probeerde ze glad te strijken, maar dat lukte niet. 'Pa,' zei ik. 'Het spijt me.'

Ik weet niet wat ik daarmee bedoelde. Wat speet me? Hij had eigenlijk allang dood moeten zijn, en hij was dood beter af dan levend met al zijn pijn en verdriet.

Het gordijn aan de andere kant van het bed werd weggetrokken. Een man met een donkere huid in een witte jas, met een stethoscoop. Ik herkende hem van de vorige keer als dokter Patel.

'Adam,' zei hij. 'Wat erg.' Hij keek oprecht bedroefd.

Ik knikte.

'Hij kreeg hevige longontsteking,' zei dokter Patel. 'Dat moet al een tijdje op de achtergrond hebben meegespeeld, al is er de vorige keer dat hij in het ziekenhuis was niets in zijn bloed gevonden.'

'Ja,' zei ik.

'Het was te veel voor hem, in zijn conditie. Ten slotte kreeg hij en hartinfarct, voordat we zelfs maar hadden besloten of we hem zouden intuberen. Zijn lichaam kon het niet meer aan.'

Ik knikte weer. Ik wilde de details niet weten; wat had dat voor zin?

'Het is echt beter zo. Hij had nog maanden aan de zuurstof kunnen liggen. Dat zou je niet hebben gewild.'

'Ik weet het. Bedankt. Ik weet dat jullie alles hebben gedaan wat jullie konden.'

'Er is alleen... alleen hij? Hij was de enige ouder die je nog had? Je hebt geen broers of zussen?'

'Zo is het.'

'Jullie twee moeten een hechte band hebben gehad.'

O, ja? Dacht ik. En hoe weet jij dat? Is dat je professionele opinie als medicus? Ik knikte alleen maar.

'Adam, heb je een bepaald uitvaartbedrijf dat we kunnen bellen?'

Ik probeerde me de naam te herinneren van het uitvaartbedrijf toen ma stierf. Na enkele ogenblikken schoot die naam me te binnen.

'Laat het ons weten als we iets voor je kunnen doen,' zei dokter Patel.

Ik keek naar pa's lichaam, naar zijn gebalde vuisten, zijn woedende gezicht, zijn starende kraaloogjes, zijn open mond. Toen keek ik op naar dokter Patel en zei: 'Denkt u dat u zijn ogen kunt sluiten?'

71

De mannen van het uitvaartbedrijf waren er binnen een uur. Ze deden zijn lichaam in een lijkenzak en legden het op een brancard. Het waren twee vriendelijke, zwaargebouwde kerels met kort haar, en ze zeiden allebei: 'Mijn deelneming.' Ik belde met mijn mobiele telefoon naar de directeur van hun bedrijf en praatte verdoofd over wat er nu zou gebeuren. Hij zei ook: 'Mijn deelneming.' Hij wilde weten of er oudere familieleden waren die van buiten de stad kwamen, en op welke dag ik de begrafenis wilde hebben, en of mijn vader naar een bepaalde kerk ging waar ik wilde dat de dienst gehouden werd. Hij vroeg of er een familiegraf was. Ik vertelde hem waar mijn moeder begraven was, en dat ik er vrij zeker van was dat pa twee graven had gekocht, een voor ma en een voor hem. Hij zei dat hij contact met de begraafplaats zou opnemen. Hij vroeg of ik naar hem toe wilde komen om de laatste regelingen te treffen.

Ik ging in de wachtruimte van de spoedgevallenafdeling zitten en belde naar kantoor. Jocelyn had al gehoord dat er iets met mijn vader was, en ze zei: 'Hoe gaat het met je vader?'

'Hij is net heengegaan,' zei ik. Zo praatte mijn vader: ze 'gingen heen'; ze gingen niet dood.

'O,' zei Jocelyn geschrokken. 'Adam, wat erg.'

Ik vroeg haar mijn afspraken voor de komende paar dagen af te zeggen en vroeg haar toen me met Goddard door te verbinden. Flo nam op en zei: 'Hallo, daar. De baas is er niet – hij vliegt vanavond naar Tokio.' Op gedempte toon vroeg ze: 'Hoe gaat het met je vader?'

'Hij is net heengegaan.' Ik ging vlug verder: 'Natuurlijk ben ik er de komende paar dagen niet, en ik wilde je vragen me bij Jock te verontschuldigen...'

'Natúúrlijk,' zei ze. 'Natúúrlijk. Mijn condoléances. Hij neemt vast nog wel even contact op voordat hij in het vliegtuig stapt, maar ik weet dat hij er alle begrip voor zal hebben. Maak je maar geen zorgen.'

Antwoine kwam de wachtruimte in. Hij keek een beetje verloren om zich heen. 'Wat wil je dat ik doe?' vroeg hij zachtjes.

'Niets, Antwoine,' zei ik.

Hij aarzelde. 'Wil je dat ik mijn koffers pak?'

'Nee, kom nou. Doe maar rustig aan.'

'Dit kwam alleen zo plotseling, en ik kan nergens anders heen...'

'Blijf maar in de woning zolang als je wilt,' zei ik.

Hij verplaatste zijn gewicht van de ene naar de andere voet. 'Weet je, hij praatte over je,' zei hij.

'Vast wel,' zei ik. hij voelde zich blijkbaar schuldig omdat hij tegen me had gezegd dat pa op het eind niet naar me had gevraagd. 'Dat weet ik.'

Een diep, mild grinniklachje. 'Niet altijd in de meest positieve zin, maar ik denk dat hij op die manier zijn liefde toonde.'

'Ik weet het.'

'Hij was een lastige ouwe rotzak, je vader.'

'Ja.'

'Het duurde even voordat we met elkaar overweg konden, weet je.'

'Hij deed ook erg rot tegen jou.'

'Dat was gewoon zijn manier van doen, weet je. Ik zat er niet mee.'

'Je hebt voor hem gezorgd,' zei ik. 'Dat betekende veel voor hem, al kon hij het niet zeggen.'

'Ik weet het, ik weet het. Tegen het eind konden we elkaar vrij goed verdragen.'

'Hij mocht je graag.'

'Dat weet ik nog zo net niet, maar we konden elkaar verdragen.'

'Nee, ik denk dat hij je graag mocht. Dat weet ik wel zeker.'

Hij zweeg even. 'Hij was een goed mens, weet je.'

Ik wist niet wat ik daarop moest zeggen. 'Je was echt geweldig voor hem, Antwoine,' zei ik ten slotte. 'Dat betekende veel voor hem.'

Het is gek: nadat ik in huilen was uitgebarsten aan het ziekenhuisbed van mijn vader, klapte er iets in me dicht. Ik huilde niet opnieuw, een hele tijd niet. Het was als met je arm die is gaan slapen, helemaal slap en prikkend omdat je er de hele nacht op hebt gelegen.

Onderweg naar het ziekenhuis belde ik Alana op haar werk. Ik kreeg haar voicemail, een boodschap dat ze 'niet op kantoor' was maar haar berichten vaak zou beluisteren. Ik herinnerde me dat ze in Palo Alto was. Ik belde naar haar mobiele telefoon en ze nam meteen op.

'Met Alana.' Ik was gek op haar stem: die was fluweelzacht met een tikje heesheid.

'Met Adam.'

'Hé, rotzak.'

'Wat heb ik nu weer gedaan?'

'Als je met een meisje hebt geslapen, hoor je haar toch de volgende morgen te bellen? Dan voelt ze zich niet zo schuldig meer.'

'God, Alana, ik...'

'Sommige mannen sturen zelfs bloemen,' ging ze zakelijk verder. 'Niet dat het me ooit persoonlijk is overkomen, maar ik heb er in *Cosmo* over gelezen.'

Ze had natuurlijk gelijk: ik had haar niet gebeld, en dat was onbeschoft. Maar wat had ik haar dan moeten vertellen, de wáárheid? Dat ik haar niet had gebeld omdat ik zo gevangenzat als een insect in barnsteen en ik niet wist wat ik moest doen? Dat ik mijn geluk niet op kon omdat ik een vrouw als zij had gevonden en dat ik me tegelijk een volslagen bedrieger voelde? Ja, dacht ik, je hebt in *Cosmo* gelezen dat mannen misbruik van je maken, schat, maar je hebt geen idee.

'Hoe is het in Palo Alto?'

'Mooi, maar zo gemakkelijk verander jij niet van onderwerp.'

'Alana,' zei ik. 'Luister. Ik wilde je vertellen... Ik heb slecht nieuws. Mijn vader is net overleden.'

'O, Adam. O, wat erg. O god. Ik wou dat ik bij je was.'

'Ik ook.'

'Wat kan ik doen?'

'Maak je maar geen zorgen.'

'Weet je... wanneer de begrafenis is?'

'Over een paar dagen.'

'Ik ben hier tot dinsdag. Adam, ik vind het zo erg.'

Ik belde Seth, die ongeveer hetzelfde zei: 'O, man, jongen, wat verschrikkelijk. Wat kan ik doen?' Dat zeggen mensen altijd, en het is aardig van ze, maar je vraagt je wel af wat ze kunnen doen. Het was niet zo dat ik een biefstuk wilde. Ik wist niet wat ik wilde.

'Eigenlijk niets.'

'Kom op, ik kan wel vrij krijgen van het advocatenkantoor. Maak je geen zorgen.'

'Nee, je kunt echt niets doen. Bedankt, man.'

'Er komt een uitvaartdienst en zo?'

'Ja, waarschijnlijk wel. Ik laat het je nog weten.'

'Pas goed op jezelf, jongen.'

Toen ging mijn mobieltje terwijl ik het nog in mijn hand had. Meacham zei geen gedag of zo. Zijn eerste woorden waren: 'Waar heb jij verdómme gezeten?'

'Mijn vader is net doodgegaan. Een uur geleden.'

Een lange stilte. 'Jezus,' zei hij. Toen voegde hij er stijfjes aan toe, alsof hij er pas later aan dacht: 'Wat verschrikkelijk.'

'Ja,' zei ik.

'Op een rottig moment.'

'Ja,' zei ik, en mijn woede laaide op. 'Ik had nog tegen hem gezegd dat hij moest wachten.' En toen drukte ik op END.

72

De directeur van het uitvaartbedrijf was dezelfde die de begrafenis van mijn moeder had geregeld. Hij was een vriendelijke man met haar dat net een beetje te zwart was en een grote borstelige snor. Hij heette Frank – 'net als uw vader', merkte hij op. Hij bracht me naar de rouwkamers, die eruitzagen als spaarzaam gemeubileerde huiskamers in een betere woonwijk, met oosterse kleedjes en donker meubilair. Het waren een paar kamers die op een gang uitkwamen. Zijn kantoor was klein en donker, met een paar ouderwetse stalen archiefkasten en wat ingelijste kopieën van schilderijen met boten en landschappen. Er was niets onechts aan die man; het leek wel of hij echt contact met me had. Frank praatte een beetje over de dood van zijn eigen vader, zes jaar geleden, en hoe moeilijk het voor hem was geweest. Hij hield me een doos met papieren zakdoekjes voor, maar ik had ze niet nodig. Hij maakte aantekeningen voor het overlijdensbericht in de krant – ik vroeg me in stilte af wie het zou lezen, wie het echt iets zou kunnen schelen – en we werden het eens over de bewoordingen. Ik kon eerst niet op de naam van pa's oudere zuster komen die dood was, en zelfs niet op de namen van zijn ouders, die ik nog geen tien keer in mijn leven had ontmoet en alleen maar 'opa' en 'oma' had genoemd. Pa had een gespannen relatie met zijn ouders gehad, en dus hadden we hen bijna nooit gezien. Ik wist ook niet alles van pa's lange en ingewikkelde arbeidsverleden, en misschien heb ik een school weggelaten waar hij had gewerkt, maar de belangrijkste wist ik nog wel.

Frank vroeg naar pa's militaire staat van dienst, en ik herinnerde me alleen dat hij een elementaire training had gehad in een of ander legerkamp en dat hij nooit ergens had gevochten en hartgrondig de pest had aan het leger. Hij vroeg of ik een vlag op zijn kist wilde, want daar had pa als veteraan recht op, maar ik zei nee, pa zou geen vlag op zijn kist hebben gewild. Hij zou daartegen tekeer zijn gegaan, zou iets gezegd hebben in de trant van: 'Wie denk je dat ik ben, John F. Kennedy zelf?' Hij vroeg of ik wilde dat het leger 'Taps' speelde, want daar had pa ook recht op, en hij legde uit dat je tegenwoordig niet echt een hoornblazer kreeg, ze draaiden meestal een bandje af bij het graf. Ik zei nee, pa zou ook geen 'Taps' hebben gewild. Ik vertelde hem dat ik de begrafenis en alles eromheen zo snel mogelijk geregeld wilde hebben. Ik wilde het achter de rug hebben.

Frank belde de katholieke kerk waar we ma's begrafenis hadden gehad en regelde een mis over twee dagen. Voor zover ik wist, was er geen familie buiten de stad; de enigen die nog leefden, waren een paar neven en een tante die hij nooit zag. Er waren een paar kerels die ik misschien als zijn vrienden kon beschouwen, al hadden ze in geen jaren met elkaar gepraat. Die woonden allemaal in de stad. Frank vroeg of pa een pak had waarin ik wilde dat hij begraven werd. Ik zei dat hij dat misschien wel had, ik zou kijken.

Toen ging Frank met me de trap af naar een paar toonkamers met kisten. Ik vond ze allemaal groot en opzichtig, precies het soort dingen waarmee pa de spot zou hebben gedreven. Ik herinnerde me dat hij, toen ma was overleden, eens tekeer was gegaan tegen de begrafenisindustrie, en dat het allemaal oplichterij was, dat ze je belachelijk veel geld in rekening brachten voor kisten die toch de grond in gingen, dus wat had het voor zin, en dat hij had gehoord dat ze die dure kisten meestal door goedkope vurenhouten exemplaren vervingen als je even niet oplette. Ik wist dat het niet waar was. Ik had ma's kist in de groeve zien zakken, waarna er zand overheen werd geschept, en het leek me niet mogelijk die truc uit te halen, of ze moesten al midden in de nacht terugkomen om de boel weer op te graven, hetgeen ik betwijfelde.

Vanwege die argwaan – tenminste, dat was zijn excuus – had pa een van de goedkoopste kisten voor moeder uitgekozen, goedkoop vurenhout dat gebeitst was om er als mahoniehout uit te zien. 'Geloof me,' had hij in de rouwkamer tegen me gezegd, terwijl ik daar stond te snotteren, 'je moeder hield niet van geldverspilling.'

Maar dat zou ik hem niet aandoen, al was hij dood en zou hij het verschil niet merken. Ik reed in een Porsche. Ik woonde in een riant appartement in Harbor Suites, en ik kon het me veroorloven een mooie kist voor mijn vader te kopen. Van het geld dat ik verdiende met de baan waartegen hij altijd zo tekeer was gegaan. Ik koos een stijlvolle, mahoniehouten kist die iets had wat een 'herinneringenkluis' heette, een la waarin je dingen kon doen die van de overledene waren geweest.

Een paar uur later reed ik naar huis. Ik kroop in mijn nooit opgemaakte bed en viel in slaap. Later op de dag reed ik naar pa's woning en ik keek in zijn kast, waaraan te zien was dat hij in een hele tijd niet open was geweest, en vond een goedkoop blauw pak dat ik hem nooit had zien dragen. Er zat een streep stof op elke schouder. Ik vond ook een net overhemd, maar kon geen das vinden – ik geloof niet dat hij ooit een das had gedragen – en besloot een van mijn eigen dassen te gebruiken. Ik zocht in de woning naar dingen waarvan ik dacht dat hij ermee begraven wilde worden. Misschien een pakje sigaretten.

Ik was bang geweest dat het me moeilijk zou vallen om de woning te doorzoeken en dat ik weer zou gaan huilen. Maar het stemde me alleen maar erg verdrietig toen ik zag hoe weinig die oude man had nagelaten – de vage sigarettenlucht, de rolstoel, de beademingsslang, de Barcalounger. Toen ik een halfuur in zijn bezittingen had gezocht, gaf ik het op; ik besloot dat ik niets in de 'herinneringenkluis' zou leggen. Ik zou hem symbolisch leeg laten. Waarom ook niet?

Toen ik weer thuis was, koos ik een van mijn minst favoriete dassen uit, een blauw-met-witte die er somber genoeg uitzag en die ik wel kwijt wilde. Omdat ik geen zin had om nog eens naar het uitvaartbedrijf te rijden, bracht ik de kleren naar de balie beneden om ze te laten bezorgen.

De volgende dag bood het uitvaartbedrijf gelegenheid om afscheid van de dode te nemen. Ik kwam ongeveer twintig minuten voor het begin bij het uitvaartbedrijf aan. De airconditioning daarbinnen was zo goed dat het bijna ijskoud was, en het rook naar luchtverfrisser. Frank vroeg of ik in mijn eentje 'de laatste eer' aan mijn vader wilde bewijzen, en ik zei dat ik dat wel wilde. Hij wees naar een van de kamers aan de middengang. Toen ik de kamer binnenging en de open kist zag, ging er een elektrische schok door me heen. Pa lag daar in zijn goedkope blauwe pak en met mijn gestreepte blauwe das, zijn handen gevouwen over zijn borst. Er schoot een brok in mijn keel, maar die ging snel weer weg, en ik hoefde niet te huilen, wat nogal vreemd was. Ik voelde me alleen maar leeg vanbinnen.

Hij leek helemaal niet echt, maar dat lijken ze nooit. Frank, of wie het ook had gedaan, had geen slecht werk geleverd – niet te veel rouge aangebracht of zo – maar toch leek pa op een pop uit het wassenbeeldenmuseum van Madame Tussaud, zij het dan wel een van de best gelijkende. De ziel verlaat het lichaam en een lijkbezorger kan niets doen om hem terug te halen. Zijn gezicht had een nep lijkende 'vleeskleur'. Blijkbaar zat er een subtiel laagje bruine lipstick op zijn lippen. Hij leek een beetje minder woedend dan in het ziekenhuis, maar de pogingen om hem een vredig uiterlijk te geven, hadden niet veel uitgehaald. Waarschijnlijk konden ze de rimpels maar tot op zekere hoogte uit zijn voorhoofd wegwerken. Zijn huid was nu koud en voelde nog veel wasachtiger aan dan in het ziekenhuis. Ik aarzelde even voordat ik zijn wang kuste; die voelde vreemd aan, onnatuurlijk, onrein.

Ik stond daar naar zijn stoffelijk overschot te kijken, zijn wegge-worpen omhulsel, die cocon die eens de raadselachtige, geduchte ziel van mijn vader had bevat. En ik praatte tegen hem, zoals waarschijn-lijk elke zoon tegen zijn dode vader praat. 'Nou, pa,' zei ik. 'Nu ben je hier eindelijk weg. Als er echt een hiernamaals is, hoop ik dat je daar gelukkiger bent dan je hier was.'

Op dat moment had ik medelijden met hem, en ik geloof dat ik dat bij zijn leven nooit heb gehad. Ik herinnerde me een paar keer toen hij de indruk maakte gelukkig te zijn, in de tijd dat ik nog veel jonger was en hij me op zijn schouders droeg. Die keer toen een van zijn teams een kampioenschap had behaald. Die keer dat hij door het Bartholo-mew Browning was aangenomen. Een paar van zulke momenten. Maar hij glimlachte bijna nooit, tenzij hij zijn bittere lachje lachte. Misschien had hij behoefte gehad aan antidepressiva, misschien was dat zijn pro-bleem, maar ik betwijfelde het. 'Ik begrijp je niet zo goed, pa,' zei ik. 'Maar ik heb echt mijn best gedaan.'

In de drie uur dat het lijk was opgebaard, kwam er bijna niemand. Er kwamen wat vrienden van mij van de middelbare school, een paar met hun vrouw, en twee vrienden van de universiteit. Pa's bejaarde tan-te Irene kwam een tijdje en zei: 'Je vader mocht erg blij zijn dat hij jou had.' Ze had een licht Iers accent en gebruikte een bedwelmend oude-damesparfum. Seth kwam vroeg en bleef lang om me gezelschap te houden. Hij vertelde pa verhalen om mij aan het lachen te maken, be-roemde anekdotes over pa's coachingtijd, verhalen die legenden waren geworden onder mijn vrienden en op het Bartholomew Browning. Hij had een keer een markeerstift genomen en een lijn over het midden van iemands footballmasker getrokken, van een grote lobbes die Pelly heette, en vervolgens helemaal over zijn uniform tot aan zijn schoe-nen, en recht over het veld, al maakte de stift geen streep op het gras, en hij zei: 'Je rent díé kant op, Pelly, snap je dat? Díé kant ren je op.'

Hij had een keer om een time-out gevraagd, en toen was hij naar een footballer gegaan die Steve heette. Hij had zijn masker vastgepakt en gezegd: 'Ben jij dom, Steve?' En zonder op een antwoord van Steve te wachten had hij het masker omhoog en omlaag getrokken, zodat Steves hoofd knikte als dat van een pop. 'Ja, coach,' zei hij met een schel-le imitatie van Steves stem. De rest van het team vond het grappig, en de meesten lachten. 'Ja, ik ben dom.'

Op een dag had hij onder een hockeywedstrijd om een time-out gevraagd en had hij tegen een jongen, Resnick, geschreeuwd dat hij te ruw speelde. Hij had Resnicks hockeystick gepakt en gezegd: 'Meneer Resnick, als ik je ooit zie speren' – en hij stak de stick in Resnicks maag, zodat Resnick meteen moest overgeven – 'of met de bovenkant van de stick zie slaan' – en hij sloeg hem weer met de stick in zijn maag – 'zal ik je vernietigen.' En Resnick braakte bloed op en kokhalsde. Niemand lachte.

'Ja,' zei ik. 'Het was een grappige kerel, hè?' Inmiddels wilde ik dat hij ophield met die verhalen, en gelukkig deed hij dat ook.

De volgende morgen, op de begrafenis, zat Seth aan mijn ene en Antwoine aan mijn andere kant. De priester, een gedistingeerde, zilverharige man die op een televisiedominee leek, heette pastoor Joseph Iannucci. Voor de mis nam hij me apart en stelde me een paar vragen over pa: zijn 'geloof', wat voor iemand hij was, wat voor werk hij deed, eventuele hobby's, dat soort dingen. Ik wist er niet veel van te maken.

Er waren zo'n twintig mensen in de kerk, waaronder ook vaste bezoekers die voor de mis kwamen en pa helemaal niet hadden gekend. De anderen waren vrienden van mij van de middelbare school en de universiteit, een paar kennissen uit de buurt, een oude dame die naast pa woonde. Er was een van pa's 'vrienden', iemand die jaren geleden met pa bij de Kiwanis had gezeten, voordat pa daar wegging omdat hij kwaad om het een of ander was. Hij wist niet eens dat pa ziek geweest was. Er waren een paar bejaarde neven en nichten die ik amper herkende.

Seth en ik fungeerden als drager, samen met andere mannen van de kerk en het uitvaartbedrijf. Er lagen bloemen voor in de kerk. Ik had geen idee hoe die daar gekomen waren, of iemand ze had gestuurd of dat het uitvaartbedrijf ze had geleverd.

De mis was een van die ongelooflijk lange diensten waarbij je vaak moet opstaan en gaan zitten en knielen, waarschijnlijk om te voorkomen dat je in slaap valt. Ik voelde me doodmoe, nog steeds niet van de schok bekomen. Pastoor Iannucci noemde pa 'Francis' en sprak een paar keer zijn volledige naam uit, 'Francis Xavier', alsof dat betekende dat pa een vrome katholiek was, in plaats van een ongelovige die geen andere band met de Heer had dan dat hij Zijn naam ijdel gebruikte. Hij zei: 'Wij zijn bedroefd om Francis' verscheiden, wij rouwen om zijn heengaan, maar wij geloven dat hij naar God is gegaan, dat hij op een betere plaats is, dat hij nu deelneemt aan Jezus' wederopstanding door een nieuw leven te leiden.' Hij zei: 'Francis' dood is niet het einde. We kunnen nog met hem verenigd zijn.' Hij vroeg: 'Waarom moest Francis in zijn laatste maand zoveel lijden?', en antwoordde iets over het lijden van Jezus, en dat 'Jezus niet werd overwonnen of verslagen door zijn lijden'. Ik begreep niet goed wat hij probeerde te zeggen, maar ik luisterde ook niet erg aandachtig. Ik was er niet helemaal bij.

Toen het voorbij was, sloeg Seth zijn armen om me heen, en daarna gaf Antwoine me een verpletterende handdruk en omhelsde hij me ook. Tot mijn verbazing liep er een traan over het gezicht van de reus. Ik had gedurende de hele dienst niet gehuild. Ik had die hele dag niet gehuild. Ik voelde me verdoofd. Misschien had ik het al achter me gelaten.

Tante Irene waggelde naar me toe en nam mijn hand in haar zachte handen vol ouderdomsvlekken. Haar knalrode lipstick was met een bevende hand aangebracht. Haar parfum was zo sterk dat ik mijn adem moest inhouden. 'Je vader was een goede man,' zei ze. Ze las blijkbaar iets van mijn gezicht af, een zekere scepsis die ik verborgen had willen houden, en ze zei: 'Ik weet het, hij kon niet goed met zijn gevoelens omgaan. Hij kon ze niet goed uiten. Maar ik weet dat hij van je hield.'

Nou, als je erop staat, dacht ik, en ik glimlachte en bedankte haar. Pa's Kiwanis-vriend, een grote kerel die ongeveer net zo oud was als pa maar twintig jaar jonger leek, pakte mijn hand vast en zei: 'Mijn deelneming.' Zelfs Jonesie, de expeditiemedewerker van Wyatt Telecom, was met zijn vrouw Esther gekomen. Ze condoleerden me allebei.

Ik ging de kerk uit en wilde net in de limousine stappen om de kist naar de begraafplaats te volgen, toen ik een man op de achterste rij van de kerk zag zitten. Hij was binnengekomen toen de mis al aan de gang was, maar ik kon op die afstand zijn gezicht niet zien, want het was nogal donker in de kerk.

De man draaide zich om en keek me aan.

Het was Goddard.

Ik kon het niet geloven. Verbijsterd, en ontroerd, liep ik langzaam naar hem toe. Ik glimlachte en bedankte hem voor zijn komst. Hij schudde zijn hoofd en wilde van geen dank weten.

'Ik dacht dat je in Tokio was,' zei ik.

'Ach, de divisie Azië Pacific heeft mij ook vaak laten wachten.'

'Ik...' Ongelovig zocht ik naar woorden. 'Je hebt je reis uitgesteld?'

'Dat is een van de heel weinige dingen die ik in mijn leven heb geleerd: het is belangrijk om te weten wat je prioriteiten zijn.'

Een ogenblik was ik sprakeloos. 'Ik ben morgen terug,' zei ik. 'Het kan wat later worden, want ik heb waarschijnlijk nog het een en ander te regelen...'

'Nee,' zei hij. 'Neem de tijd. Doe maar rustig aan.'

'Ik kan het wel aan. Echt waar.'

'Zorg goed voor jezelf, Adam. Op de een of andere manier redden we ons wel een tijdje zonder jou.'

'Het is niet als... helemaal niet als je zoon, Jock. Ik bedoel, mijn vader leed al een hele tijd aan emfyseem, en... het is eigenlijk beter zo. Hij wilde zelf ook dat er een eind aan kwam.'

'Ik ken dat gevoel,' zei hij rustig.

'Ik bedoel, zo'n nauwe band hadden we niet met elkaar.' Ik keek in de schemerige kerk om me heen, naar de rijen houten banken, de goudkleurige en rode verf op de muren. Een paar van mijn vrienden stonden bij de deur te wachten tot ze met me konden praten. 'Ik zou dit waarschijnlijk niet moeten zeggen, zeker niet hier, weet je.' Ik glimlachte weemoedig. 'Maar hij was nogal een moeilijke man, een lastige oude baas, en dat maakt het gemakkelijker, zijn dood. Het is niet zo dat ik er helemaal kapot van ben of zo.'

'O nee, dat maakt het juist moeilijker, Adam. Dat zul je zien. Als je gevoelens zo gecompliceerd zijn.'

Ik zuchtte. 'Ik denk niet dat mijn gevoelens voor hem zo gecompliceerd zijn... waren.'

'Het krijgt je later nog wel te pakken. De gemiste kansen. De dingen die hadden kunnen zijn. Maar één ding moet je nooit vergeten: je vader mocht blij zijn dat hij jou had.'

'Ik geloof niet dat hij...'

'Echt waar. Hij was een gelukkig mens, je vader.'

'Dat weet ik nog zo net niet,' zei ik, en plotseling, zonder enige voorafgaande waarschuwing, bezweek de stoomklep in mij. De dam bezweek, en de tranen welden op. Ik kreeg een kleur van schaamte. De tranen liepen over mijn gezicht en ik gooide eruit: 'Het spijt me, Jock.'

Hij bracht zijn beide handen omhoog en legde ze op mijn schouders. 'Als je niet kunt huilen, leef je niet,' zei Goddard. Zijn ogen waren vochtig.

Nu huilde ik als een klein kind. Ik schaamde me dood en was tegelijk opgelucht. Goddard sloeg zijn armen om me heen en drukte me tegen zich aan, terwijl ik snotterde als een idioot.

'Ik wil je iets vertellen, jongen,' zei hij heel zachtjes. 'Je bent niet alleen.'

73

Op de dag na de begrafenis ging ik weer naar mijn werk. Wat moest ik anders doen, piekerend heen en weer lopen door mijn appartement? Ik was niet echt neerslachtig, al voelde ik me wel rauw, alsof er een huidlaag was weggetrokken. Ik wilde onder de mensen zijn. En nu pa dood was, zou ik het misschien prettig vinden om bij Goddard te zijn, die ook een soort vader voor me aan het worden was. Niet te vergelijken met sessies bij de psychiater of zoiets, maar er was iets voor mij veranderd doordat hij naar de begrafenis was gekomen. Ik verkeerde niet meer in innerlijke tweestrijd over mijn zogenaamde echte missie bij Trion, de 'echte reden' waarom ik daar was – want dat was niet meer de echte reden dat ik daar was.

Ik vond dat ik mijn plicht had gedaan, mijn schuld had afgelost, en dat ik het verdiende om met een schone lei te beginnen. Ik werkte niet meer voor Nick Wyatt. Ik beantwoordde Meachams telefoontjes en e-mails niet meer. Ik kreeg zelfs een keer een bericht van Judith Bolton op de voicemail van mijn mobiele telefoon. Ze noemde haar naam niet, maar haar stem was meteen te herkennen. 'Adam,' zei ze. 'Ik weet dat dit een moeilijke tijd voor je is. We vinden het allemaal verschrikkelijk dat je vader is overleden en we willen uiting geven aan onze innigste deelneming.'

Ik zag al helemaal voor me hoe Judith, Meacham en Wyatt een strategiesessie hielden, wanhopig en kwaad omdat hun vlieger zich van zijn touw had losgemaakt. Judith zei waarschijnlijk dat ze die jongen niet al te hard moesten aanpakken, hij had net zijn vader verloren, en Wyatt kraamde wat schuttingtaal uit en zei dat het hem geen shit kon verrekken, de klok tikte gewoon door, en Meacham probeerde nog harder te zijn dan zijn baas en stelde voor me eens grondig in elkaar te rammen. En dan zei Judith nee, we moeten het wat tactvoller aanpakken, laat mij eens proberen tot hem door te dringen.

Haar ingesproken boodschap ging verder: 'Maar het is uiterst belangrijk dat je zelfs in deze verschrikkelijke tijden voortdurend met ons in contact blijft. Ik wil dat de sfeer tussen ons positief en hartelijk blijft, Adam, maar je moet vandaag wel contact opnemen.'

Ik wiste haar boodschap, net als die van Meacham. Ze zouden het wel begrijpen. Na verloop van tijd zou ik Meacham een e-mail sturen waarin ik het contact formeel verbrak, maar voorlopig leek het me beter om ze een beetje te laten bungelen, tot de realiteit van de situatie tot ze doordrong. Ik was niet meer Nick Wyatts vlieger.

Ik had hun gegeven wat ze nodig hadden. Ze zouden beseffen dat het geen zin had om achter me aan te blijven zitten.

Misschien zouden ze gaan dreigen, maar ze konden me niet dwingen voor hen te blijven werken. Zolang ik maar onthield dat ze me niets konden maken, kon ik gewoon van hen weglopen.

Dat moest ik niet vergeten. Ik kon gewoon weglopen.

74

Mijn mobiele telefoon ging al voordat ik de volgende morgen de Trion-garage was binnengereden. Het was Flo.

'Jock wil je spreken,' zei ze. Het klonk dringend. 'Meteen.'

Goddard zat in zijn achterkamer met Camilletti, Colvin en Stuart Lurie, het hoofd Corporate Development. Ik had Lurie op Jocks barbecue ontmoet.

Toen ik binnenkwam, was Camilletti aan het woord.

'... Nee, het schijnt dat die schoft gisteren opeens naar Palo Alto is gevlogen, met de overnamecondities op zak. Hij heeft geluncht met Hillman, de president-directeur, en al voor het diner tekenden ze het contract. Hij bood tot op de dollar – tot op de cent – evenveel als wij, maar dan in cash!'

'Hoe kon dat nou?' riep Goddard uit. Ik had hem nog nooit zo kwaad meegemaakt. 'Allemachtig, Delphos heeft een clausule getekend dat ze niet met anderen zouden onderhandelen!'

'Die clausule is gedateerd op de dag van morgen – hij is nog niet getekend. Daarom vloog hij er zo snel heen, dan kon hij het contract wegkapen zolang het nog kon.'

'Over wie hebben we het?' vroeg ik zachtjes, terwijl ik ging zitten.

'Nicholas Wyatt,' zei Stuart Lurie. 'Hij heeft zojuist Delphos onder onze neus vandaan gekaapt voor vijfhonderd miljoen in cash.'

Ik voelde me misselijk. Ik herkende de naam Delphos, maar herinnerde me dat ik niet geacht werd die naam te kennen. *Wyatt heeft Delphos gekocht?* dacht ik stomverbaasd.

Ik keek Goddard vragend aan.

'Dat is het bedrijf dat we aan het overnemen waren – daar heb ik je over verteld,' zei hij geërgerd. 'Onze juristen waren net bezig het definitieve overnamecontract op te stellen...' Zijn stem stierf weg en zwol toen weer aan. 'Ik had nooit gedacht dat Wyatt zoveel cash op de balans had staan!'

'Ze hadden iets minder dan een miljard aan cash,' zei Jim Colvin. 'Achthonderd miljoen, om precies te zijn. Na die uitgave van vijfhonderd miljoen is het spaarvarkentje grotendeels leeg, vooral omdat ze drie miljard aan schulden hebben, en die schulden moeten hun minstens tweehonderd miljoen per jaar kosten.'

Goddard sloeg met zijn vlakke hand op de ronde tafel. 'Verdomme nog aan toe!' bulderde hij. 'Wat moet Wyatt nou met een bedrijf als Delphos? Hij heeft AURORA niet... Ik snap er niks van dat Wyatt zijn eigen onderneming daarvoor op het spel zet, tenzij hij ons alleen maar wil dwarszitten.'

'Dat is hem dan goed gelukt,' zei Camilletti.

'Allemachtig, zonder AURORA is Delphos waardeloos!' zei Goddard.

'Zonder Delphos is AURORA geen cent waard,' zei Camilletti.

'Misschien weet hij van AURORA,' zei Colvin.

'Onmogelijk!' zei Goddard. 'En zelfs als hij ervan weet, hééft hij het niet.'

'En als hij het wél heeft?' vroeg Stuart Lurie.

Er volgde een lange stilte.

Camilletti sprak langzaam en nadrukkelijk. 'Wij beschermen AURORA met exact dezelfde federale geheimhoudingsvoorschriften die het ministerie van Defensie verplicht stelt voor bedrijven die voor de overheid werken en over gevoelige informatie beschikken.' Hij keek Goddard fel aan. 'Ik heb het over firewalls, antecedentenonderzoeken, netwerkbescherming, multilevel beveiligde toegang – alle voorzorgsmaatregelen die er maar zijn. De zaak zit potdicht. Niemand kan erbij.'

'Nou,' zei Goddard. 'Op de een of andere manier is Wyatt achter de details van onze onderhandelingen gekomen...'

'Tenzij,' onderbrak Camilletti hem, 'hij iemand hierbinnen heeft.' Hij deed of hem iets te binnen schoot en keek mij aan. 'Jij werkte vroeger toch voor Wyatt?'

Ik voelde dat het bloed naar mijn hoofd steeg, en om dat te camoufleren deed ik alsof ik verontwaardigd was. 'Ik werkte vroeger bíj

Wyatt,' snauwde ik tegen hem.

'Sta je met hem in contact?' Hij keek me indringend aan.

'Wat probeer je te suggereren?' Ik stond op.

'Ik stel je een eenvoudige ja-of-nee-vraag: sta je in contact met Wyatt?' zei Camilletti. 'Je hebt nog niet zo lang geleden met hem gedineerd in de Auberge, nietwaar?'

'Paul, zo is het wel genoeg,' zei Goddard. 'Adam, je gaat nu meteen zitten. Adam heeft helemaal geen toegang tot AURORA. Of tot de details van de onderhandelingen met Delphos. Ik geloof dat hij de naam van dat bedrijf zojuist voor het eerst heeft gehoord.'

Ik knikte.

'Laten we verder gaan,' zei Goddard. Hij was blijkbaar enigszins tot bedaren gekomen. 'Paul, ik wil dat je met onze juristen gaat praten. Misschien weten ze raad. Misschien kunnen we Wyatt tegenhouden. Nou, de lancering van AURORA staat over vier dagen op het programma. Zodra de wereld weet wat we hebben gedaan, komt er een run op materialen en producenten in de hele bevoorradingsketen. Of we stellen de lancering uit, of... Ik wil níét meedoen aan die run. We moeten onze koppen bij elkaar steken en op zoek gaan naar een andere, vergelijkbare acquisitie...'

'Níémand anders dan Delphos heeft die technologie,' zei Camilletti.

'We zijn allemaal intelligente mensen,' zei Goddard. 'Er zijn altijd andere mogelijkheden.' Hij legde zijn handen op de armleuningen van zijn stoel en stond op. 'Weet je, Ronald Reagan vertelde altijd een verhaal over een jongen die een grote berg mest vond en zei: "Er moet hier ergens een paard zijn."' Hij lachte, en de anderen lachten beleefd mee. Blijkbaar konden ze zijn zwakke poging om de spanning te verlichten wel waarderen. 'Laten we allemaal aan het werk gaan. Op zoek naar het paard.'

75

Ik wist wat er gebeurd was.

Ik dacht daarover na toen ik die avond naar huis reed, en hoe langer ik nadacht, des te woedender werd ik, en hoe woedender ik werd, des te harder en slordiger reed ik.

Als ik die overnamecondities niet uit Camilletti's dossiers had gehaald, zou Wyatt niet van Delphos hebben geweten, het bedrijf dat Trion wilde kopen. Bij de herinnering daaraan voelde ik me steeds beroerder.

Verdomme, ik moest Wyatt laten weten dat het uit was. Ik werkte niet meer voor hen.

Ik maakte de deur van mijn appartement open, deed de lichten aan en liep regelrecht naar de computer om een mailtje te versturen.

Maar nee.

Arnold Meacham zat achter mijn computer, terwijl een paar gangstertypes met gemillimeterd haar het hele appartement doorzochten. Mijn spullen lagen overal. Al mijn boeken waren van de planken gehaald, mijn cd- en dvd-speler waren uit elkaar gehaald, en zelfs de televisie ook. Het leek wel of iemand als een gek tekeer was gegaan, alles in het rond had gegooid en zijn best had gedaan om zoveel mogelijk schade aan te richten.

'Wat...?' zei ik.

Meacham keek rustig op van mijn computerscherm. 'Heb nóóit meer het lef mij te negeren,' zei hij.

Ik moest daar weg. Ik draaide me meteen om en rende naar de deur, maar op datzelfde moment gooide een ander gangstertype de deur dicht en bleef ervoor staan. Hij keek mij behoedzaam aan.

Er was geen andere uitweg, of het moesten al de ramen zijn en een val van zesentwintig verdiepingen leek me niet zo'n goed idee.

'Wat wil je?' zei ik tegen Meacham. Ik keek van hem naar de deur.

'Jij denkt dat je dingen voor mij verbórgen kunt houden?' zei Meacham. 'Nou, mooi niet. Jij hebt geen kluis, geen geheime la die veilig voor ons is. Ik zie dat je al mijn e-mails hebt bewaard. Ik wist niet dat je eraan gehecht was.'

'Natuurlijk heb ik dat gedaan,' zei ik verontwaardigd. 'Ik heb overal back-ups van.'

'Dat encryptieprogramma dat je gebruikt voor je aantekeningen over besprekingen met Wyatt en Judith en mij – weet je, dat is al meer dan een jaar geleden gekraakt. Er zijn tegenwoordig veel betere.'

'Prettig om te weten. Dank je,' zei ik met dik opgelegd sarcasme. Ik probeerde te doen alsof ik niet uit het veld geslagen was. 'Nou, willen jij en je jongens maken dat jullie hier wegkomen? Anders bel ik de politie.'

Meacham snoof en gaf met een handgebaar te kennen dat ik bij hem moest komen.

'Nee.' Ik schudde mijn hoofd. 'Ik zei, willen jij en je vriendjes...'

Plotseling zag ik vanuit mijn ooghoek een bliksemsnelle beweging, en toen sloeg er iets tegen mijn achterhoofd. Ik zakte op mijn knieën en proefde bloed. Alles was donkerrood gekleurd. Ik liet mijn hand uitschieten om mijn belager vast te pakken, maar terwijl mijn hand achter me door de lucht zwaaide, trapte er een voet in mijn rechternier. Een scheut van pijn vloog door mijn bovenlijf op en neer en ik viel plat op het Perzische kleed.

'Nee,' hijgde ik.

Weer een schop, ditmaal tegen mijn achterhoofd, ongelooflijk pijnlijk. Speldenknoppen van licht fonkelden voor mijn ogen.

'Haal ze van me af,' kreunde ik. 'Laat je... vriend... ophouden. Als ik te suf word, word ik spraakzaam.'

Dat was het enige dat ik kon bedenken. Meachams medeplichtigen wisten waarschijnlijk niet of nauwelijks waar Meacham en ik mee bezig waren. Ze fungeerden alleen maar als spierbundels. Meacham zou het hun niet hebben verteld. Hij zou niet hebben gewild dat ze het wisten. Misschien wisten ze een beetje, net genoeg om te weten waarnaar ze moesten zoeken. Maar Meacham zou hun zo weinig mogelijk vertellen.

Ik kromp ineen, verwachtte dat ik weer een schop tegen mijn achterhoofd zou krijgen en witte vonken zou zien. Ik had een metaalsmaak in mijn mond. Een ogenblik bleef het stil; blijkbaar had Meacham hun een teken gegeven dat ze moesten ophouden.

'Wat wil je van me?' vroeg ik.

'We gaan een eindje rijden,' zei Meacham.

76

Meacham en zijn gangsters werkten me mijn appartement uit. We gingen met de lift naar de garage en vandaar via een dienstuitgang naar de straat. Ik was doodsbang. Bij de uitgang stond een zwarte Suburban met getinte ruiten geparkeerd. Meacham ging voorop en de drie kerels bleven dicht bij me, om me heen, waarschijnlijk om te voorkomen dat ik het op een lopen zou zetten, of Meacham zou aanvallen, of wat dan ook. Een van de kerels droeg mijn laptop; een ander had mijn desktopcomputer.

Mijn hoofd pulseerde, en de pijn schoot door mijn borst en het onderste van mijn rug. Ik moet er verschrikkelijk hebben uitgezien, gekneusd en in elkaar geslagen.

'We gaan een eindje rijden' betekent, tenminste in maffiafilms, meestal dat je schoenen van beton aan krijgt en een duik in de East River gaat maken. Maar als ze me wilden doden, hadden ze dat toch ook in mijn appartement kunnen doen?

Die gangsters waren ex-politiemannen, besefte ik na een tijdje, en ze waren in dienst van Wyatt Beveiliging. Zo te zien waren ze alleen in dienst genomen om hun brute kracht. Het waren botte instrumenten.

Een van de kerels reed, en Meacham zat op de voorbank, van mij gescheiden door kogelvrij glas. Hij praatte gedurende de hele rit in een telefoon.

Blijkbaar had hij zijn werk gedaan. Hij had me doodsbang gemaakt, en hij en zijn kerels hadden het materiaal gevonden dat ik voor Wyatt achterhield.

Drie kwartier later reed de Suburban de lange natuurstenen oprijlaan van Nick Wyatts huis op.

Twee van de kerels fouilleerden me om te kijken of ik wapens of wat dan ook bij me had, alsof ik tussen mijn appartement en deze oprijlaan op de een of andere manier de hand had gelegd op een Glock. Ze pakten mijn mobiele telefoon af en duwden me het huis in. Ik passeerde de metaaldetector, die afging. Ze namen me mijn horloge, riem en sleutels af.

Wyatt zat voor een kolossale *flatscreen*-televisie in een ruime, spaarzaam ingerichte kamer. Hij keek naar CNBC met het geluid af en praatte in een mobiele telefoon. Toen ik met mijn gangsterbegeleiders binnenkwam, keek ik in een spiegel. Ik zag er beroerd uit.

We bleven daar allemaal staan.

Een tijdje later beëindigde Wyatt zijn telefoongesprek. Hij legde de telefoon neer en keek me aan. 'Lang niet gezien,' zei hij.

'Tja,' zei ik.

'Moet je jou toch eens zien. Ben je tegen een deur op gelopen? Van een trap gevallen?'

'Zoiets.'

'Jammer van je vader. Maar Jezus, ademhalen door een slangetje, zuurstoftanks, al die ellende. Als ik er ooit zo aan toe ben, mag je me doodschieten.'

'Dat zal me een genoegen zijn,' mompelde ik, maar ik geloof niet dat hij me hoorde.

'Het is maar beter dat hij dood is, hè? Uit zijn lijden verlost?'

Ik wilde hem te lijf gaan, hem wurgen. 'Dank je voor je betrokkenheid,' zei ik.

'Ik wil jóú bedanken,' zei hij. 'Voor de informatie over Delphos.'

'Zo te horen moest je je spaarvarkentje leeggooien om het te kopen.'

'Je moet altijd drie zetten vooruitdenken. Hoe denk je dat ik zo ver gekomen ben? Als we bekendmaken dat wíj de optische chip hebben, schiet onze aandelenprijs de hoogte in.'

'Mooi,' zei ik. 'Je hebt het allemaal voor elkaar. Je hebt mij niet meer nodig.'

'O, jij bent nog lang niet klaar, vriend. Niet voordat je me de gegevens van de chip zelf levert. En het prototype.'

'Nee,' zei ik rustig. 'Ik ben nú klaar.'

'Jij denkt dat je kláár bent? Man, je hallucineert.' Hij lachte.

Ik haalde diep adem. Het was of mijn hart achter in mijn keel klopte. Mijn hoofd deed pijn. 'De wet is hier duidelijk over,' zei ik, en ik schraapte mijn keel. Ik had op veel juridische websites gekeken. 'Jij zit er veel dieper in dan ik, want jij had de leiding van het hele plan. Ik was maar de pion. Jij zat erachter.'

'De wét,' zei Wyatt met een ongelovig glimlachje. 'Je hebt het tegen mij over de wét? Bewaarde je daarom al die e-mails en memo's en zo: om bewijzen te kunnen aanvoeren tegen míj? O, man, ik zou bijna medelijden met je krijgen. Jij snapt het echt niet, hè? Dacht je dat ik je zomaar liet weglopen voordat je klaar bent?'

'Je hebt allerlei waardevolle inlichtingen van me gekregen,' zei ik. 'Je plan is geslaagd. Het is voorbij. Voortaan neem je geen contact meer met me op. De transactie is afgelopen. Wat alle andere mensen betreft, is dit nooit gebeurd.'

Mijn angst maakte plaats voor een uitbundig zelfvertrouwen: ik was eindelijk over de streep gegaan. Ik was van de rotsen gestapt, ik zweefde door de lucht en ik zou van de vlucht genieten tot ik de grond raakte.

'Ga maar na,' ging ik verder. 'Jij hebt veel meer te verliezen dan ik. Je onderneming. En je vermogen. Ik ben maar een klein visje in de oceaan. Nee, ik ben plankton.'

Zijn glimlach werd breder. 'Wat ga je doen? Ga je naar "Jock" Goddard om hem te vertellen dat je niks meer bent dan een rottig klein spionnetje wiens briljante "ideeën" hem zijn aangeleverd door Goddards grootste concurrent? En wat denk je dan dat hij gaat doen? Je bedanken, je mee uit lunchen nemen in zijn gezellige eethuisje, en op je toosten met een glas Ovaltine? Ik dacht het niet.'

Ik schudde mijn hoofd. Mijn hart bonkte. 'Jij wilt echt niet dat Goddard weet hoe je aan alle gegevens van hun onderhandelingen met Delphos bent gekomen.'

'Of misschien denk je dat je naar de FBI kunt gaan? Om tegen ze te zeggen dat je als bedrijfsspion voor Wyatt hebt gewerkt? O, dat zullen ze prachtig vinden. Je weet toch hoeveel begrip de FBI kan opbrengen? Ze knijpen je uit als een kakkerlak en ik ontken alles en dan zit er niets anders voor ze op dan mij te geloven, en weet je waarom? Omdat jij alleen maar een miezerig oplichtertje bent. Het is te bewíjzen dat jij niet deugt, jochie. Ik heb je uit mijn onderneming ontslagen toen je van me had gestolen, en dat is allemaal gedocumenteerd.'

'Dan moet je nog uitleggen hoe het komt dat iedereen bij Wyatt me zo warm aanbeval.'

'Maar dat heeft niemand gedaan, hè? We zouden nooit een aanbeveling geven aan een crimineel als jij. Nee, jijzelf, dwangmatige leugenaar die je bent, hebt ons briefhoofd nagemaakt en onze aanbevelingen vervalst toen je bij Trion ging werken. Die brieven kwamen niet van ons. Dat zal blijken uit papieranalyse en forensisch documentonderzoek. Je hebt een andere printer gebruikt, andere inktcartridges. Jij hebt handtekeningen vervalst, lul.' Een korte stilte. 'Dacht je nou echt dat wij ons niet hadden ingedekt?'

Ik probeerde ook te glimlachen, maar de trillende spieren van mijn mond wilden niet meewerken. 'Sorry, maar dat verklaart de telefoontjes van Wyatt-managers naar Trion niet,' zei ik. 'Trouwens, Goddard doorziet het meteen. Hij kent mij.'

Wyatts lachje klonk meer als blaffen. 'Hij ként jou! Dat is een giller. Man, jij weet echt niet met wie je te maken hebt, hè? Jij zit er tot over je oren in. Denk je dat ook maar iemand zal geloven dat onze HR-afdeling met geweldige aanbevelingen naar Trion heeft gebeld, nadat we jou er eerst hadden uit gegooid? Doe eens een beetje detectivewerk, klojo, en je zult zien dat elk telefoontje van onze HR-afdeling is omgeleid. Uit de telefoongegevens zal blijken dat al die telefoontjes uit jouw appartement kwamen. Je voerde al die HR-telefoontjes zelf, kloot-

zak. Je deed je voor als je superieuren bij Wyatt. Je hebt al die enthousiaste aanbevelingen zelf verzonnen. Jij bent een ziek mannetje. Jij bent
een zielig geval. Je hebt een heel verhaal verzonnen, dat je een belangrijke pief van het Lucid-project was, en waarschijnlijk klopt daar helemaal niets van. Weet je, klootzak, mijn beveiligingsmensen en die van
hen zouden om de tafel gaan zitten.'

Mijn hoofd draaide langzaam rond. Ik voelde me misselijk.

'En misschien zou je ook eens naar die geheime bankrekening kunnen kijken waar je zo trots op bent – die waarvan jij dacht dat we er
geld van een buitenlandse rekening op stortten? Waarom ga je niet eens
na waar dat geld in werkelijkheid vandaan komt?'

Ik staarde hem aan.

'Dat geld,' legde Wyatt uit, 'is afkomstig van discretionaire rekeningen bij Trion. Met jouw digitale vingerafdrukken erop. Je hebt geld van
ze gestolen, zoals je ook van ons hebt gestolen.' Zijn ogen puilden uit.
'Je zit met je kop in een berenklem, jij miezerig stuk stront. De volgende keer dat ik je zie, hoop ik voor jou dat je alle technische gegevens van Jock Goddards optische chip bij je hebt. Anders kun je het
wel schudden. En sodemieter nou maar op.'

DEEL ACHT

BLACK BAG

Black bag-karwei: jargon voor het heimelijk binnendringen van een kantoor of huis om op illegale wijze dossiers of materialen te verkrijgen.
– *Spy Book: The Encyclopedia of Espionage*

77

'Ik hoop voor jou dat dit belangrijk is, jongen,' zei Seth. 'Het is midden in de nacht.'

'Dat is het. Dat beloof ik je.'

'Ja, jij belt tegenwoordig alleen nog als je iets van me wilt. Of als een van je ouders is gestorven, dat soort dingen.'

Hij zei dat maar half voor de grap. Ik wist dat hij het volste recht had om kwaad op me te zijn. Sinds ik bij Trion was begonnen, had ik niet vaak meer contact met Seth opgenomen. En hij was erbij geweest toen pa stierf, tot en met de begrafenis. Hij was een veel betere vriend geweest dan ik.

We ontmoetten elkaar een uur later in een Dunkin' Donuts die de hele nacht openbleef. Het was niet ver van Seths appartement. Er was bijna niemand, alleen een paar zwervers. Seth droeg zijn bekende oude Diesel-spijkerbroek en een Dr. Dre World tour-t-shirt.

Hij keek naar me. 'Wat is er met jou gebeurd?'

Ik hield niet één van de vervelende details voor hem achter – wat had dat nog voor zin?'

Eerst dacht hij dat ik het verzon, maar geleidelijk zag hij in dat ik de waarheid vertelde. De uitdrukking op zijn gezicht veranderde van geamuseerde scepsis in verschrikte fascinatie en ten slotte in regelrecht medelijden.

'O, man,' zei hij toen ik klaar was. 'Wat ben jij er slecht aan toe.'

Ik glimlachte triest en knikte. 'Ik ben verneukt,' zei ik.

'Dat bedoel ik niet.' Hij klonk geërgerd. 'Je bent er verdomme in meegegaan.'

'Ik ging er niet in mee.'

'Nee, sukkel. Je had verdomme een kéús.'

'Een keus?' zei ik. 'Wat voor keus? De gevangenis?'

'Je ging akkoord met hun aanbod, man. Ze hadden je ballen in een bankschroef, en je bezweek.'

'Wat had ik anders kunnen doen?'

'Daar zijn advocaten voor, sukkel. Je had het mij kunnen vertellen. Een van die kerels voor wie ik werk, had je kunnen helpen.'

'Hoe helpen? Ik had het geld al aangepakt.'

'Je had een van de advocaten van de firma erbij kunnen halen. Die had ze bang kunnen maken. Hij had kunnen dreigen het in de openbaarheid te brengen.'

Ik zweeg even. Op de een of andere manier betwijfelde ik of het echt zo eenvoudig zou zijn geweest. 'Ja, nou, daar is het nu te laat voor. Trouwens, ze zouden alles hebben ontkend. Zelfs als een van de advocaten van jouw firma bereid zou zijn geweest mij te vertegenwoordigen, zou Wyatt de hele Amerikaanse balie achter me aan hebben gestuurd.'

'Misschien. Of misschien zou hij hebben gewild dat het allemaal stil bleef. Misschien zou het dan met een sisser zijn afgelopen.'

'Ik denk van niet.'

'Ik begrijp het,' zei Seth sarcastisch. 'Dus in plaats daarvan zei je ja en amen. Je ging akkoord met hun illegale plannen, je werd een spion, en je hebt je min of meer van een plaatsje in een gevangenis verzekerd...'

'Wat bedoel je, van een plaatsje in een gevangenis "verzekerd"?'

'En alleen om je krankzinnige ambitie te bevredigen belazer je de enige kerel in het hele Amerikaanse bedrijfsleven die jou ooit een kans heeft gegeven.'

'Dank je,' zei ik nors. Ik wist dat hij gelijk had.

'Eigenlijk krijg je je verdiende loon.'

'Ik stel de hulp en morele ondersteuning op prijs, vriend.'

'Je kunt het ook zo stellen, Adam: ik mag in jouw ogen dan een zielige armoedzaaier zijn, maar ik heb mijn armoede tenminste eerlijk verworven. En jij? Jij bent een volslagen bedrieger. Jij bent een *Rosie Ruiz*.'

'Huh?'

'Die won twintig jaar geleden de marathon van Boston. Het was een nieuw record voor vrouwen, weet je nog wel? Ze zweette nauwelijks. Later bleek dat ze pas een halve kilometer voor de finish was gaan meelopen. Ze had verdomme de métro genomen om daar te komen! Zo ben jij ook, man. De Rosie Ruiz van het Amerikaanse bedrijfsleven.'

Ik zat daar en mijn gezicht werd roder en warmer. Ik voelde me steeds ellendiger. Ten slotte vroeg ik: 'Ben je al klaar?'

'Voorlopig wel, ja.'

'Goed,' zei ik. 'Want ik heb je hulp nodig.'

78

Ik was nooit op het advocatenkantoor geweest waar Seth werkte, of deed alsof hij werkte. Het kantoor was gehuisvest op vier verdiepingen in een wolkenkrabber in de binnenstad, en het had alles wat mensen van een dure advocatenfirma verwachtten: mahoniehouten lambriseringen, dure Aubusson-tapijten, moderne kunst op gigantische doeken, veel glas.

Hij had ervoor gezorgd dat we 's morgens meteen een afspraak hadden met zijn baas, een senior partner die Howard Shapiro heette en die zich specialiseerde in strafzaken. Shapiro, die vroeger officier van justitie was geweest, was een dik mannetje met een kalend hoofd en ronde donkere brillenglazen, een hoge stem en een spraakwaterval. Er ging een koortsachtige energie van hem uit. Hij viel me steeds in de rede, spoorde me aan om op te schieten met mijn verhaal en keek op zijn horloge. Hij maakte aantekeningen op een schrijfblok. Nu en dan keek hij me argwanend en verbaasd aan, alsof hij iets niet helemaal begreep, maar het grootste deel van de tijd reageerde hij helemaal niet. Seth, die zich netjes wilde gedragen, zat alleen maar toe te kijken.

'Wie heeft je in elkaar geslagen?' vroeg Shapiro.

'Zijn beveiligingskerels.'

Hij maakte een notitie. 'Wanneer heb je tegen hem gezegd dat je ermee ophield?'

'Daarvoor. Ik beantwoordde hun telefoontjes en e-mails niet meer.'

'Ze wilden je een lesje leren, hè?'

'Daar lijkt het sterk op.'

'Laat me je iets vragen. En dan moet je eerlijk antwoord geven. Stel dat je Wyatt geeft wat hij wil hebben, die chip of wat dan ook. Denk je dat hij je dan met rust laat?'

'Ik betwijfel het.'

'Je denkt dat hij je onder druk blijft zetten?'

'Waarschijnlijk wel.'

'Je bent niet bang dat dit alles naar jou terugslaat en dat je uiteindelijk met de gebakken peren blijft zitten?'

'Daar heb ik over nagedacht. Ik weet dat ze bij Trion hartstikke kwaad zijn omdat hun overname niet is doorgegaan. Waarschijnlijk komt er een of ander onderzoek, en wie weet wat er dan gebeurt.'

'Nou, ik heb nog meer slecht nieuws voor je, Adam. Ik vind het erg dat ik je dit moet vertellen, maar je bent een simpel stuk gereedschap.'

Seth glimlachte.

'Dat weet ik.'

'Dat betekent dat je als eerste moet toeslaan, anders word je weggevaagd.'

'Hoe?'

'Stel dat dit alles uitkomt en jij wordt opgepakt. Geen onwaarschijnlijk scenario. Als je dan niet meewerkt en je aan de genade van de rechtbank overlevert, ga je de gevangenis in. Zo simpel is het. Dat kan ik je garanderen.'

Het was of ik een stomp in mijn maag kreeg. Seth huiverde.

'Dan zou ik meewerken.'

'Te laat. Er is niemand die dan nog een vinger voor je uitsteekt. Daar komt nog bij dat er maar één bewijs is tegen Wyatt, en dat ben jij. Maar tegen jou zijn er een heleboel bewijzen, wed ik.'

'Wat stelt u voor?'

'Of ze komen naar jou toe, of jij gaat naar hen toe. Ik heb een vriendje op het openbaar ministerie, iemand die ik vertrouw. Wyatt is een grote vis. Je kunt hem op een zilveren presenteerblaadje aanbieden. Ze zullen heel geïnteresseerd zijn.'

'Hoe weet ik dat ze me niet arresteren en mij niet ook in de gevangenis gooien?'

'Ik doe een aanbod. Ik bel hem op en zeg dat ik iets heb waar hij misschien in geïnteresseerd is. Ik zal zeggen dat ik jou geen namen noem. Als je het niet eens wordt met mijn vriend, krijg je hem niet te zien. Als je het wel met hem eens wordt, geef je hem een koningin voor één dag.'

'Wat is een koningin voor één dag?'

'Je weet wel, van dat radioprogramma van vroeger. We gaan erheen, we gaan met de officier van justitie en een opsporingsambtenaar in een kamer zitten. Alles wat op die bijeenkomst wordt gezegd, mag niet rechtstreeks tegen jou worden gebruikt.'

Ik keek Seth aan, trok mijn wenkbrauwen op en richtte mijn blik weer op Shapiro. 'Bedoelt u dat ik er zonder straf vanaf kan komen?'

Shapiro schudde zijn hoofd. 'Wat die grap bij Wyatt betreft, dat pensioneringsfeest van die man van de expeditie, zullen we met een schuldigverklaring moeten komen. Je bent een besmette getuige. De officier van justitie zal moeten aantonen dat je niet met de schrik vrij bent gekomen. Je krijgt geen volledige vrijstelling.'

'Een minder ernstig misdrijf?'

'Ergens tussen een voorwaardelijke straf en zes maanden in.'

'Gevangenis,' zei ik.

Shapiro knikte.

'Als ze zaken met me willen doen,' zei ik.

'Correct. Zeg, laten we er niet omheen draaien: je zit tot aan je nek in de stront. De Wet op Economische Spionage van 1996 maakt de diefstal van handelsgeheimen tot een federaal misdrijf. Je zou tien jaar kunnen krijgen.'

'En Wyatt?'

'Als ze hem te pakken krijgen? Volgens de federale richtlijnen moet een rechter rekening houden met de rol die de verdachte bij het misdrijf heeft gespeeld. Als je de leider van het stel bent, wordt dat je extra aangerekend.'

'Dus ze straffen hem zwaarder.'

'Ja. Bovendien heb jij geen materieel voordeel van de spionage genoten, hè?'

'Nee,' zei ik. 'Ik bedoel, ik werd wel betaald.'

'Je kreeg gewoon je Trion-salaris voor het werk dat je bij Trion deed.'

Ik aarzelde. 'Nou, Wyatts mensen bleven me betalen. Dat geld ging naar een geheime bankrekening.'

Shapiro staarde me aan.

'Dat is ongunstig, hè?' zei ik.

'Erg ongunstig.'

'Geen wonder dat ze daar zo gemakkelijk mee akkoord gingen,' kreunde ik, meer tegen mezelf dan tegen hem.

'Ja,' zei Shapiro. 'Je hebt zelf je hoofd in de strop gestoken. Nou, wil je dat ik dat telefoontje pleeg of niet?'

Ik keek Seth aan, die knikte. Er was geen andere keus.

'Willen jullie even buiten wachten?' zei Shapiro.

79

We zaten in de wachtruimte voor Shapiro's kantoor. Mijn zenuwen waren tot het uiterste gespannen. Ik belde naar mijn kantoor en vroeg Jocelyn een paar afspraken te verzetten.

Toen dacht ik een paar minuten na. 'Weet je wat nog het ergste aan dit alles is?' zei ik. 'Ik gaf Wyatt de sleutels om ons helemaal kaal te plukken. Hij heeft onze grote overname al verhinderd, en nu gaat hij ons helemaal kapotmaken. En dat is allemaal mijn schuld.'

Seth keek me een hele tijd aan. 'Wie zijn "wij"?'

'Trion.'

Hij schudde zijn hoofd. 'Jij hoort niet bij Trion. Je zegt steeds "we" en "ons" als je het over Trion hebt.'

'Een verspreking,' zei ik.

'Dat denk ik niet. Ik wil dat je een stuk zeep neemt, wat voor Franse zeep van tien dollar per stuk het ook maar is dat je gebruikt, en dat je op je badkamerspiegel schrijft: "Ik ben niet Trion."'

'Hou op,' zei ik. 'Nu praat je net als mijn vader.'

'Is het ooit bij je opgekomen dat je vader misschien niet altijd ongelijk had? Zoals een stilgezette klok twee keer per dag gelijk loopt.'

'Rot op.'

Toen ging de deur open en verscheen Howard Shapiro. 'Ga zitten,' zei hij.

Ik kon aan zijn gezicht zien dat het niet goed was gegaan. 'Wat zei uw vriend?' vroeg ik.

'Mijn vriend is overgeplaatst naar het ministerie. Zijn opvolger is een zeikerd.'

'Hoe erg is het?'

'Hij zei: "Weet u wat? U begint met een schuldbekentenis, en dan zien we wel wat er gebeurt."'

'Wat bedoelt hij daarmee?'

'Het betekent dat je binnenskamers schuld bekent en dat niemand daar iets van zal weten.'

'Ik begrijp het niet.'

'Als je hem een grote zaak geeft, wil hij wel een 5K voor je schrijven. Een 5K is een brief van een officier van justitie aan een rechter waarin hij hem vraagt om van de richtlijnen voor de strafmaat af te wijken.'

'Moet de rechter doen wat de officier van justitie wil?'

'Natuurlijk niet. En er is ook geen garantie dat die zeikerd een fatsoenlijke 5K voor je schrijft. Eerlijk gezegd vertrouw ik hem niet.'

'Wat is zijn definitie van een "grote zaak"?' vroeg Seth.

'Hij wil dat Adam een undercoveragent introduceert.'

'Een undercoveragent?' zei ik. 'Dat is krankzinnig! Daar trapt Wyatt nooit in. Hij wil met niemand anders praten dan met mij. Hij is niet achterlijk.'

'En een zendertje?' vroeg Seth. 'Zou hij daarmee akkoord gaan?'

'Daar ga ík niet mee akkoord,' zei ik. 'Telkens wanneer ik naar Wyatt toe ga, word ik gescand op elektronische apparatuur. Ze zouden me meteen betrappen.'

'Dat maakt niet uit,' zei Shapiro. 'Onze vriend op het openbaar ministerie zou daar toch niet mee akkoord gaan. Hij wil het spel alleen meespelen als je een undercoveragent introduceert.'

'Dat doe ik niet,' zei ik. 'Wyatt trapt daar nooit in. En welke garantie heb ik dat ik niet naar de gevangenis ga als ik het doe?'

'Geen enkele,' gaf Shapiro toe. 'Geen enkele federale aanklager zal je ooit voor honderd procent verzekeren dat de rechter je een voorwaardelijke straf geeft. Er is altijd de kans dat de rechter niet meedoet. In ieder geval geeft hij je tweeënzeventig uur de tijd om een besluit te nemen.'

'En anders?'

'Anders moet je maar afwachten. Hij gaat nooit akkoord met koningin voor één dag, als je je niet aan zijn regels houdt. Ze vertrouwen je niet. Ze denken niet dat je dit in je eentje kunt doen. En laten we wel wezen: zij zijn aan de bal.'

'Ik heb geen tweeënzeventig uur nodig,' zei ik. 'Ik heb al besloten dat ik het niet doe.'

Shapiro keek me vreemd aan. 'Je blijft voor Wyatt werken.'

'Nee,' zei ik. 'Ik ga dit op mijn eigen manier aanpakken.'

Nu glimlachte Shapiro. 'Hoe dan?'

'Ik wil mijn eigen condities stellen.'

'Hoe dan?' zei Shapiro.

'Stel dat ik concreet bewijs tegen Wyatt te pakken krijg,' zei ik. 'Serieuze, harde bewijzen. Kunnen we daarmee dan naar de FBI gaan en kunnen we dan een betere regeling treffen?'

'In theorie wel.'

'Goed,' zei ik. 'Ik denk dat ik dit zelf wil oplossen. Ik ben zelf de enige die me hieruit kan halen.'

Seth glimlachte vaag en legde toen zijn hand op mijn schouder. 'Met "ik" bedoel je "ik" of "wij"?'

80

Ik kreeg een mailtje van Alana. Ze schreef dat ze terug was, haar reis naar Palo Alto was voortijdig beëindigd – ze legde dat niet uit, maar ik wist waarom – en dat ze graag iets met me wilde afspreken. Ik belde haar thuis, en we praatten even over de begrafenis, en hoe het met me ging, dat soort dingen. Ik zei dat ik niet veel zin had om over pa te praten, en toen zei ze: 'Weet je wel dat je grote problemen hebt met HR?'

Ik hield mijn adem in. 'O, ja?'

'Nou en of. Het Handboek Personeelsbeleid van Trion bevat een uitdrukkelijk verbod van romances op de werkplek. Ongepast seksueel gedrag op de werkplek schaadt de organisatorische effectiviteit doordat het een negatieve invloed heeft op betrokkenen en collega's.'

Ik liet mijn adem langzaam ontsnappen. 'Jij zit niet in mijn managementketen. Trouwens, ik vond dat we best wel organisatorisch effectief waren. En ik vond ons seksuele gedrag ook helemaal niet ongepast. We oefenden met horizontale integratie.' Ze lachte, en ik zei: 'Ik weet dat we geen van beiden tijd hebben, maar denk je niet dat we betere Trion-werknemers worden als we een nacht vrij nemen? Ik bedoel, echt buiten de stad. Iets spontaans.'

'Dat klinkt interessant,' zei ze. 'Ja, ik denk dat het de productiviteit wel ten goede zou komen.'

'Goed. Ik heb een kamer voor ons geboekt voor morgenavond.'

'Waar?'

'Dat zul je wel zien.'

'O nee. Je moet het me vertellen,' zei ze.

'Nee. Het wordt een verrassing. Zoals onze onbevreesde leider altijd zegt: soms moet je gewoon in je auto stappen.'

Ze haalde me af in haar blauwe Mazda Miata convertible en we reden de stad uit. Ik vertelde haar hoe ze moest rijden, en in de stilte daartussenin vroeg ik me koortsachtig af wat ik moest doen. Ik was gek op haar, en dat was een probleem. En nu gebruikte ik haar om mijn eigen huid te redden. Het ging helemaal verkeerd met me.

De rit duurde vijfenveertig minuten. We reden langzaam en moesten telkens stoppen. We kwamen langs een serie winkelcentra, benzinestations en fastfoodrestaurants die er allemaal hetzelfde uitzagen, en daarna volgden we een smalle, kronkelende weg door het bos. Op een gegeven moment keek ze me aan. Toen ze de blauwe plek bij mijn oog zag, zei ze: 'Wat is er gebeurd? Heb je gevochten?'

'Basketbal,' zei ik.

'Ik dacht dat je niet meer met Chad ging spelen.'

Ik glimlachte en zei niets.

Ten slotte kwamen we bij een groot rustiek hotel, met witte overnaadse planken met donkergroene luiken. De lucht was koel en rook naar de natuur, en je hoorde vogels tsjilpen. Er was geen verkeer.

'Hé,' zei ze, terwijl ze haar zonnebril afzette. 'Mooi. Dit schijnt een heel goed hotel te zijn.'

Ik knikte.

'Ga je hier met al je vriendinnen naartoe?'

'Ik ben hier nooit eerder geweest,' zei ik. 'Ik had erover gelezen en het leek me het ideale toevluchtsoord.' Ik sloeg mijn arm om haar smalle middel en gaf haar een kus. 'Laat me je koffers pakken.'

'Eentje maar,' zei ze. 'Ik neem nooit veel mee.'

Ik liep met onze bagage naar de voordeur. Binnen rook het naar houtvuur en ahornstroop. Het echtpaar dat het hotel in eigendom had, begroette ons alsof we oude vrienden waren.

We hadden een mooie kamer, echt iets voor zo'n rustiek hotel. Er was een enorm hemelbed, en er waren gevlochten kleedjes en sitsen gordijnen. Het bed stond tegenover een oude bakstenen haard waaraan te zien was dat hij veel werd gebruikt. De meubels waren allemaal antiek, het gammele soort waar ik nooit veel vertrouwen in had. Aan het voeteneind van het bed stond een scheepskist. De badkamer was enorm groot, met een ijzeren bad, voorzien van klauwpoten, in het midden – het soort bad dat er geweldig uitziet, maar als je een douche wilt nemen, moet je in het bad staan met een klein doucheding in je hand en moet je jezelf besproeien alsof je een hond wast, waarbij je ook nog moet uitkijken dat er niet te veel water op de vloer komt. Verder was er een kleine zitkamer met een eikenhouten bureau en een oude telefoon op een gammel tafeltje.

Het bed piepte en kreunde, zoals we ontdekten toen we er na het vertrek van de hotelier op neerploften. 'God, als je bedenkt wat dit bed heeft meegemaakt,' zei ik.

'Veel sits,' zei Alana. 'Dit doet me aan het huis van mijn oma denken.'

'Is het huis van je oma zo groot als dit hotel?'

Ze knikte. 'Dit is gezellig. Geweldig idee, Adam.' Ze schoof haar koele hand onder mijn overhemd, streelde mijn borst en bewoog zich toen omlaag. 'Wat zei je nou over horizontale integratie?'

Toen we naar beneden gingen om te eten, bulderde er een haardvuur in de eetkamer. Er zaten tien of twaalf andere stellen aan de tafels, voor het merendeel ouder dan wij.

Ik bestelde een dure rode bordeaux en hoorde de echo van Jock Goddards woorden in mijn hoofd: *Vroeger dronk je Budweiser-bier, maar nu neem je slokjes van een voortreffelijke Pauillac premier cru.*

De bediening was traag – er bleek maar één ober te zijn voor de hele eetzaal, een Arabische man die nauwelijks Engels sprak – maar daar zat ik niet mee. We voelden ons goed, verzadigd van een postcoïtaal geluksgevoel.

'Ik zag dat je je computer hebt meegenomen,' zei ik. 'In de kofferbak van je auto.'

Ze grijnsde schaapachtig. 'Die neem ik overal met me mee.'

'Sta je altijd in verbinding met kantoor?' vroeg ik. 'Semafoon, mobiele telefoon, e-mail?'

'Jij niet, dan?'

'Dat is een voordeel als je maar één baas hebt,' zei ik. 'De verbindingen zijn eenvoudiger.'

'Nou, dan heb je geluk. Ik zit met zes directe chefs en een heel stel arrogante ingenieurs. En een gigantische deadline.'

'Wat voor deadline?'

Ze zweeg maar heel even. 'Volgende week is het zover.'

'Jullie lanceren een nieuw product?'

Ze schudde haar hoofd. 'Het is een demonstratie – een grote presentatie van een werkend prototype van het ding dat we aan het ontwikkelen zijn. Het is erg belangrijk. Heeft Goddard je er niets over verteld?'

'Misschien wel. Hij vertelt me zoveel.'

'Dit is niet iets wat je zou vergeten. Hoe dan ook, het neemt al mijn tijd in beslag. Ik kom nergens anders meer aan toe. Dag en nacht.'

'Niet helemaal,' zei ik. 'Je had tijd voor twee afspraakjes met mij, en deze avond werk je ook niet.'

'Daar moet ik morgen en zondag voor boeten.'

De overwerkte ober was eindelijk met een fles witte wijn verschenen. Ik wees hem op zijn fout, waarop hij zich uitgebreid verontschuldigde en de goede fles ging halen.

'Waarom wilde je op Goddards barbecue nou niet met me praten?' vroeg ik.

Ze keek me ongelovig met haar grote saffierblauwe ogen aan. 'Ik meende dat van het HR-handboek, weet je. Ze willen echt niet dat collega's iets met elkaar hebben. Daarom moeten we discreet te werk gaan. Mensen praten. Mensen vinden het vooral leuk om elkaar te vertellen wie het met wie doet. En als er dan iets gebeurt...'

'Als ze uit elkaar gaan of zoiets.'

'Zoiets. Dan wordt het pijnlijk voor iedereen.'

Het gesprek ging in de verkeerde richting. Ik probeerde het weer op de juiste koers te brengen. 'Dus ik kan onder werktijd niet even naar je toe komen. Ik mag niet onaangekondigd met een boeket lelies op de vierde verdieping verschijnen.'

'Ze zouden je er nooit in laten. Dat heb ik je al verteld.'

'Ik dacht dat ik met mijn badge overal in het gebouw mocht komen.'

'Misschien wel op de meeste plaatsen, maar niet op de vierde verdieping.'

'Je bedoelt dat jíj wel op de directieverdieping mag komen, maar ik niet op jouw verdieping?'

Ze haalde haar schouders op.

'Je hebt je badge bij je?'

'Ze hebben me geleerd om hem zelfs bij me te hebben als ik naar de wc ga.' Ze haalde hem uit haar zwarte tasje en liet hem aan me zien. Hij zat met een stel sleutels aan een ring.

Ik pakte hem speels vast. 'Niet zo erg als een paspoortfoto, maar ik zou dit portret niet naar een modellenbureau sturen,' zei ik.

Ik bekeek haar badge. Er stonden dezelfde dingen op als op de mijne, het driedimensionale hologram van het Trion-logo dat van kleur veranderde als er licht overheen ging, dezelfde lichtblauwe achtergrondkleur met TRION SYSTEMS steeds weer herhaald in kleine lettertjes. Het voornaamste verschil was een rood-met-witte streep die over de voorkant van haar badge liep.

'Ik laat jou de mijne zien, als ik de jouwe mag zien,' zei ze.

Ik haalde mijn badge uit mijn zak en gaf hem aan haar. Het grootste verschil zat hem in de kleine transponderchip die erin was verwerkt. De chip in de badge was gecodeerd met informatie die een deurslot openkreeg of niet. Met haar badge kon ze op de vierde verdieping komen, en ook in het gebouw zelf, in de garage, enzovoort.

'Op die foto lijk je net een bang konijn.' Ze giechelde.

'Zo voelde ik me ook op mijn eerste dag.'

'Ik wist niet dat de personeelsnummers al zo hoog gingen.'

De rood-met-witte streep op haar kaart zou wel voor snelle visuele identificatie dienen. Dat betekende dat je langs minstens één extra controlepunt kwam nadat je je badge voor het afleesapparaat had gehouden. Er was blijkbaar iemand die naar je keek als je binnenkwam. Dat maakte de dingen veel moeilijker.

'Het is zeker wel een heel gedoe als je gaat lunchen of naar de fitnessruimte gaat.'

Ze haalde laconiek haar schouders op. 'Dat valt wel mee. Ze herkennen je.'

Ja, dacht ik. Dat is het probleem. Je kunt daar niet naar binnen, tenzij de chip in je badge de juiste code heeft, en zelfs wanneer je op de verdieping bent, moet je langs een bewaker die kijkt of je het wel bent. 'Je hoeft tenminste niet al die biometrische onzin te ondergaan,' zei ik. 'Dat moesten wij bij Wyatt wel. Je weet wel – de vingerafdrukscan. Een vriend van me bij Intel had elke dag een netvliesscan, en plotseling had hij een bril nodig.' Dat was een volslagen leugen, maar nu had ik wel haar aandacht. Ze keek me met een nieuwsgierige grijns aan. Blijkbaar vroeg ze zich af of ik een grapje maakte.

'Dat van die bril is niet waar, maar hij was ervan overtuigd dat al dat scannen slecht was voor zijn ogen.'

'Nou, er is een deel van de verdieping waar ze met biometrie werken, maar daar komen alleen de ingenieurs. Daar werken ze aan het prototype. Maar ik heb alleen te maken met Barney en Chet, die arme bewakers die in dat kleine hokje moeten zitten.'

'Het kan niet zo belachelijk zijn als wat we in de begintijd van Lucid bij Wyatt hadden,' zei ik. 'Ze hadden daar een heel ritueel. Je moest je identiteitskaart aan de bewaker geven, en dan gaf die kerel je een twééde kaart die je op de verdieping moest dragen.' Dat verzon ik maar. Ik vertelde iets na wat ik van Meacham had gehoord. 'Als je nu eens merkt dat je de lichten van je auto hebt aangelaten, of je hebt iets in je kofferbak laten liggen, of je wilt even naar de kantine om een broodje of zoiets te halen...'

Ze schudde peinzend met haar hoofd en snoof zachtjes. Voor zover ze zich voor het badge-systeem had geïnteresseerd, was ze die belangstelling nu kwijt. Ik wilde meer informatie uit haar loskrijgen – bijvoorbeeld, moet je je badge aan de bewakers geven of laat je hem alleen maar aan hen zien? Als je de bewaker je badge moest geven, was de kans veel groter dat de bewaker zag dat hij vals was. Waren ze in de avond minder zorgvuldig? Of 's morgens in alle vroegte?

'Hé,' zei zij. 'Je hebt je wijn niet aangeraakt. Vind je hem niet lekker?'

Ik doopte twee vingertoppen in mijn glas wijn. 'Heerlijk,' zei ik.

Dat vertoon van infantiele meligheid bracht haar aan het lachen. Ze lachte uitbundig en kneep haar ogen bijna dicht. Sommige vrouwen – goed, de meeste vrouwen – zouden op dat moment om de rekening hebben gevraagd. Maar niet Alana.

Ik was gek op haar.

81

We zaten allebei vol eten en wankelden een beetje van de wijn. Eigenlijk had ik het gevoel dat Alana verder heen was dan ik. Ze liet zich op het krakende bed vallen, haar armen uitgestrekt alsof ze de hele kamer wilde omvatten, het hele hotel, de hele nacht, wat dan ook. Dat was het moment waarop ik me ook op het bed moest laten vallen. Maar daarvoor was het nog te vroeg.

'Hé, zal ik je laptop uit de auto halen?'

Ze kreunde. 'O, ik wou dat je daar niet over was begonnen. Je had het toch al veel te veel over het werk.'

'Waarom geef je niet gewoon toe dat jij ook een workaholic bent?' Ik deed alsof ik op een AA-bijeenkomst was. 'Hallo, ik ben Alana, en ik ben workaholic. "Hallo, Alana!"'

Ze schudde haar hoofd en rolde met haar ogen.

'Eerst moet je toegeven dat je machteloos tegenover je workaholisme staat. Dat is de eerste stap. Trouwens, ik heb iets in de auto laten liggen, dus ik ga toch naar beneden.' Ik stak mijn hand uit. 'Sleutels?'

Ze leunde op het bed achterover en had geen zin om in beweging te komen. 'Mmpf. Goed dan,' zei ze met tegenzin. 'Dank je.' Ze rolde naar de rand van het bed, viste haar autosleutels uit haar tasje en gaf ze met een weids en dramatisch gebaar aan mij. 'Kom je gauw terug?'

Het parkeerterrein was nu donker en verlaten. Ik keek achterom naar het hotel, dat zo'n dertig meter van me vandaan stond, om me ervan te vergewissen dat onze kamer niet op het parkeerterrein uitkeek. Ze kon me niet zien.

Ik maakte de kofferbak van haar Miata open en vond haar computertas, een grijs geval van nylon, met een flanel- en mohairstructuur. Ik had niet tegen haar gelogen: ik had daar iets laten liggen, een klein rugzakje. Er lag verder niets van belang in haar kofferbak. Ik hing de computertas en het rugzakje aan mijn schouder en stapte in haar auto.

Ik keek nog eens achterom naar het hotel. Er kwam niemand aan.

Evengoed liet ik de binnenverlichting uit en wachtte ik tot mijn ogen aan het donker gewend waren geraakt. Op die manier trok ik minder aandacht.

Ik voelde me een griezel, maar ik moest mijn situatie realistisch onder ogen zien. Ik had echt geen keus. Via haar kon ik het best tot AURORA doordringen, en ik móést nu naar binnen. Dat was mijn enige redding.

Ik trok vlug de rits van de computertas los, haalde haar laptop eruit en zette hem aan. Het interieur van de auto werd blauw van het computerscherm. Terwijl de computer zich opstartte, maakte ik mijn rugzakje open en haalde ik er een EHBO-setje van blauw plastic uit.

In de doos zaten geen pleisters en dergelijke, maar een paar kleine plastic omhulsels met zachte was.

In het blauwe licht keek ik naar de sleutels aan haar ring. Een paar zagen er veelbelovend uit. Misschien zat er eentje bij waarmee je dossierkasten op de verdieping van het AURORA-project kon openen.

Een voor een drukte ik de sleutels in een rechthoek van was. Ik had dat een paar keer geoefend met een van Meachams mannen, en daar was ik blij om, want het duurde even voor je de slag te pakken had. Op het computerscherm werd me nu om haar wachtwoord gevraagd.

Shit. Niet iedereen beschermde zijn laptop met een wachtwoord. Nou ja: ik was tenminste niet voor niets naar het parkeerterrein gegaan. Ik nam het rugzakje, haalde er de miniatuur-pcProx-reader uit die Meacham me had gegeven en verbond hem met mijn handheld. Ik drukte op de startknop en bewoog Alana's badge erlangs.

Het apparaatje had de gegevens op Alana's kaart gelezen en ze in mijn handheld opgeslagen.

Misschien was het maar goed ook dat haar laptop met een wachtwoord was beschermd. Ik kon niet eindeloos lang op dat parkeerterrein blijven zonder dat ze zich ging afvragen waar ik toch bleef. Net voordat ik haar computer zou afzetten, besloot ik voor de lol een paar voor de hand liggende wachtwoorden uit te proberen – haar geboortedatum, die ik uit mijn hoofd had geleerd, de eerste zes cijfers van haar personeelsnummer. Er gebeurde niets. Toen typte ik ALANA in, en meteen lichtte het scherm op.

Goh, dat was makkelijk. Ik zat in haar computer.

Jezus. Wat nu? Hoeveel tijd kon ik nog nemen? Maar hoe kon ik deze gelegenheid voorbij laten gaan? Zo'n kans kreeg ik misschien nooit meer.

Alana was erg systematisch ingesteld. Haar computer was logisch ingedeeld. Een van de directory's heette AURORA.

Het zat er allemaal in. Nou ja, misschien niet alles, maar het was een goudmijn van technische gegevens van de optische chip, marketingmemo's, kopieën van mailtjes die ze had verstuurd en ontvangen, vergaderschema's, dienstroosters met toegangscodes, zelfs plattegronden van de verdieping...

Het was zoveel dat ik niet eens tijd had om de bestandsnamen door te lezen. Haar laptop had een cd-drive. Ik had een partijtje lege cd's in het rugzakje. Ik pakte er een en stopte hem in haar cd-drive.

Zelfs met een supersnelle computer als die van Alana kostte het me meer dan vijf minuten voordat ik alle AURORA-bestanden had gekopieerd. Zoveel was het.

'Waar bleef je zo lang?' zei ze met een pruilmondje toen ik terugkwam.

Ze lag onder de lakens, met haar naakte borsten daarboven, en keek slaperig. Een nummer van Stevie Wonder – 'Love's in Need of Love Today' – speelde zachtjes op een kleine cd-speler die ze blijkbaar had meegebracht.

'Ik wist niet welke sleutel op je kofferbak paste.'

'Zo'n autogek als jij? Ik dacht dat je was weggereden en mij in de steek had gelaten.'

'Zie ik er zó dom uit?'

'Schijn kan bedriegen,' zei ze. 'Kom in bed.'

'Ik had nooit gedacht dat jij een Stevie Wonder-fan was,' zei ik. Dat zou ik ook nooit hebben vermoed, want verder hield ze vooral van opgewonden folkzangeressen.

'Je kent me nog niet goed,' antwoordde ze.

'Nee, maar geef me een beetje tijd,' zei ik. Ik weet alles van jou, dacht ik, en toch weet ik niets. Ik ben niet de enige die geheimen heeft. Ik legde haar laptop op het eikenhouten bureau naast de badkamer. 'Zo,' zei ik, toen ik in de slaapkamer terugkwam en mijn kleren uittrok. 'Voor het geval je een briljante inval krijgt, een brainstorm midden in de nacht.'

Naakt ging ik naar het bed toe. Die mooie naakte vrouw lag in bed en speelde de rol van verleidster, terwijl ik in werkelijkheid de verleider was. Ze had geen idee van het spel dat ik speelde, en ik schaamde me, al werd ik tegelijk ook opgewonden. 'Kom eens hier,' zei ze met een dramatische fluisterstem, en ze keek me recht aan. 'Ik heb zojuist een *brainstorm* gehad.'

We stonden allebei na acht uur op, ongewoon laat voor ons gedreven type-A-workaholics – en stoeiden nog een tijdje in bed voordat we douchten en naar beneden gingen voor een rustiek ontbijt. Ik geloof niet dat rustieke mensen, boeren dus, echt zo eten, want dan zouden ze allemaal tweehonderd kilo wegen: plakken spek (alleen in rustieke ontbijten krijg je spek in 'plakken'), bergen gort, versgebakken warme bosbessenmuffins, eieren, Franse toast, koffie met echte room... Alana viel er echt op aan, en dat verraste me, want ze is zo slank als een den. Ik genoot ervan haar zo enthousiast te zien eten. Ze was een vrouw met trek, en daar hield ik wel van.

We gingen naar de kamer terug en stoeiden nog wat, en daarna gingen we zitten praten. Ik lette erop dat ik niet over veiligheidsprocedures of badges begon. Ze wilde over de dood en de begrafenis van mijn vader praten, en hoewel dat onderwerp me somber stemde, vertelde ik er toch een beetje over. Om een uur of elf gingen we met tegenzin weg. Het uitstapje was voorbij.

Ik denk dat we allebei wilden dat het langer duurde, maar we moesten weer naar huis, aan het werk, de zoutmijnen weer in. We zouden extra hard moeten werken om deze heerlijke nacht goed te maken.

Onder het rijden genoot ik van de landweg, de met zonlicht bespikkelde bomen, het feit dat ik zojuist de nacht had doorgebracht met de coolste en prachtigste en grappigste en meest sexy vrouw die ik ooit had ontmoet.

Man, waar was ik mee bezig?

82

Tegen de middag was ik weer thuis. Ik belde meteen Seth.

'Ik heb meer geld nodig, man,' zei hij.

Ik had hem al een paar duizend dollar van mijn door Wyatt gefinancierde rekening gegeven, of waar het geld ook maar vandaan mocht komen. Het verbaasde me dat hij dat al ophad.

'Ik wilde geen goedkope rotzooi nemen,' zei hij. 'Ik heb allemaal professioneel materiaal.'

'Ja, dat moest wel,' zei ik. 'Ook al gebruiken we het maar één keer.'

'Wil je dat ik uniformen ga halen?'

'Ja.'

'En de badges?'

'Daar werk ik aan,' zei ik.

'Ben je niet zenuwachtig?'

Ik aarzelde even, dacht erover om te liegen en hem daarmee moed in te spreken, maar dat kon ik niet. 'Verschrikkelijk,' zei ik.

Toch wilde ik niet denken aan wat er zou kunnen gebeuren als het misging. Een deel van mijn hersenen werd geheel in beslag genomen door de zorgen en werkte obsessief aan het plan dat ik had bedacht nadat ik met Seths baas had gesproken.

En toch was er een ander deel van mijn hersenen dat in een dagdroom wilde wegvluchten. Ik wilde aan Alana denken. Ik dacht aan de ironie van de hele situatie – dat dit grondig uitgedachte verleidingsplan tot onverwachte gevolgen had geleid, en dat ik ten onrechte voor mijn bedrog was beloond.

Ik voelde me beroerd, en dan weer schuldig om wat ik had gedaan, en dan weer uitbundig omdat ik me zo sterk met haar verbonden voelde, een gevoel dat ik nooit eerder had gehad. Er kwamen steeds kleine details bij me op: hoe ze haar tanden poetste en dan water in de kom van haar hand uit de kraan schepte in plaats van een glas te gebruiken; de gracieuze holte van het onderste deel van haar rug, en hoe die overging in de spleet tussen haar billen, de ongelooflijk sexy manier waarop ze haar lipstick aanbracht.... Ik dacht aan haar fluweelzachte stem, haar uitgelaten lach, haar gevoel voor humor, en aan hoe lief ze was.

En ik dacht – dat was verreweg het vreemdste – aan onze toekomst met elkaar. Die gedachte is voor een jongen van in de twintig meestal angstaanjagend, maar voor mij gold dat niet. Ik wilde deze vrouw niet verliezen. Ik had het gevoel dat ik een winkeltje was binnengelopen om wat blikjes bier en een lot te kopen, en dat ik met dat lot de loterij had gewonnen.

En daarom mocht ze nooit te weten komen wat ik had gedaan. Dat maakte me doodsbang. Die duistere, afschuwelijke gedachte dook steeds weer op en onderbrak mijn dwaze fantasie, als die speelgoedclowns met een verzwaarde onderkant die steeds weer opspringen, hoe vaak je ze ook neerdrukt.

Een vlekkerig zwart-witbeeld dook opeens op in mijn fantasiefilm in pasteltinten – een beeld van een bewakingscamera: ik in die auto op dat donkere parkeerterrein, terwijl ik de inhoud van haar laptop op een cd zette, terwijl ik haar sleutels in de was drukte, terwijl ik haar identiteitsbadge kopieerde.

Toen drukte ik die venijnige clown weer neer en zag ik onze trouwdag, Alana die door het middenpad liep, beeldschoon en zedig, begeleid door haar vader, een zilverharige man met vierkante kaken, gekleed in een jacquet.

Het huwelijk werd voltrokken door Jock Goddard als vrederechter. Alana's familie was voltallig aanwezig. Haar moeder leek op Diane Keaton in *Father of the Bride*, haar zuster was niet zo mooi als Alana maar wel erg aardig, en ze vonden het allemaal geweldig – vergeet niet, dit is een fantasie – dat ze met mij trouwde.

Ons eerste huis samen, een echt huis en geen flat, in een lommerrijk plaatsje in het midden-westen. Ik stelde me het grote huis voor waar Steve Martins familie in woont in *Father of the Bride*. Per slot van rekening zijn we allebei rijke, machtige topmanagers. Ergens op de achtergrond zingt Nina Simone 'The Folks Who Live on the Hill'. Ik til Alana moeiteloos over de drempel en ze lacht om mijn ouderwetse, clichématige gedoe, en dan doen we het in elke kamer om het huis in te wijden, inclusief de badkamer en de linnenkast. We huren samen films en zitten in bed en eten afhaal-Chinees met houten stokjes uit de doos, en nu en dan kijk ik even naar haar en kan ik niet geloven dat ik echt met die ongelooflijk mooie vrouw getrouwd ben.

Meachams gangsters hadden mijn computers en alle spullen terugge-bracht, en dat was maar goed ook, want ik had ze nodig.

Ik stopte de cd met alles wat ik uit Alana's laptop had gekopieerd in mijn computer. Een groot deel van de inhoud bestond uit e-mails over de enorme marketingmogelijkheden van AURORA – dat Trion op het punt stond de 'ruimte' te veroveren, zoals ze dan zeggen. De immense toename van computerkracht die eruit voortkwam – de AURORA-chip zou de wereld totaal veranderen.

Een van de interessantste documenten was een schema van de pre-sentatie van AURORA. Die zou plaatsvinden op woensdag, over vier da-gen, in het bezoekerscentrum op het hoofdkantoor van Trion, een ko-lossale, modernistische zaal. Pas op de dag daarvoor zouden er e-mails, faxen en telefoontjes naar alle media gaan. Het was duidelijk dat het een gebeurtenis van de eerste orde zou worden. Ik drukte het schema af.

Maar ik was vooral geïnteresseerd in de plattegrond van de verdie-ping en de veiligheidsprocedures die aan alle AURORA-teamleden wa-ren bekendgemaakt.

Toen trok ik een van de vuilnisladen in het kookeiland open. In een vuilniszak had ik daar een paar dingen in Zip-Loc-tassen liggen. Een daarvan was de cd van Ani DiFranco die ik in mijn appartement had laten rondslingeren in de hoop dat ze hem zou oppakken, wat ze inderdaad had gedaan. Verder was er het wijnglas dat ze had ge-bruikt.

Meacham had me een Sirchie-vingerafdrukkenset gegeven. Dat be-vatte kleine buisjes latent afdrukpoeder, transparante vingerafdruk-kentape en een fiberglazen borsteltje. Ik trok een paar rubberhand-schoenen aan en strooide een beetje van het zwart grafietpoeder op de cd-hoes en het wijnglas.

Verreweg de beste duimafdruk zat op de cd-hoes. Ik nam hem zorg-vuldig op met een stuk tape en deed hem in een steriel plastic doosje.

Toen stelde ik een e-mail voor Nick Wyatt op.

Hij was, natuurlijk, geadresseerd aan 'Arthur'.

Zal maandagavond/dinsdagmorgen opdracht voltooien & monsters verzamelen. Zal ze dinsdagmorgen vroeg overdragen op een door u te specificeren tijd en plaats. Na voltooiing van opdracht zal ik elk con-tact beëindigen.

Ik wilde een rancuneuze toon aanslaan. Ik wilde niet dat ze iets vermoedden.

Maar zou Wyatt zelf naar de afgesproken plaats komen?

Dat was de grote vraag. Het was niet van cruciaal belang dat Wyatt zelf kwam, al wilde ik dat wel graag. Ik kon Wyatt absoluut niet dwingen zelf te komen. Sterker nog, als ik daarop aandrong, zou hij waarschijnlijk argwaan krijgen en juist niet komen. Maar inmiddels kende ik Wyatt goed genoeg om er vrij zeker van te zijn dat hij niemand anders zou vertrouwen.

Want weet je, ik was van plan Nick Wyatt te geven wat hij wilde.

Ik zou hem het echte prototype van de AURORA-chip geven, en die zou ik met hulp van Seth op de streng beveiligde vierde verdieping van vleugel D gaan stelen.

Ik moest hem het echte prototype geven. Om allerlei redenen kon dat niet worden vervalst. Wyatt was ingenieur. Hij zou waarschijnlijk meteen zien of het echt was of niet.

En er was nog een belangrijker reden. Zoals ik uit Camilletti's e-mails en Alana's bestanden had begrepen, was het AURORA-prototype om beveiligingsredenen voorzien van een identificatieteken, een serienummer en het Trion-logo, aangebracht met een laser en alleen zichtbaar onder een microscoop.

Daarom wilde ik dat hij in het bezit kwam van de gestolen chip. De echte.

Want op het moment dat Wyatt – of Meacham, als het moest – de gestolen chip in ontvangst nam, had ik hem te pakken. De FBI zou lang genoeg van tevoren in kennis worden gesteld om een SWAT-team te sturen, maar zou pas op het laatste moment de namen en plaatsen en dergelijke te horen krijgen. Ik zou de operatie volledig onder controle hebben.

Howard Shapiro, Seths baas, had het telefoongesprek voor me gevoerd. 'We kunnen het openbaar ministerie wel vergeten,' zei hij. 'Zoiets riskants als dit wordt doorgespeeld naar Washington, en dat duurt een eeuwigheid. Dat doen we niet. We gaan regelrecht naar de FBI – dat zijn de enigen die het spel op dit niveau spelen.'

Zonder namen te noemen maakte hij een afspraak met de FBI. Wanneer alles goed verliep en ik ervoor zorgde dat ze Nick Wyatt konden arresteren, zou ik alleen een voorwaardelijke straf krijgen.

Nou, ik zou Wyatt aan hen uitleveren. Maar dan wel op mijn eigen manier.

83

Ik ging maandagmorgen vroeg naar mijn werk. Misschien was dit mijn laatste dag bij Trion.

Natuurlijk zou dit, als alles goed verliep, gewoon een van de vele dagen zijn, een stipje in een lange, succesvolle carrière.

Maar de kans dat dit ongelooflijk ingewikkelde plan zou slagen was erg klein. Daar was ik me goed van bewust.

Op zondag had ik een paar kopieën van Alana's badge gekloond. Ik had daarvoor de gegevens gebruikt die ik van Alana's badge had gehaald, en ook een apparaatje dat Meacham me had gegeven.

In Alana's bestanden had ik ook een plattegrond van de vierde verdieping van vleugel D gevonden. Bijna de helft van de verdieping was voorzien van dubbele arcering, met het opschrift 'Beveiligde Afdeling C.'

In die Beveiligde Afdeling C werd natuurlijk het prototype getest.

Jammer genoeg wist ik niet wat er zich in die beveiligde afdeling bevond en waar het prototype werd bewaard. Dat zou ik moeten uitzoeken als ik binnen was.

Ik reed naar de woning van mijn vader om mijn professionele werkhandschoenen op te halen, die ik had gebruikt toen ik met Seth bij een glazenwassersbedrijf werkte. Ik hoopte min of meer dan ik Antwoine zou zien, maar hij was zeker ergens heen. Toen ik daar was, had ik het vreemde gevoel dat ik werd gadegeslagen, maar dat schreef ik toe aan de spanningen waaronder ik gebukt ging.

De rest van de zondag had ik veel research op de website van Trion gedaan. Eigenlijk was het verbazingwekkend hoeveel informatie er beschikbaar was voor Trion-werknemers: plattegronden, badgeprocedures, ja zelfs de lijst van beveiligingsapparatuur die op de vierde verdieping van vleugel D was geïnstalleerd. Meacham had me de radiofrequentie gegeven die de bewakers van Trion voor hun onderlinge contact gebruikten.

Ik wist van de beveiligingsprocedures niet alles wat ik moest weten – verre van dat – maar ik ontdekte wel een paar dingen. Die bevestigden wat Alana me onder het eten in dat rustieke hotel had verteld.

Er waren maar twee toegangen tot de vierde verdieping, en die waren allebei bemand. Je moest je badge voor een afleesapparaat houden om de eerste deuren te kunnen passeren, maar daarna moest je je gezicht laten zien aan een bewaker achter een kogelvrije ruit. Die bewaker vergeleek je naam en foto met wat hij op zijn computerscherm had staan en drukte daarna op een knop om je door te laten.

En zelfs dan was je nog lang niet in de Beveiligde Afdeling C. Je moest door gangen met bewakingscamera's lopen, en dan kwam je in een zone met niet alleen bewakingscamera's maar ook bewegingsdetectoren. Ten slotte kwam je bij de ingang van de beveiligde afdeling. Die was onbemand, maar om de deur open te krijgen moest je een biometrische sensor activeren.

Het zou dus verschrikkelijk moeilijk zijn om bij het AURORA-prototype te komen, om niet te zeggen onmogelijk. Ik kwam niet eens langs de eerste, bemande controlepost. Ik kon Alana's kaart natuurlijk niet gebruiken – niemand zou mij voor haar aanzien. Maar als ik eenmaal op de vierde verdieping was, kon haar kaart me wel op andere manieren van pas komen.

De biometrische sensor was een groter probleem. Trion zat in de voorhoede van de meeste technologieën, en biometrische herkenning – vingerafdrukscanners, handpalmaflezers, geautomatiseerde gezichtsidentificatie, stemherkenning, irisscans, netvliesscans – was de nieuwste ontwikkeling in het beveiligingsvak. Al die maatregelen hebben hun sterke en zwakke punten, maar vingerafdrukscans worden meestal het beste gevonden: betrouwbaar, niet te lastig, met niet te veel valse afwijzingen of valse acceptaties.

Op de muur buiten de Beveiligde Afdeling C bevond zich een vingerafdrukscanner van Identix.

Op het eind van de middag belde ik met mijn mobiele telefoon naar de adjunct-chef van het beveiligingscommandocentrum van vleugel D.

'Hé, George,' zei ik. 'Met Ken Romero van Netwerkontwerp, de bedradingsgroep?' Ken Romero was een echte naam, een hogere manager. Voor het geval George besloot me op te zoeken.

'Wat kan ik voor u doen?' Hij klonk alsof hij net een drol in zijn koektrommel had gevonden.

'Gewoon een telefoontje uit beleefdheid? Bob wilde dat ik jullie waarschuwde dat we morgenochtend vroeg een fiber-*reroute* en -*upgrade* in D-vier gaan doen.'

'Hm.' Hij bedoelde: wat vertel je me nou?'

'Ik weet niet waarom ze denken dat ze laser-*optimized* fiber van vijftig micron nodig hebben, of een Ultra Dense Blade Server, maar hé, het komt niet uit mijn portemonnee, weet je. Ze zullen daar wel bandbreedteverslindende apparatuur hebben, en...'

'Wat kan ik voor u doen, meneer...?'

'Romero. Hoe dan ook, de jongens van de vierde verdieping zullen wel niet onder werktijd gestoord willen worden, en dus hebben ze gevraagd of we het 's morgens in alle vroegte willen doen. Het stelt niet veel voor, maar we wilden jullie op de hoogte stellen, want door dat werk gaan er een boel aanwezigheidsdetectors en bewegingsdetectors en weet ik veel af, zo tussen vier en zes uur in de morgen.'

De adjunct-chef beveiliging klonk nu opgelucht. Hij begreep dat hij niets hoefde te dóén.

'U hebt het over de hele vierde verdieping? Ik kan de hele vierde verdieping niet afsluiten zonder...'

'Nee, nee, nee,' zei ik. 'We mogen al blij zijn als mijn mensen twee, misschien drie bedradingskasten afwerken, met die koffiepauzes van tegenwoordig. Nee, we mikken op afdelingen, eens kijken, de afdelingen 22A en B, geloof ik? Alleen de interne secties. Hoe dan ook, jullie controlepanelen gaan waarschijnlijk oplichten als kerstbomen. Waarschijnlijk worden jullie er knettergek van, maar ik wou je even inlichten...'

George slaakte een diepe zucht. 'Als het alleen 22A en -B zijn, geloof ik dat we die wel kunnen uitzetten...'

'Wat jullie maar het beste uitkomt. Ik bedoel, we willen jullie niet gek maken.'

'Ik wil u wel drie uur geven, als dat nodig is.'

'We hebben geen drie uur nodig, denk ik, maar je kunt nooit voorzichtig genoeg zijn, hè? Ik stel je hulp op prijs.'

84

Zoals gewoonlijk verliet ik om een uur of zeven die avond het Triongebouw en ik reed naar huis. Ik sliep die nacht erg onrustig.

Kort voor vier uur in de morgen reed ik terug en parkeerde op straat, niet in de Trion-garage, want dan zou worden geregistreerd dat ik was binnengekomen. Tien minuten later kwam er een vrachtwagen aanrijden het opschrift J. J. RANKENBERG & CO – PROFESSIONELE MATE-RIALEN EN CHEMICALIËN VOOR GLAZENWASSERS SINDS 1963. Seth zat in een blauw uniform met een J. J. Rankenberg-patch op de linkerborst-zak achter het stuur.

'Hallo, cowboy,' zei hij.

'Mocht je dit van J. J. zelf gebruiken?'

'De ouwe is dood,' zei Seth. Hij rookte, en daaraan kon ik zien dat hij nerveus was. 'Ik had met junior te maken.' Hij gaf me een opgevouwen blauwe overall, en ik trok hem over mijn kaki broek en polo-shirt aan, wat nog niet meeviel in de cabine van de oude Isuzu-vrachtwagen. Het rook naar gemorste benzine.

'Ik dacht dat junior de pest aan jou had.'

Seth hield zijn linkerhand omhoog en wreef zijn duim en wijsvinger over elkaar. 'Ik heb hem even gehuurd voor een karweitje bij het bedrijf van de vader van mijn vriendin.'

'Jij hebt geen vriendin.'

'Het enige dat hem interesseerde, was dat hij de inkomsten niet hoefde op te geven. Klaar om in actie te komen, jongen?'

'Nou en of,' zei ik. Ik wees hem naar de dienstingang van de parkeergarage voor vleugel D, en Seth reed naar binnen. De nachtwaker in zijn hokje keek op een papier en zag de naam van het bedrijf op de lijst.

Seth parkeerde de vrachtwagen op het benedenniveau en we pakten de grote nylon tassen met gereedschap, de Ettore-waterschrapers en de grote groene emmers, de vier meter lange verlengstokken, de jerrycans vol pisgele ruitenreinigingsvloeistof, de touwen en haken, de Sky Genie, het stoeltje en de Jumar Ascenders. Ik was vergeten hoeveel troep je nodig had om die verrekte ruiten schoon te krijgen.

Ik drukte op de grote ronde stalen knop naast de stalen garagedeur, en een paar seconden later schoof de deur open. Een dikke, pafferige bewaker met een borstelige snor kwam met een klembord naar buiten. 'Hebben jullie hulp nodig?' vroeg hij. Hij meende dat niet serieus.

'We zijn van alles voorzien,' zei ik. 'Als je ons even de goederenlift naar het dak kunt wijzen...'

'Geen probleem,' zei hij. Hij stond daar met zijn klembord. Hij schreef daar niets op, hield het alleen maar vast om ons te laten weten wie de leiding had en liet ons met de spullen zeulen. 'Kunnen jullie echt ruiten schoonmaken als het buiten donker is?' vroeg hij, terwijl hij met ons naar de lift liep.

'Met vijftig procent overurentoeslag maken we ze nog béter schoon als het buiten donker is,' zei Seth.

'Ik weet niet waarom mensen het zo erg vinden dat we in hun kantoor kijken als ze aan het werk zijn,' zei ik.

'Ja, daar beleven we de grootste lol aan,' zei Seth. 'Mensen de stuipen op het lijf jagen. De kantoormannetjes een hartaanval bezorgen.'

De bewaker lachte. 'Op "R" drukken,' zei hij. 'Als de deur naar het dak op slot zit, moet daar iemand zijn. Ik geloof dat het Oscar is.'

'Prima,' zei ik.

Toen we op het dak kwamen, herinnerde ik me waarom ik zo'n hekel aan glazenwassen op hoge gebouwen had. Het hoofdkantoor van Trion was maar acht verdiepingen hoog, niet meer dan een meter of dertig, maar toen we daar midden in de nacht stonden, had het net zo goed het Empire State Building kunnen zijn. De wind zwiepte om ons heen, het was koud en klam, en in de verte waren verkeersgeluiden te horen, zelfs op dat uur van de nacht.

De bewaker, Oscar Fernandez (volgens zijn badge), was een klein mannetje in een marineblauw uniform. Aan zijn riem zat een radio die voortdurend ruis en vervormde stemmen liet horen. Hij kwam ons bij de goederenlift tegemoet. Toen we onze spullen uitlaadden, stond hij een beetje op zijn voeten te wiebelen, maar daarna bracht hij ons naar de trap die toegang tot het dak gaf.

We volgden hem de korte trap op. Terwijl hij de deur van het dak openmaakte, zei hij: 'Ja, ik hoorde dat jullie zouden komen, maar ik was verbaasd. Ik wist niet dat jullie zo vroeg werkten.'

Hij klonk niet argwanend; hij wilde gewoon een praatje maken.

Seth herhaalde zijn tekst over de overuren, en we maakten dezelfde grappen over de hartaanvallen die we de kantoormannetjes wilden bezorgen, en hij lachte ook. Hij zei dat er wel wat in zat, want de mensen wilden niet dat we hen stoorden bij hun werk. We zagen eruit als echte glazenwassers, met de juiste materialen en uniformen, en wie anders zou gek genoeg zijn om met al die troep op het dak van een hoog gebouw te klimmen?

'Ik heb nog maar een paar weken nachtdienst,' zei hij. 'Zijn jullie al eerder hierboven geweest? Jullie weten de weg?'

We zeiden dat we Trion nog niet eerder hadden gedaan, en hij liet ons de dingen zien, de stopcontacten, de waterkranen, de veiligheidsankers. Alle nieuwe gebouwen moeten tegenwoordig veiligheidsankers op het dak hebben, met tussenruimten van twee of drie meter en ongeveer twee meter van de rand van het gebouw vandaan. Die ankers moesten sterk genoeg zijn om tweeduizend kilo te dragen. Meestal staken die ankers als afvoerpijpen omhoog, maar dan met een U-bout aan de bovenkant.

Oscar was een beetje te veel geïnteresseerd in wat we met onze materialen deden. Hij bleef bij ons hangen en keek toe terwijl we de musketonhaken vastmaakten. Die zaten vast aan oranje-met-witte klimtouwen van meer dan een centimeter dik, en we maakten ze aan de veiligheidsankers vast.

'Niet gek,' zei hij. 'Jullie doen in jullie vrije tijd zeker aan bergbeklimmen, hè?'

Seth keek me aan en zei toen: 'Ben jij in je vrije tijd ook bewaker?'

'Nee,' zei hij lachend. 'Maar je moet er wel van houden, van die hoge gebouwen en zo. Ik zou het in mijn broek doen.'

'Je went eraan,' zei ik.

We hadden ieder twee afzonderlijke lijnen, de ene om naar beneden te klimmen, de andere een extra veiligheidslijn, voor het geval de eerste lijn brak. Ik wilde het goed doen, en dat niet alleen voor de schijn. We hadden geen van tweeën zin om vanaf het Trion-gebouw te pletter te vallen. In die onaangename paar zomers dat we voor dat glazenwasbedrijf werkten, hoorden we steeds weer dat zich in die branche gemiddeld tien dodelijke ongevallen per jaar voordeden, maar ze hadden ons nooit verteld of dat er tien op de hele wereld waren of tien bij ons in de stad, en daar hebben we ook nooit naar gevraagd.

Ik wist dat het gevaarlijk was wat we deden. Ik wist alleen niet waar het gevaar vandaan zou komen.

Na nog eens een minuut of vijf kreeg Oscar er eindelijk genoeg van, vooral omdat we niet meer tegen hem praatten. Hij ging naar zijn post terug.

Het klimtouw zit vast aan een ding dat een Sky Genie heette, een soort lange buis van plaatstaal waarin je het touw om een aluminium schacht wond. De Sky Genie – wat een prachtige naam – is een apparaat dat je in de gelegenheid stelt gecontroleerd af te dalen. De frictie maakt het mogelijk om langzaam langs het touw te glijden. Deze Sky Genies hadden krassen en zagen eruit alsof ze waren gebruikt. Ik hield hem omhoog en zei: 'Je kon geen nieuwe kopen?'

'Hé, ze hoorden bij de wagen. Waar maak je je druk om? Die dingen kunnen tweeduizend kilo dragen. Aan de andere kant: jij bent volgens mij de laatste paar maanden een paar kilo aangekomen.'

'Rot op.'

'Heb je net gegeten? Ik hoop van niet.'

'Dit is niet grappig. Heb je ooit naar het waarschuwingsetiket op die dingen gekeken?'

'Ik weet het. Een onjuist gebruik kan tot ernstige verwondingen of zelfs de dood leiden. Daar moet je niet op letten. Zo'n bange schijterd als jij haalt waarschijnlijk ook de etiketjes van matrassen.'

'Ik vind die slogan wel mooi: "Sky Genie – Brengt Je Omlaag".'

Seth lachte niet. 'Dit gebouw is nog niks, jongen. Weet je nog, die keer dat we het Civic...'

'Herinner me daar niet aan,' onderbrak ik hem. Ik wilde geen watje zijn, maar ik had geen behoefte aan zijn zwarte humor, niet zolang ik daar op het dak van het Trion-gebouw stond.

De Sky Genie was verbonden met een nylon veiligheidstuig dat aan een riem en een beklede zitting was vastgemaakt. Alles in de glazenwasserij had namen met de termen 'veiligheid' of 'bescherming' erin. Dat herinnerde je er steeds weer aan dat je het wel kon schudden als er ook maar iets misging.

Het enige dat een beetje afweek van de normale gang van zaken, was een tweetal Jumar Ascenders, die ons in staat zouden stellen om weer langs de touwen omhoog te klimmen. Als je de ramen van een hoog gebouw aan het wassen was, had je meestal geen reden om weer naar boven te gaan. Je zakte gewoon naar beneden tot je op de grond was.

Maar wij zouden weer naar boven gaan om te ontsnappen.

Intussen zette Seth de elektrische lier met een D-ring op een van de dakankers, en hij sloot hem aan. Het was een model van honderdvijftig volt, met een katrol die vijfhonderd kilo kon optrekken. Hij verbond hem met elk van onze lijnen en zorgde ervoor dat er genoeg speling was, zodat het ding ons niet zou belemmeren om naar beneden te klimmen.

Ik gaf een harde ruk aan het touw om er zeker van te zijn dat alles goed op zijn plaats zat, en we liepen allebei naar de rand van het gebouw en keken naar beneden. Toen keken we elkaar aan, Seth met een grijns van wat-zijn-we-in-godsnaam-aan-het-doen.

'Hebben we al lol?' zei hij.

'O, ja.'

'Klaar?'

'Ja,' zei ik. 'Zo klaar als Elliot Krause in de Port-O-San.'

We lachten geen van beiden. We klommen langzaam op de vangrail en gingen over de rand.

85

We hoefden maar een paar verdiepingen af te dalen, maar dat viel niet mee. We hadden dit een hele tijd niet gedaan, we hadden zwaar gereedschap bij ons, en we moesten oppassen dat we niet te ver opzij zwaaiden.

Op de gevel van het gebouw zaten bewakingscamera's. Ik had in de schema's gezien waar ze zaten. Ik kende ook de technische gegevens van de camera's, de grootte van de lenzen, hun bereik, en meer van dat soort dingen.

Met andere woorden, ik wist waar de blinde hoeken zaten.

En we klommen omlaag op een van die plaatsen. Ik vond het niet erg dat de bewakers ons langs het gebouw zagen afdalen, want ze wisten niet beter of we waren glazenwassers die vroeg in de morgen aan het werk waren. Daarentegen was ik wel bang dat iemand ons zou zien en zou beseffen dat we helemaal niet bezig waren ruiten te wassen. Ze zouden zien dat we langzaam maar zeker afdaalden naar de vierde verdieping. Ze zouden ook zien dat we niet eens voor een raam bleven hangen.

We bungelden voor een stalen ventilatierooster.

Zolang we niet te ver opzij zwaaiden, zouden we buiten bereik van de camera's blijven. Dat was belangrijk.

We zetten onze voeten op een richel, haalden ons oplaadbaar gereedschap te voorschijn en gingen aan het werk met de zeshoekige moeren. Ze zaten goed vast, tot in het beton, en het waren er veel. Seth en ik werkten in stilte, en het zweet stroomde van ons gezicht. Het was mogelijk dat er iemand voorbij kwam lopen, een bewaker of wie dan ook, en dat die ons de moeren van het ventilatierooster zag weghalen en zich zou afvragen wat we deden. Glazenwassers werkten met raamschuivers en emmers, niet met oplaadbare elektrische Milwaukee-moersleutels.

Maar op dit uur van de morgen kwamen er waarschijnlijk niet veel mensen voorbij. Iemand die toevallig naar boven keek, zou waarschijnlijk denken dat we onderhoudswerk deden.

Tenminste, dat hoopte ik.

We deden er meer dan een kwartier over om alle moeren los te draaien en te verwijderen. Een paar zaten vastgeroest en moesten met WD-40 worden bewerkt.

Toen maakte Seth op een teken van mij de laatste moer los en tilden we het rooster van de stalen huid van het gebouw weg. Het ding was loodzwaar, amper te doen voor twee man. We moesten het bij de scherpe randen vastpakken – gelukkig had ik handschoenen meegebracht, een goed paar voor ieder van ons – en ermee manoeuvreren tot het op het raamkozijn kwam te staan. Toen lukte het Seth, die zich aan het rooster vasthield om in evenwicht te blijven, om zijn benen naar binnen te zwaaien. Hij liet zich kreunend op de vloer van de machinekamer zakken.

'Jouw beurt,' zei hij. 'Voorzichtig.'

Ik pakte een rand van het rooster vast, zwaaide mijn benen de luchtkoker in en liet me op de vloer zakken. Ik keek meteen snel om me heen.

De machinekamer stond vol met enorme, bulderende machines. Het was daar donker. Het enige licht kwam indirect van de schijnwerpers op het dak. Aan techniek geen gebrek – verwarmingspompen, centrifugale ventilatoren, compressoren, luchtzuivering, airconditioning, noem maar op.

We stonden daar in ons veiligheidstuig, nog steeds verbonden met de dubbele touwen, die door de ventilatiekoker naar binnen hingen. Toen maakten we de tuigen los.

Nu hingen de tuigen in de lucht. We konden ze daar natuurlijk niet zomaar laten hangen, maar we hadden ze met de elektrische lier op het dak verbonden. Seth haalde een kleine afstandsbediening van een garagedeur te voorschijn en drukte op de knop. Je hoorde het snorrende geluid in de verte, en de tuigen en touwen gingen langzaam omhoog.

'Hopelijk kunnen we ze terughalen als we ze nodig hebben,' zei Seth, maar door al dat kabaal in die kamer kon ik hem nauwelijks horen.

Ik had onwillekeurig het gevoel dat dit alles voor Seth niet veel meer dan een spelletje was. Als hij werd betrapt, overkwam hem niet veel. Hij kwam er wel mee weg. Ik was degene die voor de bijl ging.

We trokken het rooster nu zo ver terug dat iemand die beneden stond zou denken dat het nog op zijn plaats zat. Toen nam ik een extra stuk klimtouw en leidde het door de handgrepen en om een verticale buis om het ding vast te zetten.

Omdat het weer donker was geworden in de kamer, nam ik mijn Mag-Lite en deed hem aan. Ik liep naar de zware stalen deur en probeerde de hendel.

Hij ging open. Ik wist dat de deuren naar machinekamers van binnenuit open te krijgen moeten zijn om te voorkomen dat er iemand gevangen komt te zitten, maar het was toch een hele opluchting dat we hieruit konden komen.

Intussen haalde Seth twee Motorola Talkabout-walkie-talkies te voorschijn, gaf mij er een en pakte toen een compacte zwarte kortegolfradio, een politiescanner van driehonderd kanalen, uit zijn holster.

'Weet je nog welke frequentie de bewakers gebruiken? Iets in de vierhonderd UHF?'

Ik haalde een notitieboekje met een spiraalrug uit mijn borstzakje en las de frequentie voor. Hij toetste hem in, en ik vouwde de plattegrond open en bestudeerde mijn route.

Ik was nu nog nerveuzer dan toen ik langs het gebouw afdaalde. We hadden een goed plan, maar er waren te veel dingen die mis konden gaan.

Ten eerste zouden er mensen kunnen rondlopen, zelfs zo vroeg al. Het AURORA-project had de grootste prioriteit, met een deadline over twee dagen. Ingenieurs werkten op vreemde uren. Om vijf uur in de morgen zou er waarschijnlijk nog niemand zijn, maar je kon nooit weten. Ik kon mijn glazenwassersuniform maar beter aanhouden en een emmer en een raamschuiver meenemen – mensen van de schoonmaakploeg vielen bijna nooit op. De kans was klein dat iemand me zou vragen wat ik aan het doen was.

Er was wel de gruwelijke mogelijkheid dat ik iemand tegenkwam die me herkende. Er werkten tienduizenden mensen bij Trion en ik had er zo'n vijftig ontmoet, dus de kans was groot dat ik niemand tegenkwam die me kende. Niet om vijf uur in de morgen. Evengoed... Daarom had ik een gele helm meegebracht, al dragen glazenwassers die nooit. Ik drukte hem op mijn hoofd en zette ook een veiligheidsbril op.

Als ik deze donkere kamer uit was, zou ik een meter of honderd door gangen moeten lopen, en al die tijd zouden er bewakingscamera's op me zijn gericht. Zeker, er zaten een paar bewakers in het commandocentrum in het souterrain, maar die moesten naar tientallen monitors kijken, en waarschijnlijk keken ze ook tv en dronken ze koffie en zaten ze te ouwehoeren. Ik geloofde niet dat iemand veel aandacht aan me zou schenken.

Totdat ik bij de Beveiligde Afdeling C kwam, waar de bewaking opeens veel strenger werd.

'Ik heb het,' zei Seth, die naar het digitale schermpje van de politiescanner keek. 'Ik hoorde net "Trion Beveiliging" en Trion nog iets.'

'Goed,' zei ik. 'Blijf luisteren, en waarschuw me als er iets gebeurt wat ik moet weten.'

'Hoe lang denk je nodig te hebben?'

Ik hield mijn adem in. 'Misschien een minuut of tien. Misschien een halfuur. Dat hangt ervan af hoe het gaat.'

'Wees voorzichtig, Cas.'

Ik knikte.

'Nou, daar ga je dan.' Hij zag een grote gele schoonmaakemmer op wielen in de hoek staan en reed hem naar me toe. 'Neem dit mee.'

'Goed idee.' Ik keek mijn oude vriend even aan, want ik wilde iets zeggen in de trant van 'Wens me succes', maar dat zou te nerveus en te sentimenteel overkomen. Ik stak mijn duimen omhoog, alsof het me allemaal niets deed. 'Tot straks,' zei ik.

'Hé, vergeet je ding niet aan te zetten,' zei hij, wijzend naar mijn Talkabout.

Ik schudde mijn hoofd om mijn eigen vergeetachtigheid en glimlachte.

Toen maakte ik langzaam de deur open. Ik keek naar buiten, zag niemand, stapte de gang op en deed de deur achter me dicht.

86

Vijftien meter verder zat een bewakingscamera hoog tegen de muur, naast het plafond. Het rode lampje knipperde.

Wyatt zei dat ik een goede acteur was, en nu zou ik dat moeten waarmaken. Ik moest er nonchalant uitzien, een beetje verveeld, druk bezig, en helemaal niet nerveus. Daar was wel enig acteertalent voor nodig.

Blijf naar het Weather Channel kijken of wat er maar op de televisie is, zei ik in gedachten tegen de mannen in het commandocentrum. *Drink je koffie, eet je donuts. Praat over basketbal of football. Let niet op die man op de monitor.*

Mijn werkschoenen piepten zachtjes toen ik over de vloerbedekking van de gang liep. Ik duwde de schoonmaakemmer voor me uit.

Er was verder niemand. Dat was een opluchting.

Nee, dacht ik, *het zou beter zijn als er nog meer mensen liepen. Dat zou de aandacht van jou afleiden.*

Ja, misschien. Ik moest de dingen nemen zoals ze waren. En hopen dat niemand vroeg waar ik heen ging.

Ik ging de hoek om en kwam in een grote open kantoorruimte. Afgezien van wat noodverlichting was het daar donker.

Ik liep met de emmer over een pad door het midden van de ruimte en zag nu nog meer bewakingscamera's. Aan de bordjes in de werkhokjes en de vreemde melige posters was te zien dat hier ingenieurs werkten. Op een plank boven een van de hokjes stond een Love Me Lucille-pop. Ze staarde me kwaadaardig aan.

Ik doe alleen maar mijn werk, zei ik tegen mezelf.

Aan de andere kant van die open ruimte, wist ik op grond van de kaart, leidde een korte gang rechtstreeks naar de afgesloten helft van de verdieping. Een bord aan de muur (BEVEILIGDE AFDELING C – ALLEEN TOEGANG VOOR BEVOEGD PERSONEEL, met een pijl) bevestigde dat. Ik was er bijna.

Dit ging allemaal veel gemakkelijker dan ik had gedacht. Natuurlijk zou ik bij de ingang van de beveiligde afdeling nog met een heleboel bewegingsdetectoren en camera's te maken krijgen.

Maar als mijn telefoontje van de vorige dag naar Beveiliging het gewenste effect had gehad, zouden ze de bewegingsdetectoren hebben afgezet.

Natuurlijk kon ik dat niet zeker weten. Over een paar seconden wist ik het, als ik dichterbij kwam.

De camera's zouden bijna zeker aan staan, maar daar had ik iets op gevonden.

Plotseling schrok ik van een hard geluid, een schel signaal van mijn Talkabout.

'Jezus,' mompelde ik. Mijn hart bonkte.

'Adam.' Seths stem, fluisterend.

Ik drukte op de knop aan de zijkant. 'Ja.'

'We hebben een probleem.'

'Wat bedoel je?'

'Kom hier terug.'

'Waarom?'

'Kom terúg, verdomme.'

O, shit.

Ik draaide me met een ruk om, liet de schoonmaakemmer staan en begon te rennen, maar toen herinnerde ik me dat ik werd gadegeslagen. Ik dwong me om langzaam te lopen. Wat zou er in godsnaam gebeurd zijn? Had iemand de touwen gezien? Was het ventilatierooster gevallen? Of had iemand de deur van de machinekamer opengemaakt en Seth gevonden?

De terugweg duurde een eeuwigheid. Een eindje verderop ging een kantoordeur open en kwam een man van middelbare leeftijd de gang op. Hij droeg een bruine polyester broek en een geel overhemd met korte mouwen, en hij zag eruit als een ingenieur van de oude stempel. Misschien begon hij extra vroeg, of misschien had hij de hele nacht doorgewerkt. De man keek me even aan maar sloeg toen zijn blik neer zonder iets te zeggen.

Ik was een schoonmaker. Ik was onzichtbaar.

Enkele tientallen bewakingscamera's hadden me gezien, maar ik zou niemands aandacht trekken. Ik was een schoonmaker, een onderhoudsman. Ik hoorde hier te zijn. Niemand zou me een tweede blik waardig keuren.

Ten slotte bereikte ik de machinekamer. Ik ging voor de deur staan en luisterde of ik stemmen hoorde. Als daar iemand bij Seth was, zou ik het op een lopen zetten, al wilde ik hem daar niet alleen laten. Ik hoorde het zwakke geluid van de politiescanner, maar dat was alles.

Ik trok de deur open. Seth stond aan de andere kant van de deur, met de radio bij zijn oor.

Hij keek paniekerig.

'We moeten hier weg,' fluisterde hij.

'Wat...'

'Die kerel op het dak. Op de zesde verdieping, bedoel ik. Die bewaker die ons naar het dak heeft gebracht.'

'Wat is er met hem?'

'Hij moet het dak weer op zijn gegaan. Misschien was hij nieuwsgierig. Hij keek omlaag en zag ons niet. Hij zag de touwen en de tuigen, maar geen glazenwassers, en hij schrok zich een ongeluk. Ik weet het niet, misschien was hij bang dat ons iets was overkomen, wie zal het zeggen?'

'Wat?'

'Luister!'

Op de politiescanner klonken stemmen door elkaar heen. Ik ving een flard op: 'Verdieping voor verdieping, over!'

En toen: 'Eenheid Bravo, meldt u.'

'Bravo, over.'

'Bravo, vermoeden van indringing, vleugel D van David. Blijkbaar glazenwassers – materiaal achtergelaten op dak, mannen nergens te bekennen. Ik wil dat het hele gebouw verdieping voor verdieping wordt doorzocht. Dit is een Code Twee. Bravo, jouw mannen doen de begane grond, over.'

'Begrepen.'

Ik keek Seth aan. 'Code Twee zal wel "dringend" betekenen.'

'Ze doorzoeken het gebouw,' fluisterde Seth. Zijn stem was nauwelijks hoorbaar in het gebulder van de machines. 'We moeten hier weg.'

'Hoe?' fluisterde ik terug. 'We kunnen de touwen niet laten zakken, zelfs als ze nog op hun plaats zitten. En op déze verdieping komen we nooit door de bewaking heen.'

'Wat moeten we dóén?'

Ik haalde diep adem en probeerde helder na te denken. Ik had behoefte aan een sigaret. 'Goed. Zoek een computer, welke computer dan ook. Log in op de website van Trion. Zoek naar de pagina met beveiligingsprocedures, kijk waar de nooduitgangen zijn. Ik heb het nu over goederenliften, brandtrappen, dat soort dingen. Als we maar uit het gebouw komen. Desnoods springen we.'

'Dat moet ík doen? En wat ga jíj doen?'

'Ik ga daar weer heen.'

'Wat? Dat meen je niet. Het stikt hier van de bewakers, imbeciel!'

'Ze weten niet waar we zijn. Het enige dat ze weten, is dat we érgens in deze vleugel zijn – en dat zijn acht verdiepingen.'

'Jezus, Adam!'

'Ik krijg deze kans nooit meer,' zei ik, en ik rende naar de deur. Ik zwaaide met mijn Motorola Talkabout naar hem. 'Geef het aan me door als je een uitweg vindt. Ik ga naar de Beveiligde Afdeling C. Ik ga halen waar we voor zijn gekomen.'

87

Niet rennen.

Ik moest mezelf daar steeds weer aan herinneren. Kalm blijven. Ik liep door de gang en probeerde me nonchalant voor te doen, al stond mijn hoofd op ontploffen. Niet naar de camera's kijken.

Ik was al halverwege onderweg naar de grote open kantoorruimte, toen mijn walkie-talkie piepte: twee tonen kort achter elkaar.

'Ja?'

'Hé, man. Hij vraagt me om een wachtwoord. De computer.'

'O, shit, natuurlijk.'

'Moet ik me aanmelden op jouw naam?'

'Nee! Gebruik...' Ik keek vlug in het notitieboekje. 'Gebruik CPierson.' Ik spelde het voor hem. Intussen liep ik door.

'Wachtwoord? Heb je een wachtwoord?'

'MJ drieëntwintig,' las ik voor.

'MJ..."

'Zeker een afkorting van Michael Jordan.'

'O, ja. Drieëntwintig is Jordans nummer. Is die kerel een goeie basketballer?'

Waarom wauwelde Seth zo? Hij moest wel doodsbang zijn.

'Nee,' zei ik automatisch, terwijl ik de kantoorruimte betrad. Ik zette de gele helm en de veiligheidsbril af, want die had ik niet meer nodig. In het voorbijgaan legde ik ze onder een bureau. 'Alleen maar arrogant, net als Jordan. Ze denken allebei dat ze de beste zijn. Een van hen heeft gelijk.'

'Goed, ik ben erin,' zei hij. 'De beveiligingspagina, zei je?'

'Procedures voor bedrijfsbeveiliging. Kijk wat je kunt vinden over de expeditie, of we daar weer heen kunnen gaan met de goederenlift. Dat zou weleens de beste vluchtroute kunnen zijn. Ik moet verder.'

'Schiet op,' zei hij.

Recht voor me zag ik een grijze stalen deur met een klein, ruitvormig raampje van draadglas. Op een bordje stond ALLEEN TOEGANG VOOR BEVOEGD PERSONEEL. Ik liep langzaam, van opzij, naar de deur toe en keek door het raampje. Aan de andere kant bevond zich een kleine, sobere wachtkamer met een betonnen vloer. Ik telde twee bewakingscamera's die hoog op de muur waren aangebracht, dicht bij het plafond. Hun rode lampjes knipperden. Ze waren aan. Ik zag ook de kleine witte knoppen in elke hoek van de kamer. De passieve bewegingsdetectors.

Maar er brandden geen LED-jes op de bewegingsdetectors. Ik wist het niet zeker, maar ik dacht dat ze uit waren. Misschien had de beveiligingsafdeling ze inderdaad een paar uur uitgezet.

Ik had een klembord in mijn hand om er officieel uit te zien en de schijn te wekken dat ik gedrukte instructies opvolgde. Met mijn ande-re hand probeerde ik de deurknop. Hij zat op slot. Links van de deur zat een kleine grijze sensor, zoals je ze in het hele gebouw zag. Zou ik de deur met Alana's badge openkrijgen? Ik haalde mijn kopie van haar badge te voorschijn, bewoog hem langs de sensor en hoopte vurig dat het rode lichtje groen zou worden.

En toen hoorde ik een stem.

'Hé! Jij!'

Ik draaide me langzaam om. Een Trion-bewaker rende op me af, op enige afstand gevolgd door een tweede.

'Staan blijven!' riep de eerste man.

O shit. Mijn hart bonkte.

Betrapt.

Wat nu, Adam?

Ik keek naar de bewakers en de schrik op mijn gezicht maakte plaats voor arrogantie. Ik haalde diep adem. Met kalme stem zei ik: 'Hebben jullie hem al gevonden?'

'Huh?' zei de eerste bewaker, terwijl hij langzaam tot stilstand kwam.

'Die verrekte indringer!' zei ik met luidere stem. 'Het alarm is ver-domme vijf minuten geleden afgegaan, en jullie rennen nog steeds in het rond als kippen zonder kop!' *Je kunt dit*, zei ik tegen mezelf. *Dit is de manier.*

'Meneer!' zei de tweede bewaker. Ze waren allebei abrupt blijven staan en keken me verbaasd aan.

'Hebben jullie idioten enig idee waar hij is binnengekomen?' Ik schreeuwde ze als een sergeant-majoor toe. 'Hadden we het nog mak-kelijker voor jullie kunnen maken? Allemachtig, je controleert eerst de buitenkant van het gebouw. Dat is het eerste dat je doet. Pagina drieën-twintig van het handboek, verdomme nog aan toe! Als je dat doet, zul je zien dat er een ventilatierooster is losgemaakt.'

'Een ventilatierooster?' zei de eerste.

'Moeten we soms een spuitbus met verf nemen om het spoor in Day-Glo aan te geven? Hadden we jullie een schriftelijke uitnodiging moeten sturen voor een onverwachte beveiligingscontrole van Ben-dix? We hebben deze oefening de afgelopen week in drie gebouwen gedaan, en jullie zijn het ergste stelletje amateurs dat ik heb meege-maakt.' Ik nam het klembord en de daaraan bevestigde pen en begon te schrijven. 'Goed, ik wil namen en badgenummers. Hé!' De twee be-wakers liepen al langzaam van me vandaan. 'Terugkomen, jullie! Dachten jullie dat jullie hier voor Piet Snot lopen te patrouilleren? Als wij ons rapport indienen, gaan er koppen rollen – neem dat maar van me aan.'

'McNamara,' zei de tweede bewaker met tegenzin.

'Valenti,' zei de eerste.

Ik noteerde hun namen. 'Badgenummer. Nou ja – een van jullie maakt nu deze verrekte deur open, en dan maken jullie allebei dat jullie wegkomen.'

De eerste ging naar de kaartaflezer toe en bewoog zijn badge ervoor langs. Er was een klikgeluid te horen en het lichtje werd groen.

Ik schudde vol walging met mijn hoofd en trok de deur open. De twee bewakers draaiden zich om en liepen met grote passen van me vandaan. Ik hoorde dat de eerste nors tegen de andere zei: 'Ik neem meteen contact op met de centrale. Dit zit me niet lekker.'

Mijn hart bonsde zo hard dat het hoorbaar moest zijn. Ik had me eruit geluld, maar ik wist dat het me alleen maar een paar minuten had opgeleverd. De bewakers zouden radiocontact opnemen met hun centrale en meteen de waarheid horen: er was geen 'beveiligingscontrole' aan de gang. En dan zouden ze woedend terugkomen.

Ik keek naar de bewegingsdetector, die hoog aan de muur hing in deze kleine wachtruimte. Ik wachtte of er een lichtje ging knipperen, maar dat gebeurde niet.

Als de bewegingsdetectors aan waren, zetten ze de camera's in werking, die zich dan meteen op het bewegende object richtten.

Maar de bewegingsdetectors stonden uit. Dat betekende dat de camera's niet konden bewegen.

Het is gek. Meacham en zijn medewerker hadden me geleerd beveiligingssystemen te overwinnen die veel beter waren dan dit. Misschien had Meacham gelijk – vergeet al die films maar, want in werkelijkheid is de beveiliging van bedrijven meestal erg primitief.

Ik kon de wachtruimte nu betreden zonder dat de camera's me zagen, want die waren op de deur van de Beveiligde Afdeling c gericht. Ik deed een paar aarzelende stappen de kamer in en drukte daarbij mijn rug tegen de muur. Zo schuifelde ik langzaam naar een van de camera's. Ik bevond me in de blinde hoek van de camera, wist ik. Hij kon me niet zien.

En toen kwam de Talkabout piepend tot leven.

'*Wegwezen!*' riep Seth. 'Iedereen is naar de vierde verdieping gestuurd. Dat heb ik net gehoord!'

'Ik... Ik kan niet, ik ben er bijna!' riep ik terug.

'Kom op! Jezus, ga daar weg!'

'Nee, ik kan niet! Nog niet!'

'Cassidy...'

'Seth, luister. Maak jij dat je wegkomt – de trap, de goederenlift, hoe dan ook. Wacht buiten in de wagen op me.'

'Cassidy...'

'Nu!' riep ik, en ik verbrak de verbinding.

Een geloei maakte me aan het schrikken – een schel mechanische *hoe-ah!* dat uit een alarmsirene erg dichtbij kwam.

Wat nu? Ik kon hier niet stoppen, een paar meter van de ingang van het AURORA-project vandaan! Niet zo dichtbij!

Ik moest doorgaan.

Het alarm ging maar door, *hoe-ah, hoe-ah,* oorverdovend hard, als luchtalarm.

Ik haalde de spuitbus uit mijn overall – een bus Pam-spray, bakolie – sprong op de camera af en spoot op de lens. Ik kon een laagje olie op de glazen oogbal zien. Klaar.

De sirene loeide.

Nu was de camera blind en verslagen – maar niet op een manier die de aandacht zou trekken. Iemand die naar de monitor keek, zou zien dat het beeld plotseling wazig werd. Misschien zouden ze dat toeschrijven aan het bedradingsonderhoud waarvoor ze waren gewaarschuwd. Het wazige beeld zou in een wand vol televisiemonitoren waarschijnlijk niet veel aandacht trekken. Tenminste, dat was de bedoeling.

Inmiddels leek die zorgvuldige planning me bijna zinloos, want ze kwamen eraan, ik kon ze horen. Dezelfde bewakers die ik in de maling had genomen? Andere? Ik had natuurlijk geen idee, maar ze kwamen eraan.

Ik hoorde voetstappen, stemmen, maar ze klonken ver weg, alleen maar achtergrondgeluid bij die oorverdovende sirene.

Misschien zou ik het nog redden.

Als ik opschoot. Als ik eenmaal in het AURORA-laboratorium was, zouden ze waarschijnlijk niet achter me aan komen, in elk geval niet meteen. Tenzij ze een of andere speciale bevoegdheid hadden, en dat leek me onwaarschijnlijk.

Misschien wisten ze niet eens dat ik daarbinnen was.

Dat wil zeggen, als ik binnen kon komen.

Ik liep nu om de wachtruimte heen en bleef buiten camerabereik tot ik bij de andere camera was aangekomen. Ik ging in zijn blinde hoek staan, sprong overeind, sproeide de olie en raakte meteen de lens.

Nu kon de bewakingsdienst me niet op de monitoren zien. Ze konden niet zien wat ik ging proberen.

Ik was bijna binnen. Nog een paar seconden – hoopte ik – en ik was in AURORA.

Hoe ik daaruit kwam, was vers twee. Ik wist dat er daar een goederenlift was, waar je van buitenaf niet in kon komen. Zou die lift op Alana's badge reageren? Ik hoopte het van ganser harte. Het was mijn enige kans.

Verdomme, ik kon bijna niet helder denken, met die loeiende sirene, en de stemmen werden luider. De voetstappen kwamen dichterbij. Ik dacht koortsachtig na. Zouden de bewakers zelfs maar van het bestáán van AURORA op de hoogte zijn? Hoe angstvallig hielden ze het project geheim? Als de bewakers niet van AURORA wisten, konden ze misschien ook niet nagaan waar ik heen ging. Misschien renden ze nu door de gangen en zochten ze lukraak naar de tweede indringer.

Op de muur, links van een glanzende stalen deur, was een klein beige kastje aangebracht: een Identix-vingerafdrukscanner.

Ik haalde het doorzichtige plastic doosje uit de voorzak van mijn overall. Met bevende vingers pakte ik het stuk tape met Alana's duimafdruk in het grafietpoeder.

Ik drukte het stuk tape voorzichtig op de scanner, precies op de plaats waar je je duim zou houden, en wachtte tot het LED-je van rood op groen overging.

Er gebeurde niets.

Nee, alsjeblieft, God, dacht ik wanhopig. Ik kon bijna niet meer denken van angst, en van het ondraaglijk harde *hoe-ah* van het alarm. *Laat het werken. Alsjeblieft, God.*

Het licht bleef koppig rood.

Er gebeurde niets.

Meacham had me uitvoerig verteld hoe je biometrische scanners moest verslaan, en ik had het net zolang geoefend tot ik het meende te beheersen. Sommige vingerafdrukscanners waren moeilijker te verslaan dan andere; het hing ervan af welke technologie ze gebruikten. Dit was een van de meest voorkomende typen, met een optische sensor. En wat ik zojuist had gedaan, werkte negentig procent van de tijd. In negentig procent van de gevallen ging dit góéd!

Natuurlijk is die andere tien procent er ook nog, dacht ik, terwijl ik luide voetstappen dichterbij hoorde komen. Ze waren nu dichtbij; dat stond vast. Misschien nog maar een paar meter van me vandaan, in de open kantoorruimte.

Shit, het wérkte niet!

Wat voor trucs hebben ze me nog meer geleerd?

Iets over een plastic zak vol water... Maar ik had geen plastic zak bij me... Hoe zát dat? Er bleven oude vingerafdrukken op het oppervlak van de sensor zitten, als handafdrukken op een spiegel, het vettige overblijfsel van mensen die waren toegelaten. Die oude vingerafdrukken kon je met vocht weer tot leven wekken...

Ja, het lijkt idioot, maar niet idioter dan een stuk tape met een vingerafdruk erop. Ik boog me naar de sensor toe, hield mijn handen eromheen en ademde erop. Mijn adem kwam tegen het glas en condenseerde meteen. De condens verdween bijna meteen weer, maar bleef lang genoeg zitten om...

Een piepgeluid, bijna getsjilp. Een mooi geluid.

Er ging een groen licht branden op het kastje.

Ik was erdoor. Het vocht uit mijn adem had een oude vingerafdruk weer tot leven gewekt.

Ik was de sensor te slim af geweest.

De glanzende stalen deur van Beveiligde Afdeling c gleed open op rails, net op het moment dat de deur achter me openging en ik hoorde: 'Staan blijven!'

En: 'Blijf daar staan!'

Ik keek naar de kolossale open ruimte van Beveiligde Afdeling c en kon mijn ogen niet geloven. Ik begreep er niets van.

Ik moest een fout hebben gemaakt.

Dit kon het niet zijn.

Ik keek naar de ruimte waar Beveiligde Afdeling c zich moest bevinden. Ik verwachtte laboratoriumapparatuur en rijen elektronenmicroscopen, steriele kamers, supercomputers, vezeloptiekkabels...

In plaats daarvan zag ik naakte stalen balken, ongeverfde betonnen vloeren, pleisterkalkstof en bouwafval.

Een immense, leeggehaalde ruimte.

Er was hier níéts.

Waar was het AURORA-project? Ik was op de goede plaats, maar er was hier niets.

En toen kwam er een gedachte in me op die de vloer onder mijn

voeten heen en weer liet deinen: *Was er eigenlijk wel een* AURORA-*project?*

'Geen beweging!' riep iemand achter me.

Ik gehoorzaamde.

Ik draaide me niet naar de bewakers om. Ik verstijfde.

Ik kon niet bewegen, zelfs niet als ik het had gewild.

88

Duizelig en met open mond draaide ik me om. Ik zag vijf of zes bewakers staan, waaronder een paar bekende gezichten. Twee van hen
waren de kerels die ik had weggejaagd. Ze waren terug en ze waren
woedend.

De zwarte bewaker die me in Nora's kantoor had betrapt – hoe heette hij ook weer, die met die Mustang? Hij richtte een pistool op me.
'Meneer... meneer Sómmers?' riep hij uit.

Naast hem – in een spijkerbroek en een T-shirt die eruitzagen alsof
hij ze een paar minuten geleden had aangeschoten, zijn blonde haar
helemaal in de war – stond Chad. Hij had zijn mobiele telefoon in zijn
hand. Ik wist meteen waarom hij hier was: hij had natuurlijk geprobeerd in te loggen, had ontdekt dat hij al ingelogd was, en toen had hij
opgebeld...

'Dat is Cassidy! Bel Goddard!' riep Chad naar de bewaker. 'Bel de
baas, verdomme!'

'Nee, man, zo doen we dat niet,' zei de bewaker, die zijn pistool nog
op mij richtte. 'Ga terúg!' riep hij. Een paar andere bewakers ver-
spreidden zich naar weerskanten. Hij zei tegen Chad: 'Je belt de baas
niet, man. Je belt de directeur Beveiliging. En dan wachten we op de
politie. Dat zijn mijn bevelen.'

'*Bel Goddard!*' schreeuwde Chad, zwaaiend met zijn mobieltje. 'Ik
heb Goddards privénummer. Het kan me niet schelen hoe laat het is.
Goddard moet weten wat zijn vervloekte assistent, die criminéél, heeft
gedaan!' Hij drukte op een paar toetsen van zijn telefoon en hield het
toestel bij zijn oor.

'Klootzak,' zei hij tegen mij. 'Je gaat naar de bliksem.'

Het duurde een hele tijd voordat er iemand opnam. 'Meneer Goddard,' zei Chad met een zachte, eerbiedige stem. 'Het spijt me dat ik u zo vroeg in de morgen stoor, maar dit is uiterst belangrijk. Mijn naam is Chad Pierson, en ik werk bij Trion.' Hij sprak nog een paar minuten, en langzaam verdween zijn kwaadaardige grijns van zijn gezicht.

'Ja, meneer,' zei hij.

Verbouwereerd stak hij mij de telefoon toe. 'Hij zegt dat hij jou wil spreken.'

DEEL NEGEN

ACTIEVE MAATREGELEN

Actieve maatregelen: Russische term voor inlichtingenoperaties die het
beleid of de handelingen van een andere natie beïnvloeden. Dit kunnen
clandestiene of openlijke operaties zijn, en allerlei activiteiten kunnen er
deel van uitmaken, zelfs moordaanslagen.
– *Spy Book: The Encyclopaedia of Espionage*

89

Het liep tegen zes uur in de morgen toen de bewakers me in een afgesloten vergaderkamer op de vierde verdieping zetten – geen ramen en
maar één deur. De tafel lag bezaaid met beschreven schrijfblokken en
lege Snapple-flesjes. Verder waren er een overheadprojector, een whiteboard dat niet gewist was, en gelukkig ook een computer.

Ik was niet precies een gevangene. Ik werd 'vastgehouden'. Het werd
me duidelijk gemaakt dat ik meteen aan de politie zou worden over-
gedragen als ik niet meewerkte, en dat leek me geen erg goed idee.

En Goddard – die merkwaardig kalm had geklonken – had me verteld dat hij met me wilde praten zodra hij er was. Hij wilde niets anders horen, en dat was maar goed ook, want ik wist niet wat ik moest
zeggen.

Later hoorde ik dat Seth nog net kans had gezien het gebouw te verlaten, zij het zonder de vrachtwagen. Ik probeerde Jock te e-mailen.
Omdat ik nog steeds niet wist hoe ik moest verklaren wat ik had gedaan, schreef ik alleen maar:

Jock...
Ik moet je spreken. Ik wil het uitleggen.
Adam.

Maar er kwam geen antwoord.

Plotseling herinnerde ik me dat ik mijn mobiele telefoon nog bij me
had. Die had ik in een van mijn zakken gestopt, en ze hadden hem niet
gevonden. Ik zette hem aan. Er waren vijf berichten ingesproken, maar
voordat ik mijn voicemail kon beluisteren, ging de telefoon.

'Ja,' zei ik.

'Adam. O, shit, man.' Het was Antwoine. Hij klonk wanhopig, bijna
hysterisch. O, man. O, shit. Ik wil niet terug. Shit, ik wil niet terug.'

'Antwoine, waar heb je het over? Begin bij het begin.'

'Er waren kerels die in de woning van je vader probeerden in te breken. Ze dachten zeker dat er niemand was.'

De ergernis laaide in me op. Hadden de jongens uit de buurt nog steeds niet in de gaten dat er niets in dat krot van mijn vader was wat de moeite van het inbreken waard was?

'Jezus, ben jij ongedeerd?' zei ik.

'Ik wel. Twee van die kerels zijn weggekomen, maar ik kreeg de traagste te pakken. O, shit! O, man, ik wil niet in de problemen komen! Je moet me helpen.'

Dit was een gesprek waaraan ik op dit moment geen enkele behoefte had. Ik hoorde een of ander dierlijk geluid op de achtergrond, gekreun of geschuifel of zoiets. 'Rustig maar, man,' zei ik. 'Diep ademhalen en gaan zitten.'

'Ik zit verdomme al. Wat ik niet snap, is dat die klootzak zegt dat hij je kent.'

'Hij ként me?' Plotseling kreeg ik een voorgevoel. 'Wil je die kerel eens beschrijven?'

'Weet ik veel, hij is blank...'

'Zijn gezicht, bedoel ik.'

Antwoine klonk schaapachtig. 'Op dit moment? Nogal rood en papperig. Mijn schuld. Ik denk dat ik zijn neus heb gebroken.'

Ik zuchtte. 'Jezus, Antwoine, vraag hem hoe hij heet.'

Antwoine legde de telefoon neer. Ik hoorde Antwoines diepe stem, onmiddellijk gevolgd door een schel geluid. Antwoine kwam weer aan de lijn. 'Hij zegt dat hij Meacham heet.'

Ik stelde me Arnold Meacham voor, bloedend uit zijn gebroken neus, op de keukenvloer van mijn vader onder honderdvijftig kilo Antwoine Leonard, en er ging heel even een golf van plezier door me heen. Misschien was ik inderdaad gadegeslagen toen ik naar de woning van mijn vader ging. Misschien hadden Meacham en zijn gangsters gedacht dat ik daar iets had verstopt.

'O, ik zou me maar geen zorgen maken,' zei ik. 'Ik verzeker je dat die klootzak je geen last meer zal bezorgen.' Als ik Meacham was, dacht ik, zou ik justitie om een andere identiteit vragen.

Antwoine klonk nu opgelucht. 'Zeg, ik heb hier echt spijt van, man.'

'Spijt? Hé, je moet je niet verontschuldigen. Geloof me, dit is het eerste goede nieuws dat ik in een hele tijd heb gehoord.'

En waarschijnlijk zou het ook het laatste zijn.

Ik nam aan dat ik nog een paar uur moest wachten voordat Goddard kwam, en ik had geen zin om te zitten piekeren over wat ik had gedaan en wat ze met mij zouden doen. En dus deed ik wat ik altijd doe om de tijd te verdrijven: ik ging het internet op.

En zo kwam het dat ik een aantal dingen met elkaar kon combineren.

90

De deur van de vergaderkamer ging open. Het was een van de bewakers van daarstraks.

'Meneer Goddard is beneden op de persconferentie,' zei de bewaker. Hij was lang, een jaar of veertig, en droeg een bril met metalen montuur. Zijn blauwe Trion-uniform zat hem niet goed. 'Hij zei dat u naar het bezoekerscentrum moet gaan.'

Ik knikte.

De grote hal van Gebouw A stond vol met mensen die druk stonden te praten. Het wemelde van de fotografen en verslaggevers. Ik stapte de lift uit en de chaos in en voelde me gedesoriënteerd. In al dat rumoer kon ik niet goed verstaan wat er werd gezegd; het was voor mij allemaal achtergrondgeluid. Een van de deuren die naar de kolossale futuristische gehoorzaal leidde, ging steeds weer open en dicht. Ik ving steeds een glimp op van een gigantische afbeelding van Jock Goddard die op een scherm geprojecteerd was en hoorde zijn versterkte stem.

Ik baande me een weg door de menigte. Ik meende iemand mijn naam te horen roepen, maar ik liep langzaam door, als een zombie.

De vloer van de gehoorzaal helde af naar een glanzend podium, waar Goddard in het licht van een schijnwerper stond. Hij droeg zijn zwarte coltrui en bruine tweedjasje en zag eruit als een hoogleraar oude talen op een kleine universiteit in New England, met dit verschil dat hij oranje televisieschmink op zijn gezicht had. Achter hem hing een gigantisch scherm waarop zijn pratende hoofd bijna twee meter groot werd geprojecteerd.

De zaal zat stampvol journalisten, met overal felle lichten van de cameraploegen.

'... Deze overname,' zei hij, 'zal onze verkoopafdelingen twee keer zo groot maken en onze marktpenetratie in sommige sectoren zelfs verdrievoudigen.' Ik wist niet waar hij het over had. Ik stond achter in de zaal te luisteren.

'Door twee grote ondernemingen samen te voegen creëren we een technologieconcern van wereldklasse, een marktleider. Trion Systems is momenteel zonder enige twijfel een van de meest vooraanstaande elektronicabedrijven ter wereld.

En ik zou graag nog iets willen bekendmaken,' ging Goddard verder. Hij glimlachte en twinkelde op zijn typische manier met zijn ogen. 'Ik heb het altijd belangrijk gevonden om iets terug te geven. Daarom doet het Trion genoegen om vanmorgen de oprichting van een opwindende nieuwe charitatieve instelling bekend te maken. Deze nieuwe stichting, met een beginkapitaal van vijf miljoen dollar, hoopt in de komende jaren een computer in duizenden openbare scholen in Amerika te zetten, in schooldistricten die niet over de middelen beschikken om computers voor hun leerlingen te kopen. We denken dat dit de beste manier is om de digitale tweedeling te bestrijden. Daar werken we bij Trion al een hele tijd aan. We noemen dit het AURORA-project – naar Aurora, de Griekse godin van de dageraad. We geloven dat het AURORA-project de dageraad zal inluiden van een stralende nieuwe toekomst voor ons allemaal in dit geweldige land.'

Hier en daar werd beleefd geapplaudisseerd.

'Laat me ten slotte de bijna dertigduizend getalenteerde en hardwerkende medewerkers van Wyatt Telecommunications hartelijk verwelkomen in de Trion-familie. Ik dank u zeer.' Goddard maakte een lichte buiging met zijn hoofd en verliet het podium. Nog meer applaus, dat geleidelijk aanzwol tot een enthousiaste ovatie.

De gigantische projectie van Jock Goddards gezicht ging over in een televisie-uitzending – het financiële ochtendprogramma van CNBC, *Squawk Box*.

Op de helft van het scherm presenteerde Maria Bartiromo het programma vanaf de vloer van de New York Stock Exchange. Op de andere helft zag je het Trion-logo en een grafiek van de aandelenprijs in de laatste paar minuten – een lijn die recht omhoogging.

'... de handel in Trion Systems een recordvolume,' zei ze. 'Trion-aandelen zijn al in waarde verdubbeld en die ontwikkeling zal waarschijnlijk doorzetten, nu Augustine Goddard, oprichter en president-directeur van Trion, vanmorgen heeft bekendgemaakt dat Trion een van haar voornaamste concurrenten, het in moeilijkheden verkerende Wyatt Telecommunications, overneemt.'

Iemand tikte op mijn schouder. Het was Flo, elegant, een ernstige uitdrukking op haar gezicht. Ze droeg een draadloze headset. 'Adam, wil je naar de ontvangstsuite in het penthouse gaan? Jock wil je spreken.'

Ik knikte, maar bleef kijken. Eigenlijk kon ik nog niet helder denken.

Op het scherm was nu te zien hoe Nick Wyatt door een paar bewakers uit het hoofdkantoor van Wyatt werd geleid. Op de groothoekopname zag je het spiegelende glas van het gebouw, het smaragdgroene gazon, de zwermen journalisten. Je kon zien dat hij tegelijk woedend en vernederd was, toen hij daar werd weggeleid.

'Wyatt Telecommunications was al een in nood verkerende onderneming, met bijna drie miljard dollar aan schulden, toen gisteren tegen het eind van de dag het verbijsterende nieuws uitlekte dat de flamboyante oprichter van de onderneming, Nicholas Wyatt, zonder enige voorafgaande machtiging een geheime overeenkomst had getekend. Zijn mededirecteuren hadden daar niet over gestemd en wisten er zelfs niet van af. Het betrof de overname van een klein startersbedrijf in Californië, Delphos, een klein bedrijfje zonder enige inkomsten, voor vijfhonderd miljoen dollar in contanten,' zei Maria Bartiromo.

De camera zoomde op de man in. Lang en stevig gebouwd, gebronsde huid, haar dat glansde als zwart email. Nick Wyatt in levenden lijve. Zijn nauwsluitende duifgrijze zijden overhemd vertoonde zweetvlekken. Hij werd in een auto geduwd. Hij had die uitdrukking van 'Wat doen ze nou met mij?' op zijn gezicht. Ik kende dat gevoel.

'Daardoor beschikt Wyatt Telecommunications over onvoldoende middelen om aan haar verplichtingen te voldoen. De directie van de onderneming is gistermiddag bijeengekomen en maakte daarna bekend dat de heer Wyatt wegens grove bestuurlijke nalatigheid was ontslagen. Kort daarna dwongen obligatiehouders de directie tot de verkoop van de onderneming aan Trion Systems, en wel voor een dumpprijs van tien cent per dollar. De heer Wyatt was niet beschikbaar voor commentaar, maar een woordvoerder zei dat hij ontslag heeft genomen om meer tijd met zijn gezin door te brengen. Nick Wyatt is ongehuwd en heeft geen kinderen. David?'

Weer een tikje op mijn schouder. 'Sorry, Adam, maar hij wil je nu meteen spreken,' zei Flo.

Op weg naar het penthouse stopte de lift bij de kantine en stapte een man in een hawaïshirt met een paardenstaart in.

'Cassidy,' zei Mordden. Hij had een kaneelbroodje en een kop koffie, en blijkbaar vond hij het helemaal niet vreemd dat hij mij daar zag. 'De Sammy Glick van de microchip. Ik hoorde dat Icarus' vleugels gesmolten zijn.'

Ik knikte.

Hij boog zijn hoofd. 'Het is waar wat ze zeggen. Ervaring is iets wat je pas krijgt als je het niet meer nodig hebt.'

'Ja.'

Hij drukte op een knop en zweeg terwijl de deuren zich sloten en de lift omhoogging. We stonden er met zijn tweeën in. 'Ik zie dat je naar het penthouse gaat. De ontvangstsuite. Ik neem aan dat je daar geen hoogwaardigheidsbekleders of Japanse zakenlieden gaat ontvangen.'

Ik keek hem alleen maar aan.

'Misschien begrijp je nu eindelijk de waarheid over onze onbevreesde leider,' zei hij.

'Nee, ik geloof van niet. Eigenlijk begrijp ik zelfs jóu niet. Om de een of andere reden ben jij hier de enige die een volslagen minachting voor Goddard heeft, dat weet iedereen. Jij bent rijk. Jij hoeft niet te werken. En toch ben je hier nog.'

Hij haalde zijn schouders op. 'Uit vrije wil. Dat heb ik je toch gezegd: ik heb kryptoniet, ik ben vuurvast.'

'Wat betekent dat nou? Zeg, je ziet mij nooit meer terug. Je kunt het me nu wel vertellen. Ik ga hier weg. Ik ben dood.'

'Ja, je bent een burgerslachtoffer, zoals ze hier dan zeggen.' Hij knipperde een keer met zijn ogen. 'Ik zal je missen. Miljoenen mensen niet.' Hij maakte er een grapje van, maar ik wist dat hij iets probeerde te zeggen wat hij echt meende. Om de een of andere reden had hij sympathie voor me opgevat. Of misschien was het alleen maar medelijden. Bij iemand als Mordden was dat moeilijk te zeggen.

'Hou eens op met die raadsels,' zei ik. 'Wil je me alsjeblieft uitleggen waar je het in godsnaam over hebt?'

Mordden grijnsde en gaf een vrij goede imitatie van Ernest Stavro Blofeld weg. 'Omdat u aanstonds toch zult sterven, meneer Bond...' Hij onderbrak zichzelf. 'O, ik wou dat ik het je allemaal kon vertellen. Maar ik zal me altijd aan het geheimhoudingsbeding houden dat ik achttien jaar geleden heb ondertekend.'

'Zou je dat kunnen uitleggen in eenvoudige bewoordingen die ook voor een nederige aardbewoner te begrijpen zijn?'

De lift stopte, de deuren gingen open en Mordden stapte uit. Hij legde zijn hand op een van de deuren om hem open te houden. 'Dat geheimhoudingsbeding is voor mij nu ongeveer tien miljoen dollar in aandelen Trion waard. Misschien wel twee keer zoveel, na de koersstijging van vandaag. Die regeling ga ik heus niet in gevaar brengen. Reken maar dat ik me aan mijn contractueel vastgelegde stilzwijgen houd.'

'Wat voor geheimhoudingsbeding?'

'Zoals ik al zei, wil ik mijn lucratieve regeling met Augustine Goddard niet op het spel zetten door je te vertellen dat de befaamde Goddardmodem niet is uitgevonden door Jock Goddard, een middelmatige ingenieur maar een briljante zakenman, maar door ondergetekende. Waarom zou ik tien miljoen dollar op het spel zetten door jou te vertellen dat de technologische doorbraak die deze onderneming tot een voortrekker van de communicatierevolutie maakte niet het geesteskind van de zakenman was maar van een van zijn eerste personeelsleden, een nederige ingenieur? Goddard had het gratis kunnen krijgen, maar hij wilde zelf met de eer strijken. Dat was hem veel geld waard. Waarom zou ik zoiets aan iemand vertellen en daarmee afbreuk doen aan de legende, de gouden reputatie van, zoals *Newsweek* hem eens noemde, 'de grote staatsman van het Amerikaanse bedrijfsleven'? In ieder geval zou het niet handig zijn als ik erop zou wijzen dat het allemaal hol en inhoudsloos is, die hele Will Rogers-act van Jock Goddard, dat nuchtere, boerse image waaronder zoveel meedogenloosheid schuilgaat. Allemachtig, dan zou ik je net zo goed kunnen vertellen dat de kerstman niet bestaat. Waarom zou ik je een illusie ontnemen – en mijn eigen rijkdom op het spel zetten?'

'Je vertelt me de waarheid?' was het enige dat ik kon bedenken.

'Ik vertel je niets,' zei Mordden. 'Dat zou niet in mijn belang zijn. Adieu, Cassidy.'

Ik had nog nooit zoiets gezien als het penthouse van Gebouw A van Trion.

Het leek helemaal niet op de rest van Trion – geen kleine kamertjes en hokjes, geen grijs projecttapijt of tl-verlichting.

In plaats daarvan was het een immense open ruimte met ramen waardoor het zonlicht fonkelde. De vloeren waren van zwart graniet, met hier en daar oosterse kleedjes, en de wanden waren van een glanzende tropische houtsoort. De ruimte werd onderbroken door partijen klimop, groepjes modernistische fauteuils en banken, en in het midden een gigantische vrijstaande waterval. Het water stroomde uit een onzichtbare fontein over ruwe rozeachtige stenen.

De ontvangstsuite in het penthouse. Voor het ontvangen van belangrijke bezoekers: ministers, senatoren en afgevaardigden, topmanagers, staatshoofden. Ik was hier nooit eerder geweest, en ik kende ook niemand die er was geweest – en geen wonder. Het had helemaal niets van Trion. Het zag er niet democratisch uit. Het was dramatisch, intimiderend, groots.

Ergens tussen de waterval en een haard met bulderende gasvlammen op keramische blokken stond een kleine ronde eettafel. Twee jonge latino's, een man en een vrouw in roodbruine uniformen, spraken zachtjes in het Spaans en zetten zilveren koffie- en theepotten, mandjes met pasteitjes en kannen sinaasappelsap neer. Voor drie personen.

Verbijsterd keek ik om me heen, maar er was verder niemand. Er wachtte niemand op me. Plotseling was er een *ping-toon* te horen en gleden twee kleine liftdeuren van geruwd staal aan de andere kant van de ruimte open.

Jock Goddard en Paul Camilletti.

Ze lachten allebei uitbundig, alsof ze hun geluk niet op konden. Goddard ving een glimp van mij op, hield meteen op met lachen en zei: 'Hé, daar heb je hem. Je wilt ons wel excuseren, Paul. Jíj zult er begrip voor hebben.'

Camilletti glimlachte, klopte op Goddards schouder en bleef in de lift staan. De oude man kwam eruit en de deuren gingen achter hem dicht. Goddard liep bijna op een drafje door de grote open ruimte.

'Loop je even met me mee naar de wc?' zei hij tegen me. 'Ik moet die verrekte schmink afwassen.'

Zwijgend volgde ik hem naar een glanzende zwarte deur met kleine zilveren silhouetten van man en vrouw. De lichten gingen vanzelf aan toen we naar binnen gingen. Het was een ruime, luxueuze gelegenheid, een en al glas en zwart marmer.

Goddard bekeek zichzelf in de spiegel. Op de een of andere manier leek hij een beetje groter. Misschien kwam dat door zijn houding: hij was niet zo krom als anders.

'Jezus, ik lijk Liberace wel,' zei hij, terwijl hij zeepsop op zijn handen maakte en zijn gezicht afspoelde. 'Jij bent nooit hierboven geweest, hè?'

Ik schudde mijn hoofd en keek naar hem. Hij boog zijn hoofd naar de wastafel en bracht het toen weer omhoog. Ik voelde een vreemde mengeling van emoties – angst, woede, verbijstering. Het was allemaal zo ingewikkeld dat ik niet wist wat ik moest voelen.

'Nou, je kent het bedrijfsleven,' ging hij verder. Hij klonk bijna alsof hij zich verontschuldigde. 'Het belang van theatraal gedoe – pracht en praal, stijl en status, al die onzin. Ik kan de president van Rusland of de kroonprins van Saoedi-Arabië toch moeilijk in mijn armzalige kantoorkamertje ontvangen.'

'Mijn gelukwensen,' zei ik zachtjes. 'Het is een belangrijke ochtend geweest.'

Hij droogde zijn gezicht af. 'Nog meer theatraal gedoe,' zei hij laatdunkend.

'Je wist dat Wyatt Delphos zou kopen, tot elke prijs,' zei ik. 'Al betekende het dat hij failliet ging.'

'Hij kon het niet laten,' zei Goddard. Hij gooide de handdoek, die nu oranjebruine vlekken had, op de marmeren tafel.

'Nee,' zei ik. Ik merkte dat mijn hart sneller ging slaan. 'Niet zolang hij geloofde dat je op het punt stond een grote, opwindende doorbraak met die optische chip aan te kondigen. Maar er is nooit een optische chip geweest, hè?'

Goddard grijnsde op die schelmachtige manier van hem.

Hij draaide zich om en ik volgde hem de wc uit. 'Daarom waren er geen patentaanvragen,' zei ik. 'En geen HR-dossiers...'

'De optische chip,' zei hij, terwijl hij met grote stappen over de oosterse kleedjes naar de eettafel liep, 'bestaat alleen in de koortsige geesten en de vlekkerige notitieboekjes van een handvol derderangs types in een klein, kansloos bedrijfje in Palo Alto. Ze jagen daar op een fantasie, op iets wat heel misschien nog werkelijkheid wordt bij jouw leven. Zeker niet bij het mijne.' Hij ging aan de tafel zitten en wees naar de plaats naast hem.

Ik ging zitten, en de twee geüniformeerde bedienden, die op discrete afstand bij de klimop hadden gestaan, kwamen naar voren en schonken koffie voor ons in. Ik was meer dan bang en woedend en verbijsterd. Ik was volkomen uitgeput.

'Het mogen dan derderangs types zijn,' zei ik. 'maar je hebt meer dan drie jaar geleden hun bedrijf gekocht.'

'Dat was een gissing van mij, geef ik toe. Volgens de gegevens die ik op internet had gevonden was de belangrijkste investeerder in Delphos een participatiemaatschappij in Londen, waarvan het geld via een investeringsfirma op de Caymaneilanden werd doorgesluisd. Dat wees erop dat Delphos in werkelijkheid, met zo'n vijf firma's ertussenin, eigendom was van een grote onderneming.

'Jij bent slim,' zei Goddard. Hij pakte een pasteitje en viel er gretig op aan. 'De ware eigendomsketen is erg moeilijk na te speuren. Neem ook een pasteitje, Adam. Die met frambozen en roomkaas zijn verrukkelijk.'

Nu begreep ik waarom Paul Camilletti, een man die een puntje op elke i zette, 'vergeten' was de onderhandelingsclausule te ondertekenen. Zodra Wyatt dat zag, wist hij dat hij minder dan vierentwintig uur de tijd had om de onderneming van Trion weg te kapen – geen tijd om de directie om toestemming te vragen, vooropgesteld dat zijn mededirecteuren die toestemming ooit zouden geven. Wat ze waarschijnlijk nooit zouden hebben gedaan.

Ik keek naar de derde gedekte plaats en vroeg me af wie de andere gast zou zijn. Ik had geen trek, niet eens in koffie. 'Maar je kon Wyatt alleen laten toehappen,' zei ik, 'door hem die informatie toe te spelen via een spion die hij zelf naar Trion had gestuurd.' Mijn stem beefde, en ik was nu vooral woedend.

'Nick Wyatt is een erg achterdochtige man,' zei Goddard. 'Ik begrijp hem – ik ben net als hij. Je kunt hem vergelijken met de CIA – die geloven ook geen enkel stukje informatie, tenzij ze het op een slinkse manier te pakken hebben gekregen.'

Ik nam een slokje water, dat zo koud was dat het pijn deed aan mijn keel. Het enige geluid in die enorme ruimte was het plenzen en borrelen van de waterval. Het felle licht deed pijn aan mijn ogen. Vreemd genoeg voelde ik me opgewekt in deze omgeving. De vrouwelijke bediende kwam met een kristallen kan water om mijn glas bij te vullen, maar Goddard maakte een handgebaar om haar weg te sturen. '*Muchos gracias.* Jullie kunnen wel gaan. We zijn hier van alles voorzien. Wil je onze andere gast vragen bij ons te komen?'

'Het is niet de eerste keer dat je dit hebt gedaan, hè?' zei ik. Wie had me ook alweer verteld dat telkens wanneer Trion op de rand van een mislukking stond een of andere concurrent van hen een misrekening maakte en Trion sterker terugkwam dan ooit?

Goddard wierp me een zijdelingse blik toe. 'Oefening baart kunst.'

Mijn hoofd duizelde. Paul Camilletti's cv verried hoe het werkelijk zat. Goddard had hem weggehaald bij een onderneming die Celadon Data heette en die indertijd de grootste bedreiging voor Trions voortbestaan vormde. Kort daarna beging Celadon een legendarische technologische blunder – een soort misstap zoals een keuze voor Betamax in plaats van vhs. Celadon moest uitstel van betaling aanvragen en werd kort daarna door Trion overgenomen.

'Voor mij was het Camilletti,' zei ik.

'En voor hem anderen.' Goddard nam een slok koffie. 'Nee, je was niet de eerste. Maar je was wel de beste.'

Het compliment kwam hard aan. 'Hoe heb je Wyatt in de waan gebracht dat hij succes kon hebben met een spion?' zei ik.

Goddard keek op. De liftdeuren gingen open, dezelfde deuren waardoor hij was binnengekomen.

Judith Bolton. Ik vergat adem te halen.

Ze droeg een marineblauw pakje en een witte blouse en zag er erg energiek en capabel uit. Haar lippen en nagels waren koraalrood. Ze ging naar Goddard toe en gaf hem een snelle kus op zijn lippen. Toen nam ze mijn hand in haar beide handen. Ze verspreidde een vage kruidengeur en voelde koud aan.

Ze ging aan Goddards andere kant zitten, vouwde een linnen servet open en legde het op haar schoot.

'Adam wil weten hoe je Wyatt hebt overtuigd,' zei Goddard.

'O, ik hoefde Nick niet bepaald te dwingen,' zei ze met een schor lachje.

'Jij pakt zoiets veel subtieler aan,' zei Goddard.

Ik keek Judith aan. 'Waarom ik?' zei ik ten slotte.

Het verbaast me dat je dat vraagt,' zei ze. 'Kijk maar eens naar wat je hebt gedaan. Je bent een natuurtalent.'

'En verder hadden jullie me bij de ballen vanwege dat geld.'

'In een grote onderneming zijn er altijd veel mensen die over de schreef gaan, Adam,' zei ze, en ze boog zich dichter naar me toe. 'We hadden veel keuze. Maar jij stak met kop en schouders boven de rest uit. Je was verreweg de geschiktste kandidaat. Een perfecte babbel, en het vaderaspect.'

De woede welde in me op, tot ik niet meer kon zitten luisteren. Ik stond op, boog me over Goddard heen en zei: 'Laat me je iets vragen. Wat denk je dat Elijah nu van je zou denken?'

Goddard keek me nietszeggend aan.

'Elijah,' herhaalde ik. 'Je zoon.'

'O, ja, Elijah,' zei Goddard, wiens verbazing langzaam overging in een zuur lachje. 'Ja. Dat. Nou, dat was Judiths idee.' Hij grinnikte.

Het was of de kamer langzaam ronddraaide en lichter werd, waziger. Goddard keek me met twinkelende ogen aan.

'Adam,' zei Judith, een en al bezorgdheid en medegevoel. 'Ga zitten.'

Ik bleef hem staan aankijken.

'We waren bang,' zei ze, 'dat je argwaan zou krijgen als het allemaal te gemakkelijk ging. Je bent een bijzonder intelligente, intuïtieve jongeman. Alles moest logisch zijn, anders zou je het doorzien. Dat konden we niet riskeren.'

Ik dacht aan Goddards studeerkamer in dat huis bij het meer, de trofeeën waarvan ik nu wist dat ze nep waren. Goddards goocheltalent, en dat die trofee op de een of andere manier op de vloer viel...

'O, je weet wel,' zei Goddard. 'De oude man die een zwak voor je heeft omdat je hem aan zijn dode zoon doet denken, al die onzin? Dat is toch allemaal heel logisch?'

'Je mag zulke dingen niet aan het toeval overlaten,' zei ik met een holle stem.

'Precies,' zei Goddard.

'Er zijn maar heel weinig mensen die hadden kunnen doen wat jij hebt gedaan,' zei Judith. Ze glimlachte. 'De meesten zouden niet tegen dat dubbelleven bestand zijn. Jij bent een opmerkelijk persoon. Ik hoop dat je dat weet. Daarom hadden we je ook uitgekozen. En je hebt ruimschoots bewezen dat we gelijk hadden.'

'Ik geloof dit niet,' fluisterde ik. Mijn benen trilden; ik stond te wankelen op mijn voeten. Ik moest daar weg. 'Ik geloof hier geen moer van.'

'Adam, ik weet dat dit moeilijk voor je is,' zei Judith voorzichtig.

Mijn hoofd pulseerde als een open wond. 'Ik ga mijn spullen uit mijn kantoor halen.'

'Geen sprake van,' riep Goddard uit. 'Jij neemt geen ontslag. Ik sta dat niet toe. Slimme, handige jonge kerels als jij zijn veel te zeldzaam. Ik heb je nodig op de zesde verdieping.'

Een bundel zonlicht verblindde me; ik kon hun gezichten niet zien.

'En je zou me vertrouwen?' zei ik bitter. Ik ging een beetje opzij om de zon uit mijn gezicht te krijgen.

Goddard blies zijn adem uit. 'Bedrijfsspionage, mijn jongen, is zo Amerikaans als appeltaart en Chevrolet. Allemachtig, hoe denk je dat Amerika een economische supermogendheid is geworden? In 1811 ging een Amerikaan, Francis Lowell Cabot, naar Groot-Brittannië en stal daar het kostbaarste geheim van Engeland: het weefgetouw van Cartwright, de hoeksteen van de hele textielindustrie. Hij bracht de hele Industriële Revolutie naar Amerika en maakte een kolos van ons. Dat allemaal dankzij één enkele daad van industriële spionage.'

Ik draaide me om en liep over de granieten vloer. De rubberen zolen van mijn werkschoenen piepten. 'Ik ben het zat om met me te laten sollen,' zei ik.

'Adam,' zei Goddard. 'Nu praat je als een verbitterde verliezer. Zoals je vader was. En ik weet dat jij het niet bent. Jij bent een winnaar, Adam. Je bent briljant. Je hebt het in je.'

Ik lachte zachtjes. 'In feite bedoel je dat ik een leugenachtige hufter ben. Een bedrieger. Een leugenaar van wereldklasse.'

'Geloof me, je hebt niets gedaan wat niet elke dag in ondernemingen op de hele wereld wordt gedaan. Je hebt een exemplaar van Sun Tzu in je kantoor – heb je dat gelezen? Alle oorlogvoering is gebaseerd op bedrog, zegt hij. En het bedrijfsleven is oorlog, dat weet iedereen. *Het bedrijfsleven, op de hoogste niveaus, is bedrog.* Niemand zal dat ooit in het openbaar toegeven, maar het is de waarheid.' Zijn stem werd zachter. 'Het spel is overal hetzelfde. Jij speelt het gewoon beter dan alle anderen. Nee, je bent geen leugenaar, Adam. Je bent een briljante strateeg.'

Ik rolde met mijn ogen, schudde vol walging met mijn hoofd en draaide me weer om naar de lift.

Heel zachtjes zei Goddard: 'Weet je hoeveel geld Paul Camilletti vorig jaar heeft verdiend?'

Zonder om te kijken zei ik: 'Achtentwintig miljoen.'

'Jij zou dat over een paar jaar ook kunnen verdienen. Je bent het me waard, Adam. Je bent onverzettelijk en vindingrijk. Je bent geniaal.'

Ik snoof zacht, maar ik geloof niet dat hij het hoorde.

'Heb ik je ooit verteld hoe blij ik ben dat je ons uit de nood hebt ge-holpen met dat Guru-project? Dat, en nog wel tien andere dingen. Laat me mijn dankbaarheid wat concreter tot uiting brengen. Ik geef je op-slag – tot een miljoen per jaar. Met aandelenopties erbij kun je, als de koers blijft stijgen, volgend jaar vijf of zes miljoen binnenhalen. En het jaar daarna het dubbele. Dan word je multimiljonair.'

Ik bleef staan. Ik wist niet wat ik moest doen, hoe ik moest reage-ren. Als ik me omdraaide, zouden ze denken dat ik akkoord ging. Als ik doorliep, zouden ze denken dat ik nee zei.

'Dit is het beste dat je kan overkomen,' zei Judith. 'Je krijgt iets aan-geboden waar iedereen een moord voor zou begaan. Maar vergeet niet: het wordt je niet cadeau gegeven; je hebt het verdíend. Je bent voor dit soort werk in de wíeg gelegd. Ik heb nooit iemand ontmoet die hier beter in was dan jij. Weet je wat je de afgelopen paar maanden hebt verkocht? Geen handheld apparaatjes of mobiele telefoons of MP3-spe-lers, maar jezélf. Je hebt Adam Cassidy verkocht. En wij zijn kopers!'

'Ik ben niet te koop,' hoorde ik mezelf zeggen, en ik schaamde me meteen.

'Adam, draai je om,' zei Goddard woedend. 'Draai je om. Nú.'

Ik gehoorzaamde met een nors gezicht.

'Besef je wat er gebeurt als je wegloopt?'

Ik glimlachte. 'Ja. Dan geef je me aan. Bij de politie, de FBI, weet ik veel.'

'Dat doe ik niet,' zei Goddard. 'Ik wil niet dat hier ooit iets van in de openbaarheid komt. Maar zonder je auto, zonder je appartement, je salaris... heb je geen bezit. Dan heb je niets. Wat voor leven is dat voor een getalenteerde jongen als jij?

Je bent hun eigendom... Je rijdt in een auto van de zaak, woont in een flat van de zaak... Je hele leven is niet van jou... Mijn vader, mijn vader wiens klok was blijven stilstaan, had gelijk.

Judith stond op en kwam heel dicht naar me toe. 'Adam, ik begrijp hoe je je voelt,' zei ze zachtjes. Haar ogen waren vochtig. 'Je bent ge-kwetst, je bent kwaad. Je voelt je bedrogen, gemanipuleerd. Je wilt je terugtrekken in de geruststellende, veilige, beschermende woede van een klein kind. Dat is volkomen begrijpelijk. Zo voelen we ons alle-maal weleens. Maar nu is het tijd om die kinderachtige dingen achter ons te laten. Weet je, je bent niet bij toeval in iets terechtgekomen. Je hebt jezelf gevonden. Het is goed, Adam. Het is goed.'

Goddard leunde in zijn stoel achterover, met zijn armen over elkaar.

Ik zag scherven van zijn gezicht weerspiegeld in de zilveren koffiepot en de suikerpot. Hij glimlachte vriendelijk. 'Gooi het niet allemaal weg, jongen. Ik weet dat je hier goed aan doet.'

93

Mijn Porsche was weggesleept. Dat was symbolisch. Ik had hem de vorige avond fout geparkeerd. Wat had ik anders verwacht?

Ik liep het Trion-gebouw uit en keek of ik een taxi zag, maar die was nergens te vinden. Waarschijnlijk had ik wel een telefoon in de hal kunnen gebruiken om er een te bellen, maar ik voelde een enorme, bijna fysieke aandrang om daar weg te komen. Met in mijn armen een witte doos waarin ik de weinige dingen uit mijn kantoor had gedaan, liep ik langs de weg.

Even later ging een knalrode auto langzaam naast me rijden. Het was een Austin Mini Cooper, ongeveer zo groot als een bakoventje. Het zijraampje aan de passagierskant was open, en ik rook Alana's weelderige bloemengeur in de stadslucht.

Ze riep naar me: 'Hé, wat vind je ervan? Ik heb hem nog maar net. Is hij niet fantastisch?'

Ik knikte en probeerde raadselachtig te glimlachen. 'Rood trekt politie aan,' zei ik.

'Ik rij nooit te hard.'

Ik knikte alleen maar.

Ze zei: 'Als u nu eens van uw motor kwam en me een bon gaf.'

Ik knikte en liep door. Ik wilde het niet meespelen.

Ze kwam nog wat dichter naast me rijden. 'Hé, wat is er met je Porsche gebeurd?'

'Weggesleept.'

'Jakkes. Waar ga je heen?'

'Naar huis. Harbor Suites.' Dat zou niet lang meer mijn huis zijn, besefte ik met een schok. Ik was niet de eigenaar.

'Nou, je gaat niet het hele eind lopen. Niet met die doos. Kom op, stap in, ik geef je een lift.'

'Nee, dank je.'

Ze bleef met me mee rijden, langzaam langs de kant van de weg. 'O, kom nou, Adam, doe niet zo mal.'

Ik bleef staan, ging naar de auto toe, zette mijn doos neer en legde mijn handen op het lage dak van de auto. Niet zo mal doen? De hele tijd had ik mezelf gekweld omdat ik dacht dat ik háár manipuleerde, en intussen hield zij zich alleen maar aan de opdracht. 'Je... Ze hebben tegen je gezegd dat je met me naar bed moest gaan, nietwaar?'

'Adam,' zei ze op redelijke toon. 'Wees nou eens realistisch. Dat stond niet in de functieomschrijving. Dat was alleen maar een secundaire voorziening, zoals HR het zou noemen.' Ze lachte haar uitbundige lach, en er ging een huivering door me heen. 'Ze wilden alleen dat ik je een beetje voorthielp, dat ik tips aan je doorgaf, dat soort dingen. Maar toen was het jou ineens om mijzelf te doen...'

'Ze wilden alleen maar dat je me voorthielp,' herhaalde ik. 'God nog aan toe. Ik word er ziek van.' Ik pakte de doos op en liep verder.

'Adam, ik deed alleen maar wat ze zeiden dat ik moest doen. Uitgerekend jij zou dat moeten begrijpen.'

'Denk je dat wij elkaar ooit nog kunnen vertrouwen? Zelfs nu – je doet nu ook alleen maar wat zij willen, hè?'

'O, alsjeblieft,' zei Alana. 'Adam, liefste. Doe niet zo verrekte paranoïde.'

'En ik dacht nog wel dat we een mooie relatie hadden,' zei ik.

'Het was leuk. Ik vond het geweldig.'

'O, ja?'

'God, neem het toch niet zo serieus, Adam! Het is alleen maar seks – én werk. Wat is daar mis mee? Geloof me, ik simuleerde niet!'

Ik liep door. Ik keek of ik een taxi zag, maar die was nergens te bekennen. Ik kende dit deel van de stad niet eens. Ik was verdwaald.

'Kom op, Adam,' zei ze, terwijl ze langzaam met me mee reed in de Mini. 'Stap nou in de auto.'

Ik liep door.

'O, kom nou,' zei ze, met een fluweelzachte stem die alles suggereerde maar niets beloofde. 'Stap nou in de auto!'

WOORD VAN DANK

En dan nu de aftiteling. Die is vreselijk lang, maar de ontwikkeling en productie van dit boek hebben dan ook lang geduurd.

Mijn research voor mijn andere romans heeft me over de hele wereld gevoerd, naar plaatsen als het KGB-hoofdkantoor in Moskou, maar niets had me voorbereid op de vreemde, fascinerende wereld van de Amerikaanse hightechbedrijven. Niemand opende meer deuren voor mij, of stelde me meer van zijn tijd ter beschikking dan mijn oude vriend David Hsiao van Cisco Systems, waar ik ook geweldig werd geholpen door Tom Fallon, Dixie Garr, Pete Long, Richard Henkus, Gene Choy, Katie Foster, Bill LePage, Armen Hovanessian, Sue Zanner en Molly Tschang. Bij Apple Computer was Kate Lepow enorm behulpzaam. Bij Nortel was mijn vriend Carter Kersh een attente (en geestige) gids. Hij introduceerde me bij zijn collega's, onder wie Martin McNarney, Alyene Mclennan, Matt Portoni, Raj Raman, Guyves Achtari en Alison Steel. Ik had ook interessante gesprekken met Matt Zanner van Hewlett Packard, Ted Sprague van Ciena, Rich Wyckoff van Marimba, Rich Rothschild van Ariba, Bob Scordino van EMC, Adam Stein van Juniper Networks en Colin Angle van iRobot.

Een aantal intelligente vrienden hielp me bij het bedenken van de financiële trucjes en tactieken die de achtergrond van het verhaal vormen. Dat zijn onder anderen Roger McNamee, Jeff Bone, Glover Lawrence en vooral mijn vriend Giles McNamee, die in de geest van de ware samenzweerder met me brainstormde. Nell Minow van The Corporate Library in Washington hielp me iets te begrijpen van management en directiebeleid.

Op het terrein van bedrijfsbeveiliging en inlichtingenwerk kreeg ik waardevolle assistentie van sommige van de grootsten op dat terrein, zoals Leonard Fuld, Arthur Hulnick, George K. Campbell, Mark H. Beaudry, Dan Geer en Ira Winkler, specialist op het gebied van bedrijfsspionage. Voor de juridische achtergronden van *Paranoia* kreeg ik advies van mijn grote vriend Joe Teig, Jackie Nakamura van Day Casebeer Madrid & Batchelder (met dank aan Alex Beam, die ons introduceerde), en Robert Stein van Pryor Cashman Sherman & Flynn, en ook twee van zijn collega's, Jeffrey Johnson en vooral Jay Shapiro. Adams kennis van *coole* nieuwe technische producten kwam van Jim Mann van Compaq, de hoofdontwerper van de iPaq, Bert Keely van Microsoft, Henry Holtzman van het Media Lab van het MIT, Simson Garfinkel, Joel Evans van Geek.com, Wes Salmon van PDABuzz.com, en vooral Greg Joswiak, hoofd Hardware Product Marketing bij Apple Computer.

Sommige heldendaden van Adam waren geïnspireerd door de verhalen van Keith McGrath, Jim Galvin van de politie van Boston, en Emily Bindinger. Wat Francis X. Cassidy's medische toestand betreft, ben ik geholpen door mijn broer, dokter Jonathan Finder, en door Karen Heraty, een engel van een verpleegster. Jack McGeorge van de Public Safety Group hielp me, zoals altijd, met tal van technische details. Mijn goede vriend Rick Weissbourd leverde allerlei bijdragen. Ik had het geluk dat ik werd geholpen door enkele voortreffelijke researchmedewerkers, onder anderen John H. Romero, Michael Lane en de geweldige Kevin Biehl. En mijn assistente, Rachel Pomerantz, is echt de beste.

Ik sta versteld van de enorme geestdrift en steun van het hele getalenteerde redactieteam bij St. Martin's Press, onder wie John Sargent, Sally Richardson, Matthew Shear en John Cunningham; bij marketing Matthew Baldacci, Jim DiMiero en Nancy Trypuc; bij publiciteit John Murphy en Gregg Sullivan, en verder Mike Storrings, Christina Harcar, Mary Bethune Roche, Joe McNeely, Laura Wilson, Tom Siino, Tom Leigh en Andy LeCount. Het overkomt een schrijver niet vaak dat een complete uitgeverij hem aanmoedigt, en ik ben hun allen immens dankbaar.

Howie Sanders van United Talent Agency heeft dit boek vanaf het begin enthousiast gesteund. Mijn literair agente, Molly Friedrich, is in alle opzichten geweldig; onwankelbaar trouw, intelligent, wijs en gewoon een heel goed mens.

Mijn broer Henry Finder, hoofdredacteur van *The New Yorker*, is een opmerkelijke journalist. Gelukkig is hij ook mijn eerste lezer en medewerker; zijn medewerking aan deze roman was werkelijk van onschatbare waarde. En Keith Kahla, mijn redacteur bij St. Martin's Press, is niet alleen een geweldige redacteur maar ook een diplomaat, een lobbyist, een onvermoeibare voorvechter, en een generalissimo achter de schermen met het geduld van een heilige. Ik ben hem dankbaarder dan ik kan zeggen, en zeker meer dan hij me zou toestaan om hier te ui-ten.